GUIDE PRATIQUE
DES REMÈDES
NATURELS

GUIDE PRATIQUE
DES REMÈDES
NATURELS

Des centaines
de conseils santé

Sélection
Reader's Digest

MONTRÉAL

Équipe de Sélection du Reader's Digest

Rédaction : Agnès Saint-Laurent
Consultation et rédaction : Lise Parent
Graphisme : Manon Gauthier, Cécile Germain
Direction artistique : John McGuffie
Recherche iconographique : Rachel Irwin
Lecture-correction : Gilles Humbert
Coordination : Susan Wong
Fabrication : Holger Lorenzen

Cet ouvrage est l'adaptation canadienne
du *Guide pratique des remèdes naturels*
© 1995, Sélection du Reader's Digest, S.A., Paris

Consultants et conseillers

Jean-Pierre BAUSSARD, Jamal BELLAKHDAR, Edwige BERTIN, Jean-Claude BOULO, Christian CHARON,
Pierre CORNILLOT, Michel COSTE, Jacques FLEURENTIN, Yves GRAILLAT, Sydney HAYOUN,
Jean-Pierre HUBERT, Cyrus IRAMPOUR, Alan JONES, Marie-Claire LANHERS, Yves LARAQUE,
Marc LECHABLE, Christine LE SCANFF, Bernard MORON, Henri PÉRIÉ, Pascal ROBERT,
Jean-Marie SZTALRYD, Izan TSOU-HO, Chafique YOUNOS

Les crédits et les sources des pages 335 et 336 sont,
par la présente, incorporés à cette notice.

Avertissement au lecteur
Les recommandations et les informations contenues dans ce livre sont adaptées à la plupart des cas.
Cependant, les conseils qui suivent demeurent d'ordre général. Toutes les plantes, par exemple, qu'elles soient utilisées en cuisine
ou en médecine, en application externe ou en usage interne, peuvent notamment provoquer une réaction allergique.
Cela peut se produire aussi pour les applications de boues ou d'algues. L'éditeur ne saurait être tenu pour responsable
d'éventuels problèmes dus à une mauvaise identification des plantes, ou à l'usage mal adapté d'un remède
ou d'un traitement. Si l'affection est sérieuse ou durable, il ne faut jamais faire d'autodiagnostic ni prendre d'automédication,
mais consulter en premier lieu un médecin ou un spécialiste. En cas de traitement en cours
ou si les symptômes persistent, consulter également un médecin.

Données de catalogage avant publication (Canada)
Vedette principale au titre :
Guide pratique des remèdes naturels
Comprend un index.
ISBN 0-88850-521-3
1. Phytothérapie. 2. Plantes médicinales. 3. Médecines parallèles.
4. Habitudes sanitaires. 5. Esprit et corps. I. Sélection du Reader's Digest (Canada) (Firme).
RV5.G85 1996   615'.32   C95-941472-X

Imprimé au Canada
96 97 98 99 / 5 4 3 2 1

Introduction

La réalisation d'un guide pratique consacré aux médecines naturelles tenait d'une double gageure : mettre à la portée du lecteur un ensemble d'informations pratiques suffisamment précises pour lui permettre de les utiliser, et simultanément veiller à ne pas nuire indirectement à sa santé par la trop grande assurance que pourrait lui conférer un ouvrage qui prétendrait tout soigner. Tous les auteurs de ce guide, professionnels chevronnés, ont veillé scrupuleusement à respecter la marge de libre décision du lecteur, tout en faisant les mises en garde nécessaires. Voici donc un ouvrage où les conseils apparaissent d'abord comme les fruits d'une expérience personnelle que l'on aimerait faire partager. Les articles en appellent volontiers au vécu du lecteur, de sorte que, même sur des sujets délicats comme la sexualité, l'alcool, la drogue... ou l'alimentation, les auteurs n'apparaissent pas comme des donneurs de leçons, mais comme des professionnels pleins de sagesse.

À quelques encablures du nouveau siècle, le discours sur la santé et la maladie se transforme sous nos yeux. Jadis réservé à des corps professionnels éminents, il se trouve pris aujourd'hui dans un mouvement à la fois économique, social et technique qui redistribue les rôles et les responsabilités. De plus en plus de gens ne consultent plus les médecins que pour les aspects les plus techniques de la santé ou les conditions qu'ils ne peuvent pas eux-mêmes prendre en charge. Le coût de la santé pourrait bien par ailleurs conduire à exclure progressivement du champ du régime universel d'assurance-maladie les mille petits maux qui accompagnent la vie de tous les jours. Cette redistribution des rôles obligera chacun de nous à reconsidérer ses propres responsabilités, tant pour protéger sa santé que pour limiter les méfaits d'une affection bénigne.

C'est dans cet espace nouveau que veut se placer le Guide pratique des remèdes naturels. Mais, loin de chercher à supplanter le corps médical ou pharmaceutique, l'ouvrage s'efforce de satisfaire aux nouveaux besoins d'information nécessaires pour permettre à chacun de décider, en étant plus averti, des actions à entreprendre ou à éviter pour conserver la meilleure santé possible.

En centrant leur réflexion sur les remèdes naturels, les auteurs ont voulu montrer à quel point notre environnement naturel pouvait contribuer au maintien et à la restauration de notre santé, et par là même réhabiliter aussi ces mille moyens simples par lesquels, ancestralement, nous avons appris à surmonter les maux du quotidien. Mais, en plaçant nos comportements au cœur de cette réflexion, ils ont cherché à nous faire percevoir la dimension de notre propre pouvoir sur notre santé, à nous faire entrevoir l'étendue de nos responsabilités vis-à-vis de nous-mêmes et à nous aider à les assumer. Et ainsi ouvrir une perspective sur l'avenir.

Table des matières

LES QUATRE ÉLÉMENTS 220-249

4 Conduite de la vie quotidienne

Comprendre les remèdes naturels

Le grand courant d'opinion qui s'est levé durant les années 1960-1970 en faveur d'un retour à la nature, donnant naissance et force aux mouvements écologiques, avec des fortunes diverses, dans les différents pays industrialisés, a favorisé une réflexion très variée sur les rapports entre nature et santé. Il a valorisé des initiatives parfois anciennes comme la réhabilitation d'une agriculture sans engrais chimiques ou la diffusion de produits alimentaires biologiquement sains, et stimulé la pratique de nouvelles formes d'exercice physique (jogging, course au petit trot) comme un moyen de conserver la forme et l'équilibre individuel.

Plus de vingt années se sont écoulées, qui n'ont pas atténué l'intérêt pour cette dimension de notre vie personnelle et communautaire. Au contraire, les progrès de la pollution sous toutes ses formes (fumées toxiques, eaux polluées, bruits, pluies acides, marées noires...), qui frappe la nature entière (air, eau, végétation, mer), et l'insoluble problème des résidus industriels et urbains n'ont fait qu'accroître une méfiance généralisée envers une industrialisation trop peu soucieuse de ménager la santé des individus et les équilibres écologiques. La médecine, prise elle-même dans le tourbillon du progrès scientifique et technologique, voit la plupart de ses méthodes et de ses moyens actuels liés aux dernières avancées de la technique : scanner, doppler, médecine nucléaire, échographie, résonance magnétique nucléaire, épuration extrarénale, circulation extracorporelle, banque de sperme, greffe d'organes, manipulation génétique, procréation médicalement assistée, congélation d'embryons, génie génétique, thérapeutiques immunodépressives...

Une évolution aussi vertigineuse devait nécessairement produire aussi des fruits amers : pour ne parler que de la médecine, une meilleure connaissance des effets négatifs de tous ces progrès a montré que l'on ne pouvait pas impunément parer l'innovation, fût-elle la plus désintéressée, de toutes les vertus : des événements extrêmes (malformations congénitales dues à la thalidomide, transmission du virus du sida par transfusion sanguine, comportements meurtriers sous anxiolytiques), des maladies et des morts provoquées par les institutions ou par les soins (pathologie hospitalière ou iatrogène), une meilleure connaissance des effets indésirables des médicaments ont jeté un doute salvateur sur cette notion dangereuse du progrès à tout prix. Il fallait donc considérer avec un a priori favorable toute démarche visant à concevoir autrement médecine et santé, à réhabiliter les rapports ancestraux entre l'homme et la nature, à faire l'économie, autant que possible, des techniques et des thérapies agressives, en somme à réhumaniser la médecine et la santé. C'est ce à quoi se sont attachés de nombreux professionnels de santé et de nombreux « consommateurs de soins », désireux de promouvoir de nouvelles approches dans les rapports entre l'homme, la santé, la maladie et la nature.

Cette idée force a servi de moteur dans la réalisation du *Guide pratique des remèdes naturels*. Elle s'est appliquée à l'identification des ressources que pouvaient nous apporter la nature d'une part, la tradition d'autre part, ainsi qu'à la reconnaissance de la participation de chacun à sa propre histoire de santé et de maladie.

Les ressources santé de la nature

Les transformations de son environnement naturel réalisées par l'homme pour satisfaire aux besoins de ses activités économiques et sociales (agglomérations urbaines, complexes industriels,

11

voies de communication, exploitation des ressources naturelles terrestres, souterraines, océaniques, agriculture intensive...) l'ont progressivement éloigné de son milieu originel, mettant plus en avant ses dangers que ses bienfaits.

S'il veut retrouver ses racines naturelles, l'homme moderne a un double chemin à faire. Découvrir qu'il peut vivre et même bien vivre au contact de la nature : d'elle il apprendra les rythmes de vie ponctués par les jours et les saisons,

Fondé en 1635, le Jardin du roi, en France, fut dès l'origine un centre de culture et d'étude des plantes médicinales.

les plaisirs de l'air vivifiant et de l'eau pure, le calme de la forêt, la variété et le goût d'une alimentation simple et généreuse, la beauté de ses paysages. Mais il lui faudra aussi découvrir combien sa santé court de risques quand il reste trop longtemps soumis à la somme des stress d'une vie sociale et professionnelle trépidante.

L'homme de la ville a perdu ce contact avec la nature que l'homme de la campagne entretenait simplement, et auquel correspondaient toute une organisation sociale, toute une activité économique. La culture, la récolte, la conservation et le commerce des plantes médicinales étaient naturels en un temps où les produits de la terre s'échangeaient en toute fraîcheur sur le marché voisin ; ils apparaissent complètement désuets aujourd'hui et sont même en voie de disparition totale sous l'effet d'une mécanisation intensive de l'agriculture et du traitement chimique des sols, qui détruisent irrémédiablement des équilibres botaniques et écologiques millénaires.

Il y a quelque part l'idée d'un retour aux sources dans le cheminement proposé par le *Guide pratique des remèdes naturels :* apprendre à se soigner en demandant à la nature d'y apporter une contribution déterminante, c'est se réhabituer à chercher dans la nature une aide, une réponse à ses problèmes de santé et de vie.

Mais ce retour aux sources ne doit pas émousser notre sens critique. La nature comporte aussi ses dangers : il ne faudrait pas que, par un simple effet de balancier, tout ce qui est naturel soit bon et que tout ce qui vient des mains de l'homme soit mauvais. La nature peut aussi, dans sa violence, mettre en péril la vie humaine : outre les cataclysmes naturels, elle produit les champignons vénéneux, les plantes poisons, les drogues, mais aussi le paludisme et autres maladies parasitaires. Redonner à la nature sa place,

c'est la réintégrer en toute connaissance de cause dans un ensemble critique où elle occupera une position essentielle à côté des réalisations humaines.

Les ressources santé de la tradition

Il est un autre domaine que les progrès des sciences et des techniques ont abusivement couvert de leur ombre, particulièrement en ce qui concerne la médecine et la santé, c'est celui des contributions de la tradition et des autres civilisations aux savoirs d'aujourd'hui. Sans que l'on puisse véritablement en expliquer le mécanisme autrement que par le jeu d'une désolante vanité et d'un impérialisme intellectuel de mauvais aloi, force est de constater que les sciences médicales modernes ont les plus grandes difficultés à admettre l'importance de ces contributions. Il a ainsi fallu plus de deux siècles pour que l'on reconnaisse enfin que la vaccination contre la variole existait en Chine depuis près de deux mille ans et qu'on y enseignait la circulation du sang près de vingt siècles avant son entrée officielle dans les facultés de médecine européennes. De même, de nombreuses thérapeutiques à base de plantes existaient dans bien des médecines traditionnelles africaines, malgaches, asiatiques, indiennes, amérindiennes, qui ont permis à la pharmacopée européenne de s'enrichir de produits actifs obtenus par extraction et purification. Des médicaments parmi les plus efficaces nous ont été apportés par le biais de ces pratiques traditionnelles (sédatifs, antihypertenseurs, régulateurs du rythme cardiaque, antipaludéens, tonicardiaques, anxiolytiques, antitumoraux...). D'autres pratiques thérapeutiques traditionnelles sont aujourd'hui à l'étude et beaucoup de laboratoires pharmaceutiques se sont mis à la recherche de produits traditionnels

Des thermes romains, un « herboriste » aztèque, deux images de pratiques venues du passé.

encore mal connus, avec le secret espoir d'en tirer de nouvelles molécules douées de propriétés médicamenteuses originales. Mais toutes ces études ont montré simultanément qu'il existait un lien culturel entre les traitements « médicaux » en pratique dans une société humaine et les représentations que celle-ci se faisait de la souffrance, de la maladie et de la mort. La médecine occidentale dite moderne s'est construite sur une tradition qui a intégré, au cours des siècles, de multiples apports extérieurs, en les confrontant et en les adaptant aux particularités écologiques, climatiques, culturelles, épidémiologiques qui constituaient encore le cadre au sein duquel s'exercent les professions de santé.

Pour tenir compte de cette dimension, l'ouvrage s'est efforcé de présenter un ensemble de pratiques venues de nos traditions ou d'ailleurs, mais qui possèdent toutes leur place dans l'arsenal des soins de santé d'aujourd'hui (eaux de mer ou de sources, argile, tourbe, plantes, jeûnes et régimes alimentaires, massages). Ces pratiques se sont facilement situées dans l'éventail des soins proposés pour les différentes affections évoquées au fil des pages.

Un nouveau regard sur nos comportements ordinaires

Le *Guide pratique des remèdes naturels* ne pouvait pas faire l'économie d'une incursion en profondeur dans le monde si personnel des comportements individuels. Nos connaissances sont trop importantes et trop précises aujourd'hui pour que nous feignions d'ignorer le rôle décisif que nous jouons dans la protection ou l'altération de notre propre capital santé. Pendant une partie de notre vie, nous refusons de voir risques et dangers, convaincus que nous sommes d'être invulnérables. Consciemment ou non, nous prenons des risques importants dans lesquels nous ne voyons pendant longtemps que les plaisirs qu'ils procurent. Malgré sa capacité étonnante à encaisser les coups, à réparer les blessures tant morales que physiques, notre nature finit par accumuler un déficit qui s'exprimera plus tard en termes de désagréments, de troubles chroniques, voire d'affections constituées difficiles à soigner. Il n'y a pas de commune mesure entre les simples précautions qu'il aurait fallu prendre en temps utile et le préjudice personnel et social que représentent quelques années plus tard la toux du fumeur, les troubles caractériels du buveur, l'obésité du gros mangeur, les séquelles d'accidents du sportif. Ce nouveau regard que nous devons avoir sur nos comportements ordinaires peut nous permettre de transformer réellement des années de vie pour nous-mêmes comme pour notre entourage.

Bien vivre, oui, mais gare aux excès !

Cet ouvrage n'aurait pas rempli sa mission s'il ne s'était attaché à bien souligner que nous sommes en possession des clés de notre propre bonheur. Quels que soient notre âge ou notre état de santé, il existe une possibilité de nous ressaisir, d'accéder à une certaine forme du plaisir de vivre, dégagée des risques et des excès. Ce nouveau regard sur nous-mêmes, véritable remède intérieur, est le gage d'une vie meilleure, plus harmonieuse, plus apaisée, plus économe des moyens dont nous disposons. Certes, il n'existe pas de recette toute prête, mais le lecteur trouvera à coup sûr, en parcourant ce guide, des indications précieuses pour identifier, rectifier, consolider des pratiques de la vie quotidienne qui portent avec elles une partie de l'avenir et de sa qualité de vie.

Savoir se protéger et se soigner soi-même

Il semble paradoxal d'entamer la lecture d'un guide pratique si l'on n'est pas prêt à mettre en œuvre une partie au moins des recommandations ou des propositions qu'il contient. Se pose alors la question de savoir ce que l'on est disposé à entreprendre, et plus généralement si l'intention qui nous anime relève de la simple curiosité ou d'un désir assez clairement affirmé de mettre à l'épreuve l'une ou l'autre des pratiques décrites dans l'ouvrage.

Si telle est la démarche du lecteur, il ne faut pas manquer de lui rappeler que se soigner soi-même implique le respect d'un certain nombre de règles, qui peuvent s'énoncer en quelques lignes.

● Se soigner soi-même ne signifie pas une tentative « pour voir », mais doit procéder d'une réelle intention d'accorder à sa santé toute l'attention qu'elle mérite. Cette attention ne doit pas être

Prendre très tôt de saines habitudes…

excessive, sous peine de détourner l'entreprise de son but et de la conduire à l'échec. Entre trop demander et trop négliger, il y a place pour un comportement responsable. S'aérer l'esprit, ne pas être obnubilé par sa santé, bien aménager sa vie au quotidien, faire des projets sont des moyens de garantir le succès de l'entreprise.

● Notre nature est capable de se manifester et d'exprimer, sur un mode parfois dramatique, l'existence d'un mal ou d'un mauvais fonctionnement. Se faire une idée correcte de la situation et de sa gravité n'est pas toujours facile. En effet, notre corps et notre esprit disposent d'un arsenal assez réduit de signes (douleur, fatigue, angoisse, insomnie, diarrhée, vomissement, hémorragie, dyspnée, vertige, impotence, inflammation plus ou moins éruptive de la peau et des muqueuses, perte de connaissance...) pour exprimer l'existence d'un désordre dont la gravité doit s'apprécier selon d'autres critères (rapidité d'installation, violence, aggravation, durée, répétition...). C'est notre propre expérience qui va nous aider à nous connaître, à reconnaître les maux qui nous sont familiers : l'urticaire des fraises, le rhume des foins à la saison des pollens, l'indigestion des lendemains de fête, les douleurs articulaires des jours humides... Autant de situations que nous pouvons le plus souvent gérer sans dommage.

● Mais, bien se connaître, c'est aussi savoir discerner le caractère inhabituel de certains troubles, la fréquence de leur répétition, l'importance de leur durée : consulter un médecin devient alors une règle élémentaire de prudence. Ce sera tout son art que de savoir distinguer à travers les signes manifestés (ou décelés pendant son examen) ceux qui vont lui permettre d'identifier l'affection, et à partir de là de déterminer le comportement le plus adapté. Un médecin avisé ne cherchera pas nécessairement à vous détourner de votre entreprise, mais il pourra vous aider à mieux vous soigner, à mieux préciser l'origine ou la nature de certains troubles, à mieux évaluer l'efficacité ou les risques du traitement ou du régime mis en œuvre. Éventuellement, il pourra aussi vous diriger vers un acupuncteur ou un physiothérapeute.

D'une manière générale, chercher à prendre en charge la protection de sa santé et le soin des troubles mineurs dont on peut être affecté est une attitude responsable qu'il faut toujours encourager. Mais cette attitude ne doit pas aller jusqu'à nous faire ignorer que certains désordres peuvent être les premiers signes d'une affection plus grave.

... et éviter les comportements à risques.

L'élaboration d'un guide de santé : de l'idée à l'emploi

Un ouvrage qui affiche son intention de proposer des solutions pratiques pour se soigner, et de suggérer des comportements pour protéger ou retrouver la santé, ne peut pas se concevoir comme un recueil de recettes, fussent-elles parfaites. Il n'existe pas deux personnes identiques sur terre. Même les vrais jumeaux finissent par se différencier par le simple jeu de deux histoires de vie différentes. C'est dire que, si l'idée était bonne en soi, encore fallait-il que sa réalisation s'effectuât selon un cadre bien délimité.

● À l'exception d'une rubrique (Athérosclérose, p. 30), nous nous sommes attachés à ne présenter que des troubles ou des affections dont les manifestations cliniques sont d'abord ressenties comme gênantes par le patient, et dont le caractère de gravité immédiate est généralement faible. Pour lever toute ambiguïté, nous avons évoqué le risque d'un danger chaque fois que nécessaire, et recommandé le recours au médecin (parfois en urgence).

● La description des différentes possibilités de soins ou de prévention n'a pas cherché à être contraignante. Au contraire, il nous semblait essentiel que le lecteur se trouve devant une variété de solutions afin de se faire une idée par lui-même de la plus grande efficacité de l'une ou de l'autre, ou de choisir la plus adaptée : marcher dans la campagne offre d'autres avantages que le même temps de marche en ville dans une atmosphère enfumée… Pour nager, encore faut-il une piscine à proximité, etc. Cette liberté de choisir, d'expérimenter s'inscrit dans la logique même de l'ouvrage.

● Le choix des plantes, qui a été effectué parmi plusieurs centaines, a tenu le plus grand compte de leur circuit de distribution, de leurs indications usuellement reconnues et de leurs propriétés démontrées. En choisissant des plantes, indigènes ou importées, qui soient à la fois dénuées de toxicité, notoirement utilisées en

Des symboles d'une tradition fort ancienne.

médecine traditionnelle et distribuées dans la plupart des magasins d'aliments naturels, nous avons voulu éviter l'écueil d'un recours plus ou moins déguisé à des médicaments. De même, la limitation des formes d'emploi à des utilisations simples a procédé de la volonté délibérée de ne pas transformer l'utilisateur en un apprenti préparateur, mais bien de recourir à des pratiques traditionnelles vieilles comme le monde. Qu'il s'agisse d'un emploi isolé ou sous forme de mélange, les modalités d'usage présentées sont sans risque.

● Sans risque également, les usages possibles des quatre éléments (eau, soleil, terre, air), pour autant que leurs utilisateurs sachent conserver leurs distances et garder la raison. En particulier, trop d'imprudents ont cru aux effets bénéfiques du soleil, qui se sont retrouvés gravement brûlés ou incommodés. De même, les indiscutables services que peut rendre l'argile ne devraient pas conduire à en vanter les mérites inconsidérément.

Au fil de la lecture, on pourra ainsi s'apercevoir que ce guide aborde presque tous les domaines de la maladie et de la santé, en donnant toujours priorité à la réflexion sur la recette toute prête. C'est dans cet esprit qu'a été en particulier conçue la dernière partie, consacrée à des comportements personnels tellement intimement liés aux idées que nous nous faisons de la bonne santé et du plaisir de vivre, et en même temps générateurs involontaires de tant de désordres.

En définitive, ce guide devrait pouvoir jouer le rôle d'un fidèle compagnon, mais non d'un maître ; ce qui veut dire que chaque lecteur pourra l'interroger à sa guise et y puiser mille façons différentes d'assumer et de soulager les

difficultés du quotidien, mais qu'ensuite il lui appartiendra de décider ce qui est le mieux pour lui, ce qu'il est réellement disposé à faire… ou à ne plus faire. Là s'arrêtera le guide, à charge pour chacun de poursuivre sa route en sachant un peu mieux où sont les choix essentiels – pour l'un, mieux s'assumer, pour l'autre, se soigner plus simplement, pour un autre encore, modifier des habitudes de vie pleines de risques, pour tous, avoir le sentiment de mieux gérer ce capital si précieux qu'est la santé, et avec elle la vie, naturellement.

À la redécouverte d'une vie saine et naturelle.

LES AFFECTIONS ET LEURS TRAITEMENTS

Répertoire

Grâce à une présentation synoptique, ce chapitre apporte des éléments de réponse immédiate aux questions que chacun de nous est amené à se poser face à des troubles plus ou moins importants touchant sa santé. Notre choix s'est porté sur des troubles et des affections susceptibles de perturber plus ou moins durablement nos activités sans présenter d'emblée un réel caractère de gravité. Nous décrivons en quelques mots chacune des affections retenues, en précisant s'il est nécessaire de faire appel à un médecin ou si l'on peut en assumer soi-même le soin et la surveillance. Le lecteur trouvera là des propositions parmi lesquelles il aura à choisir, en complétant son information dans les autres chapitres de l'ouvrage.

Nous ne saurions trop insister sur l'art et la manière de se servir de ces rubriques. Ainsi, dans la deuxième colonne, le choix d'une plante doit être guidé par la connaissance qu'on en a déjà, ou se faire après vérification que les indications précisées dans la fiche descriptive répondent bien à la correction du trouble ressenti (un conseil d'un spécialiste peut être utile). De même, la troisième colonne évoque des possibilités de remèdes qui vont, selon les cas, du bain tiède à domicile jusqu'aux hydrothérapies assistées ou à la thalassothérapie. Le choix se fera en allant du plus simple au plus compliqué — les séjours dans des centres spécialisés demandant une grande disponibilité, ils ne seront souvent indiqués que dans les cas où un repos complet pourrait être bénéfique.

La quatrième colonne orientera plutôt la réflexion du lecteur vers la recherche de comportements personnels propres à contribuer efficacement au retour à un meilleur état de santé ou à sa protection. Ils sont complémentaires des choix possibles dans les autres colonnes.

La dernière colonne propose le recours à des mélanges de plantes, le plus souvent sous forme d'infusions : c'est là l'expression de traditions bien ancrées, dont beaucoup sont soutenues par notre savoir moderne en phytothérapie. Ces mélanges ont le mérite de combiner les effets de plusieurs plantes, chacune active pour un des aspects de l'affection concernée.

Ainsi conçue, cette première partie est à la fois une synthèse de l'aide que peuvent apporter, dans différentes affections, les ressources naturelles, et une manière d'organiser sa propre démarche face à une situation anormale, que ses caractéristiques n'orientent pas immédiatement vers une décision médicale d'urgence. À condition de se rappeler qu'en cas de doute ou d'incertitude l'appel au médecin ou le conseil du pharmacien peuvent tirer de l'embarras (ou d'un mauvais pas), le lecteur saura trouver progressivement sa propre façon de la lire, et de se faire guider dans ce monde étonnamment riche.

AFFECTIONS	Remèdes issus des plantes médicinales (pages 70 à 213)	Remèdes fournis par le soleil, l'eau, la terre, l'air (pages 220 à 249)

ACNÉ

Inflammation des follicules pileux (face, cou, thorax) avec points noirs (comédons) et papules surinfectées. Fréquente et bénigne chez le jeune, favorisée par déséquilibres hormonaux, stress, émotions. Tenace chez l'adulte.

Attention : *antibiotiques parfois nécessaires.*

Bardane / Ortie dioïque
Pensée des champs

- Éviter le soleil.
- **Hydrothérapie** locale (pulvérisations d'eau d'Évian).

ACOUPHÈNES

Sensations sonores (sifflements, bourdonnements...) ne provenant pas d'une stimulation extérieure, dans une oreille (cause souvent locale) ou dans les deux (hypertension, athérosclérose...). Peut s'accompagner de vertiges, de surdité.

Attention : *un examen médical spécialisé permet parfois de traiter des causes locales.*

Ballote noire / Mélisse officinale

AÉROPHAGIE

Normale à tout âge, la déglutition d'air pendant ou entre les repas peut être excessive chez les dyspepsiques ou les sujets nerveux : ballonnements, sensations de pesanteur et de dilatation, éructations.

Attention : *les ballonnements peuvent être dus à la constipation.*

Achillée millefeuille / Alchémille commune / Aneth / Angélique officinale Anis vert / Artichaut / Aspérule odorante Badiane de Chine / Carvi / Chardon-Marie / Chicorée sauvage / Coriandre Fenouil doux / Menthe poivrée / Mélisse officinale / Romarin / Sarriette d'hiver

- Cure d'argile.

ALCOOLISME

Ensemble de troubles engendrés par l'abus d'alcool. **Aigu :** provoque des troubles du comportement et de la vigilance. **Chronique :** entraîne de graves lésions digestives, hépatiques, nerveuses, mentales.

Attention : *l'alcool est une drogue, la désintoxication n'est jamais simple.*

Boldo / Chardon-Marie / Eschscholzia Passiflore officinale / Romarin

- **Climatothérapie :** séjour en altitude.
- **Thalassothérapie :** adjuvant en cure de désintoxication.

Remèdes procurés par une vie saine

(pages 250 à 319)

- Apport alimentaire réduit en féculents, épices.
- Supprimer alcool et excitants.
- Vitamines A, B2.
- Oligoéléments : Cu, Au, Ag.
- Éviter les stress.
- Relaxation.

- Réduire ou supprimer alcool, tabac, café.
- Régime riche en légumes verts, poissons gras.
- Étirements actifs.

- Manger lentement, en mâchant soigneusement.
- Éviter de boire eaux et boissons gazeuses.
- Tabac, alcools forts, épices déconseillés.

- Alimentation pauvre en viandes rouges, graisses et fromage, riche en fibres et en fruits.
- Ne jamais consommer d'alcool à jeun ; éviter si possible les boissons alcoolisées en cours de journée.
- Pratique de sports collectifs.
- Relaxation, sophrologie, psychothérapie.

Mélanges de plantes médicinales

125 g de racines de bardane
+ 50 g de parties aériennes de pensée des champs.
Infusion (30 min) : 35 g de ce mélange par litre d'eau.
1 tasse trois fois par jour.

80 g de sommités fleuries d'achillée millefeuille
+ 20 g de fruits de carvi + 50 g de fruits de coriandre
+ 40 g de fruits de fenouil doux
+ 60 g de feuilles de menthe poivrée.
Infusion (10 min) : 20 g de ce mélange par litre d'eau.
1 tasse après les trois repas.

AFFECTIONS	Remèdes issus des plantes médicinales (pages 70 à 213)	Remèdes fournis par le soleil, l'eau, la terre, l'air (pages 220 à 249)
ALLERGIES Réactions intenses (conjonctivite, asthme, eczéma, fièvre des foins, toux quinteuse, urticaire) à certaines substances étrangères (pollen, acariens, piqûres d'insecte, médicaments, produits chimiques). *Attention : certaines réactions sont des urgences médicales (œdème de Quincke, choc anaphylactique, crise d'asthme, urticaire géante).*	Plantain	● **Climatothérapie :** séjour en altitude ou au bord de la mer.
AMÉNORRHÉE Absence de règles chez une femme en période d'activité génitale. **Primaire** chez la jeune fille (causes locales ou hormonales). **Secondaire** chez la femme réglée (maladie générale, désordre endocrinien, affection utérine ou ovarienne). *Attention : grossesse et anorexie prolongée s'accompagnent d'un arrêt des règles.*	Armoise commune / Souci officinal Viburnum	● **Balnéothérapie** régionale, froide ou tiède.
AMYGDALITE Inflammation des amygdales, du voile du palais, du pharynx, par des microbes ou des virus, parfois confondue avec une réaction locale pendant une grippe ou une rhinopharyngite. *Attention : dépôts blanchâtres, ulcérations sur les amygdales, douleurs, ganglions enflés, fièvre élevée imposent l'appel au médecin.*	Alchémille commune / Bistorte Bouillon-blanc / Camomille romaine Cochléaria / Érysimum / Eucalyptus Géranium herbe à Robert / Giroflier Guimauve / Millepertuis / Noisetier Noyer royal / Origan / Pied-de-chat / Pin sylvestre / Raifort / Réglisse / Romarin Ronce / Rose trémière / Salicaire / Sauge Serpolet / Souci officinal / Thym	
ANGOISSE Sentiment pénible et confus d'insécurité, avec sensation de boule dans la gorge, gêne à la respiration, palpitations, sueurs, diarrhée. **Inquiétude, nervosité, anxiété** sont des états voisins, moins intenses. *Attention : la répétition fréquente de ces états peut être le signe d'un trouble plus profond à faire soigner.*	Aubépine / Ballote noire / Coquelicot Éleuthérocoque / Eschscholzia / Ginseng Marjolaine vraie / Passiflore officinale Saule blanc / Valériane officinale	● **Balnéothérapie :** bains chauds. ● **Vacances-santé** axées sur les hydrothérapies.

Remèdes procurés par une vie saine

(pages 250 à 319)

- Éviter tabac, sédentarité, mais aussi poils d'animaux, literies à plumes, moquettes épaisses, chauffage et climatisation par air pulsé.
- Alimentation fraîche (sans conservateurs ni colorants) et variée.
- Oligoéléments : Mn, Cu.
- Réduire la consommation de médicaments à l'essentiel (après avis médical).

- Éviter les excès de sport.
- Relaxation, yoga, sophrologie.
- Varier les habitudes alimentaires.
- Limiter l'alcool à un peu de bière.
- Certains médicaments (antidépresseurs, antihypertenseurs) peuvent provoquer arrêt ou retard des règles (voir avec le médecin).

- Dormir dans un endroit frais, éviter chauffage et climatisation à air pulsé, aérer chambre, literie.
- Alimentation simple, sans épices ni charcuterie.

- Éviter stress et conflits.
- Yoga, relaxation.
- Arts martiaux.
- Régime hypocalorique.
- Éviter les abus d'alcool et de tabac.

Mélanges de plantes médicinales

20 g de boutons floraux de giroflier
+ 60 g de racines de guimauve
+ 30 g de sommités fleuries d'origan
+ 60 g de bourgeons de pin sylvestre
+ 30 g de sommités fleuries de serpolet.
Infusion (10 min) : 30 g de ce mélange par litre d'eau.
Utiliser en gargarisme six fois par jour.

40 g de parties aériennes d'eschscholzia
+ 80 g de parties aériennes de passiflore
+ 40 g de pétales de coquelicot
+ 80 g de feuilles d'oranger amer.
Infusion (10 min) : 20 g de ce mélange par litre d'eau.
1 tasse trois fois par jour.

AFFECTIONS	Remèdes issus des plantes médicinales (pages 70 à 213)	Remèdes fournis par le soleil, l'eau, la terre, l'air (pages 220 à 249)

ANOREXIE

Perte ou diminution importante de l'appétit. Peut être provoquée par des désordres alimentaires, certains médicaments ou une affection hépatique (hépatite). Parfois, perturbation psychologique importante (anorexie mentale de la jeune fille).

Attention : une anorexie prolongée avec amaigrissement est un problème médical.

Absinthe / Armoise commune
Cannelier de Ceylan / Petite centaurée
Églantier / Fenugrec / Genévrier commun
Gentiane jaune / Houblon / Matricaire
Ményanthe / Oranger amer

● **Climatothérapie :** séjour en altitude.

APHTES

Petites ulcérations superficielles douloureuses de la muqueuse buccale. Fond jaunâtre, bords nets entourés d'un liseré rougeâtre. Apparaissent par poussées. Peuvent siéger sur les muqueuses génitales.

Fenugrec / Noyer royal / Sauge officinale
Verveine odorante

● Bains de bouche avec eaux bicarbonatées ; badigeonnage avec bicarbonate de soude.

ARTHRITE

Inflammation aiguë ou chronique d'une ou de plusieurs articulations, parfois provoquée par une bactérie ou un virus. Enflure, douleur, rougeur et chaleur locales. Chronique, elle évolue par poussées.

Attention : une articulation brusquement rouge, chaude, douloureuse au voisinage d'une plaie est une urgence médicale.

Arnica / Bleuet des champs / Cassis
Fenouil doux / Frêne élevé / Grindélia
Harpagophyton / Mélilot jaune
Millepertuis commun / Noisetier commun
Orthosiphon / Ortie dioïque
Primevère officinale / Psyllium
Reine-des-Prés / Romarin / Saule blanc
Scrofulaire noueuse / Souci officinal
Vergerette du Canada

● **Balnéothérapie :** bains chauds (20 min).
● **Thalassothérapie.**
● **Hydrothérapie,** séances régulières.
● **Climatothérapie.**

ARTHROSE

Affection chronique dégénérative non inflammatoire des articulations, accompagnée de douleurs, craquements, déformations, impotence. Généralement après la cinquantaine ; touche une articulation (hanche, genou, épaule) ou un groupe d'articulations (vertèbres, doigts).

Cassis / Harpagophyton / Ortie dioïque
Pin sylvestre / Prêle des champs
Reine-des-prés / Saule blanc
Scrofulaire noueuse

● **Balnéothérapie :** bains chauds (20 min).
● **Thalassothérapie.**
● **Hydrothérapie,** séances régulières.
● **Climatothérapie.**

Remèdes procurés par une vie saine

(pages 250 à 319)

- Relaxation, yoga.
- Exercice physique quotidien (marche avant les repas).
- Régime alimentaire riche en protides ; faire plusieurs petits repas, privilégier les mets appétissants.
- Ne pas manger entre les repas, éviter les sucreries.

- Éviter noix, amandes, miel, raisin.
- Varier les habitudes alimentaires.
- Oligoéléments : Au, Ag, Cu.

- Réduire les activités sportives, les arrêter en période de crise.
- Repos.
- Régime pauvre en viandes rouges, éviter vin blanc et régimes décalcifiants.

- Relaxation.
- Exercice physique non violent.
- Régime enrichi en persil, cresson, ail, radis, lentilles, noix.
- Oligoéléments : Co, Mn.
- Cure d'amaigrissement en cas de surcharge pondérale.

Mélanges de plantes médicinales

20 g d'écorce de cannelier de Ceylan
+ 30 g de sommités fleuries de petite centaurée
+ 60 g de fleurs de matricaire.
Infusion (10 min) : 15 g de ce mélange par litre d'eau.
1 tasse avant les trois repas.
Prendre en même temps
1 tasse d'une décoction
de 100 g de graines
de fenugrec par litre d'eau.

40 g de feuilles de cassis + 40 g de feuilles
de frêne élevé
+ 30 g de racines d'harpagophyton + 80 g d'écorce
de saule blanc
+ 40 g de tiges stériles de prêle des champs.
Décoction (10 min)
suivie d'une macération (30 min) :
20 g de ce mélange par litre d'eau.
1 tasse trois fois par jour.

AFFECTIONS	Remèdes issus des plantes médicinales (pages 70 à 213)	Remèdes fournis par le soleil, l'eau, la terre, l'air (pages 220 à 249)
ASTHÉNIE État d'épuisement total, associant impuissance devant l'effort et fatigue intense (musculaire, nerveuse, mentale). Provoquée par diverses maladies (grippe, hépatite, dépression...), diarrhées profuses (fuite de potassium), stress, surmenage, certains médicaments. *Attention : ne pas laisser s'installer un état d'asthénie sans consulter.*	Cannelier de Ceylan / Éleuthérocoque Églantier / Fenugrec / Ginseng / Guarana Karkadé / Kolatier / Marrube blanc / Maté Millepertuis commun / Persil / Romarin Sauge officinale / Serpolet / Théier	● Bains d'argile. ● **Climatothérapie :** séjour en altitude. ● **Balnéothérapie :** bains froids.
ASTHME Crises d'étouffement souvent nocturnes : dyspnée expiratoire. Importance des facteurs allergiques, neuroendocriniens, psychiques. Évolution capricieuse influencée par climat, saisons, infections locales. *Attention : certaines crises sont dues à des maladies cardiaques ou rénales. Suivre médicalement nourrisson, enfant.*	Cyprès / Grindélia / Lierre terrestre Plantain	● **Balnéothérapie :** bains des bras et des avant-bras (10 min). ● **Climatothérapie :** séjour en altitude.
ATHÉROSCLÉROSE Maladie artérielle dégénérative frappant surtout aorte, carotides, coronaires, artères du cerveau et des membres. Plaques d'athérome (dépôt de graisses, prolifération de fibres et calcification) obstruant progressivement les gros vaisseaux. Facteurs de risques : hérédité, tabac. *Attention : risque d'infarctus (myocarde, cerveau) et d'artérite.*	Ail commun / Artichaut / Olivier	● **Climatothérapie :** cure d'air marin iodé.
BRONCHITE AIGUË Inflammation aiguë des muqueuses trachéobronchiques, souvent secondaire à une infection rhinopharyngée ou laryngée, bactérienne ou virale (grippe). Toux sèche pénible, un peu de fièvre, sensation de brûlures dans la poitrine, dyspnée légère. *Attention : suivre médicalement nourrisson, enfant, personne âgée.*	Aunée / Bourrache / Capucine Cochléaria / Cyprès / Érysimum Eucalyptus / Hysope officinale / Lierre terrestre / Lin utile / Marjolaine vraie Marrube blanc / Origan / Peuplier noir Pin sylvestre / Plantain / Raifort Violette odorante	● Cataplasmes (farine de lin utile, de moutarde, argile). *En cas de récidives fréquentes :* ● **Climatothérapie :** séjour en altitude.

Remèdes procurés
par une vie saine
(pages 250 à 319)

- Régime hypocalorique (sauf en cas d'amaigrissement), riche en fibres et en fruits frais.
- Limiter l'alcool à un peu de vin rouge.
- Vitamines C et du groupe B.
- Limiter les médicaments à l'essentiel (après avis médical).
- Activité physique quotidienne modérée.
- Relaxation, yoga, sophrologie.

- Supprimer le tabac.
- Éviter les allergènes possibles (poussière, pollen, agents infectieux, aliments …).
- Alimentation simple, pauvre en calories ; limiter laitages, œufs, céréales, tomates, oranges.
- Pratiquer des activités sportives.
- Psychothérapie, yoga, étirements passifs, relaxation, sophrologie.

- Marche, natation, tennis, sports collectifs.
- Arrêter le tabac.
- Lutter contre obésité, surpoids ; régime hypocalorique.
- Remplacer les graisses animales (beurre, fromage, charcuterie, viande...) par graisses végétales (huiles de colza, tournesol, soja) et poisson.
- Éviter stress, surmenage, excitants, alcool.

- Repos
- Locaux aérés.
- Alimentation plutôt liquide et légère ; jus de fruits.
- Éviter les allergènes possibles (poussière, pollen, agents infectieux, aliments, médicaments).

Mélanges
de plantes médicinales

50 g de calices de karkadé
+ 30 g d'écorce de cannelier de Ceylan
+ 30 g de feuilles de maté
+ 60 g de sommités fleuries de romarin.
Infusion (20 min) : 15 g de ce mélange par litre d'eau.
1 tasse matin et midi.

120 g de feuilles d'artichaut
+ 80 g de feuilles d'olivier.
Infusion (20 min) : 25 g de ce mélange par litre d'eau.
3 tasses par jour.
Ajouter à ce traitement 6 g d'ail à prendre dans la journée.

40 g de feuilles d'eucalyptus
+ 25 g de feuilles et de sommités fleuries de marrube blanc
+ 75 g de bourgeons de pin sylvestre
+ 50 g de feuilles et de sommités fleuries d'érysimum.
Infusion (10 min) : 20 g de ce mélange par litre d'eau.
4 tasses par jour.

AFFECTIONS	Remèdes issus des plantes médicinales (pages 70 à 213)	Remèdes fournis par le soleil, l'eau, la terre, l'air (pages 220 à 249)
BRONCHITE CHRONIQUE Inflammation diffuse obstruant les canaux bronchiques et provoquant des épisodes de toux et de crachats purulents pendant 3 mois par an, depuis au moins 2 ans. Dyspnée quasi permanente. Atteint surtout le fumeur de la cinquantaine. Évolution vers emphysème pulmonaire et insuffisance respiratoire.	Capucine / Eucalyptus / Marrube blanc	• Enveloppements thoraciques tièdes avec huile essentielle de thym. • **Climatothérapie :** séjour en moyenne altitude.
BRÛLURE CUTANÉE Lésion cutanée due à une source de chaleur élevée (feu, objet, liquide ou gaz brûlants, coup de soleil), un produit chimique ou l'électricité. Localisation, étendue et profondeur font la gravité. Une rougeur localisée est une brûlure bénigne. *Attention : les brûlures étendues et/ou profondes sont des urgences médicales.*	Arnica / Capucine / Consoude officinale Hydrocotyle / Lavande vraie / Millepertuis commun / Noyer royal / Psyllium Radis noir / Scrofulaire noueuse Souci officinal / Verveine officinale	• Drap ou compresses largement mouillés d'eau ou de solution saline. • **Balnéothérapie :** bains tièdes ou froids de la partie atteinte.
CELLULITE Infiltration irrégulière du tissu cellulaire sous-cutané avec indurations douloureuses localisées (peau d'orange). Le plus souvent chez la femme (puberté, ménopause, grossesse). Effet discuté de la pilule. Siège surtout aux hanches, fesses et cuisses, mais aussi aux bras et sur l'abdomen.	Fucus vésiculeux / Lierre commun Pissenlit officinal	• Cataplasmes d'argile. • **Balnéothérapie :** bains chauds régionaux. • **Hydrothérapie** locale, séances régulières (baignoire à jets). • **Thalassothérapie :** massages en piscine.
CÉPHALÉE Mal de tête dû à une cause locale (sinusite, otite, mauvaise vue) ou générale (dysménorrhée, grippe, insolation, hypertension, médicaments, méningite). *Attention : une céphalée avec fièvre, vomissements et raideur de la nuque est une urgence médicale ; une douleur périorbitaire soudaine au réveil à la soixantaine aussi.*	Giroflier / Primevère officinale Reine-des-prés	• Compresses humides, tièdes ou froides, sur le front. • **Balnéothérapie :** bains chauds ou tièdes.

Remèdes procurés
par une vie saine

(pages 250 à 319)

- Arrêt impératif du tabac.
- Éviter atmosphères polluées, irritantes pour les voies respiratoires.
- Air chaud et sec.
- Gymnastique respiratoire.
- Marche quotidienne.
- Régime hypocalorique en cas de surcharge pondérale.

- Rendre inaccessibles aux enfants sources de chaleur, produits d'entretien, prises de courant.
- Attention aux brûlures de sensibilisation au soleil (phototoxicité, photoallergie), par produits locaux (cosmétiques, lotions, fleurs, pommades diverses) ou médicaments (en particulier à base de psoralène).

- Exercice physique quotidien sans refroidissement cutané (marche en survêtement, gymnastique en salle, natation en eau chaude...).
- Lutter contre obésité, surpoids : régime hypocalorique, pauvre en graisses animales, enrichi en fibres.
- Psychothérapie, yoga, relaxation.

- Boire 1,5 litre d'eau par jour.
- Éviter les repas copieusement arrosés ; réduire l'alcool.
- Éviter les refroidissements (tête et cou).
- Dormir dans une pièce aérée et fraîche.
- Activité physique quotidienne non violente.
- Relaxation, yoga, sophrologie.
- Limiter les médicaments (après avis médical).

Mélanges
de plantes médicinales

60 g de fleurs de bourrache
+ 75 g de fleurs de primevère officinale
+ 75 g de parties aériennes de lierre terrestre
+ 30 g de fleurs ou de feuilles de mauve.
Infusion (10 min) : 20 g de ce mélange
par litre d'eau.
3 tasses par jour.

20 g de fleurs d'arnica + 100 g de sommités
fleuries de millepertuis commun
+ 40 g de fleurs de souci officinal.
Infusion (10 min) : 40 g de ce
mélange par litre d'eau.
Utiliser en cataplasme.

AFFECTIONS	Remèdes issus des plantes médicinales (pages 70 à 213)	Remèdes fournis par le soleil, l'eau, la terre, l'air (pages 220 à 249)

CHEVEUX (chute anormale des)

C'est l'**alopécie**. Chez l'homme de 25-30 ans aux cheveux plutôt gras. Chez la femme, problèmes de santé ou produits capillaires. Réversible après chocs émotionnels, chimiothérapie, infections.

Attention : la teigne, alopécie localisée, est une maladie contagieuse.

Lavande vraie / Noyer royal / Radis noir

- **Balnéothérapie :** bains relaxants.
- **Hydrothérapie** locale quotidienne avec shampooing doux non détersif.

COLIQUES NÉPHRÉTIQUES

Douleurs lombaires intenses irradiant vers la vessie, les organes génitaux, les cuisses. Provoquées par la migration d'un calcul dans l'uretère. Anxiété, agitation. Plutôt la nuit, à l'occasion d'un voyage. Dues à une lithiase urinaire à traiter.

Attention : la crise elle-même impose l'appel au médecin.

Bouleau / Petit chiendent / Cochléaria
Maïs / Orthosiphon

- Boire 2 à 3 litres d'eau de source par jour.

COLITE SPASMODIQUE

Dystonie neurovégétative, datant souvent de l'enfance. Douleur abdominale, ballonnements, alternance diarrhée-constipation, nausées, palpitations, migraines ; c'est l'ancienne « crise de foie ». Facteurs héréditaires, alimentaires, psychiques.

Attention : faire vérifier l'absence de cancer, rectocolite.

Achillée millefeuille / Aneth
Angélique officinale / Anis vert
Aspérule odorante / Badiane de Chine
Bouillon-blanc / Carvi / Coriandre
Fenouil doux / Guimauve / Lin utile
Mauve / Menthe poivrée / Psyllium
Rose trémière

- Cure d'argile.

CONJONCTIVITE

Inflammation de la conjonctive, d'origine bactérienne (plutôt formes aiguës), virale ou allergique (soleil). Œil rouge, larmoiement, sensation de sable dans l'œil. Le **trachome** (conjonctivite infectieuse, rare en Occident, conduit à la cécité.

Attention : consulter si rougeur persistante ou provoquée par un corps étranger (blessure possible).

Bleuet des champs / Camomille romaine
Matricaire / Mauve / Mélilot jaune
Plantain / Rose à cent feuilles

- Bains d'yeux, lavage oculaire en eau stérile.
  En cas de récidives fréquentes :
- **Climatothérapie :** séjour en altitude.

Remèdes procurés par une vie saine

(pages 250 à 319)

- Garder les cheveux courts et propres.
- Éviter le port prolongé du même couvre-chef.
- Alimentation riche en huile de germes de céréales, oignons, noix, cresson, raisin.

- Régime hypocalorique, pauvre en calcium.
- Supprimer gibier, crustacés en cas de lithiase urique ; oseille, asperges, épinards en cas de lithiase oxalique.

- Gymnastique, sport.
- Relaxation, sophrologie.
- Régime pauvre en légumes secs, charcuterie, épices, plats en sauce. Bonne tolérance aux pâtes, riz, œufs frais, fromage.

- Réduire sucres rapides et viandes rouges.
- Éviter les allergènes (poussière, acariens, pollen, agents infectieux, aliments, médicaments).
- Éviter l'exposition au soleil (plage, neige, glace). Porter des lunettes à verres teintés.
- Éviter les atmosphères irritantes (fumées de tabac), les climatiseurs et l'air pulsé.

Mélanges de plantes médicinales

60 g de styles de maïs + 30 g de tiges feuillées d'orthosiphon + 60 g de rhizomes de petit chiendent + 60 g de feuilles de bouleau.
Infusion (10 min) : 20 g de ce mélange par litre d'eau.
3 tasses par jour.

60 g de feuilles de mélisse officinale
+ 40 g de fruits d'anis vert
+ 60 g de sommités fleuries de serpolet
+ 60 g de feuilles de menthe poivrée.
Infusion (10 min) : 15 g de ce mélange par litre d'eau.
1 tasse après chaque repas.

40 g de fleurs de bleuet des champs
+ 100 g de fleurs de camomille romaine
+ 30 g de feuilles de plantain.
Infusion (10 min) : 50 g de ce mélange par litre d'eau.
Utiliser en bains d'yeux.

AFFECTIONS	Remèdes issus des plantes médicinales (pages 70 à 213)	Remèdes fournis par le soleil, l'eau, la terre, l'air (pages 220 à 249)

CONSTIPATION

Difficulté d'évacuation des selles, généralement rares et dures. Facilitée par erreurs de régime, grossesse, divers médicaments, âge, sédentarité, lésion de l'anus.

Attention : une brusque constipation avec douleurs et/ou vomissements est une urgence médicale. Toujours consulter en cas de constipation prolongée.

Artichaut / Petite centaurée
Chicorée sauvage / Fucus vésiculeux
Guimauve / Ispaghul / Karkadé / Lin utile
Mauve / Ményanthe / Pissenlit officinal
Psyllium / Rhubarbe officinale
Rose à cent feuilles / Séné d'Alexandrie
Sureau noir

● **Climatothérapie :** cure d'air marin, riche en iode.

CONTUSION

Choc sur les parties molles, sans plaie ni lésion osseuse. Gonflement douloureux, zones bleuâtres.

Attention à la répétition de ces lésions (anomalie vasculaire ou sanguine, troubles de l'équilibre, femmes ou enfants battus...). Douleurs violentes, contusions multiples, perte de connaissance, choc crânien sont des urgences médicales.

Ache des marais / Alchémille commune
Arnica / Lamier blanc / Marronnier
d'Inde / Myrtille / Persil / Primevère
officinale / Romarin / Verveine officinale
Viburnum

● Compresses d'eau glacée (2 à 3 min).
● Cataplasmes d'argile (contusions légères).
● **Hydrothérapie** locale froide.

CORYZA AIGU
(rhume de cerveau)

Rhinite virale bénigne avec obstruction et écoulement nasaux, éternuements et léger mal de gorge. Parfois un peu de fièvre et céphalée.
Dure 1 semaine environ.

Attention : peut parfois se compliquer d'une sinusite.

Bourrache / Eucalyptus /
Hysope officinale / Marjolaine vraie
Origan / Pin sylvestre / Plantain
Romarin / Sarriette d'hiver / Serpolet

● Lavage local quotidien.
● Inhalations, une ou deux fois par jour.

CORYZA SPASMODIQUE
(fièvre des foins)

Rhinite allergique avec éternuements en salves, écoulement nasal clair, obstruction nasale, larmoiement. Souvent de caractère saisonnier. Peut alterner avec les crises d'asthme chez la même personne. Rechercher les facteurs de la réaction allergique.

Plantain

● Lavage local quotidien.
● Inhalations, une ou deux fois par jour.
● **Climatothérapie :** séjour en altitude éventuellement.

Remèdes procurés par une vie saine

(pages 250 à 319)

- Alimentation riche en fruits, fibres, légumes verts.
- Supprimer les laxatifs irritants, réduire les médicaments (après avis médical).
- Bien mâcher.
- Boire 1,5 à 2 litres d'eau par jour ; boire pendant les repas.
- Vie régulière (s'habituer à la défécation quotidienne à heure fixe).
- Marche et gymnastique abdominale quotidienne.
- Étirements passifs, relaxation.

- Éviter les contusions répétées sur la même partie du corps.
- Vitamine K.
- Attention aux sports violents.

- Dormir dans un local aéré et frais.
- Se couvrir la tête.
- Éviter les atmosphères polluées et irritantes.

- Dormir dans un local aéré et frais.
- Se couvrir la tête.
- Éviter les atmosphères polluées et irritantes, les climatiseurs et l'air pulsé.
- Éviter les allergènes possibles (poussière, acariens, pollen, agents infectieux, aliments, médicaments).

Mélanges de plantes médicinales

40 g de sommités fleuries de petite centaurée
+ 80 g de racines de chicorée sauvage
+ 80 g de feuilles ou de fleurs de mauve.
Infusion (20 min) : 20 g de ce mélange par litre d'eau.
1 tasse après le repas de midi ou du soir.
Prendre également 1 cuillerée à thé de graines d'ispaghul
et 1 cuillerée à thé de graines de psyllium au repas du soir.

30 g de feuilles d'eucalyptus
+ 30 g de feuilles et de sommités fleuries d'hysope
+ 60 g de bourgeons de pin sylvestre
+ 40 g de feuilles et de sommités fleuries de thym.
Infusion (10 min) : 15 g de ce mélange par litre d'eau.
4 tasses par jour.

AFFECTIONS	Remèdes issus des plantes médicinales (pages 70 à 213)	Remèdes fournis par le soleil, l'eau, la terre, l'air (pages 220 à 249)

COXARTHROSE

Rhumatisme arthrosique touchant l'articulation de la hanche, après la cinquantaine. Hanche et cuisse douloureuses à la marche, à l'effort, avec irradiations vers le genou. Impotence fonctionnelle et boiterie progressives. Frappe volontiers les anciens sportifs (football, rugby...).

Attention : chirurgie parfois nécessaire.

Cassis / Frêne élevé / Harpagophyton Ortie dioïque / Pin sylvestre / Prêle des champs / Reine-des-prés / Saule blanc Scrofulaire noueuse

- **Balnéothérapie :** bains chauds quotidiens (20 min).
- **Hydrothérapie** locale, séances régulières (baignoire à jets).
- **Thalassothérapie :** enveloppements locaux d'algues et de boues marines.

CRAMPE

Contraction involontaire, intense, douloureuse d'un muscle ou groupe de muscles, parfois la nuit. Souvent due à fortes suées, efforts physiques, froid, alcoolisme, diarrhée, médicaments, urémie. Fréquente en fin de grossesse.

Attention : vers 50 ans, la crampe au mollet à la marche est signe d'athérosclérose (artérite).

Marronnier d'Inde

- **Thalassothérapie :** bains locaux tièdes ou chauds ; massages en piscine d'eau chaude.
- **Hydrothérapie**, séances régulières.

CYSTALGIES

Crises avec douleurs (abdomen, pubis), brûlure en urinant, besoins fréquents d'uriner un peu. Cystalgie à urines claires : influencée par la vie génitale chez la femme. Cystalgie à urines infectées signifie **cystite** (infections génito-urinaires, prostatisme, malformations, lithiases).

Attention : consulter en cas de cystalgie avec fièvre.

Bruyère cendrée / Busserole / Callune Genévrier / Griottier / Karkadé / Maïs Mauve / Orthosiphon / Piloselle Saule blanc

- **Balnéothérapie :** bains de siège tièdes ou froids.
- Boire 2 litres par jour d'eau de source ou d'eau peu minéralisée.

DÉPRESSION NERVEUSE

Souffrance morale, autodépréciation, culpabilité entraînant troubles du sommeil, digestifs, sexuels. Parfois saisonnière (automne, printemps). Après deuil, échecs, accouchement, hépatite. Causes psychiques profondes. Chez l'enfant, l'agitation peut remplacer l'abattement.

Attention : à suivre médicalement.

Ginseng / Mélisse officinale Millepertuis commun

- **Balnéothérapie :** bains froids ; bains tièdes en fin de journée.
- **Thalassothérapie.**
- **Vacances-santé** axées sur les hydrothérapies.

Remèdes procurés par une vie saine

(pages 250 à 319)

Mélanges de plantes médicinales

- Marcher peu, éviter la station debout prolongée.
- Vélo recommandé.
- Éviter les charges lourdes.
- Couper la journée de siestes à plat ventre (20 à 30 min).
- Lutter contre obésité, surpoids.
- Régime hypocalorique enrichi en persil, cresson, ail, radis, lentilles, noix.
- Oligoéléments : Co, Mn.

40 g de feuilles de cassis + 40 g de feuilles de frêne élevé
+ 30 g de racines d'harpagophyton
+ 40 g de tiges stériles de prêle des champs
+ 80 g d'écorce de saule blanc.
Décoction (10 min)
suivie d'une macération (30 min) :
20 g de ce mélange par litre d'eau.
1 tasse trois fois par jour.

- Alimentation frugale ; régime végétarien, ou végétalien, 1 semaine par mois.
- Réduire massivement alcool et tabac.
- Limiter les médicaments à l'essentiel (après avis médical).
- Étirements passifs, relaxation.
- En compétition sportive : échauffement, boissons salées, jus de fruits, bananes.

- Bonne hygiène corporelle.
- Soin des infections de proximité.
- Exercice physique quotidien, marche.
- Éviter les sports assis (vélo, moto, cheval), les longs déplacements en voiture, la sédentarité.
- Régime sans épices ni alcool.
- Relaxation, sophrologie.

60 g de sommités fleuries de bruyère cendrée
+ 20 g de feuilles de busserole
+ 40 g de baies de genévrier
+ 60 g de piloselle (plante entière)
+ 80 g d'écorce de saule blanc.
Infusion (20 min) : 20 g de ce mélange par litre d'eau.
3 tasses par jour.

- Psychothérapie spécialisée, relaxation, sophrologie, yoga.
- Exercice physique en groupe, sans excès.
- Réduire l'alcool.
- Régime enrichi en sucres lents, réduction des viandes rouges et des graisses.
- Réduire les médicaments à l'essentiel (après avis médical).

AFFECTIONS	Remèdes issus des plantes médicinales (pages 70 à 213)	Remèdes fournis par le soleil, l'eau, la terre, l'air (pages 220 à 249)

DIARRHÉE

Évacuation de selles liquides plus de trois fois par jour. **Aiguë** : causée par alimentation, infections, parasites, médicaments ; risques majeurs de déshydratation. **Chronique** : allergie, colopathie, parasites, médicaments.
Attention : abattement, vomissements, fièvre sont des urgences médicales. Consulter en cas de diarrhée prolongée.

Alchémille commune / Benoîte officinale Bistorte / Cyprès / Églantier / Fraisier sauvage / Géranium herbe à Robert Guarana / Myrtille / Noyer royal Plantain / Potentille-tormentille / Ronce Salicaire / Sauge officinale / Théier Vergerette du Canada

- Compenser les pertes en liquide par la boisson ; eau salée et sucrée, eaux minérales riches en sels.
- Cure d'argile pendant 10 jours.

DIGESTION (troubles de la)

La dyspepsie associe avant les repas nausées, haleine fétide, langue chargée, brûlures le long de l'œsophage. Après les repas, aérophagie, éructations, ballonnements, lourdeurs, brûlures. Bon état général.
Attention : consulter pour troubles récents avec amaigrissement, surtout après la quarantaine.

Achillée millefeuille / Alchémille / Aneth Angélique officinale / Anis vert / Artichaut Aspérule odorante / Badiane de Chine Carvi / Petite centaurée / Chicorée sauvage / Cochléaria / Coriandre / Fenouil doux / Giroflier / Lavande vraie / Mélisse officinale / Menthe poivrée / Réglisse / Romarin / Sarriette d'hiver / Sauge

- **Balnéothérapie** : bains chauds ou tièdes.
- Boire 1,5 à 2 litres par jour d'eau de source ou peu minéralisée.

DORSALGIES

Douleurs dorsales tenaces chez la femme jeune, sans signe clinique ni radiologique, aggravées par la position et le travail assis. Entre les omoplates **(dorsalgie)**, cou et occiput **(cervicalgie)**, région lombaire **(lombalgie)**, tout le dos **(rachialgie)**. Associent souvent surmenage, musculature dorsale faible, éléments dépressifs.

Arnica / Cassis / Harpagophyton Scrofulaire noueuse

- **Balnéothérapie** : bains chauds chaque soir (20 min).
- Cataplasmes d'argile, deux ou trois fois par jour, froids en crise, chauds au stade chronique.
- **Hydrothérapie**, séances régulières.
- **Thalassothérapie.**

DYSHIDROSE

Apparition de petites vésicules transparentes groupées par 3 ou 4, sur la paume de la main, la face latérale des doigts **(palmaire)** ou la plante du pied **(plantaire)**. Disparaissent en 1 semaine. Surtout printemps et été. Démangeaisons intenses. Manifestation cutanée d'une dystonie neurovégétative.

Consoude officinale / Noyer royal Plantain / Rose à cent feuilles Rose trémière / Tilleul

- **Balnéothérapie** : bains tièdes ou chauds.
- **Hydrothérapie** locale tiède.

Remèdes procurés par une vie saine

(pages 250 à 319)

- Supprimer les produits laitiers.
- Remplacer le jus d'orange par des fruits (banane, pomme, caroube).
- Régime végétalien ou macrobiotique pendant quelque temps.
- Jeûne mouillé de 1 ou 2 jours.
  Chez l'enfant :
- Régime riz-carottes.

- Boire entre les repas.
- Réduire ou supprimer alcool, tabac.
- Limiter les médicaments à l'essentiel (après avis médical).
- Alimentation légère ; bien mâcher.
- Bonne hygiène buccale et dentaire.
- Gymnastique abdominale quotidienne.
- Relaxation, étirements passifs.

- Psychothérapie, yoga, relaxation.
- Étirements passifs, ostéopathie.
- Gymnastique en salle, marche, natation.
- Éviter surcharge pondérale, obésité.
- Régime pauvre en farineux.
- Oligoéléments : Co, Mn.

- Hygiène locale.
- Éviter la transpiration prolongée, les fibres synthétiques, les sports violents.
- Limiter alcool, tabac, médicaments.
- Régime pauvre en laitages, viande, graisses animales ; préférer poisson, huiles, fruits, légumes verts.
- Oligoéléments : Li.

Mélanges de plantes médicinales

40 g de racines de fraisier sauvage + 50 g de parties aériennes de géranium herbe à Robert + 20 g de fruits secs de myrtille + 15 g de feuilles de ronce.
Infusion (20 min) : 40 g de ce mélange par litre d'eau. 4 tasses par jour.

60 g de fruits d'aneth + 60 g de feuilles d'artichaut + 40 g de racines de chicorée sauvage + 30 g de sommités fleuries de sarriette d'hiver.
Infusion (10 min) : 25 g de ce mélange par litre d'eau.
1 tasse après les trois repas.

50 g de feuilles de cassis + 40 g de racines d'harpagophyton + 40 g de sommités fleuries de reine-des-prés.
Infusion (10 min) suivie d'une macération (4 h) :
20 g de ce mélange par litre d'eau. 4 tasses par jour.

AFFECTIONS	Remèdes issus des plantes médicinales (pages 70 à 213)	Remèdes fournis par le soleil, l'eau, la terre, l'air (pages 220 à 249)
DYSKINÉSIE BILIAIRE Douleurs dans la région hépatique (l'hypocondre droit), avec troubles dyspepsiques, parfois migraines. Dues à une évacuation anormale de la bile à travers les voies biliaires et à des contractions anormales de la vésicule biliaire. Élément (avec la colite spasmodique) de la traditionnelle « crise de foie ».	Artichaut / Boldo / Chicorée sauvage Fumeterre official / Lavande vraie Piloselle / Pissenlit official / Radis noir Romarin / Tilleul	● Massages abdominaux. ● **Balnéothérapie :** bains tièdes quotidiens.
DYSMÉNORRHÉE Douleurs pelviennes avec céphalées et état nauséeux, avant ou pendant les règles, chez la femme en activité génitale. Fréquente après la puberté, soulagée par la pilule, les rapports sexuels, la grossesse. *Attention : toujours consulter pour une dysménorrhée nouvellement apparue chez une femme normalement réglée.*	Absinthe / Armoise commune Persil / Romarin / Sauge officinale Souci officinal / Viburnum	● **Balnéothérapie :** bains tièdes, bains de siège tièdes ou froids. ● **Thalassothérapie.**
ECZÉMA Plaques rouge vif, un peu surélevées, suintantes puis croûteuses. Fortes démangeaisons. **Allergique :** réaction cutanée à de nombreux produits chimiques et médicaments. **Constitutionnel :** dès l'enfance, aux plis des membres, au visage (parfois avec asthme, fièvre des foins). *Attention : l'eczéma constitutionnel demande un suivi médical.*	Artichaut / Bardane / Bourrache Matricaire / Noyer royal Pensée des champs / Sauge officinale	● **Balnéothérapie :** bains régionaux tièdes ou froids. ● **Héliothérapie :** bains de soleil courts (sauf eczéma de contact). ● **Climatothérapie :** séjour en altitude.
ENGELURES, GERÇURES Lésions provoquées par le froid, surtout aux mains et aux pieds. **Engelures :** doigts d'abord blancs, froids et insensibles, puis enflés, durs, rouges, douloureux. **Gerçures :** fissures douloureuses de la peau (mains, lèvres, seins). *Attention : le froid intense provoque des gelures nécrosantes (nez, oreilles, doigts).*	Achillée millefeuille / Bleuet des champs Bouillon-blanc / Camomille romaine Consoude officinale / Fenugrec Guimauve / Lamier blanc / Matricaire Mauve / Millepertuis commun Noyer royal / Origan / Peuplier noir Plantain / Primevère officinale Rose trémière / Souci officinal Verveine officinale / Violette odorante	● **Balnéothérapie :** bains régionaux chauds (35 °C). ● Compresses mouillées chaudes (éviter radiateur ou air chaud).

Remèdes procurés par une vie saine
(pages 250 à 319)

- Relaxation, yoga, psychothérapie, sophrologie, training autogène.
- Gymnastique abdominale quotidienne.
- Supprimer alcool, tabac, café, excitants.
- Réduire les médicaments à l'essentiel (après avis médical).
- Régime pauvre en viandes rouges et graisses animales ; préférer poisson, huiles, légumes verts, fruits.

- Relaxation, psychothérapie, étirements passifs, sophrologie, training autogène.
- Éviter les activités sportives trop intenses.
- Oligoéléments : Fe.

- Éliminer les facteurs favorables : contact avec des produits chimiques, cosmétiques, parfums, teintures, fibres synthétiques.
- Réduire les médicaments à l'essentiel (après avis médical).
- Alimentation légère et variée, pauvre en sucres lents.
- Jeûne mouillé éventuel, 5 à 10 jours, sous surveillance médicale.

- Entraînement progressif au froid (marche ou exercice physique, un peu plus longtemps chaque jour).
- Vêtements chauds, couvre-chef protégeant les oreilles, gants épais, chaussettes de laine, chaussures rembourrées (attention, les vêtements, gants, chaussures trop serrés ou humides favorisent les accidents au froid).

Mélanges de plantes médicinales

90 g de feuilles d'artichaut
+ 60 g de parties aériennes fleuries de fumeterre officinal
+ 60 g de sommités fleuries de romarin.
Infusion (10 min) : 20 g de ce mélange par litre d'eau.
1 tasse aux trois repas.

90 g de feuilles d'artichaut + 150 g de racines de bardane.
Décoction (15 min) : 40 g de ce mélange par litre d'eau.
1 tasse au repas du soir.

60 g de fleurs de matricaire + 100 g de feuilles de noyer
+ 30 g de parties aériennes de pensée des champs
+ 60 g de feuilles de sauge officinale.
Infusion (20 min) : 60 g de ce mélange par litre d'eau.
Utiliser en application locale.

30 g d'hydrocotyle (plante entière)
+ 40 g de fleurs de bouillon-blanc
+ 60 g de fleurs de souci officinal
+ 80 g de sommités fleuries de millepertuis.
Infusion (20 min) : 40 g de ce mélange par litre d'eau.
Filtrer et appliquer en compresse.

43

AFFECTIONS	Remèdes issus des plantes médicinales (pages 70 à 213)	Remèdes fournis par le soleil, l'eau, la terre, l'air (pages 220 à 249)

ENTÉROCOLITE

Inflammation de l'intestin grêle et du côlon. Colique, diarrhée, vomissements, malaise, fièvre.
Aiguë : infectieuse ou virale. Violente dans intoxication alimentaire, bénigne dans *turista* ou « grippe intestinale ».
Chronique : infection, médicaments, aliments.

Attention : urgence médicale chez nourrisson, enfant, vieillard.

Achillée millefeuille / Aneth
Angélique officinale / Anis vert
Aspérule odorante / Badiane de Chine
Bouillon-blanc / Carvi / Coriandre
Fenouil doux / Guimauve / Lin utile
Mauve / Menthe poivrée / Psyllium
Rose trémière / Salicaire

Aiguë :
- Chaleur sur le ventre.
- **Balnéothérapie :** bains tièdes.
- Compenser les pertes en liquides par eau salée, sucrée, minérale riche en sels.

Chronique :
- Cure d'argile.
- **Thalassothérapie.**

ENTORSE

Élongation traumatique des ligaments articulaires, avec ou sans arrachement, sans lésion des surfaces osseuses.
Légère (foulure) : douleur modérée, gonflement, mouvements possibles.
Grave : douleur vive, œdème, gros hématome, impotence complète.

Attention : l'entorse grave équivaut à une fracture.

Arnica / Cassis / Grindélia
Harpagophyton
Scrofulaire noueuse

Légère :
- Cataplasmes d'argile.
- **Balnéothérapie :** bains locaux tièdes en eau salée.

Séquelles :
- **Hydrothérapie** locale ; physiothérapie en piscine.

ÉNURÉSIE

Incontinence urinaire surtout infantile (au-delà de 5 ans), presque toujours nocturne, pendant le sommeil, sans cause anatomique. Surtout chez les garçons. Cède le plus souvent à l'adolescence. Composante psycho-affective importante.

Attention : faire vérifier l'absence d'anomalies génito-urinaires.

Cyprès / Millepertuis commun

- **Balnéothérapie :** bains tièdes quotidiens en fin de journée.
- **Climatothérapie.**

ESCARRES

Croûte noirâtre épaisse formée de tissu cutané nécrosé. Tend à s'éliminer avec perte de matière. Apparaît surtout aux points de pression et saillies osseuses (dos, fesses, talons, coudes, hanches, occiput) chez des malades grabataires ou des handicapés moteurs et sensitifs (paraplégiques, tétraplégiques).

Achillée millefeuille / Arnica
Consoude officinale / Lierre commun
Millepertuis commun / Noyer royal
Prêle des champs / Souci officinal

- Air chaud local.
- **Balnéothérapie :** bains tièdes locaux.
- **Thalassothérapie :** physiothérapie ou massages en piscine.

Remèdes procurés par une vie saine

(pages 250 à 319)

Aiguë :
- Diète hydrique, bouillon de carottes, tisanes.
- Lit, repos, calme.

Chronique :
- Supprimer les laitages, éviter l'association féculents-fruits, éviter les fruits entre les repas.
- Consommer viande et légumes verts bien cuits.
- Réduire les médicaments à l'essentiel (après avis médical).

Légère :
- Ostéopathie ou physiothérapie, contension souple (bandage élastique, chevillère, genouillère).

Séquelles :
- Limitation des activités sportives à risque (ski, patin, football, hockey)
- Gymnastique de rééducation, étirements passifs.

- Rééducation de la miction (uriner à heures fixes, appareillage d'alarme).
- Psychothérapie, relaxation.
- Oligoéléments : Li.

- Physiothérapie, massages.
- Mobilisation active et passive quotidienne.
- Cure de vitamines.

Mélanges de plantes médicinales

40 g de fleurs de bouillon-blanc
+ 40 g de sommités fleuries de salicaire
+ 40 g de feuilles et de sommités fleuries de thym
+ 60 g de feuilles de mélisse officinale.
Infusion (10 min) : 20 g de ce mélange par litre d'eau.
1 tasse aux deux principaux repas.

AFFECTIONS	Remèdes issus des plantes médicinales (pages 70 à 213)	Remèdes fournis par le soleil, l'eau, la terre, l'air (pages 220 à 249)

FIÈVRES DE L'ADULTE

Élévation de la température centrale du corps pour lutter contre un agent extérieur (parasite, bactérie infectieuse, virus, agent physique ou chimique) ou un désordre interne. Pouls et respiration accélérés, transpiration, déshydratation.

Attention : *toujours rechercher les causes d'une fièvre avant de la faire baisser.*

Absinthe / Ache des marais
Benoîte officinale / Petite centaurée
Eucalyptus / Noisetier commun / Olivier
Persil / Peuplier noir / Pin sylvestre
Reine-des-prés / Saule blanc
Sureau noir

- Refroidissement local par application de glace (tête, front, aisselles, ventre...) pour des températures supérieures à 39 °C.
- **Balnéothérapie :** bains tièdes
- Boire 2 à 3 litres par jour d'eau minérale riche en sels.

FIÈVRES DE L'ENFANT

Une fièvre élevée favorise convulsions et délire. Principales causes : maladies infectieuses, rhinopharyngite, otite, bronchite, poussée dentaire, gastroentérite, entérocolite, vaccinations, lieux trop chauds.

Attention : *les fièvres avec douleurs, vomissements, troubles de la conscience, raideurs sont des urgences médicales.*

Absinthe / Ache des marais
Benoîte officinale / Petite centaurée
Eucalyptus / Noisetier commun / Olivier
Persil / Peuplier noir / Reine-des-prés
Saule blanc

Plus de 38 °C :
- **Balnéothérapie :** bains tièdes à température de 3 °C inférieure à celle de l'enfant.
Plus de 39 °C ou ne baissant pas :
- Appeler le médecin.
- Faire boire abondamment eau salée, sucrée, eau minérale riche en sels.

FRACTURES (séquelles de)

Troubles mineurs et incapacités transitoires, créant un obstacle parfois important à la reprise des activités après consolidation : fonte musculaire, ankylose, attitudes vicieuses, douleurs à distance dues aux attitudes de compensation, dystrophies du membre atteint (cyanose, œdème, lymphangite, escarres).

Prêle des champs

- Cataplasmes d'argile (œdème).
- **Balnéothérapie :** bains régionaux, tièdes ou chauds.
- **Hydrothérapie :** physiothérapie ou massages en piscine.
- **Thalassothérapie.**
- **Héliothérapie.**

FRIGIDITÉ

Absence de désir et de plaisir pendant l'acte sexuel avec orgasme impossible (30 à 40 % des femmes). Parfois compliquée de vaginisme ou dyspareunie. Diverses causes : problèmes gynécologiques, troubles endocriniens, surmenage, dépression, obésité, alcoolisme, médicaments, mais surtout composante psychoaffective majeure.

Ginseng / Éleuthérocoque

- **Balnéothérapie :** bains tièdes.
- **Thalassothérapie.**

Remèdes procurés par une vie saine

(pages 250 à 319)

Mélanges de plantes médicinales

- Repos peu couvert dans une pièce fraîche et aérée.
- Alimentation à la demande, légère et liquide, riche en sucres rapides, jus de fruits, bouillons, tisanes.
- Limiter les médicaments à l'essentiel (après avis médical).

60 g d'écorce de saule blanc
+ 30 g de sommités fleuries de reine-des-prés
+ 60 g d'écorce de peuplier noir.
Infusion (20 min) : 50 g de ce mélange par litre d'eau.
4 tasses par jour.

- Placer l'enfant dans un local frais et aéré, peu couvert, au calme.
- Alimentation légère à la demande, liquide et riche en sucres ; jus de fruits frais, bouillon de légumes.

- Physiothérapie, ostéopathie, relaxation.
- Gymnastique, entraînement progressif, marche quotidienne.
- Alimentation riche en viande, fromage, légumes verts, fruits, calcium.
- Vitamines A, D, C, E, K, du groupe B (en cas de douleurs).
- Réduire l'alcool.

- Psychothérapie, relaxation, sophrologie, yoga, étirements passifs.
- Gymnastique abdominale, natation.
- Limiter l'alcool à la consommation d'un peu de bière aux repas.
- Régime hypocalorique ou jeûne médical en cas d'obésité.
- Limiter les médicaments à l'essentiel (après avis médical).

AFFECTIONS	Remèdes issus des plantes médicinales (pages 70 à 213)	Remèdes fournis par le soleil, l'eau, la terre, l'air (pages 220 à 249)

FURONCLE

Réaction cutanée au staphylocoque doré : cône rouge, chaud et douloureux centré sur un poil. Au 3e jour, pus jaunâtre, au 6e, sortie du bourbillon.
Orgelet : furoncle centré sur un cil.
Furonculose : éruption répétée de furoncles en série (allergie possible).
Attention au diabète et aux furoncles de la face.

Bardane / Fenugrec / Lierre terrestre Mauve

- Cataplasmes d'argile.
- **Hydrothérapie** locale en cas de réaction cutanée importante (eau bouillie froide).

GASTRITE

Inflammation aiguë ou chronique de la muqueuse gastrique, d'origine toxique ou allergique. Brûlures épigastriques aggravées par alcool, confitures, sucreries, lait, œufs, médicaments (corticoïdes, anti-inflammatoires, aspirine, laxatifs en excès…), tabac.
Attention : toute gastrite persistante demande un suivi médical.

Angélique / Camomille romaine
Petite centaurée / Chicorée sauvage
Coriandre / Fucus vésiculeux
Gentiane jaune / Lin utile
Menthe poivrée / Réglisse
Verveine odorante

- Cure d'argile.

GINGIVITE

Inflammation des gencives due à des dépôts de tartre surinfectés (manque d'hygiène). Saignement au brossage. Associée à une **stomatite** (inflammation de la muqueuse buccale) avec douleurs, dysphagie, inappétence et mauvaise haleine : **gingivostomatite** (tartrique, des fumeurs).

Benoîte officinale / Bistorte / Camomille romaine / Cochléaria / Églantier / Fraisier sauvage / Géranium herbe à Robert Giroflier / Guimauve / Lavande vraie Marjolaine vraie / Menthe poivrée Myrtille / Noyer royal / Potentille-tormentille / Primevère officinale Salicaire / Sarriette d'hiver / Sauge Serpolet / Thym / Verveine odorante

- Bains de bouche à l'eau argileuse.
- Brossage quotidien des dents avec eau salée.

GOUTTE

Maladie chronique due à un excès d'acide urique dans le sang. Crises nocturnes très douloureuses, parfois fiévreuses, touchant le gros orteil, cédant au matin. Extension possible des dépôts d'urates aux autres articulations (rhumatismes), reins (lithiase urique, calculs), vaisseaux (insuffisance coronarienne), nerfs (névralgies), peau.

Bouleau / Petit chiendent / Frêne élevé Maïs / Orthosiphon / Ortie dioïque Peuplier noir / Vergerette du Canada

- **Balnéothérapie :** bains locaux chauds des articulations.
- Boire 3 litres par jour d'eau de source ou minérale.
- **Hydrothérapie,** séances régulières.
- **Thalassothérapie.**

Remèdes procurés par une vie saine

(pages 250 à 319)

Mélanges de plantes médicinales

- Hygiène soigneuse des « repaires » (région périanale, narines, barbe, cuir chevelu, oreille si otite...).
- Éliminer les facteurs d'irritation de la peau (cosmétiques, vêtements collants, ceintures serrées, parasites, allergènes...).
- Alimentation légère : supprimer charcuterie, abats, réduire féculents et sucreries.
- Réduire ou supprimer l'alcool.

50 g de racines de chicorée
+ 50 g de racines de réglisse
+ 50 g de fruits de coriandre + 50 g de feuilles de verveine odorante.
Infusion (10 min) suivie d'une macération (2 h) :
20 g de ce mélange par litre d'eau.
1 tasse avant les trois repas.
Contre-indiqué en cas d'hypertension.

- Hygiène buccale et dentaire.
- Supprimer tabac, alcool, boissons gazeuses, fruits acides, vinaigre, cornichons, épices, confitures, farineux, lait, œufs.
- Consommer plutôt viandes blanches, poisson, volaille.
- Réduire les médicaments à l'essentiel (après avis médical).
- Jeûne mouillé (1 à 2 jours par mois).

- Arrêter le tabac.
- Hygiène dentaire et buccale stricte (se laver les dents après chaque repas).
- Faire soigner les dents abîmées.
- Éviter noix, fruits acides.
- Réduire les médicaments à l'essentiel (après avis médical).

60 g de racines de fraisier + 70 g de fleurs de lavande
+ 20 g de feuilles et de fleurs de guimauve.
Infusion (20 min) : 30 g de ce mélange par litre d'eau.
Utiliser en bain de bouche, trois fois par jour.

- Régime hypocalorique, hypoprotidique (végétarien, macrobiotique).
- Supprimer abats, gibier, vin blanc.
- Éviter la sédentarité (marche, natation en eau chaude).
- Réduire l'alcool.
- Lutter contre surpoids et obésité (jeûne mouillé suivi médicalement).

90 g de feuilles de bouleau + 60 g de rhizomes de petit chiendent
+ 60 g de feuilles de frêne élevé
+ 60 g de bourgeons de peuplier noir.
Infusion (20 min) : 20 g de ce mélange par litre d'eau.
3 tasses par jour.

AFFECTIONS	Remèdes issus des plantes médicinales (pages 70 à 213)	Remèdes fournis par le soleil, l'eau, la terre, l'air (pages 220 à 249)

GRIPPE

Virose épidémique, avec début brutal, fièvre à 40 °C, courbatures, céphalées, écoulement nasal, larmoiement, toux, dyspnée. Névralgies dans la forme nerveuse. Dure de 4 à 6 jours. Généralement bénigne. Risque de surinfection bronchopulmonaire (fumeur).

Attention : dangereuse chez personne âgée, insuffisant respiratoire.

Absinthe / Cyprès / Lierre terrestre
Reine-des-prés / Saule blanc / Sureau noir

● Boire 2 litres par jour d'eau minérale riche en sels.

HALEINE (mauvaise)

Occasionnellement due à l'ingestion d'ail, d'oignon. Chez l'enfant, chercher un corps étranger nasal. **Chronique :** mauvaise hygiène dentaire, état bucco-dentaire (carie, gingivite, parodontose), rhinite, sinusite, pharyngite, amygdalite, dyspepsie, infections trachéo-bronchiques. Effet très nocif du tabac et de l'alcool.

Benoîte officinale / Fraisier sauvage
Giroflier / Lavande vraie
Menthe poivrée / Primevère officinale
Sarriette d'hiver / Serpolet
Thym commun / Verveine odorante

● Brossage prolongé des dents après les repas et au coucher.
● Bains de bouche.

HÉMORROÏDES

Varices des veines hémorroïdaires (anus/rectum). Douleurs à la défécation, brûlures, démangeaisons, saignements. Favorisées par sédentarité, grossesse, obésité, constipation, épices, alcool, café, sports assis (moto, vélo, cheval). Risque de thrombose (à soigner d'urgence).

Attention : des saignements répétés demandent un suivi médical.

Achillée millefeuillle / Ail commun
Benoîte officinale / Bistorte
Bourse-à-pasteur / Cassis / Cyprès
Ficaire / Fragon épineux / Hamamélis de Virginie / Ispaghul / Marronnier d'Inde
Myrtille / Noisetier commun
Noyer royal / Potentille-tormentille
Réglisse / Ronce / Salicaire / Vigne rouge

● **Balnéothérapie :** bains de siège tièdes ou froids.

HERPÈS

Virose contagieuse, réactivée par émotion, soleil, règles. **Labial** (« feu sauvage ») : lèvres et joues ; primo-infection infantile courante. **Génital,** vénérien : gland, vulve.

Attention : grave chez nouveau-né, nourrisson.

Marjolaine vraie / Matricaire
Mélisse officinale

Gingivostomatite de la primo-infection :
● Bains de bouche à l'eau bicarbonatée.
Herpès génital :
● **Balnéothérapie :** bains de siège, avec eau additionnée de permanganate. Pulvérisations locales à l'eau d'Évian.

Remèdes procurés par une vie saine

(pages 250 à 319)

- Repos dans une pièce aérée et fraîche.
- Alimentation légère, riche en sucres rapides.
- Jus de fruits, bouillons, tisanes.
- Vitamine C.
- Oligoéléments : Cu, Au, Ag.

- Vérifier et soigner l'état dentaire et buccal.
- Régime varié, peu épicé.
- Éviter cuisine grasse, sauces.
- Supprimer ail, oignon, charcuterie, tabac, alcool.

- Lutter contre la sédentarité (exercice physique quotidien, marche, piscine).
- Éviter les sports assis (moto, vélo, cheval...), la station debout prolongée.
- Étirements passifs.
- Traiter la constipation.
- Régime varié enrichi en fibres ; supprimer les épices.
- Réduire ou supprimer alcool, tabac.

Herpès labial :
- Relaxation, psychothérapie.
- Éviter le soleil.

Herpès génital :
- Éviter la contamination vénérienne.
- En cas de grossesse, avertir le médecin et prévoir des mesures de protection du nouveau-né.

Mélanges de plantes médicinales

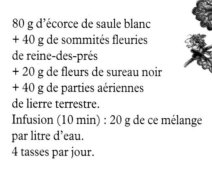

80 g d'écorce de saule blanc
+ 40 g de sommités fleuries
de reine-des-prés
+ 20 g de fleurs de sureau noir
+ 40 g de parties aériennes
de lierre terrestre.
Infusion (10 min) : 20 g de ce mélange
par litre d'eau.
4 tasses par jour.

50 g de feuilles de vigne rouge
+ 90 g de rhizomes de fragon épineux
+ 20 g de rhizomes
de potentille-tormentille
+ 30 g de cônes de cyprès.
Décoction (10 min) :
30 g de ce mélange par litre d'eau.
3 tasses par jour.

AFFECTIONS	Remèdes issus des plantes médicinales (pages 70 à 213)	Remèdes fournis par le soleil, l'eau, la terre, l'air (pages 220 à 249)

HYPERTENSION

Pression artérielle au repos supérieure à 160/95. Céphalées, vertiges, acouphènes, phosphènes, saignements de nez, fréquents. Risques d'accident vasculaire (cerveau, cœur). Favorisée par âge, obésité, stress, sel, tabac, athérosclérose. 80 % des cas inexpliqués.

Attention : *un suivi médical s'impose.*

Ail commun / Aubépine / Ginseng
Mélisse officinale / Millepertuis commun
Olivier / Souci officinal

● **Balnéothérapie :** bains tièdes ou chauds de relaxation.

ICTÈRE

C'est la jaunisse : peau et yeux jaunes, urines brunes, nausées, dégoût. Dû à l'obstruction des voies biliaires par cancer, calcul (douleurs, fièvre), ou à une hépatite virale (fatigue, urticaire), infectieuse ou toxique (champignons, médicaments, toxiques, alcool).

Attention : *demande un suivi médical ; bénin le jour de la naissance.*

Artichaut / Boldo / Petite centaurée
Chardon-Marie / Fumeterre officinal
Matricaire / Piloselle / Pissenlit officinal
Radis noir / Romarin

● Boire 2 à 3 litres par jour d'eau de source ou minérale pauvre en sels.

IMPUISSANCE

Chez l'homme, absence de désir et de plaisir pendant l'acte sexuel. Troubles de l'érection et de l'éjaculation, anorgasmie. Diverses causes possibles : âge, malformation des organes génitaux, troubles endocriniens, obésité, alcoolisme, artérite, médicaments, mais surtout composante psychoaffective majeure.

Éleuthérocoque / Ginseng / Kolatier
Millepertuis commun / Sarriette d'hiver

● **Balnéothérapie :** bains tièdes.
● **Climatothérapie.**

INSOMNIE

Difficulté à s'endormir, réveils nocturnes avec ou sans terreur. Favorisée par surmenage, bruit, vie irrégulière, café, médicaments (stimulants, coupe-faim, fortifiants...). Les besoins en sommeil diminuent avec l'âge.

Attention : *peut révéler dépression, toxicomanie, alcoolisme, maladie mentale.*

Aspérule odorante / Aubépine
Ballote noire / Coquelicot / Eschscholzia
Houblon / Laitue vireuse / Lavande vraie
Marjolaine vraie / Mélisse officinale
Oranger amer / Passiflore officinale
Saule blanc / Tilleul / Valériane officinale
Verveine odorante

● Bains d'argile.
● **Balnéothérapie :** bains froids, tièdes ou chauds en fin de journée.
● **Vacances-santé** axées sur les hydrothérapies.

Remèdes procurés par une vie saine

(pages 250 à 319)

- Relaxation, sophrologie, yoga.
- Éviter émotions, bruits, stress.
- Activités physiques modérées.
- Éviter la station debout prolongée.
- Éviter le soleil.
- Supprimer tabac, alcool, viandes rouges.
- Régime hypocalorique pauvre en sel, riche en fruits ; lutter contre l'obésité.
- Vitamine C, facteurs vitaminiques P.

- Alimentation légère et variée, pauvre en viande et en graisses (régime végétalien, macrobiotique).
- Jus de fruits, tisanes, bouillons.
- Arrêter l'alcool.
- Réduire les médicaments à l'essentiel (après avis médical).

- Psychothérapie, relaxation, sophrologie, yoga, étirements.
- Sports non violents.
- Régime enrichi en céréales simples ou germées (avoine, blé).
- Lutter contre obésité, athérosclérose.
- Arrêter l'alcool.

- Relaxation, sophrologie, yoga, étirements.
- Promenade digestive.
- Repas léger le soir.
- Arrêter café, excitants, alcool.
- Réduire les médicaments à l'essentiel et modifier l'horaire des prises (après avis médical).
- Réapprendre le sommeil (petite sieste en journée, lecture au calme au lit…).
- Vie sexuelle harmonieuse.

Mélanges de plantes médicinales

30 g de feuilles de boldo
+ 60 g de fruits de chardon-Marie
+ 90 g de feuilles d'artichaut
+ 60 g de sommités fleuries de romarin.
Infusion (20 min) : 20 g de ce mélange par litre d'eau.
4 tasses par jour.

50 g de sommités fleuries d'aubépine
+ 50 g de parties aériennes de passiflore
+ 50 g de feuilles d'oranger amer
+ 50 g de fleurs de tilleul.
Infusion (10 min) : 20 g de ce mélange par litre d'eau.
1 tasse au coucher.

AFFECTIONS	Remèdes issus des plantes médicinales (pages 70 à 213)	Remèdes fournis par le soleil, l'eau, la terre, l'air (pages 220 à 249)

LARYNGITE

Toux avec voix enrouée ou éteinte. Chez l'adulte, forme aiguë (de 8 à 10 jours) souvent virale, associée à grippe, rhinopharyngite, sinusite. Chez l'enfant, enrouement, toux, dyspnée (rhinopharyngite, grippe, rougeole, scarlatine)...

Attention : un enrouement qui traîne ou récidive demande un contrôle médical. Prudence chez le nourrisson.

Bistorte / Camomille romaine
Cochléaria / Érysimum / Fraisier sauvage
Giroflier / Guimauve / Mauve
Millepertuis commun / Noisetier
commun / Origan / Pied-de-chat
Pin sylvestre / Plantain / Raifort
Réglisse / Ronce / Rose trémière
Salicaire / Serpolet / Thym commun

- Bains de bouche, gargarismes d'eau bicarbonatée tiédie.
- **Hydrothérapie :** compresses tièdes avec huile essentielle de thym.

LITHIASE BILIAIRE

Calculs dans les voies biliaires, composés de cholestérol ou de sel de calcium. Fréquente (25 % des adultes). Souvent silencieuse, peut se manifester par une crise de colique hépatique (douleurs, vomissements), un ictère, des troubles dyspeptiques. Favorisée par régime hypercalorique, obésité, pilule, médicaments, hérédité.

Artichaut / Pissenlit officinal

- Bouillotte chaude sur le foie en cas de douleurs.
- Boire 2 litres par jour d'eau de source ou d'eau minérale riche en sulfate, calcium et magnésium.

MÉNOPAUSE (troubles de la)

Fin des activités menstruelles et de la fonction ovarienne, vers 45-50 ans. Peut s'accompagner de troubles divers dus aux changements hormonaux et à la dystonie neurovégétative fréquente : bouffées de chaleur, fatigue, irritabilité, insomnie, dépression, dyspareunie, ostéoporose. Traitement hormonal intéressant.

Ail commun / Ballote noire / Cyprès
Sauge officinale

- **Balnéothérapie :** bains tièdes quotidiens.
- Boire eau minérale riche en calcium et en magnésium.
- **Vacances-santé** axées sur les hydrothérapies.
- **Thalassothérapie.**

MÉTRORRAGIES

Pertes sanglantes en dehors de la période des règles. Peuvent signifier menace d'avortement, grossesse extra-utérine, fibrome, lésion du col de l'utérus (cancer) ou être dues à la pilule ou au stérilet. Sans cause locale, sont souvent prémenstruelles avec seins gonflés, ventre ballonné.

Attention : demande un suivi médical, à cause des risques de cancer.

Alchémille commune / Bourse-à-pasteur
Cyprès / Fragon épineux

Sans cause locale urgente :
- Bouillotte froide sur le bas-ventre.
- **Balnéothérapie :** bains de siège froids.

Remèdes procurés par une vie saine

(pages 250 à 319)

- Dormir le cou au chaud dans une pièce fraîche et humidifiée.
- Boissons chaudes, lait chaud au miel, tisanes.
- Arrêt indispensable du tabac.
- Éviter les atmosphères enfumées, irritantes.
- Limiter les activités de parole.
  Forme chronique :
- Relaxation, yoga.

- Relaxation, yoga, étirements passifs.
- Alimentation pauvre en viande et en graisses animales, enrichie en huiles et poisson.
- Régime hypocalorique (végétalien, végétarien, macrobiotique...) en cas d'obésité.
- Supprimer café, excitants, stimulants.

- Relaxation, sophrologie, psychothérapie, yoga.
- Sports non violents, natation, gymnastique quotidienne.
- Alimentation enrichie en laitages, germes de céréales, poisson, pauvre en graisses animales et viandes grasses (mouton, canard...).
- Maintenir une activité sexuelle normale.

- Éviter sports violents et activités physiques en période de saignements.
- Repos au calme.
- Alimentation enrichie en fer, germes de céréales.
- Lutter contre l'obésité.
  Métrorragies prémenstruelles :
- Yoga, natation.

Mélanges de plantes médicinales

45 g de racines de guimauve
+ 75 g de feuilles de ronce
+ 30 g de sommités fleuries de romarin
+ 20 g de fleurs ou de feuilles de mauve.
Infusion (10 min) : 40 g de ce mélange par litre d'eau.
Utiliser en gargarisme six fois par jour.

50 g de feuilles de sauge officinale
+ 50 g de sommités fleuries de mélilot
+ 50 g de sommités fleuries de ballote noire.
Infusion (20 min) : 20 g de ce mélange par litre d'eau.
3 tasses par jour en cas de bouffées de chaleur.

40 g de parties aériennes de bourse-à-pasteur
+ 40 g de rhizomes de fragon épineux
+ 90 g de cônes de cyprès.
Décoction (10 min) : 40 g de ce mélange par litre d'eau.
3 tasses par jour.

AFFECTIONS	Remèdes issus des plantes médicinales (pages 70 à 213)	Remèdes fournis par le soleil, l'eau, la terre, l'air (pages 220 à 249)
MIGRAINE Céphalée unilatérale intense, pulsatile, avec scintillements, nausées, photophobie, vomissements. Surtout chez la femme. Débute avant 30 ans, souvent à la puberté. Favorisée par les règles, les contrariétés, la pilule, soulagée par la grossesse. *Attention : une céphalée unilatérale récente et tenace impose un examen médical.*	Alchémille commune / Fumeterre officinal / Giroflier / Primevère officinale Reine-des-prés	• Bouillotte froide sur le front, la tête. • Boire 2 litres par jour d'eau calcique magnésienne (riche en calcium et en magnésium). • **Hydrothérapie,** séances régulières.
MUGUET Mycose (**candidose**) frappant certaines muqueuses, surtout la muqueuse buccale : stomatite diffuse jusqu'au pharynx avec plaques d'un blanc crémeux. Sur les muqueuses génitales : démangeaisons. Favorisé par antibiotiques, corticoïdes, pilule, grossesse, ménopause, diabète. *Attention : risque d'extension ; un suivi médical s'impose.*	Noyer royal / Primevère officinale Raifort / Sarriette d'hiver / Sauge officinale / Solidage verge d'or Thym commun	• Bains de bouche et gargarismes avec eau bicarbonatée sodique (Vichy). • **Héliothérapie :** bains de soleil courts.
MYCOSES CUTANÉES Dues à des champignons microscopiques. Contagieuses. Rougeur, suintement, prurit. **Dermatophytoses :** teignes du cuir chevelu et de la peau, pied d'athlète (intertrigo entre les orteils), pityriasis versicolor sur le tronc, ongles en « moelle de jonc ». **Candidoses :** surtout aux plis cutanés.	Noyer royal / Primevère officinale Raifort / Sarriette d'hiver / Solidage verge d'or / Thym commun	• Bains locaux avec eau bicarbonatée tiède. • **Hydrothérapie** locale. • **Héliothérapie :** bains de soleil courts.
NAUSÉES, VOMISSEMENTS Réflexe d'évacuation de l'estomac, dû à des causes variées : indigestion, migraine, vertiges, intoxication, hépatite, appendicite, occlusion intestinale, méningite... *Attention : en cas de vomissements avec fièvre ou sanglants, vomissements répétés du nourrisson, de la grossesse, appeler le médecin.*	Artichaut / Mélisse officinale Menthe poivrée / Sauge officinale Verveine odorante	• Avant les vomissements, boire un peu d'eau tiède (pour les rendre moins pénibles). • Après les vomissements, boire dès que possible eau salée, sucrée, eau minérale riche en sels pour compenser les pertes.

Remèdes procurés par une vie saine

(pages 250 à 319)

- Relaxation, sophrologie, yoga, étirements passifs.
- Vie aérée et calme.
- Sports non violents, natation, gymnastique.
  Au moment des crises :
- Repos dans l'obscurité.
- Alimentation légère et variée ; éviter la cuisine grasse, les excès alimentaires.
- Réduire ou supprimer alcool, tabac.
- Limiter télévision, cinéma.

- Alimentation variée peu assaisonnée, peu salée.
- Éviter fruits et boissons acides, vinaigre.
- Éviter de boire de l'alcool à jeun.
- Vitamines A, E.
- Oligoéléments : Cu, Au, Ag.
- Limiter les médicaments à l'essentiel (après avis médical).
  Sur les muqueuses génitales :
- Attention à la transmission vénérienne.

- Hygiène soigneuse des régions infectées (savons alcalins, rinçage et séchage minutieux, serviette séparée).
- Éviter transpiration, macération (gants de caoutchouc à proscrire).
- Linge, chaussettes en coton ou fil.
- Chaussures aérées (en changer tous les jours).
- Éviter les douches collectives.
- Cheveux courts et propres.

- Position allongée, en chien de fusil, dans pénombre, atmosphère calme.
- Diète hydrique, tisanes sucrées, bouillons de légumes, jus de fruits, boissons au cola dégazées (en agitant).

Mélanges de plantes médicinales

50 g de feuilles de verveine odorante
+ 50 g de feuilles de mélisse officinale.
Infusion (10 min) : 15 g de ce mélange
par litre d'eau.
Sucrer et boire 1/2 litre
par petites gorgées au cours de la journée.

AFFECTIONS	Remèdes issus des plantes médicinales (pages 70 à 213)	Remèdes fournis par le soleil, l'eau, la terre, l'air (pages 220 à 249)

OBÉSITÉ

Excédent de poids par hypertrophie générale du tissu adipeux. Le poids du sujet dépasse de 20 % le poids idéal. Croît avec l'âge. Responsable de multiples désordres cardiovasculaires, articulaires, respiratoires, hormonaux, sexuels. Diminue l'espérance de vie. Un tiers de la population obèse souffre d'une maladie reliée à cet état.

Fucus vésiculeux / Ispaghul
Lierre commun / Pissenlit officinal

- **Hydrothérapie,** séances régulières.
- **Thalassothérapie.**
- **Climatothérapie :** séjour au bord de la mer.

ŒDÈMES

Gonflements indolores et sans rougeur des tissus, notamment du tissu conjonctif de la peau et des muqueuses. Dus à une infiltration séreuse provoquée le plus souvent par une insuffisance cardiaque ou rénale, une dénutrition prolongée, une réaction allergique, un traumatisme. Siègent surtout aux chevilles et aux jambes.

Ache des marais / Artichaut / Aunée
Bouleau / Bourrache / Bruyère /
Busserole / Callune / Cassis / Chicorée
Petit chiendent / Fenouil / Fraisier
Frêne / Fumeterre / Genévrier / Griottier
Lamier / Maïs / Maté / Orthosiphon
Ortie dioïque / Persil / Peuplier / Piloselle
Pissenlit / Prêle / Reine-des-prés
Solidage / Sureau / Théier / Vergerette

- Cataplasmes d'argile, compresses froides.
- Boire de l'eau faiblement minéralisée.
- **Hydrothérapie** locale et régionale dans eau tiède salée.

OSTÉOPOROSE

Déminéralisation osseuse généralisée par raréfaction de la matrice protéique de l'os. Visible à la radiographie. Provoque des douleurs (dos), des déformations, une fragilité des os. Due à des désordres hormonaux (ménopause), des troubles digestifs, une longue immobilisation, un traitement prolongé aux corticoïdes.

Prêle des champs

- Boire eaux minérales riches en calcium et en magnésium.

PALPITATIONS

Perception désagréable de battements cardiaques forts, rapides et plus ou moins réguliers. Ressenties surtout la nuit ou en position allongée (côté gauche). Déclenchées par émotion, effort physique intense, abus de café ou d'alcool, aérogastrie.

Attention : consulter le médecin en cas d'essoufflement, de pâleur.

Aubépine / Coquelicot / Mélisse
officinale / Millepertuis commun
Passiflore officinale / Verveine odorante

- **Balnéothérapie :** bains tièdes ou chauds en fin de journée.
- **Vacances-santé** axées sur les hydrothérapies.

Remèdes procurés par une vie saine

(pages 250 à 319)

- Psychothérapie, relaxation, sophrologie, yoga.
- Pratique quotidienne d'activités physiques, gymnastique.
- Jeûne médical.
- Régime hypocalorique pauvre en viande et en graisses animales.
- Arrêter l'alcool.

- Dans la journée, sieste en position allongée, jambes surélevées.
- Régime pauvre en sel.
- Régime macrobiotique.

- Maintenir une activité physique et sportive soutenue (gymnastique quotidienne, natation).
- Régime riche en calcium, laitages, protides végétaux, germes de céréales.
- Vitamines D, A, E.
- Oligoéléments : Fe, Li, Co, Mn.

- Activité physique quotidienne (marche, natation...).
- Vie calme et régulière.
- Alimentation variée et légère ; éviter les repas copieux le soir.
- Réduire l'alcool à un verre de vin aux repas.
- Supprimer café, excitants.
- Réduire puis supprimer le tabac.
- Lutter contre surpoids, obésité.

Mélanges de plantes médicinales

30 g de fleurs de sureau noir
+ 60 g de racines de pissenlit
+ 30 g de fleurs de callune
+ 60 g de sommités fleuries de vergerette du Canada
+ 30 g de tiges feuillées d'orthosiphon.
Infusion (20 min) : 15 g de ce mélange par litre d'eau.
1,5 litre à répartir dans la journée.

50 g de sommités fleuries d'aubépine
+ 50 g de parties aériennes de passiflore
+ 40 g de pétales de coquelicot
+ 50 g de feuilles de verveine odorante.
Infusion (10 min) : 20 g de ce mélange par litre d'eau.
3 tasses par jour.

AFFECTIONS	Remèdes issus des plantes médicinales (pages 70 à 213)	Remèdes fournis par le soleil, l'eau, la terre, l'air (pages 220 à 249)
PARASITES INTESTINAUX Transmis par aliments souillés : **oxyures** (chez l'enfant, vers blancs de 5 à 10 mm sur selles et autour de l'anus avec démangeaisons le soir et la nuit) ; **ascaris** (20 cm, maux de ventre, vomissements, diarrhée) ; **ténia** (de 4 à 10 m, maux de ventre, nausées, diarrhée ou constipation, anneaux blancs dans les selles, la literie). *Attention : ascaris et ténia sont à suivre médicalement.*	Absinthe / Ail commun / Aunée Gentiane jaune	*En cas de vomissements, diarrhée :* ● Compenser les pertes en liquide et en sels par une eau minérale riche en potassium et en sodium.
PELLICULES Petits fragments provenant de l'élimination de la couche superficielle du cuir chevelu. Se détachent facilement des cheveux . Produites en excès quand les cheveux sont trop gras ou trop secs.	Bardane / Capucine / Lamier blanc Noyer royal	● Shampooing doux ou à l'huile de cade, quotidien pour cheveux gras, bihebdomadaire pour cheveux secs. Bien rincer.
PHARYNGITE CHRONIQUE Inflammation récidivante du pharynx. S'accompagne d'une gêne importante avec sensation de corps étranger dans la gorge et douleurs diffusant vers l'oreille, la nuque... Provoquée par affection de voisinage (nez, amygdales, sinus, œsophage) ou par réaction en partie allergique à la poussière, aux fumées (tabac), à l'alcool.	Bistorte / Camomille romaine Cochléaria / Érysimum / Millepertuis commun / Noisetier commun Pied-de-chat / Pin sylvestre / Raifort Réglisse / Ronce / Rose trémière Salicaire	● Bains de bouche, gargarismes d'eau bicarbonatée tiède. ● **Hydrothérapie** locale et générale. ● **Climatothérapie.**
PIQÛRES D'INSECTES Rougeur, gonflement, prurit. **Moustiques, taons :** inoffensives sauf en régions de paludisme. **Abeilles, guêpes, bourdons :** urgence médicale si réactions allergiques graves (urticaire géante, asphyxie, état de choc). **Tiques** (cuir chevelu) : risque d'inoculation d'une bactérie (graves troubles cardiaques, nerveux).	Achillée millefeuille / Bleuet des champs Bouillon-blanc / Camomille romaine Consoude officinale / Guimauve Lavande vraie / Mélisse officinale Millepertuis commun / Origan / Persil Peuplier noir / Plantain / Primevère officinale / Rose trémière / Souci officinal Verveine officinale / Violette odorante	● Cataplasmes d'argile. ● Après nettoyage et si possible extraction de l'aiguillon : glaçons, compresses froides. *Si terrain allergique :* ● **Climatothérapie :** séjour en altitude ou à la mer.

Remèdes procurés par une vie saine

(pages 250 à 319)

- Hygiène rigoureuse des mains et des vêtements.
- Lavage soigneux des fruits et légumes.
  En cas de nervosité :
- Régime enrichi en calcium (laitages, fromage).
- Vitamine D.

- Éviter transpiration et irritation du cuir chevelu (échauffement avec tête couverte).
- Cheveux courts, nettoyés avant et après passage chez le coiffeur.
- Éviter les lotions capillaires irritantes.

- Vivre et dormir dans des lieux aérés et frais.
- Marche (forêt, campagne, montagne, bord de mer) à l'abri de la poussière.
- Prudence en saison de pollen.
- Alimentation légère sans condiments ni épices.
- Lutter contre l'obésité.
- Arrêter tabac et alcool.
- Relaxation, sophrologie.

- Dormir sous une moustiquaire dans les régions à moustiques.
  En cas d'allergie connue :
- Avoir sur soi une trousse d'urgence avec médicaments prescrits par le médecin.
- Éviter les comportements et situations à risque.

Mélanges de plantes médicinales

100 g de fleurs de lamier blanc
+ 100 g de feuilles de noyer
+ 100 g de sommités fleuries de capucine.
Décoction (10 min) : 50 g de ce mélange
pour 1/4 de litre d'eau. Utiliser en application locale.

30 g de feuilles et de sommités fleuries d'hysope
+ 30 g de feuilles d'eucalyptus
+ 60 g de bourgeons de pin sylvestre
+ 40 g de feuilles et de sommités fleuries de thym.
Infusion (10 min) : 15 g de ce mélange
par litre d'eau.
4 tasses par jour.

AFFECTIONS	Remèdes issus des plantes médicinales (pages 70 à 213)	Remèdes fournis par le soleil, l'eau, la terre, l'air (pages 220 à 249)

PLAIES, BLESSURES SUPERFICIELLES

Ruptures de la peau (coupure, égratignure, griffure) sans atteinte des tissus plus profonds. Produites par éléments coupants, pointus...

Attention : *une plaie large, profonde, saignant beaucoup, infectée ou souillée par terre ou rouille (risque de tétanos), avec vaccination ancienne ou inconnue, est une urgence médicale.*

Achillée millefeuille / Consoude officinale Géranium herbe à Robert / Giroflier Lavande vraie / Hydrocotyle / Mélilot jaune / Millepertuis commun / Prêle des champs / Ronce / Sarriette d'hiver Sauge officinale / Serpolet / Solidage verge d'or / Souci officinal / Thym commun / Violette odorante

- Laver la plaie à grande eau avec savon et rincer ; désinfecter.
- Arrêter le saignement en comprimant la plaie pendant 5 à 10 min.

PROSTATISME

Ensemble de troubles urinaires dus à l'hypertrophie de la prostate chez l'homme après la cinquantaine : besoins fréquents d'uriner un peu, difficultés à vider sa vessie, tendance à l'incontinence. Complications possibles : rétention aiguë d'urines, cystite, surinfection **(prostatite).**

Attention : *faire vérifier l'absence de cancer.*

Bruyère cendrée / Busserole Ortie dioïque

- Boire eau minérale riche en magnésium.

PRURIT

Démangeaisons souvent intenses (lésions de grattage). Parfois localisé : face, cheveux, plis, périnée, anus, gland, vulve. Causes diverses : externes (ortie, insectes, poux, gale) ; locales (eczéma, varicelle, herpès, zona) ; allergiques (urticaire médicamenteuse, alimentaire) ; générales (diabète, hépatite, goutte, grossesse, âge...).

Achillée millefeuille / Bouillon-blanc Camomille romaine / Consoude officinale Lierre commun / Mauve / Menthe poivrée / Millepertuis commun / Noyer royal / Plantain / Potentille-tormentille Prêle des champs / Rose à cent feuilles Rose trémière / Solidage verge d'or Souci officinal / Tilleul / Violette odorante

- **Balnéothérapie** chaude.
Prurit localisé :
- Nettoyage soigneux non irritant (huile d'amande douce après séchage).

PSORIASIS

Croûtes blanchâtres en taches de bougie, faciles à enlever, recouvrant des plaques rouges saignant facilement. Coudes, genoux, cuir chevelu, bas du dos, parfois tout le corps. Évolution capricieuse par poussées, influencée par stress, émotions, infections. Parfois douleurs articulaires. Probablement héréditaire.

Bardane / Consoude officinale Pensée des champs

- **Hydrothérapie** locale.
- **Climatothérapie :** séjour à la mer.
- **Héliothérapie.**
- **Thalassothérapie.**

Remèdes procurés par une vie saine
(pages 250 à 319)

- Prévenir la répétition de tels incidents (sports ou comportements à risque).
- Éviter une activité trop importante de la région atteinte pendant la durée de la cicatrisation (risque de cicatrice excessive et fragile).
- Vitamines A, E.

- Combattre la sédentarité : gymnastique au lever, marche quotidienne.
- Sports collectifs ; éviter les sports assis (vélo, moto, cheval).
- Régime pauvre en viande et en graisses.
- Lutter contre l'obésité ; régime végétalien ou macrobiotique.
- Supprimer épices, liqueurs, café.

- Relaxation, sophrologie, yoga, étirements passifs.
- Identifier et éviter les allergènes possibles (poussière, pollen, agents infectieux, médicaments, aliments).
- Soigner les causes locales ou générales.
- Éliminer les causes externes.
- Alimentation simple et variée.
- Limiter les médicaments à l'essentiel (après avis médical).

- Psychothérapie, relaxation, sophrologie, yoga.
- Vie calme en période de poussée.
- Éviter les vêtements collants, la transpiration.
- Alimentation légère et variée.
- Lutter contre le surpoids.
- Vitamines A, D, E.

Mélanges de plantes médicinales

90 g de feuilles d'hamamélis de Virginie
+ 30 g d'hydrocotyle (plante entière)
+ 60 g de fleurs de souci officinal.
Infusion (10 min) : 20 g de ce mélange par litre d'eau.
Utiliser en compresse.

50 g de sommités fleuries d'achillée millefeuille
+ 60 g de fleurs de camomille romaine
+ 150 g de fleurs de tilleul.
Infusion (20 min) : 60 g de ce mélange par litre d'eau.
Utiliser en application locale.

AFFECTIONS	Remèdes issus des plantes médicinales (pages 70 à 213)	Remèdes fournis par le soleil, l'eau, la terre, l'air (pages 220 à 249)

RHINOPHARYNGITE

Inflammation du pharynx nasal, d'origine bactérienne ou virale. Surtout chez le nourrisson et l'enfant. Fièvre modérée plutôt le matin, écoulement nasal et pharyngé, gêne respiratoire. Guérison en quelques jours. L'otite est la complication la plus fréquente. Les formes récidivantes se répètent pendant plusieurs années.

Bourrache / Eucalyptus / Hysope officinale / Marjolaine vraie / Origan Pin sylvestre / Plantain / Romarin Sarriette d'hiver / Serpolet

- Eau bouillie légèrement salée deux ou trois fois par jour.
- **Balnéothérapie :** bains en cas de fièvre supérieure à 38 °C.
En cas de récidives fréquentes :
- **Climatothérapie :** séjour en altitude.

SINUSITE

Inflammation des sinus de la face, infectieuse ou allergique. Vives douleurs frontales ou périorbitaires, écoulement nasal purulent unilatéral, fièvre de 38 à 38,5 °C. Guérison en 8 jours. La sinusite chronique est rebelle, moins douloureuse, avec écoulement bilatéral.
Attention : *demande un suivi médical chez enfant, nourrisson.*

Eucalyptus / Lavande vraie / Pin sylvestre Plantain / Romarin / Sauge officinale

- Compresses froides ou tièdes (front et visage) au moment des douleurs.
- Inhalations.
Sinusite chronique :
- **Climatothérapie :** séjour en altitude.

SPASMOPHILIE, TÉTANIE

Spasmophilie surtout chez la femme, tétanie chez l'enfant. Fourmillements, contractures des membres, de la face (peut durer 1 h), convulsions parfois. Dans la spasmophilie, anxiété, émotivité, insomnie. Favorisée par manque de calcium, allaitement, stress…
Attention *au spasme laryngé de l'enfant : urgence absolue.*

Aubépine / Menthe poivrée Mélisse officinale / Millepertuis commun Prêle des champs / Saule blanc

- **Balnéothérapie :** bains tièdes ou chauds.
- Boire eaux minérales riches en calcium et en magnésium.

SYNDROME PRÉMENSTRUEL

Quelques jours avant les règles, gonflement douloureux des seins, du bas-ventre, petits troubles de l'humeur, migraine, petits troubles digestifs, vasculaires, respiratoires, associés à une prise de poids (rétention d'eau). Souvent chez femme jeune, élancée, active, menant une vie stressante. Disparaît avec les règles.

Aubépine / Ballote noire / Coquelicot Saule blanc

- **Hydrothérapie :** compresses froides sur seins, ventre ; bains tièdes ou chauds.

Remèdes procurés par une vie saine
(pages 250 à 319)

Mélanges de plantes médicinales

- Faire dormir l'enfant dans une pièce fraîche et aérée.
- Éviter poussière, vapeurs irritantes, médicaments.
  En cas de récidives fréquentes :
- Éviter courants d'air, pièces surchauffées, air conditionné.
- Réduire sucres, laitages.
- Vitamine A ; oligoélément : Fe.

30 g de feuilles et de sommités fleuries d'hysope
+ 30 g de feuilles d'eucalyptus
+ 60 g de bourgeons de pin sylvestre
+ 40 g de feuilles et de sommités fleuries de thym.
Infusion (10 min) : 15 g de ce mélange
par litre d'eau.
4 tasses par jour.

- Soigner la rhinite initiale.
- Se couvrir la tête.
- Surveiller l'état dentaire.
- Identifier et éviter les allergènes possibles (poussière, pollen, agents infectieux, médicaments, aliments...).
- Régime pauvre en laitages et sucres rapides, enrichi en huiles et germes de céréales.
- Vitamine A ; oligoéléments : Fe, Cu, Au, Ag.

50 g de feuilles ou de sommités fleuries de thym
+ 50 g de bourgeons de pin.
Infusion (15 min) : 20 g de ce mélange
par litre d'eau.
3 tasses par jour.

Une poignée de feuilles d'eucalyptus
dans un bol d'eau bouillante.
Inhaler pendant 15 min, trois fois par jour.

- Relaxation, sophrologie, yoga, psychothérapie, training autogène, étirements passifs.
- Pratique quotidienne d'une activité physique.
- Régime riche en calcium (laitages, fromage) et en germes de céréales.
- Éviter café, excitants, alcool.

- Relaxation, sophrologie, psychothérapie, yoga, étirements passifs.
- Vie calme.
- Natation, gymnastique.
- Régime végétarien l'hiver, végétalien l'été, 1 semaine avant les règles.
- Limiter café, excitants.

AFFECTIONS	Remèdes issus des plantes médicinales (pages 70 à 213)	Remèdes fournis par le soleil, l'eau, la terre, l'air (pages 220 à 249)

TABAGISME

Intoxication par le tabac. **Aigu** (accidentel) : salivation, vomissements, tremblements. **Chronique** (fumeur) : atteintes respiratoires (cancers, bronchite chronique), cardiovasculaires (artérites), digestives (cancers), grossesse compliquée.

Attention : On trouve maintenant plus de fumeurs chez les adolescents que chez les adultes.

Aubépine / Passiflore officinale
Valériane

Tabagisme chronique :
- **Climatothérapie :** séjour en altitude.
- **Thalassothérapie :** adjuvant en cure de désintoxication.

TENDINITE, TÉNOSYNOVITE

Inflammation d'un tendon (tendinite) et de sa gaine (ténosynovite). Fréquente chez les sportifs, les travailleurs manuels : épaule, genou, coude (épicondylite du joueur de tennis ou tennis-elbow), poignet, pouce, tendon d'Achille. Contraction musculaire très douloureuse, impotence fonctionnelle.

Arnica / Cassis / Frêne élevé
Harpagophyton / Reine-des-prés
Saule blanc / Scrofulaire noueuse

- Calmer la douleur avec des compresses froides ou glacées, glaçons.
- **Hydrothérapie** locale ou régionale, froide ou tiède, bains à jets réguliers.

TOUX

Expiration brutale, saccadée, bruyante, répétée (quinte). Parfois volontaire. Réflexe salvateur d'évacuation des voies respiratoires. Sèche : signe d'irritation. Grasse : avec crachats. Manifestation d'une atteinte de l'appareil respiratoire (larynx, trachée, bronches, poumons, plèvre) ou cardiaque.

Aunée / Ballote noire / Bouillon-blanc
Coquelicot / Cyprès / Érysimum
Eucalyptus / Grindélia / Guimauve
Lavande / Lierre terrestre / Marrube
blanc / Mauve / Pensée / Pied-de-chat
Pin sylvestre / Plantain / Primevère
Radis noir / Réglisse / Rose trémière
Serpolet / Thym / Tilleul / Violette

- Boire de l'eau fraîche ou glacée.
Toux chronique (liée à bronchite chronique ou équivalent) :
- **Climatothérapie :** séjour en altitude.

ULCÈRES GASTRODUODÉNAUX

Ulcérations de la muqueuse gastrique ou duodénale. Douleurs épigastriques par poussées de quelques jours, à distance des repas, calmées par aliments, laitages. Parfois caractère saisonnier. Favorisés par médicaments, alcool, tabac, stress.

Attention : risques d'hémorragie, de perforation. À suivre médicalement.

Réglisse

- Cure d'argile.

Remèdes procurés par une vie saine
(pages 250 à 319)

Mélanges de plantes médicinales

- Relaxation, training autogène, sophrologie, psychothérapie.
- Cure (assistée) de désintoxication-sevrage.
- Régime végétalien ou végétarien pendant plusieurs jours.
- Réduire alcool, café, excitants.
- Éventuellement jeûne mouillé médicalement assisté.

- Relaxation, étirements passifs, yoga.
- Interrompre tout usage du membre atteint jusqu'à guérison complète.
- Immobilisation du membre ou de l'articulation si nécessaire.
- Prendre en compte une meilleure préparation à l'effort, mais aussi les premiers signes du vieillissement.

- Position couchée ou semi-assise selon la profondeur de la toux.
- Calme, pénombre dans une pièce fraîche et aérée, aide à proximité.
- Rester au repos un moment après une crise.
- Faire traiter les causes de la toux.
- Identifier et éviter les allergènes possibles (poussière, pollen, agents infectieux...).
- Petits repas légers en dehors des crises.

30 g de fleurs de bouillon-blanc
+ 60 g de pétales de coquelicot
+ 30 g de fleurs ou de feuilles de mauve
+ 30 g de fleurs de violette odorante.
Infusion (10 min) : 15 g de ce mélange par litre d'eau.
4 tasses par jour.

- Psychothérapie, sophrologie, relaxation.
- Vie calme.
- Arrêter tabac et alcool.
- Limiter les médicaments à l'essentiel (après avis médical).
- Régime macrobiotique ou végétarien.

AFFECTIONS	Remèdes issus des plantes médicinales (pages 70 à 213)	Remèdes fournis par le soleil, l'eau, la terre, l'air (pages 220 à 249)

ULCÈRE DE JAMBE

Ulcération cutanée de la jambe, souvent à la face interne de la cheville, au contact de l'os. Dû à une altération des petits vaisseaux de la peau, parfois douloureux, souvent surinfecté. Affection traînante associant eczéma, plaques douloureuses violettes ou ocre, cicatrices douteuses, œdème et troubles veineux (varices).

Hamamélis de Virginie / Hydrocotyle
Lierre commun / Marronnier d'Inde
Noisetier commun / Prêle des champs
Psyllium

- **Hydrothérapie** locale tiède.
- **Thalassothérapie :** physiothérapie en bassin.

URTICAIRE

Papules rouges à centre blanc, prurit, évoquant les piqûres d'ortie. Réaction allergique à médicaments, agents infectieux, aliments, pollen, acariens, piqûres d'insectes... Forme chronique activée par froid, soleil, chaleur, contact de certains tissus (nylon, soie...).
Attention : l'urticaire géante est une urgence médicale.

Eschscholzia / Plantain

- Compresses d'eau froide.
- Bains d'argile.
- **Hydrothérapie** locale ou régionale froide.
  Urticaire chronique :
- **Climatothérapie.**

VARICES

Dilatations veineuses permanentes aux membres inférieurs. Dues au mauvais état veineux (associées à œdème, eczéma, dermite, ulcère). Souvent au mollet : impression de jambes lourdes. Étendues, elles forment un cordon variqueux qui peut s'enflammer.
Attention : le mollet brusquement chaud, dur, douloureux est une urgence médicale.

Ail commun / Alchémille commune
Benoîte officinale / Bistorte / Bourse-à-pasteur / Cassis / Cyprès / Ficaire
Fragon épineux / Hamamélis de Virginie
Marronnier d'Inde / Mélilot jaune
Myrtille / Noisetier commun
Potentille-tormentille / Ronce / Salicaire
Viburnum / Vigne rouge

- Bains d'argile.
- **Hydrothérapie :** enveloppements froids ou tièdes des jambes avec massage ; douches froides de bas en haut.

VERTIGE

Sensation désagréable de déséquilibre giratoire avec déplacement des objets. Nausées, vomissements fréquents, parfois acouphènes. Sans perte de conscience ni « voile noir ». Passager, peut être dû à alcool, faim, émotion.
Attention : répétitif, à explorer médicalement ; avec céphalée et fièvre, urgence médicale.

Artichaut / Mélisse officinale
Sauge officinale

- Compresses froides sur front, nuque.

Remèdes procurés par une vie saine

(pages 250 à 319)

- Psychothérapie, relaxation.
- Gymnastique quotidienne.
- Éviter station debout immobile, sédentarité, vêtements et chaussures trop serrés.
- Soigner le diabète éventuel.
- Lutter contre l'obésité.
- Régime végétalien (10 jours par mois), régime macrobiotique...

- Régime végétarien (10 jours par mois).
- Éviter les allergènes possibles (poussière, pollen...).
- Supprimer le tabac.
- Alimentation variée pauvre en calories ; réduire laitages, œufs, céréales, tomates, oranges.
- Psychothérapie, sophrologie, relaxation.

- Éviter froid, chaleur, soleil, chauffage par le sol, vêtements et chaussures trop serrés.
- Sieste quotidienne avec jambes surélevées.
- Bandes ou chaussettes de contention.
- Éviter la station debout, immobile.
- Gymnastique des jambes quotidienne ; natation, vélo.
- Régime pauvre en épices ; supprimer vin blanc.
- Facteurs vitaminiques P.

Pendant la crise :
- Position allongée dans l'obscurité.
- Croquer quelques morceaux de sucre ou boire lait au miel.

En cas de vomissements incoercibles :
- Diète absolue puis réhydratation prudente.

Entre les crises :
- Vie calme, activité physique quotidienne.
- Régime pauvre en sel ; plusieurs petits repas par jour ; arrêter café, alcool, tabac.

Mélanges de plantes médicinales

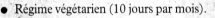

50 g de graines de psyllium
+ 80 g de feuilles d'hamamélis de Virginie
+ 80 g d'hydrocotyle (plante entière).
Décoction (5 min) : 30 g de ce mélange par litre d'eau.
Utiliser en compresse.

60 g de feuilles de vigne rouge
+ 40 g de feuilles d'hamamélis de Virginie
+ 40 g de sommités fleuries de mélilot
+ 50 g de feuilles de noisetier.
Infusion (10 min) : 20 g de ce mélange par litre d'eau.
3 tasses par jour.

LES PLANTES MÉDICINALES

Dictionnaire

L'homme a depuis toujours été confronté à des dangers qui menaçaient sa santé et celle de ses proches. En réponse, il a su progressivement trouver dans son environnement naturel, en particulier dans le monde végétal, des moyens de se soigner.

Ces pratiques de soin par les plantes ont constitué la base des grandes médecines savantes du passé : ayurvédique, égyptienne, chinoise, andine, grecque, araboislamique, européenne enfin.

Notre médecine moderne s'est elle-même construite à partir de ce passé. La grande majorité des médicaments aujourd'hui disponibles dans nos pharmacies, des plus anodins aux plus puissants, ont pris naissance dans le monde végétal.

Tout un savoir ancestral sur les plantes médicinales est encore en pratique dans le monde entier. Il était bien dans la ligne de ce guide pratique de faire le point sur l'usage possible de ces plantes qui nous veulent du bien.

Pour ce faire, nous avons sélectionné un ensemble de plantes qui répondent à deux critères : d'une part, bien sûr, ne pas être toxiques, d'autre part appartenir à notre médecine traditionnelle ou posséder une grande notoriété dans d'autres régions du monde.

Pour chacune, nous nous sommes attachés à détailler les propriétés démontrées, les indications habituellement reconnues, les modes de préparation et la posologie (quantité à utiliser et modalité d'emploi), et nous voudrions en préalable donner quelques recommandations sur la manière d'acquérir les plantes, d'en réaliser la préparation et d'en déterminer la quantité à utiliser.

Il est indispensable de bien choisir ses plantes : une plante de qualité se définit comme une plante sauvage ou cultivée dans de bonnes conditions phytosanitaires, récoltée,

séchée et conservée selon les normes. On trouve des plantes médicinales dans les pharmacies, les magasins d'aliments naturels ou les herboristeries asiatiques. Les herbes aromatiques et les préparations d'herboristerie reconnues pour des fins médicinales doivent exhiber l'étiquetage requis par le Règlement sur les aliments et drogues et, pour certaines, un numéro d'identification.

La préparation requiert un certain soin. Nous nous sommes volontairement limités à des formes simples d'utilisation (décoction, infusion, macération). Les formes pharmaceutiques plus élaborées (médicaments) ou plus concentrées en principes actifs (huiles essentielles) relèvent plutôt du conseil du pharmacien, du naturopathe ou de l'homéopathe : elles n'ont donc pas leur place ici.

On utilisera la *décoction* (maintien en ébullition de l'eau et de la plante pendant plusieurs minutes) pour traiter racines, rhizomes, écorce de certaines plantes.

On recourra à l'*infusion* (l'eau portée à ébullition est versée sur la plante et laissée en contact dix à vingt minutes à la température de la pièce) pour les parties plus tendres (feuilles, fleurs, mais aussi certaines racines délicates).

Enfin, pour certains principes actifs plus longs à extraire ou sensibles à la chaleur, on utilisera la *macération* dans de l'eau à température ambiante pendant plusieurs heures.

Il est toujours important de respecter les doses recommandées. Elles sont ici exprimées en grammes de produit par litre : pour préparer une tasse de 150 à 250 ml, on divisera la dose de plante séchée nécessaire par 6 ou par 4 ; toutefois, tisanes, décoctions et macérations peuvent se préparer à l'avance pour la journée ; elles seront alors conservées après filtrage, de préférence au frais, et réchauffées à la demande.

ABSINTHE ou ARMOISE-ABSINTHE

Artemisia absinthium L.
Asteraceae

BOTANIQUE

Plante bisannuelle ou vivace, à tiges dressées, très ramifiées, à feuilles pennatiséquées, soyeuses, verdâtres dessus, gris blanchâtre dessous. Les inflorescences sont de petits capitules jaunes. La plante entière est fortement aromatique.

PARTIES UTILISÉES

Les feuilles et les sommités fleuries, récoltées de juin à septembre et séchées rapidement.

COMPOSANTS

La plante contient 0,2 à 1 % d'une huile essentielle constituée de thuyones, de thuyols, de phellandrène, de cadinène et d'azulènes. On y trouve également des polyines, des flavonoïdes et des lactones sesquiterpéniques qui produisent à la distillation les azulènes.

PROPRIÉTÉS DÉMONTRÉES

Les thuyones possèdent une activité emménagogue, anthelminthique et carminative. L'huile essentielle développe une action microbicide. Les azulènes ont des propriétés anti-inflammatoires. La plante possède, de plus, une activité cholérétique et antipyrétique.

INDICATIONS USUELLES RECONNUES

La plante est traditionnellement utilisée pour soulager les règles douloureuses et pour stimuler l'appétit. Les phytothérapeutes lui reconnaissent de plus des propriétés vermifuges (contre les oxyures et les ascaris) et fébrifuges.

PRÉCAUTIONS D'EMPLOI

Ne pas dépasser les doses préconisées, la plante étant neurotoxique par son huile essentielle, riche en thuyones. La prise de l'absinthe, sous quelque forme que ce soit, ne doit pas excéder une semaine. Elle ne doit pas être administrée à l'enfant ni à la femme enceinte. Elle donne au lait des mères un goût amer peu apprécié des nourrissons. L'usage de l'huile essentielle pure est à proscrire.

La plante est connue depuis longtemps des Celtes, qui l'utilisaient comme plante médicinale. Les Égyptiens, les Grecs et les Arabes mentionnent l'absinthe, mais cette appellation se rapportait aussi à des espèces voisines : l'armoise arborescente *(Artemisia arborescens)* et la petite absinthe, ou armoise pontique *(Artemisia pontica)*. Toutes étaient prescrites comme de véritables panacées, mais Avicenne en faisait surtout un excellent stimulant de l'appétit.

Très prisées en Europe au XIXe siècle, les liqueurs d'absinthe – qui contenaient aussi de l'anis vert, du fenouil et de l'hysope – furent prohibées au début du XXe, en raison des nombreuses intoxications (absinthisme) qu'elles avaient provoquées.

Encore appelée grande absinthe, herbe sainte, alvine, aluine.

Originaire d'Europe où elle fut beaucoup cultivée pour la production de liqueurs aujourd'hui interdites, l'armoise-absinthe pousse à l'état spontané dans les champs du nord-est de l'Amérique du Nord.

EMPLOIS

• *Poudre de plante : 2 à 3 g par dose journalière. 1 prise de poudre triturée dans de la pulpe de pruneaux ou dans 2 g de poudre de réglisse, le matin à jeun, 5 jours de suite, comme vermifuge chez l'adulte.*

• *Infusion (10 min) : 5 à 20 g de plante par litre d'eau. 2 à 3 tasses bien sucrées par jour en cas de règles douloureuses, durant toute la semaine qui les précède ; 1 tasse avant chaque repas pour stimuler l'appétit ; 1 tasse après chaque repas contre les atonies digestives.*

• *Huile d'absinthe : laisser macérer, durant 10 jours, 50 g de plante dans 500 ml d'huile d'olive ; exprimer. 1 à 2 cuillerées à soupe par jour, le matin à jeun, pendant 5 jours, comme vermifuge chez l'adulte.*

ACHE DES MARAIS

Apium graveolens L.
Apiaceae

BOTANIQUE

Herbe bisannuelle très rameuse, à tige fistuleuse et fortement sillonnée de 20 à 80 cm de haut, à feuilles luisantes assez épaisses. Les fleurs forment une ombelle blanc verdâtre. Les fruits sont des akènes globuleux. La racine (souche radicante), à saveur très aromatique, dégage une forte odeur balsamique. Elle est pivotante, courte, brune dehors, blanche à la coupe.

PARTIES UTILISÉES

Surtout les racines, déterrées en octobre, lavées et séchées à l'air chaud. On utilise aussi les feuilles et les fruits.

COMPOSANTS

Les racines contiennent un flavonoside (l'apioside), de l'inositol, du mannitol, du bergaptène et de la vitamine C. Les fruits renferment une huile essentielle (2,5 à 3 %), également présente dans les racines, mais en moindre quantité. Cette huile est constituée de 70 à 90 % de carbures terpéniques. Ils renferment aussi des dérivés du furano-coumarine.

PROPRIÉTÉS DÉMONTRÉES

En raison de la présence d'un flavonoside (l'apioside), l'ache des marais présente des propriétés carminatives et diurétiques. On lui reconnaît, en outre, une activité spasmolytique et sédative.

INDICATIONS USUELLES RECONNUES

Les racines sont traditionnellement utilisées comme diurétique. Les feuilles sont fébrifuges et sédatives.

PRÉCAUTIONS D'EMPLOI

Il faut éviter l'exposition au soleil après la prise d'ache, car le bergaptène entraîne des phénomènes de phototoxicité, se manifestant par des dermites aiguës, accompagnées quelquefois de vésicules, de bulles et d'une hyperpigmentation durables.

EMPLOIS

• *Décoction (10 min) : 30 à 60 g de racines fraîches par litre d'eau. 1 tasse avant les repas comme diurétique.*

• *Infusion (10 min) : 50 à 60 g de feuilles sèches par litre d'eau. 3 tasses par jour, comme diurétique et comme fébrifuge. Le suc des feuilles a les mêmes indications.*

• *En usage externe, les feuilles fraîches écrasées sont utilisées contre les contusions.*

Plante sauvage des marécages des régions salines littorales et continentales d'Europe, l'ache cultivée présente plusieurs variétés (céleri en branches et céleri-rave). Connue pour son usage alimentaire, elle donne une huile essentielle à propriétés médicinales.

Déjà connue des Égyptiens, des Grecs et des Romains, qui l'utilisaient pour se parfumer l'haleine, l'ache des marais était considérée comme une plante funèbre, car on la déposait sur les tombes. Au Moyen Âge, elle était censée bannir la mélancolie et purifier les reins ; elle était aussi un moyen de s'assurer du sexe d'un enfant à naître.

Encore appelée céleri sauvage, céleri des marais, ache puante.

ACHILLÉE MILLEFEUILLE

Achillea millefolium L.
Asteraceae

BOTANIQUE

Plante vivace à tige dressée, de 30 à 90 cm de haut. Les feuilles alternes, allongées, sont disposées dans des plans différents. Les inflorescences, petits capitules, sont réunies en corymbes denses ; les fleurs, blanches ou rosées, sont ligulées à la périphérie et tubiflores au centre.

PARTIES UTILISÉES

Les sommités fleuries, de saveur aromatique et amère, récoltées à la floraison (juin-septembre).

COMPOSANTS

L'achillée renferme des composants classiques des végétaux aromatiques, en particulier une huile essentielle, riche en azulène, qui lui donne sa coloration bleue. La plante contient aussi des composés polyphénoliques, doués de propriétés digestives. Présence de lactones sesquiterpéniques, de composés azotés du groupe des bétaïnes ; traces de substances acétyléniques ; hétéroside cyanogénétique, et huile fixe constituée d'acides myristique, palmétique, cérotique, oléique et linoléique.

PROPRIÉTÉS DÉMONTRÉES

Des travaux ont révélé des propriétés cholérétiques, astringentes, diurétiques, emménagogues, spasmolytiques, anti-inflammatoires et cicatrisantes.

INDICATIONS USUELLES RECONNUES

En usage externe, l'achillée millefeuille est indiquée comme adoucissant et cicatrisant. Elle calme les démangeaisons, les irritations dues aux écorchures, gerçures et piqûres d'insectes. En usage interne, elle est indiquée dans les cas de digestion lente (ballonnements, éructations, flatulences), et dans les colites spasmodiques.

PRÉCAUTIONS D'EMPLOI

Aucune aux doses préconisées. Toutefois, l'usage interne doit rester modéré, du fait de la présence de substances toxiques à fortes doses.

L'achillée, connue et utilisée depuis l'Antiquité, doit son nom au héros grec Achille, que le centaure Chiron avait initié aux vertus thérapeutiques de la plante, et qui l'employa à soigner un blessé. Les Grecs anciens la recommandaient contre les plaies et les ulcères. Ses vertus hémostatiques sont signalées à plusieurs reprises, en particulier au Moyen Âge. À cette époque, elle était également conseillée contre l'insomnie, les troubles visuels, la fatigue, la goutte, les varices et les pertes blanches. Les Amérindiens l'utilisaient eux aussi contre divers maux.

Encore appelée herbe-à-dinde, herbe à la coupure, herbe aux charpentiers, herbe de Saint-Jean, sourcils de Vénus.

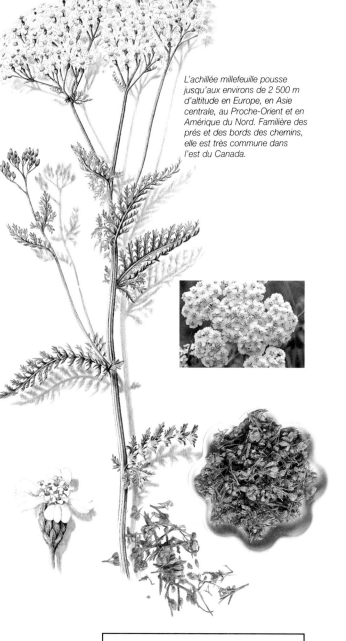

L'achillée millefeuille pousse jusqu'aux environs de 2 500 m d'altitude en Europe, en Asie centrale, au Proche-Orient et en Amérique du Nord. Familière des prés et des bords des chemins, elle est très commune dans l'est du Canada.

EMPLOIS

• *Infusion (10 min) : 20 g de plante sèche par litre d'eau. 3 à 4 tasses réparties dans la journée, comme antispasmodique et contre les troubles digestifs.*

• *Suc de la plante fraîche : 2 à 3 g en application locale contre les hémorroïdes et les affections de la peau.*

• *Décoction (10 min) : 50 g de plante sèche par litre d'eau. En application locale sur les plaies, éruptions, gerçures.*

AIL COMMUN
Allium sativum L.
Liliaceae

BOTANIQUE

Plante herbacée de 20 à 50 cm de haut, vivace par son bulbe. Ses feuilles creuses sont linéaires, engainantes. La plante se termine par une inflorescence en ombelle, constituée de petites fleurs blanches ou rougeâtres. Les fleurs, peu nombreuses, sont souvent associées à des bulbilles. Le bulbe est constitué de 10 à 16 caïeux (les gousses d'ail), blanchâtres ou rougeâtres.

PARTIES UTILISÉES

Le bulbe frais, récolté au cours de l'été ou à l'automne, selon la saison de culture.

COMPOSANTS

L'odeur caractéristique de l'ail est due au disulfure de diallyle, produit de dégradation de l'alliine, riche en soufre, principal composé de l'ail frais, et qui se transforme en de nombreux sous-produits très actifs. On y trouve également des substances glucidiques, des vitamines (A, B1, B2, C, PP), des prostaglandines et plusieurs substances douées d'activités hormonales ou antibiotiques. L'ail renferme aussi des sels minéraux de manganèse, cuivre, zinc, aluminium et sélénium.

PROPRIÉTÉS DÉMONTRÉES

De nombreux travaux ont démontré ses propriétés pharmacologiques : activité antiagrégante plaquettaire expliquant son usage dans la prévention des thromboses, propriétés bactéricides et antifongiques sur diverses espèces de bactéries et champignons pathogènes. Ses effets hypoglycémiants, diurétiques, vermifuges, hypotensifs, fibrinolytiques, hypocholestérolémiants et antiathérogènes ont fait l'objet de nombreuses recherches.

INDICATIONS USUELLES RECONNUES

L'ail est surtout indiqué dans les troubles de la circulation (hypertension artérielle, athérosclérose, hémorroïdes, troubles congestifs de la ménopause, jambes lourdes, fragilité capillaire). Ses propriétés antiseptiques (pulmonaires, intestinales) et diurétiques sont quelquefois utilisées.

Les Égyptiens prenaient de l'ail pour avoir de la force, notamment lors de la construction des pyramides. Cultivé depuis l'Antiquité comme plante condimentaire, il était surtout réputé comme puissant fortifiant et comme préventif contre la peste. Les Grecs mentionnaient ses vertus toniques, diurétiques, antiseptiques, antiasthmatiques, apéritives, laxatives, emménagogues et vermifuges. Les médecins arabo-persans le considéraient comme un antidote contre le vitiligo, la rage, les morsures de serpent et les piqûres de scorpion. Ce sont eux qui ont transmis ses usages thérapeutiques en Occident.

PRÉCAUTIONS D'EMPLOI

Aucune aux doses préconisées. À trop fortes doses, peut provoquer une irritation des muqueuses digestives et urinaires.

EMPLOIS

• *Poudre : 6 g par jour, contre les troubles circulatoires.*

• *Sirop : 100 g d'ail frais pour 200 g d'eau et 200 g de sucre. 2 à 3 cuillerées à soupe par jour, contre l'hypertension.*

• *Lavement : préparé avec un bulbe et un jaune d'œuf, contre les oxyures.*

• *Le suc d'ail est aussi employé en usage externe comme antiseptique.*

Probablement originaire d'Asie centrale, présent en Chine, en Égypte et dans le bassin méditerranéen depuis la plus haute antiquité, l'ail est cultivé dans toutes les régions tempérées du monde pour ses bulbes condimentaires.

ALCHÉMILLE COMMUNE

Alchemilla vulgaris L.
Rosaceae

Plante de l'hémisphère Nord, l'alchémille se trouve du sud de la Suède au centre de la Grèce ; elle est abondante en Europe de l'Est. On la rencontre dans les lieux légèrement ombragés ou humides et frais, comme les prairies ou l'orée des forêts.

Connue depuis l'Antiquité, utilisée en médecine grecque et arabo-persane, l'alchémille est une plante légendaire, appelée porte-rosée en raison de l'abondante rosée nocturne retenue par les poils de ses grandes feuilles. Les alchimistes du Moyen Âge recueillaient cette eau, qu'ils utilisaient sous le nom d'eau céleste pour la recherche de la pierre philosophale. À la Renaissance, la plante était réputée faire renaître la virginité et rendre leur beauté aux femmes. L'alchémille est dédiée à la Vierge Marie dans certaines régions, d'où son nom vernaculaire de manteau-de-Notre-Dame, et son usage en couronnes ornant les crucifix pendant la Fête-Dieu.

Encore appelée perce-pierre, pied-de-lion, soubeirette, patte-de-lapin.

BOTANIQUE

Petite plante herbacée vivace de 10 à 40 cm de haut. Au ras du sol, elle développe des feuilles réniformes. Les autres feuilles sont alternes, en forme d'éventail palmé, portées par une tige droite se terminant par de petites fleurs jaune verdâtre.

PARTIES UTILISÉES

Les parties aériennes, récoltées à la floraison, et aussi les feuilles, cueillies après épanouissement des fleurs, séchées à l'ombre et conservées à l'abri de la poussière et de l'humidité.

COMPOSANTS

On trouve dans l'alchémille des constituants classiques des végétaux : sels minéraux riches en potassium, glucides, acides organiques et acides gras, flavonoïdes, saponosides, leucoanthocyanes, tanins, et des vitamines (E et F).

PROPRIÉTÉS DÉMONTRÉES

Les propriétés pharmacologiques de la plante ont été démontrées chez l'animal et en recherches cliniques : par ses saponosides et ses flavonoïdes, elle possède des propriétés diurétiques, dépuratives et vitaminiques P. Par ses tanins, elle est astringente, hémostatique et antihémorragique. On lui reconnaît aussi des propriétés antimigraineuses, stomachiques, toniques et décongestionnantes.

INDICATIONS USUELLES RECONNUES

En usage externe, elle est utilisée pour ses effets cicatrisants. En usage interne et en application locale, elle est indiquée dans l'insuffisance veineuse (jambes lourdes, hémorroïdes). En usage interne, elle est employée pour soigner les diarrhées estivales.

PRÉCAUTIONS D'EMPLOI

Aucune aux doses préconisées.

ANETH

Anethum graveolens L.
Apiaceae

BOTANIQUE

Plante annuelle de basse altitude à racine pivotante, de 10 à 50 cm de haut. La tige, vert foncé légèrement glauque, est creuse et porte des feuilles engainantes, divisées en lobes filiformes. Les fleurs, en ombelle, formées de 15 à 40 rayons, sont jaunes. Le fruit, ovoïde, brun clair, muni de 10 côtes, dont 4 côtes marginales dilatées en ailes plates, se présente souvent en deux parties séparées, bordées d'une marge plus claire. Sa saveur piquante et aromatique rappelle celle du carvi, du cumin et du fenouil. L'aneth dégage une forte odeur due à une huile essentielle.

PARTIES UTILISÉES

Les fruits, récoltés en septembre et séchés à l'ombre.

COMPOSANTS

Le composant principal des fruits d'aneth est une huile essentielle (3 à 4 %) presque incolore. Elle est constituée de limonène (50 à 65 %), de carvone et de dihydrocarvone (30 %). En outre, les fruits contiennent des composés azotés, de la pectine et un tanin.

PROPRIÉTÉS DÉMONTRÉES

L'aneth possède des propriétés carminatives et stimulantes.

INDICATIONS USUELLES RECONNUES

Aujourd'hui moins utilisé qu'autrefois, l'aneth est surtout employé pour ses propriétés eupeptiques ; ses propriétés antispasmodiques permettent de l'utiliser comme adjuvant dans le traitement des colites spasmodiques douloureuses. Il aurait un effet diurétique et cholérétique.

PRÉCAUTIONS D'EMPLOI

Aucune aux doses préconisées.

Originaire du sud-ouest de l'Asie, l'aneth est naturalisé en Europe et en Amérique du Nord. Il aime les terrains vagues, secs, les bords des chemins et les champs cultivés.

Utilisé par les Juifs comme plante potagère – à l'époque du Christ, il faisait même l'objet d'un impôt –, l'aneth était connu des Grecs pour son arôme. Ses fruits sont mentionnés par Dioscoride. Avicenne considérait le suc d'aneth comme salutaire contre les maux d'oreilles. Pour d'autres médecins arabo-persans, l'aneth était doué de propriétés carminatives. Rhazès cite l'utilité des fruits sous forme de décoction pour calmer les douleurs dorsales. Un vin préparé avec la décoction est utilisé comme calmant dans les cas d'insomnie. L'aneth a été également vanté comme un remède au hoquet.

Encore appelé fenouil puant, fenouil bâtard, faux anis.

EMPLOIS

• *Infusion (15 min) : 4 à 8 g de fruits secs par litre d'eau, ou 1 cuillerée à soupe par tasse. 1 tasse avant chaque repas, en cas de troubles digestifs.*

ANGÉLIQUE OFFICINALE

Angelica archangelica L.
Apiaceae

BOTANIQUE

Grande plante bisannuelle ou trisannuelle, à croissance rapide, de 1 à 2 m de haut, à tige cannelée et creuse, souvent violacée, à grandes feuilles plus claires dessous, bipennatiséquées, à gros pétiole charnu et creux. Les fleurs, jaune verdâtre, sont groupées en larges ombelles hémisphériques. Les fruits, ovoïdes, sont aplatis en ailes. La plante écrasée dégage une odeur aromatique. Son suc est irritant pour la peau et les muqueuses.

PARTIES UTILISÉES

Les racines et les fruits. Les racines sont récoltées à la fin de la première année ou la deuxième, les fruits, à maturité.

COMPOSANTS

La plante contient une huile essentielle riche en carbures terpéniques aux vertus eupeptiques et carminatives (70 à 80 %). L'huile essentielle est quantativement plus importante dans les fruits. Présence de térébangalène, qui se combine avec les composés résineux pour produire une gomme résine (baume d'angélique). Les racines et la tige renferment aussi beaucoup de glucides, des acides organiques, quelques tanins, du sitostérol, et surtout des dérivés furo-coumariniques auxquels on rattache les effets sédatifs et antispasmodiques de la plante.

PROPRIÉTÉS DÉMONTRÉES

C'est surtout un stomachique, un carminatif, un antispasmodique et un antiseptique.

INDICATIONS USUELLES RECONNUES

Très en vogue autrefois, la plante ne connaît plus que des usages limités. Les racines et les fruits sont indiqués pour faciliter la digestion et en cas de colites spasmodiques. L'huile essentielle a un effet antispasmodique. Action analgésique, cicatrisante et antiseptique en usage externe.

PRÉCAUTIONS D'EMPLOI

Risque de photosensibilisation due aux furo-coumarines. L'emploi d'huile essentielle pure est à éviter.

Inconnue des Anciens, l'angélique fut d'abord cultivée dans les régions nordiques et les pays alpins. Elle était utilisée au XIIᵉ siècle pour ses propriétés alimentaires, puis cultivée au XIVᵉ siècle dans les monastères d'Europe centrale, et au XVIᵉ siècle partout en Europe, pour ses vertus médicinales. Les médecins de la Renaissance la recommandaient et la nommaient racine du Saint-Esprit en raison de ses propriétés miraculeuses contre les maladies et la vieillesse.

Encore appelée angélique de Bohême, herbe aux anges, herbe du Saint-Esprit.

Originaire d'Europe et d'Asie, l'angélique aime les terrains ensoleillés des vallons de montagne, abrités des vents.

EMPLOIS

• *Infusion (10 min) : 12 g de racines ou 8 à 15 g de fruits par litre d'eau. 1 tasse après chaque repas.*

• *Poudre de racines ou de fruits : 1/2 cuillerée à thé deux à trois fois par jour.*

• *Vin d'angélique : 50 à 60 g de racines par litre de vin blanc. Laisser macérer 3 jours dans un endroit chaud. 1 à 2 verres par jour.*

L'angélique est utilisée sous toutes ces formes comme antispasmodique.

ANIS VERT

Pimpinella anisum L.
Apiaceae

BOTANIQUE

Plante annuelle à feuilles de 3 types : les inférieures, cordiformes ; celles de la partie moyenne, pennées ; les supérieures, trifides, à divisions linéaires. Les fleurs, petites et blanches, sont rassemblées en ombelles composées. Les fruits sont petits, ovoïdes ou piriformes, et bruns. Toute la plante exhale une forte odeur aromatique.

PARTIES UTILISÉES

Les fruits séchés.

COMPOSANTS

Les fruits contiennent 2 à 3 % d'une huile essentielle constituée principalement d'anéthole (90 à 95 %) et d'estragole. On y trouve également des sucres et des polysaccharides, des protides (aleurone), des lipides (15 à 20 %), des flavonoïdes, un glucoside de l'acide p-hydroxybenzoïque, de la choline.

PROPRIÉTÉS DÉMONTRÉES

L'expérimentation sur l'animal a montré que l'huile essentielle augmente le tonus basal et les contractions de la musculature lisse intestinale, alors que les fruits sont consacrés par la tradition comme antispasmodiques. La plus grande partie des effets de l'huile essentielle est due à l'anéthole et à ses dérivés. On leur reconnaît des activités antispasmodiques, antiseptiques sur la flore intestinale et œstrogéniques.

INDICATIONS USUELLES RECONNUES

Les fruits et l'huile essentielle sont indiqués principalement dans le traitement symptomatique des troubles digestifs : ballonnements épigastriques, digestion difficile, éructations, fermentation intestinale, aérophagie, colites spasmodiques. On utilise aussi l'anis vert pour favoriser la montée de lait chez les mères.

PRÉCAUTIONS D'EMPLOI

Pour les fruits : aucune aux doses préconisées. L'huile essentielle, dangereuse par l'anéthole – neurotoxique – qu'elle contient, ne s'obtient que sur prescription médicale.

Très utilisé en confiserie et en liquoristerie (pastis, anisette, etc.), l'anis entrait aussi dans la composition des liqueurs d'absinthe et contribuait à sa toxicité. Il est connu depuis très longtemps des Chinois, des Indiens, des Grecs et des Arabes, qui l'employaient comme condiment et pour ses propriétés carminatives. Son usage en France est mentionné dès le VIIIe siècle. Sa culture fut ordonnée dans le capitulaire de Louis le Pieux, comme plante médicinale. Les anciennes cultures de Touraine, d'Alsace et de l'Albigeois sont aujourd'hui abandonnées.

Encore appelé anis boucage, pimpinelle anis et anis d'Europe.

Spontané dans l'est du bassin méditerranéen, l'anis vert est aujourd'hui cultivé en Espagne, en Afrique du Nord, en Turquie, en Russie, en Bulgarie et en Inde.

EMPLOIS

• *Poudre de fruits : 1 à 8 g par jour en 2 prises en cas de troubles digestifs et comme galactogogue ; 1 g chez les nourrissons comme laxatif léger.*

• *Infusion (15 min) : 10 à 15 g de fruits par litre d'eau. 3 tasses par jour après les repas, en cas de troubles digestifs et comme galactogogue.*

ARMOISE COMMUNE

Artemisia vulgaris L.
Asteraceae

EMPLOIS

- *Infusion (10 min) : 10 à 15 g de feuilles ou de sommités fleuries par litre d'eau. 3 tasses par jour, avant ou après les repas, en cas de règles douloureuses.*

- *Vin d'armoise : 10 à 30 g par litre de vin blanc. Laisser macérer 8 jours. 1 verre avant le repas principal pour stimuler l'appétit.*

Très commune en France sur les terrains incultes, l'armoise commune existe dans toute l'Europe, en Asie et en Afrique du Nord.

BOTANIQUE

Grande plante herbacée, vivace, à tige souterraine épaisse et ligneuse, dressée ou étalée, souvent rougeâtre, de 0,60 à 1,50 m de haut. Les feuilles basales sont pennatiséquées et pétiolées, celles du sommet de la tige, sessiles. Elles sont vert-brun et glabres dessus, blanches et tomenteuses dessous. Les fleurs minuscules, jaunâtres, groupées en capitules globuleux en forme de grappe, sont tubuleuses. Elles ont une odeur aromatique et une saveur un peu amère.

PARTIES UTILISÉES

Les feuilles, récoltées avant la floraison, et les sommités fleuries, coupées au début de la floraison (juillet-octobre), séchées à l'ombre, souvent réduites en poudre et conservées à l'abri de la lumière.

COMPOSANTS

Le composant principal de l'armoise commune est une huile essentielle constituée de cinéol, de camphre, de bornéol, de vulgarol, de farnésol et de carbures, et peut-être de traces de thuyone, substance toxique pour le système nerveux.

PROPRIÉTÉS DÉMONTRÉES

On a identifié un dérivé terpénique à effet répulsif contre les moustiques. Des effets antibactériens et antifongiques ont aussi été démontrés. Certains auteurs lui reconnaissent une activité anticoagulante et hépatoprotectrice.

INDICATIONS USUELLES RECONNUES

Emménagogue dans la médecine populaire, utilisée en cas de règles douloureuses, d'aménorrhée, de dysménorrhée, et aussi comme stimulant de l'appétit.

PRÉCAUTIONS D'EMPLOI

L'armoise est à éviter chez la femme enceinte, à cause de ses effets abortifs supposés. Toxique – voire mortelle – à doses trop élevées, elle induit une hépato-néphrite doublée de phénomènes convulsifs. Le pollen est allergisant.

L'armoise commune, qui a depuis toujours la réputation de provoquer les règles, doit son nom latin *Artemisia* à la déesse protectrice des vierges, Artémis. Il semblerait qu'elle ne corresponde pas à l'*Artemisia* tant vantée par Hippocrate, Dioscoride et Galien. Toutefois, Dioscoride la considérait comme un puissant emménagogue et, pour Pline, elle était même abortive. Dans la médecine arabo-persane, elle était utilisée contre les maux de tête, les obstructions nasales, le coryza et enfin comme antidote des venins. L'armoise s'est vu attribuer aux temps de la sorcellerie de mystérieux effets ; elle entrait dans la composition de nombreux philtres bénéfiques et dans les couronnes de la Saint-Jean, d'où ses multiples noms populaires.

Encore appelée armoise vulgaire, herbe de la Saint-Jean, fleur de Saint-Jean, ceinture de Saint-Jean, couronne de Saint-Jean, tabac de Saint-Pierre, herbe de feu, herbe aux cent goûts.

ARNICA
Arnica montana L.
Asteraceae

BOTANIQUE

Plante herbacée vivace, de 20 à 70 cm de haut, à rhizome oblique brun, à tige dressée, portant souvent un seul capitule floral jaune orangé ; les feuilles, en rosette à la base, opposées et lancéolées le long de la tige, sont vert pâle, velues comme la tige. Le grand capitule floral porte des fleurs tubuleuses au centre, ligulées sur le pourtour. Les fruits, bruns, portent une aigrette. La plante, à odeur aromatique, a une saveur amère.

PARTIES UTILISÉES

Les capitules, séchés à l'ombre dans un endroit ventilé.

COMPOSANTS .

Les capitules contiennent des caroténoïdes, une huile essentielle, des lactones sesquiterpéniques (0,2 à 0,5 %) et leurs esters, dont dépend le goût amer. Ils renferment aussi des triterpénoïdes, des phytostérols, des acides gras, des alcanes, des polysaccharides, des acides-phénols, des coumarines (0,2 à 0,3 %) et des flavonoïdes.

PROPRIÉTÉS DÉMONTRÉES

Les propriétés anti-inflammatoires, analgésiques, anti-ecchymotiques dues aux lactones sesquiterpéniques et une activité inhibitrice de la plante sur l'agrégation plaquettaire ont été démontrées. Des propriétés antibactériennes, antifongiques et hépatoprotectrices dues aux composés phénoliques ont également été mises en évidence.

INDICATIONS USUELLES RECONNUES

L'arnica est indiquée en usage externe contre les manifestations de la fragilité capillaire de la peau (ecchymoses, pétéchies) ; elle est aussi utilisée contre les coups de soleil, brûlures superficielles peu étendues, érythèmes fessiers.

PRÉCAUTIONS D'EMPLOI

À n'utiliser qu'en usage exerne. En usage interne, l'arnica peut provoquer céphalées, douleurs abdominales et troubles vasomoteurs.

Ignorée des Anciens, l'arnica est citée pour la première fois au XIIe siècle par sainte Hildegarde, qui reconnaît ses vertus contre les contusions. Au XVIe siècle, Matthiole popularise la plante en la décrivant et en la dessinant. Il était conseillé à toute bonne mère de famille de l'avoir à la maison pour l'employer contre les traumatismes, les plaies et les bosses que se font les enfants. C'est seulement au XVIIIe siècle qu'apparaît la teinture d'arnica.

Encore appelée arnique des montagnes, doronic des Vosges, bétoine des montagnes, souci des Vosges, tabac des Vosges, plantain des Vosges, herbe aux chutes, pulmonaire de montagne, quinquina des pauvres, herbe à éternuer, tabac des Savoyards, herbe aux pêcheurs.

EMPLOIS
• *Infusion (15 min) : 10 g de fleurs pour 500 ml d'eau, en compresse contre contusions, ecchymoses, entorses, foulures.*

• *Teinture diluée à 1/5, en compresse, pour les mêmes indications.*

Plante des pâturages des régions montagneuses, l'arnica aime les sols acides. Elle pousse en Europe centrale, septentrionale et orientale, jusqu'en Sibérie.

ARTICHAUT

Cynara scolymus L.
Asteraceae

L'artichaut est une forme horticole améliorée du cardon sauvage (Cynara cardunculus), spontané en région méditerranéenne. Originaire de Carthage, introduit en Italie à la Renaissance, légume de luxe en France au XVᵉ siècle, il est aujourd'hui largement cultivé pour la consommation de ses capitules floraux immatures.

BOTANIQUE

Plante vivace à grosse racine pivotante, à tige dressée, cannelée, robuste, atteignant 1,50 m de haut. Les feuilles sont grandes, pennatiséquées, vertes dessus, blanchâtres et velues dessous, à nervures saillantes. À l'aisselle des feuilles supérieures naissent des capitules terminaux entourés de bractées (la partie comestible) et à fleurs bleu violacé. La base du capitule, charnue (le fond d'artichaut), est surmontée de soies (le foin).

PARTIES UTILISÉES

Les feuilles de la première année, privées de leur nervure médiane et découpées en petits fragments, séchées rapidement sous forte ventilation et à faible température. Celles qui ont noirci au séchage sont éliminées.

COMPOSANTS

Les feuilles contiennent des acides-phénols (cynarine et acide chlorogénique en particulier), des acides-alcools, des lactones sesquiterpéniques (cynaropicrine et dérivés), des flavonoïdes (hétérosides du lutéolol et de l'apigénol : cynaroside, scolymoside, cynaratrioside, etc.), des stérols, des alcools triterpéniques (taraxastérol), des oxydases, 12 à 15 % de matières minérales riches en sels de potassium et de magnésium.

PROPRIÉTÉS DÉMONTRÉES

On a démontré expérimentalement sur l'animal que les extraits d'artichaut étaient doués de propriétés cholérétiques, hépatoprotectrices, stimulantes de la régénération hépatique, hypocholestérolémiantes et diurétiques. Des essais cliniques font aussi état de leur activité hypocholestérolémiante, hypotriglycéridémiante et diurétique chez l'homme. Chez le rat, la cynarine et ses dérivés sont actifs sur le débit biliaire et protègent les cellules hépatiques contre l'intoxication chimique (tétrachlorure de carbone).

INDICATIONS USUELLES RECONNUES

L'artichaut est indiqué pour régulariser et stimuler la fabrication de la bile. On le recommande dans les ictères, les congestions hépatiques, les cholélithiases, les insuffisances hépatiques, hépatorénales et cardiorénales, l'hypercholestérolémie, l'hyperazoturie, l'athérosclérose, les dyspepsies (ballonnements, états nauséeux), les digestions lentes, les petites constipations ; il possède une activité diurétique et favorise la disparition des œdèmes ; il est indiqué aussi dans certains eczémas.

PRÉCAUTIONS D'EMPLOI

Aucune aux doses préconisées. Toutefois, l'artichaut est déconseillé en cas d'obstruction des voies biliaires et d'hyperkaliémie.

Le cardon sauvage, dont dérive l'artichaut, était connu des Égyptiens, des Grecs et des Arabes pour sa valeur alimentaire et ses vertus thérapeutiques. Feuilles, tiges et racines étaient déjà utilisées pour leur action sur les fonctions hépatique et rénale. Le mot artichaut dérive de l'italien *carcioffo*, provenant lui-même de l'arabe *kharchouf*, qui désigne le cardon.

Encore appelé bérigoule.

EMPLOIS

• *Infusion (15 min) ou décoction (10 min) : 30 g de feuilles sèches ou 100 g de feuilles fraîches par litre d'eau. 3 tasses par jour, 15 à 20 min avant les repas, contre les troubles digestifs et biliaires, les troubles de la diurèse, l'hypercholestérolémie, l'hyperazoturie et certains eczémas.*

ASPÉRULE ODORANTE

Galium odoratum (L.) Scop.
Rubiaceae

BOTANIQUE

Petite plante herbacée, vivace, à tige dressée, quadrangulaire, de 10 à 30 cm de haut. Ses feuilles sont sessiles, opposées, ovales, pointues et rêches sur les bords avec des stipules foliacés de même taille, d'où un aspect de verticilles formées de 6 à 8 feuilles. Les fleurs, légèrement parfumées, sont blanches, en corymbes terminaux. Le fruit, globuleux, est recouvert de poils crochus.

PARTIES UTILISÉES

Les parties aériennes, comprenant les sommités fleuries, récoltées à la floraison. Le séchage, qui favorise le développement de son parfum, noircit la plante.

COMPOSANTS

Le composant essentiel est une coumarine à laquelle on attribue les effets antispasmodiques de la plante. On y a trouvé aussi de l'aspéruloside, un glucoside iridoïde, et de la vitamine C. La racine contient des hétérosides anthraquinoniques et un pigment rouge.

PROPRIÉTÉS DÉMONTRÉES

L'aspérule odorante a des propriétés antispasmodiques.

INDICATIONS USUELLES RECONNUES

Elle est indiquée dans le traitement des troubles digestifs (ballonnements épigastriques, digestion lente, éructations, flatulences). Populairement, elle est utilisée pour faciliter la digestion. Elle sert aussi comme antispasmodique dans les colites douloureuses et comme sédatif nervin, dans le traitement symptomatique des états neurotoniques, chez les enfants et les personnes âgées, notamment en cas de troubles mineurs du sommeil.

PRÉCAUTIONS D'EMPLOI

Aucune aux doses préconisées.

Inconnue des Anciens, l'aspérule odorante est mentionnée indirectement, pour la première fois, à propos du « vin de mai » par le bénédictin Wandalbert de Prum. On sait aussi que le roi de Pologne Stanislas Leszczyński avait coutume de prendre chaque matin une tasse de ce vin très capiteux, le Maitrank, auquel il attribuait sa robuste santé. Ce fameux vin de mai est encore préparé de nos jours en Alsace, en Belgique et en Allemagne. Au Moyen Âge, la plante s'appelait *hepatica* et *matrisilva*, ou mère des forêts, ce dernier nom évoquant bien son habitat, comme ses autres dénominations vernaculaires. L'aspérule passe également pour être un excellent succédané du tabac, mélangée à des feuilles de menthe ou de tussilage, et elle éloigne les moustiques.

Encore appelée reine des bois, petit muguet, muguet des bois, hépatique étoilée, thé de Suisse.

EMPLOIS

• *Infusion (10 min) : 20 g de parties aériennes par litre d'eau. 2 tasses dans la journée et 1 au coucher, en cas de troubles digestifs et de troubles du sommeil.*

• *Vin aromatique : laisser macérer 15 jours 60 g de fleurs et 80 g de sucre dans 1 litre de bon vin ; filtrer. Bien fermer la bouteille. Ce vin, dit « vin de mai », a des propriétés toniques et digestives.*

L'aspérule odorante pousse dans toute l'Europe, au Proche-Orient, en Afrique du Nord et en Amérique du Nord. Elle affectionne les sous-bois argileux et frais, ceux des forêts de hêtres en particulier.

AUBÉPINE

a) *Crataegus monogyna* Jacq. ; b) *C. laevigata* (Poiret) DC.
Rosaceae

BOTANIQUE

Arbuste épineux de 3 à 4 m de haut, représenté ici par deux espèces qui se différencient par le nombre de carpelles, 2 ou 3 pour *C. laevigata* et 1 pour *C. monogyna*. Les feuilles, d'un vert brillant, sont découpées en lobes, et les fleurs odorantes en corymbes sont blanchâtres ou rosées ; le fruit est une drupe rouge.

PARTIES UTILISÉES

Les sommités fleuries, récoltées au début de la floraison et séchées.

COMPOSANTS

Les sommités fleuries contiennent des substances banales, comme les acides-phénols ou les acides triterpéniques, mais aussi des constituants actifs : 1 à 2 % de flavonoïdes (hypéroside, vitexine, isovitexine, orientine, isoorientine), des proanthocyanidols (1 à 3 %) et des amines telles que la phénéthylamine et ses dérivés.

PROPRIÉTÉS DÉMONTRÉES

L'aubépine augmente le débit sanguin dans les coronaires, améliore la contraction du muscle cardiaque et diminue les résistances vasculaires périphériques sans modifier la pression artérielle. Elle possède des effets antiarythmiques et hypotenseurs. Elle réduit l'étendue des lésions ischémiques du myocarde. À forte dose, l'aubépine présente des effets sédatifs faibles. L'extrait aqueux est sédatif, et la teinture alcoolique est spasmolytique.

INDICATIONS USUELLES RECONNUES

L'aubépine est indiquée dans le traitement des états nerveux et des troubles mineurs du sommeil, ainsi que dans l'éréthisme cardiaque (tachycardie, palpitations avec un cœur sain ou sénile, lorsque les digitaliques ne sont pas nécessaires). C'est un cardiotonique et un hypotenseur.

PRÉCAUTIONS D'EMPLOI

Aucune aux doses préconisées. Des doses trop importantes pourraient provoquer une hypotension et une bradycardie.

L'aubépine peut vivre jusqu'à cinq cents ans. Ses fruits étaient utilisés comme aliments à l'époque préhistorique, comme en témoignent les noyaux retrouvés dans les cités lacustres. « Buisson ardent » des Anciens, fleur des poètes, ses indications médicinales, dans le monde occidental, ne remontent qu'au XIVe siècle. Elles sont variées : fleurs contre la goutte, la pleurésie, l'hémorragie ; baies contre les calculs urinaires. Si l'on excepte un auteur anonyme qui révéla en 1695 l'effet favorable de l'aubépine sur la circulation et sur la pression sanguines, ce n'est qu'à la fin du XIXe siècle que des médecins commencèrent à observer ses effets positifs dans les cardiopathies et l'angine de poitrine.

Encore appelée épine blanche, épine de mai, noble épine, valériane du cœur, cenellier.

Bien que plusieurs centaines d'espèces d'aubépine soient indigènes en Amérique du Nord, les deux espèces décrites ici y ont été introduites.

EMPLOIS

• *Infusion (20 min) : 20 g de sommités fleuries par litre d'eau. 3 tasses par jour chez l'adulte en cas d'éréthisme cardiaque ou de nervosité occasionnelle ; après le repas du soir et au coucher en cas de troubles du sommeil. En cas de traitement prolongé, la dose de sommités fleuries est ramenée à 10 g par litre et à 2 tasses par jour.*

a

b

AUNÉE

Inula helenium L.
Asteraceae

BOTANIQUE

Grande plante herbacée vivace, de 1 à 2 m de haut, à tige dressée et robuste, rameuse, à grandes feuilles alternes, ovales, allongées, molles, dentées sur les pourtours, embrassantes, vert blanchâtre et légèrement cotonneuses en dessous ; celles de la base sont plus grandes. Les capitules, aux nombreuses bractées, ont des fleurs périphériques ligulées filiformes et des fleurs centrales tubuleuses, toutes jaunes. Le fruit est un akène brun à aigrette roussâtre. La racine, volumineuse et en forme de navet, dégage une odeur balsamique et a une saveur aromatique, amère et âcre.

PARTIES UTILISÉES

Les racines, déterrées à la fin de la deuxième ou de la troisième année, sectionnées puis séchées.

COMPOSANTS

Riche en inuline (45 % en automne), la racine contient aussi une huile essentielle (1 à 2 %), qui cristallise aussitôt après distillation, et ce que l'on appelle l'hélénine, mélange de lactones sesquiterpéniques (alantolactone, isoalantolactone, dihydroalantolactone).

PROPRIÉTÉS DÉMONTRÉES

Une activité antifongique due aux alantolactones et iso-alantolactones a été mise en évidence vis-à-vis de nombreux champignons pathogènes de l'homme et des animaux. Ces composés ont aussi une activité anthelminthique, antivirale et cholérétique. Enfin, ils sont hypotenseurs et légèrement diurétiques.

INDICATIONS USUELLES RECONNUES

Administrée par voie orale, l'aunée est indiquée pour faciliter les fonctions d'élimination rénale et digestive, et dans le traitement symptomatique de la toux.

PRÉCAUTIONS D'EMPLOI

Aucune aux doses préconisées, mais prendre en considération les problèmes d'allergie cutanée avec les lactones.

Plante médicinale au passé très ancien, recommandée par Théophraste, les hippocratiques, Dioscoride et Pline, vantée par sainte Hildegarde, l'aunée était utilisé au Moyen Âge dans les affections pulmonaires, les hémorroïdes, les indurations des seins. La médecine arabo-persane la conseillait dans les tumeurs, les irritations causées par les flatuosités et les engorgements, les rhumatismes, et pour faciliter la digestion. Elle a été aussi utilisée comme laxatif et diurétique.

Encore appelée énule campane, aillaume, œil-de-cheval, aromate germanique, panacée de Chiron, hélénine, lionne, astre de chien, soleil vivace, grande aunée, inule, aulnée.

Originaire d'Asie, l'aunée est une plante du bord des fossés, des haies, des prés humides. On la trouve dans les régions tempérées de presque toute l'Europe, mais aussi dans l'Himalaya et dans le nord de l'Amérique du Nord.

EMPLOIS

• *Décoction (1 h) : 10 g de racines par litre d'eau. 1 à 2 tasses par jour en dehors des repas, contre la toux.*

• *Macération (8 jours) : 80 g dans 1 litre de vin. Agiter, filtrer, sucrer. 1 verre par jour, comme diurétique et digestif.*

• *Teinture : 2 à 5 g par jour, dans l'eau bouillante, en inhalation, contre la toux et la bronchite.*

BADIANE DE CHINE

Illicium verum Hook. f.
Illiciaceae

BOTANIQUE

Arbre de 18 m de haut, le badianier a un aspect pyramidal. Les feuilles sont persistantes, entières et lancéolées. Les fleurs, blanc jaunâtre ou rosées, à étamines et à carpelles nombreux, sont isolées. Le fruit est un ensemble de 8 à 12 follicules, sensiblement égaux, disposés en étoile autour d'un pédicelle central, de consistance rugueuse, dure, d'odeur agréable et de saveur anisée et sucrée ; chaque follicule, en s'ouvrant sur son bord supérieur, laisse voir une graine ovale, brillante, marron.

PARTIES UTILISÉES

Les fruits verts, récoltés un peu avant la maturité complète sur des arbres âgés de 10 ans, et séchés au soleil.

COMPOSANTS

La badiane de Chine est riche en huile essentielle (5 à 9 %), composée surtout de E-anéthole (80 à 90 %), d'estragole, d'anisaldéhyde et de carbures terpéniques. Elle renferme aussi un tanin catéchique, des acides organiques (quinique, caféique...), des flavonoïdes.

PROPRIÉTÉS DÉMONTRÉES

On reconnaît classiquement à la badiane de Chine des propriétés eupeptiques et carminatives. Expérimentalement, les essais sur l'animal ont montré que son huile essentielle augmentait le tonus et les contractions de l'intestin du cobaye.

INDICATIONS USUELLES RECONNUES

La badiane de Chine est utilisée par voie orale, dans le traitement symptomatique des troubles digestifs tels que ballonnements, éructations, flatulences, lenteur de la digestion, et dans le traitement des douleurs de la colite spasmodique.

PRÉCAUTIONS D'EMPLOI

Aucune aux doses préconisées. Noter que la vente de l'huile essentielle est strictement contrôlée et ne peut se faire que par l'intermédiaire d'un homéopathe. Bien sélectionner le fournisseur de la badiane, car il y a risque de confusion avec le fruit du badianier du Japon, le shikimi, qui, lui, est toxique (crises convulsives).

Originaire du sud-ouest de la Chine et du nord du Viêt Nam, le badianier, bel arbre proche du magnolia, produit un fruit aux propriétés médicinales, la badiane.

Connue en Chine en 1127 avant J.-C., la badiane servait à parfumer les temples. Inconnue de la médecine indienne, des Grecs et des Romains, elle ne faisait pas non plus partie de l'arsenal thérapeutique du Moyen Âge. Elle fut importée en Europe à la fin du XVIᵉ siècle et décrite pour la première fois en 1601. Au XVIIᵉ siècle, elle nous parvenait par la Sibérie et la Russie. Aujourd'hui, elle arrive de Chine par la voie des mers. Elle est aussi utilisée en liquoristerie, pâtisserie, confiserie.

Encore appelée anis étoilé, anis de Sibérie.

EMPLOIS

• *Infusion (15 min) : 15 g par litre d'eau. 1 tasse avant chaque repas pour calmer les douleurs abdominales, réduire la production de gaz intestinaux et faciliter la digestion.*

BALLOTE NOIRE

Ballota nigra L. *ssp. foetida* (Vis.) Hayek
Lamiaceae

BOTANIQUE

Plante herbacée vivace de 60 à 80 cm de haut. Ses fleurs, pourpres, à la corolle découpée en deux lèvres, groupées en semi-verticilles, signent son appartenance à la famille des lamiacées, tout comme sa tige carrée, qui porte des feuilles velues ovales, présentant des nervures saillantes sur le dessous.

PARTIES UTILISÉES

Les sommités fleuries, récoltées en juillet ou en août, et séchées.

COMPOSANTS

La plante renferme des lactones diterpéniques dérivées de la marrubiine (trouvée dans le marrube blanc), des acides-phénols et une huile essentielle.

PROPRIÉTÉS DÉMONTRÉES

Des travaux récents ont confirmé l'intérêt de la ballote, qui induit des effets sédatifs chez la souris et favorise le sommeil. Elle est réputée antispasmodique, calme la toux quinteuse et stimule la sécrétion biliaire.

INDICATIONS USUELLES RECONNUES

La ballote est indiquée dans la nervosité, les troubles mineurs du sommeil et dans le traitement symptomatique de la toux chez l'adulte et chez l'enfant.

PRÉCAUTIONS D'EMPLOI

Aucune aux doses préconisées.

EMPLOIS

• *Infusion (15 min) : 20 g de sommités fleuries par litre d'eau. 1 tasse trois fois par jour chez l'adulte en cas de nervosité ou de toux ; demi-dose chez l'enfant. On prendra aux mêmes doses 1 tasse après le repas du soir et 1 au coucher pour les troubles du sommeil.*

En raison de l'odeur fétide, on ajoutera à l'infusion des plantes aromatisantes comme la mélisse, la menthe ou l'anis.

La ballote noire a une odeur caractéristique de moisi, qui lui a valu le nom de marrube puant. C'est une plante rudérale, commune des bords de chemins, des haies et des lieux habités.

Originaire du bassin méditerranéen et de l'Asie orientale, la ballote a gagné l'Amérique septentrionale. Elle était connue des Grecs, qui lui attribuaient les mêmes propriétés qu'au marrube blanc, et des Arabes, qui mentionnent sa présence et son usage en Andalousie. Par voie orale, on la disait salutaire contre les morsures de chien ; en usage externe, flétrie sur la cendre, contre les hémorroïdes, et, cuite avec du miel, pour purifier les ulcères variqueux.

Au Moyen Âge, on la confondait encore avec le marrube blanc, mais à partir du XVIIe siècle elle est recommandée contre les névroses et l'hystérie, puis pour prévenir la goutte, et comme vermifuge. Au début du XXe siècle, de bons résultats ont été obtenus dans le traitement de l'hystérie, des phobies, des troubles nerveux liés à la ménopause et dans les bourdonnements d'oreilles.

Encore appelée marrube noir, marrube fétide

BARDANE
ou GRANDE BARDANE

Arctium lappa L.   Asteraceae

BOTANIQUE

Plante bisannuelle de 0,50 à 2 m de haut, à grandes feuilles cordiformes (50 cm) à la base, vertes dessus, gris-blanc velouté dessous. La tige supporte des capitules à fleurs tubuleuses rose-pourpre entourés de bractées se terminant en crochet. Le fruit (akène) est brun-rouge, à aigrette.

PARTIES UTILISÉES

La racine, récoltée en octobre, coupée en morceaux d'environ 2 à 3 cm, et séchée au frais à l'abri de la lumière.

COMPOSANTS

La racine est riche en sucres (50 % d'inuline), en sels de potassium, acides-alcools et acides-phénols. La présence de composés polyinsaturés (polyènes et polyines) en constitue l'originalité. Les feuilles contiennent des dérivés du germacranolide (arctiopicrine), d'où leur amertume.

PROPRIÉTÉS DÉMONTRÉES

L'expérimentation a montré une activité normoglycémiante chez l'animal en hyperglycémie. L'expérimentation in vitro a démontré une action antibactérienne et antifongique conférée en particulier par les polyènes et les polyines. Les effets cholérétiques et diurétiques peuvent être attribués aux acides-alcools et aux sels de potassium.

INDICATIONS USUELLES RECONNUES

C'est dans le domaine dermatologique que la racine de bardane a toujours trouvé son emploi. Elle est utilisée par voies interne et locale dans le traitement des dermatoses, des furonculoses et de différentes formes d'acné et d'eczéma. Elle a des effets diurétiques et cholérétiques.

PRÉCAUTIONS D'EMPLOI

Aucune aux doses préconisées.

Très commune dans les régions tempérées, la bardane est une espèce robuste qui croît sur le bord des chemins, les terrains incultes et les friches.

EMPLOIS

• *Décoction (10 min) : 50 g de racine par litre d'eau ; filtrer. 1 tasse trois fois par jour, en dehors des repas, comme diurétique et comme adjuvant dans le traitement des furonculoses et dermatoses.*

• *Décoction concentrée en usage externe (10 min) : 150 g de racine par litre d'eau ; filtrer. Laver la peau en cas d'acné, furoncles, eczéma et croûtes de lait.*

Le nom de genre de la bardane, *Arctium,* vient du grec *arctos,* ours, et évoque bien l'aspect laineux de la plante. Son nom d'espèce, *lappa,* tiré du grec *labein,* prendre, fait allusion à ses capitules, qui s'agrippent aux vêtements et aux cheveux. Dioscoride la recommandait contre les ulcères, Pline la conseillait également, suivi par les auteurs du Moyen Âge. Sa réputation grandit encore au XVIe siècle car elle aurait guéri Henri III d'une maladie de peau. La racine de bardane a d'ailleurs toujours été beaucoup utilisée dans ce domaine. La feuille, en raison de son amertume, était recommandée dans les maladies du foie. Les jeunes pousses et les racines sont parfois préparées comme légume à la façon des salsifis, et la racine, riche en fibres, est traditionnellement consommée au Japon sous le nom de *gobo.*

Encore appelée herbe-aux-teigneux, herbe-aux-pouilleux, gratteron, glouteron, bouillon-noir, oreille-de-géant.

BENOÎTE OFFICINALE

Geum urbanum L.
Rosaceae

BOTANIQUE

Plante herbacée, vivace, de 20 à 90 cm de haut, à rhizome court et rugueux, à tige grêle, velue, rude au toucher, peu ramifiée. Elle porte des feuilles alternes, stipulées, bordées de dents aiguës et dissemblables : pétiolées, groupées en rosette et divisées en folioles inégales (5 à 7) à la base ; très développées et en 3 folioles au milieu, la terminale étant plus grande. Les fleurs sont jaunes, petites, solitaires et terminales ; les étamines sont nombreuses. Les fruits sont des akènes velus terminés par un style persistant et crochu. La racine, épaisse et allongée, dégage une odeur de clou de girofle.

PARTIES UTILISÉES

Racines et rhizomes, séchés.

COMPOSANTS

La benoîte est riche en tanins. On sait que son odeur est due à la présence du géoside, un hétéroside dont l'aglycone est l'eugénol.

PROPRIÉTÉS DÉMONTRÉES

Les effets toniques amers et astringents de la benoîte, dus à la présence de tanins en quantités relativement importantes, ont été démontrés.

INDICATIONS USUELLES RECONNUES

La racine de la benoîte est indiquée dans les manifestations de l'insuffisance veineuse (jambes lourdes, hémorroïdes) ; par voie orale, elle est utilisée pour soigner les diarrhées légères ; enfin, par voie externe, on l'emploie en bain de bouche pour l'hygiène buccale.

PRÉCAUTIONS D'EMPLOI

Aucune aux doses préconisées. À des doses excessives, la benoîte peut occasionner nausées et vomissements.

Le nom vernaculaire de cette plante est une forme de bénite, mot qui fait allusion à ses propriétés bienfaisantes. Son nom de genre, *Geum*, apparaît dans l'*Histoire naturelle* de Pline l'Ancien, qui la conseille déjà contre « les douleurs de poitrine et les digestions difficiles ». Connue au Moyen Âge, elle est appelée *benedicta* par sainte Hildegarde. Utilisée alors comme remède de la dysenterie et des panaris, elle avait aussi des effets aphrodisiaques, nervins, fortifiants. Ses vertus stimulantes, calmantes, stomachiques et vulnéraires ont été relevées au XVIe siècle. Depuis lors, la benoîte est restée dans la médecine populaire et a finalement attiré l'attention de la phytothérapie moderne.

Encore appelée avence, herbe du bon soldat, herbe à la fièvre, herbe de saint Benoît, sanicle des montagnes, galiote, récise, racine-bénite.

EMPLOIS

• *Infusion (15 min) : 30 g de racines par litre d'eau. 1 tasse avant chaque repas, comme tonique amer, et contre la fièvre et les diarrhées.*

• *Décoction en usage externe (15 min) : 30 g de racines par litre d'eau. En lavage et compresse sur les plaies et les hémorroïdes, en bain de bouche pour l'hygiène buccale.*

Commune en Europe, répandue dans le nord et l'est de l'Asie et en Afrique du Nord, la benoîte aime les terrains humides et ombragés.

BISTORTE
Polygonum bistorta L.
Polygonaceae

Fréquente en Europe (sauf en région méditerranéenne) et en Asie, la bistorte aime les prairies humides, les pâturages de montagne, les sols marécageux et le bord des fossés.

BOTANIQUE

Plante vivace, de 20 cm à 1 m de haut, à tige dressée, à feuilles oblongues, glabres dessus, glauques et recouvertes d'un duvet dessous ; celles de la base sont pourvues d'un pétiole ailé. Les fleurs, roses, sont regroupées en épi terminal très serré. Le fruit est un akène trigone, à une seule graine. Le rhizome, charnu, brun rougeâtre, ponctué de blanc, a une saveur amère et astringente.

PARTIES UTILISÉES

Le rhizome, récolté de juin à août, dépouillé des tiges et des racines, lavé, débité en rondelles et séché rapidement.

COMPOSANTS

Le rhizome de la bistorte est très riche en tanins galliques et catéchiques (15 à 20 %) ; il contient aussi une quantité importante d'amidon, de résine et de cellulose (66,7 %).

PROPRIÉTÉS DÉMONTRÉES

Les tanins présents dans cette espèce lui confèrent des propriétés astringentes, toniques et vulnéraires.

INDICATIONS USUELLES RECONNUES

Le rhizome est utilisé par voies interne et externe dans les manifestations de l'insuffisance veineuse (jambes lourdes, hémorroïdes) ; il est indiqué comme antidiarrhéique ; en application locale, comme analgésique dans les affections de la cavité buccale et/ou de l'oropharynx ; enfin en bain de bouche pour l'hygiène buccale.

PRÉCAUTIONS D'EMPLOI

Aucune aux doses préconisées.

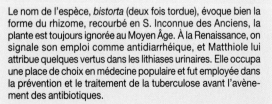

Le nom de l'espèce, *bistorta* (deux fois tordue), évoque bien la forme du rhizome, recourbé en S. Inconnue des Anciens, la plante est toujours ignorée au Moyen Âge. À la Renaissance, on signale son emploi comme antidiarrhéique, et Matthiole lui attribue quelques vertus dans les lithiases urinaires. Elle occupa une place de choix en médecine populaire et fut employée dans la prévention et le traitement de la tuberculose avant l'avènement des antibiotiques.

Encore appelée renouée bistorte, feuillotte, andrelle, couleuvrée, serpentaire, langue-de-bœuf, faux épinard.

EMPLOIS

• *Décoction (5 min) : 20 à 30 g de rhizome par litre d'eau. 1 à 2 tasses par jour, entre les repas, contre la diarrhée, les hémorroïdes et les troubles de la circulation.*

• *Poudre : 2 à 4 g par jour, contre la diarrhée et les hémorroïdes.*

• *Décoction en usage externe (15 min) : 30 à 60 g de rhizome par litre d'eau. Trois fois par jour, en gargarisme, bain de bouche, pour l'hygiène buccale et contre les ulcérations des gencives et de la bouche.*

BLEUET DES CHAMPS ou CENTAURÉE

Centaurea cyanus L.
Asteraceae

Originaire de l'Asie occidentale, très commune dans toute l'Europe, la centaurée est cultivée comme plante ornementale et a tendance à s'échapper des jardins.

BOTANIQUE

Plante herbacée annuelle, de 20 à 80 cm de haut, à tige rameuse et grêle, à feuilles cotonneuses, profondément divisées à la base et linéaires à la partie supérieure. Les capitules, de grande taille et longuement pédonculés, ont des bractées imbriquées à bord membraneux ciliés. Les fleurs périphériques du capitule, d'un beau bleu, parfois rosées ou blanches, sont en cornet et stériles, celles du centre sont hermaphrodites. Le fruit, akène blanchâtre ou jaunâtre, est surmonté d'une aigrette fauve.

PARTIES UTILISÉES

Les capitules entiers ou les fleurs mondées, récoltés à l'épanouissement, séchés à l'ombre dans un endroit aéré.

COMPOSANTS

Les fleurs renferment des polyines ; leur couleur bleue est due à des pigments anthocyaniques et flavoniques (cyano-centauréine). Elles contiennent aussi de la pectine.

PROPRIÉTÉS DÉMONTRÉES

Les propriétés diurétiques, dues probablement aux flavonoïdes, ont été démontrées. Les fleurs de la centaurée présentent aussi des effets anti-inflammatoires, antiseptiques et antibactériens liés à la présence des polyines. Les anthocyanosides et les flavonoïdes diminuent la perméabilité des capillaires et en augmentent la résistance.

INDICATIONS USUELLES RECONNUES

Par voie orale, la centaurée a un effet diurétique et légèrement anti-inflammatoire. En application locale, elle est indiquée comme adoucissant et antiprurigineux dans les affections cutanées (crevasses, écorchures, gerçures, piqûres d'insectes) et aussi contre les irritations oculaires dues à des causes diverses : atmosphère enfumée, effort visuel soutenu, bain de mer ou de piscine.

PRÉCAUTIONS D'EMPLOI

Aucune aux doses préconisées.

EMPLOIS

• *Infusion (20 min) : 30 g de fleurs sèches par litre d'eau. 1 tasse avant chaque repas, comme diurétique et anti-inflammatoire léger.*

• *Infusion en usage externe (15 min) : 20 g de fleurs fraîches par litre d'eau bouillante, passer. En application locale comme collyre dans les affections oculaires.*

La plante tient son nom de genre, *Centaurea,* du centaure Chiron, éducateur d'Achille, réputé pour sa science médicale. Mais si la petite et la grande centaurée étaient déjà connues des Anciens, l'espèce *C. cyanus,* elle, semble avoir été ignorée des Grecs tout autant que des Arabes. Les fleurs de la plante ont vraisemblablement été utilisées au Moyen Âge comme collyre, d'où son nom vernaculaire de casse-lunettes, et la tradition veut même qu'elles conviennent plus particulièrement aux yeux bleus. Elles furent aussi recommandées comme diurétique et comme pectoral.

Encore appelé herbe de saint Zacharie, bluet, aubifoin, barbeau, blavette, bleu-bleu, blavéole, blavélie.

BOLDO

Peumus boldus Mol.
Monimiaceae

BOTANIQUE

Petit arbre dioïque de 5 à 8 m de haut, aux feuilles vert grisâtre, d'odeur camphrée et de saveur aromatique, persistantes, coriaces, opposées, ovales, entières et à bords légèrement repliés vers le dessous. Les fleurs, groupées en cymes terminales, sont blanchâtres. Les fruits sont de petites drupes glauques et translucides.

PARTIES UTILISÉES

Les feuilles sèches. L'écorce, plus riche que les feuilles en alcaloïdes, est utilisée pour l'extraction de la boldine.

COMPOSANTS

À côté de substances banales, les feuilles sèches renferment 0,25 à 0,50 % d'alcaloïdes isoquinoléiques, dont le principal est la boldine (1/3 des alcaloïdes totaux), ainsi que des flavonoïdes. Elles contiennent également une huile essentielle (1 à 3 %) riche en composés monoterpéniques, sous forme de carbures ou de dérivés oxygénés (limonène, ascaridole, cinéol...).

PROPRIÉTÉS DÉMONTRÉES

Des effets hépatoprotecteurs, anti-inflammatoires et spasmolytiques ont été obtenus avec un extrait hydroalcoolique ; la boldine est impliquée dans les actions hépatoprotectrices et spasmolytiques ; elle est également dotée d'effets antioxydants importants. Une action cholérétique fugace a été observée à fortes doses, chez le rat ; celle-ci est attribuée à l'association alcaloïdes/flavonoïdes.

INDICATIONS USUELLES RECONNUES

Les feuilles sont indiquées pour stimuler les fonctions d'élimination rénale et digestive, et comme cholérétiques et cholagogues. L'huile essentielle est active contre les parasites intestinaux.

PRÉCAUTIONS D'EMPLOI

Aucune aux doses préconisées. Provoque des troubles nerveux à très fortes doses.

Toutes les parties du boldo ont un usage dans son pays d'origine. Les Chiliens mangent l'amande du fruit ; ils utilisent les feuilles comme condiment, l'écorce en tannerie et le bois pour la fabrication de charbon.
Le boldo a été utilisé pour la première fois en thérapeutique après la découverte fortuite de son efficacité sur les atteintes hépatiques des moutons. Les Chiliens l'emploient également pour combattre les troubles digestifs, les migraines, les maux d'oreilles, les rhumatismes, les odontalgies.
Le boldo fut introduit en Europe en 1868 et continue d'y être importé pour son usage médicinal. Il est également cultivé en Californie.

Originaire du Chili, où elle pousse spontanément, cette unique espèce du genre Peumus *présente une aire de répartition très restreinte et se développe en climat doux.*

BOUILLON-BLANC ou MOLÈNE VULGAIRE

Verbascum thapsus L.
Scrofulariaceae

BOTANIQUE

Plante bisannuelle de 1 à 2 m de haut, à tige dressée. Les feuilles basales sont grandes, épaisses et couvertes sur les deux faces d'un duvet laineux très épais et blanchâtre. Les fleurs, jaune pâle, disposées en cymes, forment un épi serré à la partie supérieure de la tige. Elles présentent 5 divisions supportant 5 étamines insérées à la base de la corolle. Les fruits sont des capsules ovoïdes.

PARTIES UTILISÉES

Les fleurs, récoltées en juillet-août, et rapidement séchées au soleil ou dans un four à 40 °C.

COMPOSANTS

Les fleurs renferment des flavonoïdes (2 à 4 %), des acides-phénols (verbascoside), des saponosides, des iridoïdes (dont l'harpagoside), des lignanes hétérosidiques et surtout des mucilages (3 %), polysaccharides complexes auxquels on attribue une partie des vertus thérapeutiques de la plante.

PROPRIÉTÉS DÉMONTRÉES

Les mucilages présents dans la plante expliquent son activité émolliente et adoucissante. On lui reconnaît une action anti-inflammatoire que l'on attribue en particulier à la présence d'harpagoside et au verbascoside.

INDICATIONS USUELLES RECONNUES

Les fleurs, aux propriétés émollientes et pectorales, sont utilisées en usage interne pour calmer la toux et pour apaiser la composante douloureuse des irritations du côlon. En gargarisme, elles soulagent les maux de gorge ou enrouements passagers. En usage externe, elles sont employées pour leurs effets adoucissants et protecteurs dans certaines affections dermatologiques.

PRÉCAUTIONS D'EMPLOI

Aucune aux doses préconisées.

Cette plante en forme de cierge était reconnue par Dioscoride et Pline pour ses vertus thérapeutiques dans les affections bronchiques. Ses fleurs font partie des fleurs pectorales. Dans l'usage populaire, on les utilisait dans les coups de froid, bronchites, affections des voies urinaires, dans la dyspnée, la perte d'appétit, la rétention d'urine, l'aménorrhée. Mais, dans certains pays comme l'Irlande, on préférait l'emploi de la feuille fraîche, « infaillible dans la phtisie ». En dehors de leurs propriétés médicinales, les fleurs furent autrefois utilisées pour fabriquer des mèches de lampe, et les hampes florales pour chauffer les fours de boulanger.

Encore appelé blanc-de-mai, herbe de Saint-Fiacre, cierge-de-Notre-Dame, herbe à Bonhomme.

Très répandue dans les régions tempérées de toute l'Europe, cette espèce est aussi naturalisée en Amérique du Nord, sur les terrains secs et ensoleillés.

BOULEAU BLANC

Betula pendula Roth
Betulaceae

BOTANIQUE

Arbre de 20 à 30 m de haut, au tronc élancé, à l'écorce d'abord brun doré puis blanc argenté, se crevassant au cours du temps. Les feuilles, alternes, sont simples, dentées en scie, ovales, d'un vert brillant dessus, légèrement duveteuses dessous. Les fleurs, petites, sont jaune verdâtre et disposées en chatons de forme cylindrique. Les fruits sont des akènes petits et ailés.

PARTIES UTILISÉES

Les feuilles, récoltées de juin à août, séchées en couches minces pendant une dizaine de jours et retournées tous les jours, dans un endroit frais à l'abri de la lumière.

COMPOSANTS

La feuille renferme des composants très divers tels que la vitamine C, des acides-phénols et des carotènes. Sa spécificité chimique se manifeste par la présence de flavonoïdes, dont l'hypéroside (2 à 3 %) et des triterpènes dérivés du bétulafoliendol et du lupane (acide bétulinique). L'huile essentielle, qui contient une proportion élevée d'acide salicylique sous forme d'ester méthylique, possède une activité antiseptique.

PROPRIÉTÉS DÉMONTRÉES

Les feuilles du bouleau ont des propriétés diurétiques dont l'activité sur l'animal a été démontrée. Ces travaux sont anciens, mais on a pu récemment confirmer le rôle des flavonoïdes dans l'élimination rénale d'eau. Les observations cliniques chez l'homme confirment partiellement l'activité diurétique.

INDICATIONS USUELLES RECONNUES

La feuille de bouleau est reconnue pour ses vertus diurétiques et dépuratives. À ce titre, elle a été retenue dans des affections telles que goutte, rhumatismes, œdèmes.

PRÉCAUTIONS D'EMPLOI

Aucune aux doses préconisées.

Le bouleau a un passé utilitaire très ancien. Pour Pline, c'est un arbre «redoutable par les verges qu'il fournit aux maîtres d'école». Depuis très longtemps, son bois et son écorce ont été exploités par les savetiers, charrons, charpentiers, teinturiers, tanneurs et parfumeurs du monde occidental. Son emploi médicinal est assez récent. Au XIIe siècle, sainte Hildegarde recommande ses fleurs contre les ulcères. Au XVIe, « l'eau de bouleau », c'est-à-dire la sève, dont la préparation est décrite par Matthiole, est conseillée contre la lithiase urinaire. Cet emploi valut au bouleau d'être proclamé « l'arbre néphrétique d'Europe ». Quelque peu oubliées au XIXe, ses vertus ont été remises à l'honneur au XXe siècle.

Encore appelé boulard, biole, bois à balais, boule, arbre de la sagesse, sceptre des maîtres d'école.

> ### EMPLOIS
>
> • *Infusion (15 min) : 30 g de feuilles par litre d'eau. 1 tasse à jeun et 1 tasse 30 min avant les repas de midi et du soir comme diurétique, en particulier dans le traitement de la goutte et des rhumatismes, ainsi que pour prévenir la lithiase rénale.*

Très commun dans l'hémisphère Nord, le bouleau se rencontre dans les bois et coteaux sablonneux. On l'utilise comme arbre d'ornement.

BOURRACHE

Borago officinalis L.
Boraginaceae

Originaire d'Afrique du Nord,
la bourrache s'est répandue en
Europe, puis en Amérique du
Nord. Elle aime les décombres
et les terrains incultes exposés
au soleil.

BOTANIQUE

Plante herbacée annuelle, recouverte de poils rudes. Les feuilles, grandes, ovales, alternes et pétiolées à la base, sessiles embrassantes le long de la tige, sont vertes dessus et blanchâtres dessous. Les fleurs, bleu vif, sont en cymes scorpioïdes. Les fruits sont des tétrakènes, se séparant à maturité en 4 parties renfermant chacune une graine.

PARTIES UTILISÉES

Les fleurs, séchées rapidement, et l'huile des graines.

COMPOSANTS

Les fleurs renferment des mucilages (10 %), des polyphénols (quercétol, kaempférol, anthocyanidols), de l'allantoïne, des substances minérales (15 à 17 %) comme le nitrate de potassium, et des alcaloïdes pyrrolizidiniques saturés (thésinine). Les graines donnent une huile riche en acides gras polyinsaturés : acides gamma-linolénique (18 à 25 %) et linolénique (36 à 38 %).

PROPRIÉTÉS DÉMONTRÉES

La bourrache n'a pas encore fait l'objet de travaux pharmacologiques approfondis. On sait toutefois que les mucilages possèdent des propriétés émollientes, que la forte teneur en sels de potassium stimule la diurèse et que la présence d'allantoïne favorise la cicatrisation. L'acide gamma-linolénique présent dans l'huile est un acide gras polyinsaturé indispensable à notre organisme. Il sert à la production de l'acide arachidonique, précurseur fondamental de nombreuses substances à haute activité biologique cellulaire. Normalement, nous fabriquons l'acide gamma-linolénique à partir de l'acide linoléique apporté par l'huile alimentaire ; mais il semble bien que l'âge, le stress, le tabac, l'alcool limitent cette transformation.

INDICATIONS USUELLES RECONNUES

Les fleurs sont indiquées pour leurs effets diurétiques et dans les affections bronchiques bénignes. L'huile s'utilise contre la déshydratation, le vieillissement cutané et dans le traitement de l'eczéma.

PRÉCAUTIONS D'EMPLOI

Aucune aux doses préconisées. Mais la présence d'alcaloïdes toxiques pour le foie interdit un emploi prolongé.

Au Moyen Âge, la bourrache est signalée comme « génératrice de bon sang », mais c'est à la Renaissance que ses propriétés sont vraiment reconnues. Grâce à ses effets émollients, sudorifiques, diurétiques, adoucissants et dépuratifs, elle fut traditionnellement recommandée contre la toux, la bronchite, les refroidissements, les rétentions urinaires et les dartres.

Encore appelée langue-de-bœuf, bourrage, boursette.

EMPLOIS

• *Infusion (10 min) : 20 g de fleurs par litre d'eau ; filtrer soigneusement. 1 tasse trois fois par jour en cas de bronchite aiguë bénigne et comme diurétique.*

• *Décoction (10 min) : 100 g de fleurs par litre d'eau. En fumigation, deux à trois fois par jour, contre les coryzas et le rhume.*

• *Huile des graines : 200 mg trois fois par jour pendant 1 mois pour traiter l'eczéma et soigner la peau.*

BOURSE-À-PASTEUR

Capsella bursa-pastoris (L.) (Medic.)
Brassicaceae

BOTANIQUE

Plante herbacée annuelle de 8 à 50 cm de haut, à tige dressée plus ou moins velue à la base. Les feuilles basales sont en rosette étalée sur le sol ; celles qui se trouvent le long de la tige, beaucoup plus petites, sont embrassantes, entières et légèrement pennatiséquées. Les fleurs, très petites, blanches, sont regroupées en corymbes terminaux. Les fruits sont des silicules triangulaires renfermant de nombreuses graines oblongues et rougeâtres.

PARTIES UTILISÉES

La partie aérienne, séchée à l'ombre dans un endroit bien aéré.

COMPOSANTS

La bourse-à-pasteur contient de la choline (près de 0,2 %). Elle renferme aussi des dérivés flavoniques (lutéolol et hétérosides correspondants) et un alcaloïde (la burcine), une huile essentielle proche de celle de la moutarde, un peu de tanin et des acides organiques, dont l'acide fumarique.

PROPRIÉTÉS DÉMONTRÉES

Les parties aériennes sont réputées pour leur action sur l'insuffisance veineuse et leur effet hémostatique, qui trouvent sûrement leur origine dans la richesse en choline, en alcaloïde et en dérivés flavoniques de la plante.

INDICATIONS USUELLES RECONNUES

La bourse-à-pasteur est traditionnellement reconnue comme un hémostatique et tonique utérin. Elle est indiquée par voies interne et externe dans les cas d'insuffisance veineuse (jambes lourdes).

PRÉCAUTIONS D'EMPLOI

Aucune aux doses préconisées.

Originaire d'Eurasie, la bourse-à-pasteur ou capselle est spontanée sur les sols non arides, les cultures, les jardins, le bord des chemins et les décombres de l'Ancien et du Nouveau Monde.

Le nom vernaculaire de la plante vient de la forme de ses fruits, qui rappelle la bourse des bergers. Son nom de genre, *Capsella*, signifie lui-même petit coffre en latin. Inconnue des Grecs, des Romains et des Arabes, la bourse-à-pasteur fut souvent confondue au Moyen Âge avec la renouée des oiseaux sous le nom de *sanguinaria*. Au XVIe, au XVIIIe et au début du XIXe siècle, elle était connue pour ses propriétés astringentes, recommandée contre les crachements de sang et les métrorragies. Elle fut ensuite délaissée. Mais, pendant la Première Guerre mondiale, le manque de plantes antihémorragiques, comme l'ergot de seigle et l'hydrastis, favorisa la recherche de plantes indigènes astringentes et hémostatiques ; dès lors, la bourse-à-pasteur sortit de l'oubli.

Encore appelée capselle bourse-à-pasteur, bourse de capucin, bourse-à-berger, bourse de Judas, boursette, molette-à-berger, tabouret, thlaspi, moutarde sauvage, moutarde de Mithridate.

BRUYÈRE CENDRÉE

Erica cinerea L.
Ericaceae

BOTANIQUE

Sous-arbrisseau de 20 à 60 cm de haut, à rameaux poilus et cendrés, portant des feuilles étroites, glabres, luisantes et marquées d'un sillon sur la face inférieure. Ces feuilles sont disposées sur la tige en verticilles de trois feuilles mêlées à de jeunes rameaux ; vers le sommet, elles sont mêlées à des fleurs. Les fleurs, en grelots ovoïdes, sont petites, roses ou violettes et groupées en grappes allongées. Le fruit est une capsule globuleuse, glabre, brune et marquée de 5 sillons. Il contient de nombreuses graines marron foncé.

PARTIES UTILISÉES

Les sommités fleuries, séchées à l'ombre.

COMPOSANTS

Les sommités fleuries de la bruyère cendrée contiennent des tanins catéchiques et de nombreux flavonoïdes. Elles renferment de l'arbutoside à l'état de traces.

PROPRIÉTÉS DÉMONTRÉES

L'arbutoside est un hétéroside diphénolique qui se transforme aisément en hydroquinone, dont les vertus bactériostatiques sont souvent utilisées sur l'appareil urinaire. Les tanins et les flavonoïdes de la plante lui donnent des propriétés protectrices sur le réseau capillaire sanguin.

INDICATIONS USUELLES RECONNUES

Par voie interne, les sommités fleuries de la bruyère cendrée sont indiquées pour faciliter l'élimination rénale de l'eau, et aussi dans le traitement des infections urinaires bénignes en cure de diurèse. La bruyère cendrée a de plus un effet astringent.

PRÉCAUTIONS D'EMPLOI

Aucune aux doses préconisées.

À en croire les étymologistes, le nom de genre de la bruyère cendrée, *Erica*, tiré du grec *ereikein*, briser, serait une allusion à la vertu qu'on lui attribue depuis les temps les plus anciens de briser les calculs urinaires. Matthiole, au XVIᵉ siècle, et le bénédictin dom Alexandre ont en tout cas accrédité cette légende. Quoi qu'il en soit, l'usage populaire de cette plante, inconnue des Anciens, des médecins du Moyen Âge et des Arabes, fut reconnu par la phytothérapie moderne.

Encore appelée brégeotte, bucasse.

EMPLOIS

• *Infusion (10 min) : 30 g de sommités fleuries par litre d'eau. 1 tasse trois fois par jour, entre les repas, comme diurétique et contre les cystites.*

Originaire d'Europe, la bruyère cendrée aime les coteaux siliceux secs et les bois clairs.

99

BUSSEROLE ou RAISIN D'OURS

Arctostaphylos uva-ursi (L.) K. Spreng. *ssp crassifolius* (Br.-Bl.) Villar
Ericaceae

Commune en Europe, en Asie et en Amérique du Nord, la plante affectionne les zones montagneuses et les sous-bois jusqu'à 2 400 m. Son nom latin, Uva-ursi, « raisin-d'ours », lui vient de ses petits fruits rouges qui font, dit-on, le délice des ours (Arctostaphylos veut dire la même chose en grec).

INDICATIONS USUELLES RECONNUES

Le raisin d'ours est indiqué comme diurétique et comme antiseptique dans les infections urinaires bénignes (cystites ou urétrites).

PRÉCAUTIONS D'EMPLOI

De trop fortes doses peuvent provoquer nausées et vomissements.

EMPLOIS

• *Décoction (10 min) : 10 g de feuilles par litre d'eau. 1 tasse quatre fois par jour, en dehors des repas, pendant 3 ou 4 jours en cas d'infections urinaires bénignes.*

BOTANIQUE

Arbrisseau toujours vert ressemblant au bleuet, à tiges rampantes formant des massifs denses d'environ 30 cm de haut. Les feuilles sont ovales, coriaces, entières et pétiolées, luisantes, vert foncé dessus, vert-jaune dessous. Les fleurs, à l'extrémité des rameaux, forment des grappes de petits grelots blancs ou rosés ; les fruits sont des baies rouges de saveur astringente.

PARTIES UTILISÉES

Les feuilles, récoltées tout au long de l'année, sauf en période neigeuse, et séchées au soleil.

COMPOSANTS

Les feuilles renferment des hétérosides phénoliques, en particulier de l'arbutoside (6 à 10 %) – qui se transforme dans l'intestin en un principe actif, l'hydroquinone –, des tanins galliques, des flavonoïdes, des iridoïdes, des acides organiques et des triterpènes.

PROPRIÉTÉS DÉMONTRÉES

Les extraits de la plante stimulent l'excrétion urinaire : les extraits aqueux sont diurétiques. L'hydroquinone, éliminée par les urines, est douée d'une bonne activité antibactérienne, qui sera optimale dans des urines alcalines. L'action diurétique des flavonoïdes en renforce l'effet.

La médecine arabo-islamique attribue au raisin d'ours des effets antihémorragiques. Au XVIIIe siècle, les médecins de l'École de Montpellier recommandent cette plante contre les douleurs néphrétiques, le sable et les mucosités des urines. Au début du XXe siècle, on la prescrit dans les cas de prostatite, blennorragie, leucorrhée, cystite et mictions douloureuses d'urines purulentes ou sanguinolentes. En Europe du Nord, on prépare avec le tanin du raisin d'ours les peaux destinées à la fabrication du cuir de Russie.

Encore appelée arbousier traînant, buisserolle, buxerolle, petit buis.

CALLUNE ou BRUYÈRE COMMUNE

Calluna vulgaris (L.) Hull
Ericaceae

BOTANIQUE

Sous-arbrisseau tortueux, vivace, de 0,10 à 1 m de haut, à tiges souterraines et à nombreux rameaux dressés brun rougeâtre. Les feuilles, persistantes, petites, étroites, sessiles, opposées sur quatre rangs, sont serrées les unes contre les autres. Les fleurs, à corolle rose en clochette, forment des grappes irrégulières. Le fruit est une petite capsule renfermant de nombreuses graines.

PARTIES UTILISÉES

Les sommités fleuries.

COMPOSANTS

Les sommités fleuries contiennent un peu d'arbutoside (doué de propriétés antiseptiques), des proanthocyanidols, de nombreux flavonoïdes. Riche en tanins (3,5 à 9,5 %), la plante renferme aussi une substance amère, des traces d'huile essentielle, des acides organiques, des pentosanes, du saccharose, une huile grasse, du carotène, une résine, des sels minéraux (sels de sodium, potassium, calcium et magnésium).

PROPRIÉTÉS DÉMONTRÉES

La bruyère commune présente, comme le raisin d'ours, des propriétés diurétiques et antiseptiques urinaires.

INDICATIONS USUELLES RECONNUES

Les sommités fleuries possèdent des effets diurétiques et antiseptiques ; elles sont employées comme adjuvant dans les cures de diurèse et dans les infections urinaires bénignes. Elles ont un effet antidiarrhéique.

PRÉCAUTIONS D'EMPLOI

Aucune aux doses préconisées.

Inconnue des Anciens, la bruyère dérive son nom vernaculaire de celui que les Celtes donnaient à la plante *(bruko)*. À la Renaissance, on lui attribuait des propriétés diurétiques et antiputrides, et elle fut utilisée en décoction pour soigner les coliques néphrétiques, les cystites, la lithiase et les catarrhes chroniques de la vessie. On a vu aussi guérir par des bains de bruyère des malades souffrant de rhumatisme chronique. La plante connaît nombre d'emplois autres que médicinaux. Sa teneur élevée en tanins l'a fait beaucoup utiliser dans la tannerie. Ses souches servent à la fabrication de pipes et ses rameaux à celle des balais. C'est de ce dernier usage que vient le nom de *Calluna*, tiré du grec *kallynô* (je balaie). Enfin, les fleurs font le bonheur des abeilles et donnent un miel très estimé pour la fabrication du pain d'épice.

Encore appelée brande, bucane, péterolle, béruée, brégère, brégotte.

EMPLOIS

• *Décoction (5 min) : 10 g de fleurs par litre d'eau. 3 à 4 tasses dans la journée, comme diurétique.*

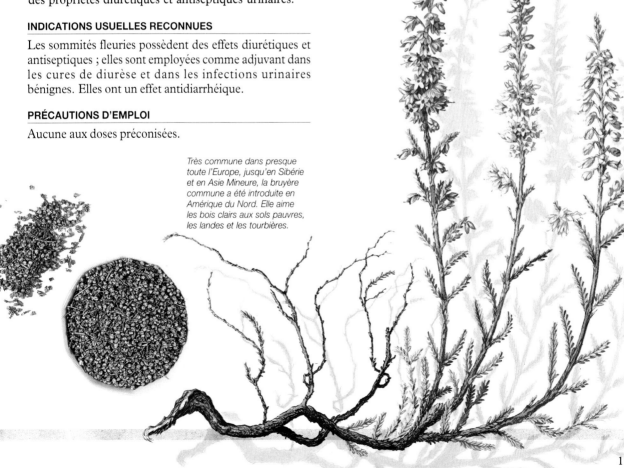

Très commune dans presque toute l'Europe, jusqu'en Sibérie et en Asie Mineure, la bruyère commune a été introduite en Amérique du Nord. Elle aime les bois clairs aux sols pauvres, les landes et les tourbières.

CAMOMILLE ROMAINE

Chamaemelum nobile (L.) All.
Asteraceae

BOTANIQUE

Plante herbacée vivace, de 10 à 30 cm de haut, vert blan-châtre, à tiges couchées, étalées ou redressées, très ramifiées et velues. Les feuilles, alternes, sont divisées une fois en lobes courts et étroits. Les capitules terminaux, solitaires, sont constitués de fleurs ligulées, blanches à la périphérie, tubuleuses, jaunes, plutôt rares au centre. Les fruits, akènes jaunâtres, sont dépourvus d'aigrette.

PARTIES UTILISÉES

Les capitules, récoltés l'été à partir de la deuxième année, avant l'épanouissement complet, et séchés à l'ombre.

COMPOSANTS

Les capitules contiennent des catéchols et des lactones sesquiterpéniques (nobiline). L'huile essentielle (0,4 à 1,5%) doit sa couleur bleu clair à des traces de chamazulène. Elle contient des esters d'acides et d'alcools aliphatiques et des monoterpènes, des composés polyphénoliques, des coumarines, du scopoloside et notamment des flavonoïdes, glucosides de l'apigénol et du lutéolol.

PROPRIÉTÉS DÉMONTRÉES

Les propriétés anti-inflammatoires, liées au chamazulène et antispasmodiques, dues aux flavonoïdes, ont été démontrées chez la souris. L'effet tonique amer de la plante est dû à la nobiline, qui, in vitro, s'est révélée douée d'une activité cytostatique. Ses propriétés eupeptiques sont dues en partie à son huile essentielle.

INDICATIONS USUELLES RECONNUES

En usage local, la camomille romaine est utilisée comme adoucissant et antiprurigineux dans les affections dermatologiques, comme protecteur en cas de crevasses, écorchures, gerçures et contre les piqûres d'insectes ; elle est aussi employée en cas d'irritation ou de gêne oculaires, comme analgésique dans les affections de la cavité buccale et/ou de l'oropharynx et pour l'hygiène buccale. En usage interne, elle facilite la digestion et calme les douleurs abdominales d'origine digestive.

PRÉCAUTIONS D'EMPLOI

Aucune aux doses préconisées.

Malgré son surnom, la camomille romaine était inconnue des Romains, mais aussi des Grecs. C'est une des rares espèces sur lesquelles les Anciens ne nous ont rien transmis. Ignorée au Moyen Âge, elle n'est mentionnée qu'à partir du XVIᵉ siècle, en Angleterre, comme mauvaise herbe. Elle a depuis été cultivée.

Encore appelée camomèle, camomille odorante, anthémis odorant, camomille noble.

En Europe occidentale, d'où elle est originaire, la camomille romaine abonde dans les champs, les prés sablonneux et au voisinage des cours d'eau. En Amérique du Nord, elle est toujours cultivée.

EMPLOIS

• *Infusion (10 min) : 20 g de capitules secs par litre d'eau. 1 tasse à café 10 min avant les repas en usage apéritif ou après, contre les douleurs abdominales et pour faciliter la digestion.*

• *Décoction (10 min) : 20 g de capitules secs par litre d'eau. 1 tasse avant le petit déjeuner, dans les mêmes indications.*

• *Poudre : 0,5 g par prise. Trois fois par jour, comme stomachique et tonique.*

• *Infusion en usage externe (15 min) : 60 g de capitules frais par litre d'eau. À utiliser en bain d'yeux, en compresse et en bain de bouche.*

CANNELIER DE CEYLAN

Cinnamomum zeylanicum Blume
Lauraceae

BOTANIQUE

Arbre de 5 à 6 m de haut, à nombreuses branches et rejets, couvert d'une écorce épaisse et rugueuse. Les feuilles, persistantes, sont opposées, ovales et parcourues de 3 nervures principales bien apparentes. Les fleurs, blanchâtres, sont groupées en cymes.

PARTIES UTILISÉES

L'écorce, raclée en surface, puis séchée. Elle se présente alors en tuyaux emboîtés les uns dans les autres.

COMPOSANTS

La cannelle de Ceylan contient 1 à 2 % d'huile essentielle, dont le constituant principal est l'aldéhyde cinnamique, accompagné d'eugénol, de méthylamylcétone et de sesquiterpènes. La plante contient également des diterpènes polycycliques, des anthocyanosides, de l'amidon et des sucres, un tanin et du mucilage.

PROPRIÉTÉS DÉMONTRÉES

In vitro, l'huile essentielle possède une forte activité antibactérienne et antifongique, en particulier sur les appareils digestif et urinaire. L'expérimentation sur l'animal a démontré que l'aldéhyde cinnamique exerce une activité sédative sur le système nerveux central. De plus, cette substance provoque une accélération de la respiration et du rythme cardiaque.

Les Grecs connaissaient déjà la cannelle sous le nom de *kinamomon,* mais on pense qu'il s'agissait de la cannelle de Chine (*Cinnamomum cassia*) et non de celle de Ceylan. Cette dernière arriva en Occident par l'intermédiaire des Arabes, comme beaucoup d'autres épices. Elle atteignait alors des prix très élevés et son marché fut longtemps dominé par les Portugais et les Hollandais. À la fin du XVIIIe siècle, les Hollandais, puis les Anglais, devenus maîtres de Ceylan, développèrent la culture intensive du cannelier.

Originaire de la côte occidentale de l'Inde et du Sri Lanka, où il est spontané, le cannelier de Ceylan a été introduit dans plusieurs régions à climat tropical – Comores, Seychelles, Madagascar, Malaisie, Antilles –, mais les variétés commerciales les plus estimées viennent encore du Sri Lanka.

INDICATIONS USUELLES RECONNUES

La plante est traditionnellement utilisée dans le traitement des troubles digestifs et des asthénies fonctionnelles. On l'emploie également pour favoriser la prise de poids. Elle est parfois utilisée pour soigner les infections urinaires.

PRÉCAUTIONS D'EMPLOI

Aucune toxicité n'a été signalée aux doses préconisées. Consommer le vin de cannelle avec modération.

EMPLOIS

• *Poudre : 1 à 2 g d'écorce par dose. Deux à trois fois par jour avec un peu de miel, après les repas, dans les troubles digestifs et les asthénies.*

• *Décoction (15 min) : 10 g d'écorce par litre d'eau. 2 à 3 tasses par jour, après les repas, dans les mêmes indications que ci-dessus.*

• *Vin de cannelle : laisser macérer 3 jours 50 g d'écorce dans 1 litre de vin rouge ; filtrer. 1 verre à liqueur après les repas dans les mêmes indications.*

CAPUCINE

Tropaeolum majus L.
Tropaeolaceae

BOTANIQUE

Plante annuelle grimpante ou rampante à tiges charnues, à feuilles rondes, peltées, longuement pétiolées et à fleurs éperonnées, avec une corolle évasée à 5 pétales dissemblables, jaune intense ou rouge orangé, parfois panachée. Les fruits, charnus, sont des triakènes.

PARTIES UTILISÉES

Les sommités fleuries (ou toute la partie aérienne fleurie), à l'état frais, récoltées à la pleine floraison (juin-octobre) ; et les fruits, récoltés à maturité.

COMPOSANTS

Le composant principal de la plante fraîche, responsable de son activité, est un glucosinolate, le glucotropaéoloside. La plante renferme aussi une enzyme (la myrosine), des sucres, des résines, des gommes, des pectines, de la vitamine C, de l'acide oxalique. Les graines renferment en outre des lipides.

PROPRIÉTÉS DÉMONTRÉES

La capucine a une activité antibiotique imputable au glucotropaéoloside et fluidifie les sécrétions bronchiques. Ses propriétés rubéfiantes modérées lui confèrent une activité tonique et antipelliculaire sur le cuir chevelu, par voie externe. Sur la peau, elle exerce une action antiseptique. Les fruits sont laxatifs.

INDICATIONS USUELLES RECONNUES

Par voie orale, elle est utilisée dans les affections des voies respiratoires (emphysèmes, bronchites aiguës bénignes) et a été aussi préconisée comme antiscorbutique en raison de sa relative richesse en vitamine C. En usage externe, elle est indiquée dans les soins des coups de soleil, petites brûlures superficielles, érythèmes fessiers.
La partie aérienne dans sa totalité est très employée comme tonique capillaire et dans le traitement des démangeaisons du cuir chevelu avec pellicules. Les fruits desséchés sont parfois indiqués comme laxatif.

PRÉCAUTIONS D'EMPLOI

Chez certains sujets sensibles, la capucine, en usage externe, en raison de ses propriétés rubéfiantes, peut produire des phénomènes allergiques cutanés.

Plante d'origine sud-américaine, la capucine, décrite pour la première fois à la fin du XVIe siècle sous le nom de « fleur sanguine du Pérou », est utilisée traditionnellement dans ses pays d'origine pour soigner les plaies. Ailleurs dans le monde, son usage en phytothérapie ne date que du début du XXe siècle.

Encore appelée cresson du Pérou, cresson du Mexique.

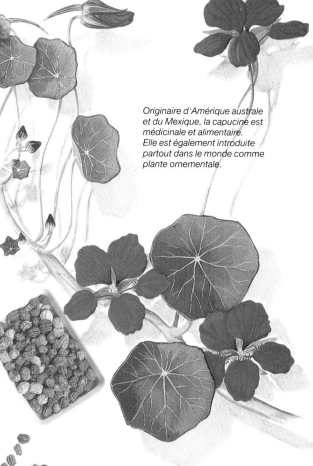

Originaire d'Amérique australe et du Mexique, la capucine est médicinale et alimentaire. Elle est également introduite partout dans le monde comme plante ornementale.

EMPLOIS

• *Infusion (10 à 15 min) : 30 g de sommités fleuries fraîches par litre d'eau. 2 à 3 tasses par jour comme fluidifiant dans les emphysèmes, les bronchites aiguës bénignes.*

• *Suc de la plante, fraîchement exprimé : 20 à 30 g par dose, deux fois par jour, dans les mêmes indications que ci-dessus.*

• *Macération alcoolique de capucine : hacher 100 g de plante fraîche dans 300 g d'alcool à 90°, laisser macérer 15 jours puis filtrer avec expression. À utiliser en friction sur le cuir chevelu, tous les matins, comme tonique capillaire.*

• *Cataplasme de plante fraîche, hachée et triturée avec 1 cuillerée d'huile d'amande douce. Appliquer sur les petites brûlures superficielles, coups de soleil, érythèmes fessiers.*

CARVI

Carum carvi L.
Apiaceae

BOTANIQUE

Plante herbacée bisannuelle ou pluriannuelle, à racine tuberculeuse allongée. La tige rameuse porte des feuilles vert clair, les supérieures bipennatiséquées et engainantes, les inférieures ovales, incisées et dentées. Les fleurs, blanches et petites, sont disposées en ombelles. Les fruits, ovoïdes, arqués, brunâtres, ont une saveur et une odeur aromatique caractéristiques.

PARTIES UTILISÉES

Les fruits, recueillis en ombelles, presque mûrs, puis séchés.

COMPOSANTS

Les fruits renferment 3 à 6 % d'huile essentielle contenant surtout de la carvone (50 à 60 %), accompagnée de dihydrocarvone, limonène, carvéol et dihydrocarvéol. Ils contiennent aussi une huile grasse (7 à 15 %) constituée d'acides oléique, linoléique, pétrosélinique et palmitique, des pentosanes, du furfurol, de la pectine, une oxydase.

PROPRIÉTÉS DÉMONTRÉES

Le carvi est un antispasmodique léger (propriété due à l'huile essentielle), un eupeptique et un carminatif. L'huile essentielle s'est avérée fongicide sur divers micro-organismes (*Aspergillus* et *Candida* notamment).

INDICATIONS USUELLES RECONNUES

On utilise la plante pour faciliter la digestion et calmer les douleurs abdominales d'origine digestive (coliques des enfants et des adultes) ainsi que dans l'aérophagie. La tradition populaire lui reconnaît, en outre, des propriétés galactogogues.

PRÉCAUTIONS D'EMPLOI

Aucune pour les fruits aux doses préconisées. En revanche, l'huile essentielle n'est pas dénuée de toxicité. Elle est réservée à l'usage des homéopathes.

Le mot carvi vient de l'arabe *karwia*, qui dérive lui-même du grec *karon*. L'espèce est néanmoins connue depuis très longtemps en Europe, probablement depuis la préhistoire. Les Anciens l'appréciaient déjà pour ses vertus carminatives, mais c'est surtout au Moyen Âge que son usage comme condiment et plante médicinale commença à se répandre. Il est actuellement très utilisé en Europe du Nord – sous l'appellation impropre de cumin – pour aromatiser les fromages, le pain, la charcuterie, la pâtisserie. Le kummel, eau-de-vie en vogue surtout en Allemagne, contient du carvi ou son constituant principal, la carvone, et est très utilisé comme apéritif et digestif.

Encore appelé cumin des prés, cumin des montagnes, anis des Vosges.

EMPLOIS

• *Poudre de fruits : 1 g dans du miel. Trois à quatre fois par jour après les repas contre les douleurs abdominales d'origine digestive, les crampes d'estomac et l'aérophagie.*

• *Infusion (10 à 15 min) : 4 à 10 g de carvi par litre d'eau à infuser. 1 tasse après chaque repas comme digestif, galactogogue ainsi qu'en cas d'aérophagie, de coliques et autres douleurs abdominales d'origine digestive (colites, crampes d'estomac).*

Originaire d'Europe où il pousse à l'état sauvage dans les prairies et au bord des chemins, le carvi est naturalisé en Amérique du Nord.

CASSIS
Ribes nigrum L.
Grossulariaceae

BOTANIQUE

Arbrisseau touffu, de 1,50 à 2 m de haut. La feuille, odorante et couverte de poils et de glandes résineuses, est formée de 3 à 5 lobes dentés. Les petites fleurs, verdâtres à l'extérieur, rougeâtres à l'intérieur, sont disposées en grappes pendantes. Les fruits sont des baies noires odorantes et de saveur agréable.

PARTIES UTILISÉES

Les feuilles séchées et les fruits frais ou secs.

COMPOSANTS

Les feuilles, riches en flavonoïdes, contiennent aussi des prodelphinidols et une huile essentielle en faible quantité (sabinène, limonène). Les fruits renferment des sucres (10 à 15 %), des acides organiques, des anthocyanosides (hétérosides du cyanidol et du delphinidol), des flavonoïdes et de la vitamine C.

PROPRIÉTÉS DÉMONTRÉES

Des extraits hydroalcooliques de feuille administrés aux rats ont révélé des effets anti-inflammatoires et analgésiques mineurs. Les anthocyanosides et les flavonoïdes des fruits ont une action vasculoprotectrice, veinotonique, anti-inflammatoire, antiœdémateuse, et améliorent la vision nocturne.

INDICATIONS USUELLES RECONNUES

Les feuilles, indiquées dans les affections douloureuses articulaires par voie orale ou en usage local pour leur effet anti-inflammatoire, ont aussi des fonctions d'élimination rénale et digestive. Les fruits sont recommandés dans les insuffisances veineuses (jambes lourdes, hémorroïdes), dans les fragilités capillaires (pétéchies), et pour améliorer la vision nocturne.

PRÉCAUTIONS D'EMPLOI

Aucune aux doses préconisées.

Spontané dans le nord, le centre et l'est de l'Europe, le cassis se rencontre en Asie jusqu'en Mandchourie. Il est cultivé dans une grande partie de l'hémisphère Nord.

Inconnu des Grecs et des Romains, le cassis ne commence à être mentionné qu'au XVIIᵉ siècle, contre l'anurie et les calculs vésicaux. Au siècle suivant, sa culture et son emploi se vulgarisent. Au XIXᵉ siècle, les Suédois le recommandent contre les rhumatismes, la dysenterie et l'angine. Au début du XXᵉ, les médecins français le prescrivent dans le traitement de la goutte et des rhumatismes chroniques, et lui attribuent des effets anti-inflammatoires, toniques, sudorifiques et astringents.

Encore appelé cassissier, cassier, cacis, groseillier noir.

EMPLOIS

• *Infusion (15 min) : 20 g de feuilles par litre d'eau. 1 tasse trois fois par jour, à jeun, comme anti-inflammatoire, diurétique et dépuratif.*

• *Les fruits sont consommés en gelée ou en sirop pour leurs effets veinotoniques et vasculoprotecteurs, et pour améliorer la vision nocturne.*

PETITE CENTAURÉE

Centaurium erythraea Rafn.
Gentianaceae

BOTANIQUE

Petite plante bisannuelle à tige quadrangulaire, ramifiée au sommet, à feuilles groupées en rosette à la base, opposées, sessiles et oblongues le long de la tige. Les petites fleurs, rose vif, sont groupées en cymes corymbiformes. Le fruit est une capsule déhiscente, allongée, renfermant de minuscules graines de couleur fauve. La plante a une saveur amère.

PARTIES UTILISÉES

Les sommités fleuries, suspendues en bouquets et séchées à l'ombre.

COMPOSANTS

La plante renferme plusieurs séco-iridoïdes (swertiamarine, swéroside, gentiopicroside, centauroside, centapicrine, désacétylcentapicrine), des acides-phénols (acide téréphtalique, etc.), de l'acide oléanolique, des flavonoïdes (kaempférol, hétérosides flavoniques), des xanthones polysubstituées, des stérols, une cire, des matières minérales.

PROPRIÉTÉS DÉMONTRÉES

La petite centaurée exerce une action stimulante sur les sécrétions gastriques et sur la motilité de l'estomac. Elle possède aussi des propriétés veinotoniques. L'expérimentation sur l'animal a montré que les extraits de la plante avaient des propriétés anti-inflammatoires et antipyrétiques. Il a été également démontré que la swertiamarine et le gentiopicroside sont antibactériens. De plus, la swertiamarine, par ses métabolites, exerce une action sédative sur le système nerveux central.

INDICATIONS USUELLES RECONNUES

La plante est indiquée dans le manque d'appétit, les dyspepsies douloureuses, mauvaises digestions, constipations légères, troubles hépatobiliaires, fièvres.

PRÉCAUTIONS D'EMPLOI

Aucune aux doses préconisées. À doses élevées, la plante peut irriter l'estomac et provoquer des vomissements.

Les Grecs, les Gaulois et les Arabes connaissaient déjà la petite centaurée. Selon la légende, le centaure Chiron l'utilisa pour se soigner d'une blessure au pied que lui avait infligée Hercule. Au Moyen Âge, on la cultiva en Europe. Peu à peu oubliée, elle fut à nouveau adoptée, au xixe siècle, par les médecins phytothérapeutes pour ses vertus thérapeuthiques. De nos jours, elle est aussi utilisée en liquoristerie (vermouths).

Encore appelée gentiane centaurée, herbe au centaure, herbe à Chiron, centaurelle, gentianelle, herbe à la fièvre, érythrée, quinquina d'Europe.

Spontanée en Europe, en Afrique du Nord et au Moyen-Orient, la petite centaurée croît dans les prés, les broussailles, les landes. Elle est cultivée en Amérique du Nord où elle s'échappe parfois des jardins.

EMPLOIS

• *Poudre de plante : 0,5 à 6 g par jour dans du miel, à prendre en trois fois avant les repas, en doses progressives, pour stimuler l'appétit ou soulager les digestions difficiles.*

• *Infusion (15 min) : 10 à 20 g de plante par litre d'eau (éventuellement aromatisée avec de l'anis). 1 tasse avant chaque repas dans les mêmes indications.*

• *Sirop de petite centaurée : faire bouillir 10 min 10 g de plante dans 300 ml d'eau ; filtrer et ajouter 500 g de sucre et cuire 5 min. 2 à 3 cuillerées à soupe avant chaque repas en cas de dyspepsie douloureuse, mauvaise digestion, constipation légère, troubles hépatobiliaires.*

CHARDON-MARIE

Silybum marianum (L.) Gaertn.
Asteraceae

BOTANIQUE

Plante herbacée annuelle ou bisannuelle, de 0,30 à 1,50 m de haut ; ses grandes feuilles vert brillant, à nervures blanches et à marbrures laiteuses, sont bordées d'épines. Les fleurs, rose violacé, sont rassemblées en gros capitules entourés de bractées acérées. Les fruits, akènes noirs ou marbrés de jaune, ont une aigrette poilue.

PARTIES UTILISÉES

Les fruits, séchés et réduits en poudre.

COMPOSANTS

Les principes actifs les plus caractéristiques présents dans les fruits sont des flavonolignanes, molécules douées de propriétés hépatoprotectrices, en particulier la silybine, la silydianine et la silychristine. Ils renferment aussi des lipides (20 à 30 %), des protéines, des sucres et des flavonoïdes (quercétol, taxifoline).

PROPRIÉTÉS DÉMONTRÉES

Le groupe des flavonolignanes appelé silymarine et les extraits de fruits ont des effets protecteurs au niveau des cellules hépatiques. Ils les protègent contre les substances toxiques provoquant une hépatite. La silymarine renforce la résistance de la membrane cellulaire à la pénétration des toxines virales et des substances hépatotoxiques. Ce groupe de substances a un effet thérapeutique marqué dans le traitement des hépatites chroniques et des cirrhoses. Les Allemands l'utilisent pour soigner les empoisonnements par l'amanite phalloïde, qui provoque une nécrose du foie. La silymarine a un effet régénérateur sur le parenchyme hépatique, sans doute en rapport avec son effet stimulant sur la synthèse protéique. Elle possède également un effet anti-inflammatoire.

INDICATIONS USUELLES RECONNUES

Le chardon-Marie est indiqué dans les affections hépatiques telles que les hépatites ou les ictères, et dans les troubles digestifs qui accompagnent l'insuffisance hépatique. Il est souvent recommandé dans le traitement des cirrhoses du foie et des hépatites chroniques.

PRÉCAUTIONS D'EMPLOI

Aucune aux doses préconisées.

EMPLOIS

• *Décoction (20 min) : 20 g de fruits secs par litre d'eau. 1 tasse avant les trois repas, en cas d'ictère, d'hépatite virale ou pour soulager les troubles digestifs des maladies hépatiques* .

Habitué des talus, des terres incultes et du bord des chemins, le chardon-Marie est une espèce rudérale du bassin méditerranéen, présente aussi en Europe centrale, au Moyen-Orient, et parfois en Amérique du Nord.

D'après une légende du Moyen Âge, les marbrures blanches marquant les feuilles de la plante seraient des vestiges de quelques gouttes de lait tombées du sein de la Vierge Marie alors qu'elle fuyait avec son fils les persécutions d'Hérode. C'est de là que viennent certains noms populaires qui lui furent attribués. Déjà utilisé dans l'Antiquité pour soigner vésicule biliaire et foie, le chardon-Marie représente à partir de la Renaissance une des plantes médicinales les plus reconnues de la médecine populaire. Racines et parties aériennes étaient conseillées dans les maladies du foie et de la rate, la constipation chronique, la dysménorrhée et les métrorragies. Les médecins du début du siècle attribuaient aux fruits deux autres propriétés : stimulant cardiaque utile contre l'hypotension, hémostatique contre les saignements de nez et les hématuries.

Encore appelé chardon Notre-Dame, chardon argenté, chardon marbré, artichaut sauvage.

CHICORÉE SAUVAGE

Cichorium intybus L.
Asteraceae

BOTANIQUE

Plante herbacée vivace, de 0,50 à 1 m de haut, à racine pivotante, à saveur amère dégageant une forte odeur. Sa tige dressée, ramifiée, pubescente, porte des feuilles pétiolées, profondément découpées et velues dessous, à la base, entières et embrassantes au sommet. Les fleurs, bleues, sont groupées en capitules terminaux et axillaires. Les fruits sont des akènes anguleux.

PARTIES UTILISÉES

Les racines, récoltées en octobre, lavées et séchées. Torréfiées à 130-140 °C, elles servent de succédané de café.

COMPOSANTS

La racine est particulièrement riche en inuline (12 à 15 % de la racine fraîche, 50 à 60 % de la racine sèche) et en sucres. Son amertume est due à des lactones sesquiterpéniques, la lactucine et la lactucopicrine, accompagnées d'alcools triterpéniques. Elle contient aussi des acides-phénols, des lipides (2 %), des protides (6 %).

PROPRIÉTÉS DÉMONTRÉES

La racine a, dans l'ulcère gastrique, un effet protecteur dû à la lactucine et à la lactucopicrine. Elle possède des propriétés cholérétiques et se montre modérément hypotensive et bradycardisante. Sur le cœur de batracien, on a mis en évidence son effet antiarythmique ; son action bactériostatique est liée à la présence de l'acide chlorogénique. Elle a en outre une activité hypolipémiante et hypocholestérolémiante.

INDICATIONS USUELLES RECONNUES

La racine est utilisée par voie orale pour faciliter la digestion, les fonctions d'élimination rénale et digestive et la sécrétion biliaire : elle est employée dans le traitement symptomatique de troubles digestifs (ballonnement épigastriques, lenteur à la digestion, éructations, flatulences, constipation) comme cholagogue ou cholérétique.

PRÉCAUTIONS D'EMPLOI

Aucune aux doses préconisées.

EMPLOIS

• *Infusion (15 min) : 20 g de racines par litre d'eau. 1 tasse avant les repas, comme diurétique et contre la constipation.*

• *Décoction (5 min) : 30 g par litre d'eau. 2 tasses par jour, avant les repas, en cas de troubles digestifs.*

Spontanée dans toute l'Europe, dans le nord de l'Asie et de l'Afrique, la chicorée croît aussi en Amérique du Nord sur les chemins et les terrains incultes.

Connue depuis la plus haute antiquité comme plante médicinale, la chicorée est déjà mentionnée dans un papyrus égyptien vers 4000 av. J.-C. Grecs et Romains la considéraient comme « amie du foie », la recommandaient en salade pour fortifier l'estomac et préconisaient son suc contre les maux d'yeux. Au Moyen Âge, elle était cultivée dans les domaines impériaux, et sainte Hildegarde la conseillait en cas de catarrhes, indigestions, blessures. La médecine arabo-persane employait une décoction de racines pour soigner les tumeurs de la gorge, une décoction de feuilles contre la perte de la vue, le suc des feuilles contre la fièvre et l'hydropisie. Largement cultivée en Europe au XVIIe siècle, elle prend une importance considérable au XIXe en venant compenser le manque de café.

Encore appelée chicorée amère, chicorée intybe, chicorée commune, barbe-de-capucin, cheveux-de-paysan, herbe à café, laideron.

PETIT CHIENDENT

Agropyron repens (L.) Beauvois
Poaceae

BOTANIQUE

Plante herbacée à long rhizome traçant, portant des renflements aux nœuds, à feuilles rubannées et engainantes. Les épis sont formés d'épillets aplatis et disposés sur 2 rangs.

PARTIES UTILISÉES

Le rhizome, lavé, coupé et séché.

COMPOSANTS

Le rhizome contient 12 à 15 % d'un fructosane, la triticine, environ 2 % de sucres, des polyols (inositol, mannitol), des acides-alcools, du vanilloside, des sels de potassium, des traces d'une huile essentielle renfermant un carbure acétylénique à propriétés antibactériennes.

PROPRIÉTÉS DÉMONTRÉES

La plante a une activité diurétique due aux sels de potassium et à la triticine. Elle facilite la digestion et exercerait de plus une action émolliente et légèrement anti-inflammatoire sur l'appareil urinaire.

INDICATIONS USUELLES RECONNUES

Les indications habituelles de la plante sont les oliguries, les inflammations vésicales, les lithiases rénales, la goutte et les rhumatismes.

PRÉCAUTIONS D'EMPLOI

Aucune aux doses préconisées, mais à éviter en cas d'hyperkaliémie.

EMPLOIS

• *Décoction (30 min) : 20 g de rhizome par litre d'eau ; filtrer. 3 à 4 tasses par jour 30 min avant les repas, éventuellement aromatisées avec un zeste de citron, dans le traitement des oliguries, des lithiases rénales, des inflammations vésicales, de la goutte.*

Répandu dans toutes les zones tempérées, en Europe, en Afrique, en Amérique du Nord et en Asie, le petit chiendent est une mauvaise herbe des cultures, vigoureuse et redoutable.

Dioscoride et Pline mentionnaient déjà le chiendent comme remède des affections pour lesquelles il est indiqué aujourd'hui, mais il est probable qu'ils confondaient sous la même appellation deux espèces voisines : le petit chiendent, dont il est question ici, et le gros chiendent *(Cynodon dactylon)*. Ce dernier, plus répandu en Grèce et dans la région méditerranéenne, et qui possède les mêmes vertus, lui est souvent substitué mais il contient de l'amidon et est déconseillé en cas de régime alimentaire. En France, c'est à la fin du XVIIe siècle que l'usage du petit chiendent commence à être adopté par les médecins comme drainant et dépuratif dans le traitement des affections du foie, des oliguries, de la goutte et de certaines affections cutanées.

Encore appelé chiendent officinal, blé rampant, laitue de chien, sainte-neige, gramon, herbe à deux bouts.

COCHLÉARIA
Cochlearia officinalis L.
Brassicaceae

EMPLOIS

• *Infusion (10 min) : 15 à 20 g de feuilles fraîches par litre d'eau. 2 à 3 tasses par jour avant les repas, contre les problèmes de calculs urinaires (en cure de 6 semaines).*

• *Sirop : une partie du suc de la plante fraîche et deux parties de sucre, 20 à 60 g par jour en potion, répartis dans la journée, contre les affections bronchiques.*

Petite plante spontanée des terrains salés du littoral de l'Atlantique et de la Manche, le cochléaria aime se blottir au creux des rochers humides

BOTANIQUE

Plante herbacée bisannuelle de 10 à 30 cm de haut, à tige dressée, aux feuilles basales longuement pétiolées, épaisses, charnues, concaves, groupées en rosette, aux feuilles supérieures sessiles, dentées, embrassantes, à lobes irréguliers. Les fleurs, petites, blanches et odorantes, sont groupées en grappes. Le fruit, silicule presque globuleuse, renferme des graines brun clair.

PARTIES UTILISÉES

Les feuilles fraîches, récoltées entre mars et juillet.

COMPOSANTS

La plante contient des dérivés soufrés et un glucosinolate, le glucocochléaroside. Elle contient aussi de la vitamine C (environ 1 %), des tanins et des sels minéraux.

PROPRIÉTÉS DÉMONTRÉES

Le cochléaria est surtout un eupeptique, il stimule la digestion. En application locale, il montre un effet rubéfiant, dû au glucocochléaroside.

INDICATIONS USUELLES RECONNUES

Le cochléaria est utilisé par voie orale pour stimuler la digestion et dans les affections bronchiques aiguës bénignes. En application locale, il est employé sous forme de collutoire, comme analgésique dans les affections de la cavité buccale et/ou de l'oropharynx. Il est antiscorbutique à l'état frais, grâce à sa richesse en vitamine C.

PRÉCAUTIONS D'EMPLOI

Aucune aux doses préconisées.

Ne poussant pas en Méditerranée, le cochléaria était ignoré des Grecs et des Romains. Il était aussi manifestement inconnu des auteurs du Moyen Âge et de la médecine arabo-islamique. C'est au XVIe siècle que les botanistes ont forgé son nom scientifique à partir du mot latin *cochlear*, qui signifie cuiller, en allusion à la forme caractéristique de ses feuilles inférieures. En médecine populaire, la plante consommée en salade est employée comme antiscorbutique.

Encore appelé cranson officinal, herbe aux cuillers, cuillerée, herbe au scorbut.

CONSOUDE OFFICINALE
Symphytum officinale L.
Boraginaceae

BOTANIQUE

Plante vivace, velue, de 0,40 à 1 m de haut, à souche noirâtre, charnue, à racines adventives nombreuses. Sa tige est ailée dans sa partie supérieure, rameuse, à feuilles ovales allongées, longuement décurrentes le long de la tige. Les fleurs, blanchâtres, rosées ou violacées, à corolle campanulée, sont groupées en grappes spiralées. Le fruit est un tétrakène luisant, noirâtre.

PARTIES UTILISÉES

Les racines, récoltées au printemps ou en automne, lavées, raclées, fragmentées et séchées au soleil.

COMPOSANTS

Les racines sont très riches en glucides (amidon, saccharose et glucofructosanes) et en mucilage (29 %), constitué par un fructosane ; elles contiennent aussi des traces d'alcaloïdes pyrrolizidiniques, un principe anticonceptionnel, l'acide lithospermique, des composés polyphénoliques (tanins, acides chlorogénique et caféique). Le principe actif le plus important est un diuréide glyoxylique, l'allantoïne.

PROPRIÉTÉS DÉMONTRÉES

Les racines possèdent des propriétés anti-inflammatoires, cicatrisantes et épithéliogènes dues à l'allantoïne ; ses effets émollients sont liés au mucilage. Prises par voie buccale, la racine et les feuilles provoquent chez 50 % des animaux soumis à l'expérience des tumeurs au niveau du foie. Chez le rat, l'extrait aqueux des feuilles augmente la production de prostaglandine.

INDICATIONS USUELLES RECONNUES

Réservée à l'usage externe, la racine de consoude est utilisée comme traitement d'appoint adoucissant, cicatrisant et antiprurigineux des affections cutanées, comme trophique protecteur dans le traitement des crevasses, écorchures, gerçures et contre les piqûres d'insectes.

Le nom savant de la consoude, *Symphytum* – du grec *symphyô*, « je réunis » –, exprime bien ce qui fit la réputation de la plante : elle consolide, ressoude les os brisés, ferme les lèvres des plaies. Elle était déjà connue à ce titre chez les Anciens, et Dioscoride et Galien la recommandaient comme vulnéraire. Le Moyen Âge puis la médecine arabo-persane reprirent cette indication. Mais ce n'est qu'en 1912 que commença l'étude des composants chimiques de sa racine, qui permit d'isoler l'allantoïne, utilisée en dermatologie comme cicatrisant.

Encore appelée consoude officinale, consoude commune, confée, consyre, grande consyre, pecton, herbe à la coupure, herbe aux charpentiers, oreille-d'âne, langue-de-vache.

PRÉCAUTIONS D'EMPLOI

Réserver à l'usage externe : ne pas avaler, car la présence des alcaloïdes pyrrolizidiniques a pu provoquer un syndrome veino-occlusif chez des personnes consommant régulièrement une infusion de consoude. La pénétration des alcaloïdes par voie cutanée est négligeable.

> ### EMPLOIS
>
> • *Décoction (15 min) : 80 g de racines par litre d'eau. En usage externe, sous forme de compresse, ou en usage gynécologique, comme astringent, émollient, antiprurigineux.*
>
> • *Pulpe fraîche râpée de la racine : pour panser les plaies, brûlures, crevasses, gerçures.*

Répandue en Europe (sauf en région méditerranéenne) et en Asie septentrionale, la consoude aime les prairies marécageuses, le bord des ruisseaux et des fossés. Elle est naturalisée en certains endroits d'Amérique du Nord.

COQUELICOT ou PAVOT

Papaver rhoeas L.
Papaveraceae

BOTANIQUE

Plante annuelle, de 25 à 80 cm de haut. Sa tige velue porte des feuilles finement découpées et des fleurs dont la corolle est formée de 4 pétales rouge écarlate, tachetés de noir à la base, et de nombreuses étamines qui font le délice des abeilles. Les fruits secs sont des capsules qui libèrent après incision un latex blanchâtre.

PARTIES UTILISÉES

Les pétales, récoltés au moment de la floraison et rapidement séchés puis conservés à l'abri de l'humidité. Ils doivent conserver leur couleur rouge foncé.

COMPOSANTS

La plante contient des alcaloïdes isoquinoléiques, peu abondants dans les pétales, dont le principal est la rhœadine (0,07 %). Les pétales renferment également des flavonoïdes, des anthocyanosides, qui les colorent, et des mucilages.

PROPRIÉTÉS DÉMONTRÉES

Malgré sa ressemblance et sa parenté botanique avec le pavot à opium, dont les capsules renferment un latex blanc riche en morphine, peu d'études ont été entreprises sur cette espèce dans le passé récent ; la rhœadine, qui est une benzo-azépine, est considérée comme responsable des effets sédatifs, et les mucilages de l'effet émollient et antitussif.

INDICATIONS USUELLES RECONNUES

Les pétales sont indiqués dans les états de nervosité et de troubles du sommeil de l'adulte et de l'enfant, dans l'éréthisme cardiaque de l'adulte, et dans le traitement symptomatique de la toux.

PRÉCAUTIONS D'EMPLOI

Aucune aux doses préconisées. De fortes doses peuvent provoquer une intoxication. L'usage des fruits est à proscrire absolument.

Herbe nuisible en Europe où il colonise toujours les bords des chemins, les décombres et les jachères, le pavot, introduit en Amérique du Nord, apparaît parfois autour des jardins.

Probablement originaire de Turquie et de Bulgarie, le pavot a été introduit dès l'époque préhistorique en Europe méridionale, en Asie et en Afrique du Nord. Les Grecs faisaient usage des capsules en décoction contre l'insomnie, des graines contre la constipation légère, et des fleurs pour adoucir les inflammations. En médecine arabo-islamique, le pavot était également nommé grenade à la toux.

Encore appelé pavot rouge, pavot coq, gravesolle, ponceau.

EMPLOIS

Infusion (10 min) :

• *10 g de pétales par litre d'eau, 3 tasses par jour, en cas de nervosité ou d'éréthisme cardiaque de l'adulte.*

• *20 g par litre chez l'adulte et 10 g chez l'enfant. 1 tasse après le repas du soir et 1 au coucher en cas de troubles du sommeil. 3 tasses réparties dans la journée en cas de toux.*

CORIANDRE

Coriandrum sativum L.
Apiaceae

BOTANIQUE

Plante annuelle à tige luisante et striée, à feuilles pennati-séquées en lanières étroites dans la partie supérieure, et divisées en segments ovales dans la partie inférieure. Les fleurs, légèrement rosées, sont disposées en ombelles donnant à maturité de petits fruits globuleux. La plante fraîche exhale une odeur de punaise. Les fruits, à maturité, dégagent une odeur aromatique agréable.

PARTIES UTILISÉES

Les fruits mûrs séchés.

COMPOSANTS

Les fruits renferment 0,3 à 1 % d'une huile essentielle constituée surtout de linalol libre et estérifié (65 à 70 %), de géraniol, d'acétate de géranyle, de pinène, de bornéol, de phellandrène ; mais aussi 20 % de lipides, des furano-coumarines, des pentosanes, de l'amidon et des sucres, de la pectine, du tanin, de la vitamine C.

PROPRIÉTÉS DÉMONTRÉES

Les fruits ont des propriétés antispasmodiques dues à l'huile essentielle. On a mis en évidence également des propriétés antiulcéreuses. L'huile essentielle possède une bonne activité fongicide (sur *Candida albicans*) et bactéricide (sur le bacille d'Eberth).

INDICATIONS USUELLES RECONNUES

Les fruits de coriandre s'utilisent dans les colites spasmodiques douloureuses, les ballonnements épigastriques, les éructations, l'aérophagie, les digestions difficiles, les crampes d'estomac, les fermentations putrides.

PRÉCAUTIONS D'EMPLOI

Aucune aux doses préconisées. La coriandre peut cependant provoquer une légère somnolence.

La coriandre était connue des Égyptiens, comme l'attestent les papyrus et les inscriptions hiéroglyphiques, mais aussi la présence de ses fruits dans de nombreux tombeaux pharaoniques. Pour les Égyptiens, les Hébreux et les Grecs, outre ses usages médicaux, elle était réputée rendre le vin plus enivrant, alors que pour certains auteurs anciens elle n'était pas totalement dénuée de toxicité. En France, elle figurait déjà dans le capitulaire de Louis le Pieux (en 795) au nombre des plantes dont la culture était ordonnée dans les domaines impériaux. Au Moyen Âge, on l'utilisait comme plante médicinale, mais sa culture ne s'étendit à toute l'Europe qu'au XVIe siècle. Plus tard, elle fut utilisée dans la préparation de l'eau de mélisse des Carmes et de la Chartreuse. Son emploi comme condiment et plante médicinale est encore courant chez les Arabes.

Encore appelée punaise mâle, mari de la punaise, persil arabe.

Aujourd'hui largement cultivée au Maroc, en Égypte, en Inde, en Russie et en Europe centrale, la coriandre – sans doute originaire du Proche-Orient – vit à l'état subspontané dans une grande partie du bassin méditerranéen.

CYPRÈS

Cupressus sempervirens L.
Cupressaceae

BOTANIQUE

Arbre à écorce rougeâtre, aux branches redressées et touffues entièrement recouvertes par les feuilles, imbriquées sur 4 rangs. Les cônes mâles sont petits et ovoïdes. Les cônes fructifères femelles (galbules), globuleux, d'abord verts puis gris-brun, sont formés d'écailles ligneuses, épaisses, s'écartant à maturité.

PARTIES UTILISÉES

Les cônes fructifères femelles encore verts, séchés, et les feuilles.

COMPOSANTS

Les cônes renferment 0,2 à 1 % d'une huile essentielle contenant alpha-pinène, camphène, cadinène, cédrol, carène, alpha-terpinéol libre et estérifié, terpinéol-4, furfural. Ils contiennent également 3 à 5 % de dimères et d'oligomères flavaniques (procyanidols du groupe B) et des acides diterpéniques (tanins).
Les feuilles contiennent aussi 0,2 % d'une huile essentielle (à pinène, camphène, cédrol et terpinéol) et des biflavonoïdes (amentoflavone, cupressuflavone).

PROPRIÉTÉS DÉMONTRÉES

Les cônes ont des propriétés vasoconstrictrices et astringentes dues à leurs tanins. L'expérimentation animale montre une activité angioprotectrice des oligomères flavaniques. L'huile essentielle, des feuilles surtout, a des propriétés antispasmodiques et antiseptiques.

INDICATIONS USUELLES RECONNUES

Les cônes sont utilisés dans le traitement des manifestations de l'insuffisance veineuse (varices, jambes lourdes, hémorroïdes, métrorragies de la ménopause), des diarrhées, de l'énurésie nocturne de l'enfant, de la transpiration des pieds. Les feuilles sont indiquées dans les toux quinteuses (bronchite, grippe, coqueluche, asthme).

PRÉCAUTIONS D'EMPLOI

Aucune aux doses préconisées. L'huile essentielle est réservée exclusivement à l'homéopathie.

Déjà mentionné comme plante médicinale dans un texte assyrien du XVe siècle avant J.-C., le cyprès avait un caractère sacré chez les Perses et les Grecs et tenait une place importante dans le culte des morts ; il était aussi connu pour ses propriétés anti-diarrhéiques et antihémorroïdaires. Ces mêmes indications furent reprises par les Arabes, puis par sainte Hildegarde au XIIe siècle. Le cyprès appartient aujourd'hui à toutes les pharmacopées du pourtour méditerranéen.

Encore appelé cyprès d'Italie, cyprès pyramidal, cyprès toujours vert.

Originaire d'Orient, le cyprès est cultivé partout en région méditerranéenne. On l'utilise pour faire des haies, des brise-vent et des clôtures dans les cimetières.

EMPLOIS

• *Décoction (15 min) : 10 à 30 g de cônes concassés par litre d'eau. 2 à 3 tasses par jour contre les diarrhées et en cas d'insuffisance veineuse ; 1 tasse le soir au dîner et 1 autre au coucher, contre l'énurésie chez l'enfant.*

• *Décoction concentrée en usage externe (20 min) : 50 g de cônes par litre d'eau. Appliquer en compresse chaude ou en lavement, trois fois par jour contre les hémorroïdes, les métrorragies de la ménopause, les varices et les jambes lourdes ; ou en bain de pieds contre la transpiration (15 min par jour).*

ÉGLANTIER

Rosa canina L.
Rosaceae

On le retrouve dans toute l'Europe, en Afrique du Nord et au Moyen-Orient, en plaine et en basse montagne. L'églantier est aussi naturalisé en Amérique du Nord.

BOTANIQUE

Petit arbuste, haut de 1 à 5 m, à rameaux nombreux, munis d'aiguillons robustes. Les feuilles, alternes, sont composées de 5 à 7 folioles allongées et dentées. Les fleurs, isolées ou en corymbes, sont rose pâle ou blanches. À maturité, le réceptacle ovoïde de la fleur devient rouge orangé et charnu : c'est le cynorrhodon. Il renferme une pulpe dans laquelle se trouvent les véritables fruits, des akènes durs et poilus, irritants, d'où leur nom populaire de gratte-cul, par analogie avec le poil à gratter.

PARTIES UTILISÉES

Les cynorrhodons, récoltés avant maturité : en fait leur pulpe, débarrassée des akènes et de leurs poils.

COMPOSANTS

À l'état frais, les cynorrhodons, riches en vitamine C (1 %) et en provitamines A (caroténoïdes), contiennent aussi des tanins (procyanidols B1, B2, B3, B4 et catéchines), des sucres, des acides citrique et malique, de la pectine, des traces d'huile essentielle, du D-sorbitol, un glucoside très actif et un peu de vanilline dans les akènes.

PROPRIÉTÉS DÉMONTRÉES

Les cynorrhodons ont des propriétés astringentes, anti-diarrhéiques, vitaminique C et provitaminique P.

INDICATIONS USUELLES RECONNUES

L'églantier est indiqué dans les diarrhées, mauvaises digestions, saignements des gencives, inflammations de la vessie, asthénies fonctionnelles, carences en vitamine C et pour faciliter la prise de poids.

PRÉCAUTIONS D'EMPLOI

En raison de la thermolabilité de la vitamine C, les cynorrhodons doivent être utilisés de préférence à l'état frais et ne pas bouillir plus de cinq minutes.

EMPLOIS

• *Pulpe fraîche de cynorrhodons : mastiquer lentement puis avaler. Plusieurs fois dans la journée, dans les carences en vitamine C, asthénies et saignements des gencives.*

• *Décoction (5 min) : 15 à 20 g de pulpe et de paroi charnue de cynorrhodons, finement hachées dans 500 ml d'eau ; laisser infuser 1 h et filtrer soigneusement. 2 à 3 tasses par jour après les repas, dans les diarrhées, mauvaises digestions, inflammations vésicales et asthénies. Cette décoction peut s'employer aussi en bain de bouche contre les saignements des gencives.*

• *Confiture de cynorrhodons : après avoir enlevé les akènes et les poils, hacher finement la partie charnue de cynorrhodons récoltés aux premiers froids ; ajouter un poids égal de sucre, mélanger jusqu'à homogénéisation parfaite, conserver en pots au réfrigérateur. 2 ou 3 cuillerées à soupe, au cours des repas, en cas d'asthénies, mauvaises digestions, inflammations de la vessie.*

Connu des Grecs pour ses propriétés astringentes et antidiarrhéiques, l'églantier avait de plus la réputation de soigner la rage, d'où son nom populaire de rosier des chiens. Les Arabes employaient surtout le bédégar – une galle engendrée sur les feuilles de l'églantier par la piqûre d'un insecte – pour ses vertus astringentes et toniques.

Encore appelé rosier sauvage, rosier des bois, rosier de la Vierge, gratte-cul.

ÉLEUTHÉROCOQUE

Eleutherococcus senticosus (Rupr. et Maxim.) Maxim.
Araliaceae

Spontané en Russie (Sibérie surtout), où il pousse comme du chiendent, en Chine, au Japon et en Corée, l'éleuthérocoque forme sous le couvert forestier des buissons épineux.

BOTANIQUE

Arbuste de 2 à 3 m de haut, à feuilles composées de 3 à 5 folioles et recouvertes d'épines. Les fleurs sont petites, groupées en ombelles : fleurs femelles ou hermaphrodites jaunâtres, et fleurs mâles violettes. Les fruits sont des drupes de couleur noire.

PARTIES UTILISÉES

Les racines, récoltées en automne ou au printemps.

COMPOSANTS

Les constituants de la plante ont fait l'objet de très nombreuses études, en particulier en Russie. Les racines renferment des substances chimiques complexes appelées éleuthérosides. Il s'agit en fait d'un mélange de substances chimiques variées : certaines sont des hétérosides combinant des substances déjà identifiées chez d'autres végétaux comme le daucostérol, la syringine ou l'isofraxidine, d'autres sont des hétérosides originaux. Par ailleurs, on a identifié dans les racines des polysaccharides à propriétés immunostimulantes, des glycanes – les éleuthéranes – à effet hypoglycémiant, et des composés phénoliques.

PROPRIÉTÉS DÉMONTRÉES

Les racines ont des propriétés stimulantes, anxiolytiques et adaptogènes. Cette dernière propriété confère notamment aux animaux traités une plus grande résistance au froid et à la fatigue. De plus, l'éleuthérocoque renforce l'immunité en stimulant les défenses de l'organisme et atténue la toxicité de certains antimitotiques. Il augmente la résistance des cellules du cerveau aux effets de l'ischémie.

INDICATIONS USUELLES RECONNUES

C'est un stimulant utile dans les asthénies fonctionnelles physiques ou intellectuelles et un adaptogène qui corrige les excès de la vie moderne induisant stress et asthénie.

PRÉCAUTIONS D'EMPLOI

Aucune aux doses recommandées. Peut gêner l'endormissement s'il est pris trop tard dans la journée. À éviter chez la femme enceinte et l'hypertendu.

L'éleuthérocoque, parfois surnommé ginseng du pauvre, est aux Russes ce que le ginseng est aux Chinois : une plante stimulante et adaptogène aussi bien utilisée chez l'homme sain en additif alimentaire, pour prévenir certaines maladies, que chez le malade ou le convalescent. On le recommande aussi pour ses effets contre les états séborrhéiques et pelliculaires. On dit également que la plante permettrait aux athlètes russes de réaliser d'étonnantes performances sportives.

Encore appelé ginseng de Sibérie, buisson du diable.

EMPLOIS

• *Décoction (10 min) et macération à froid (12 h) : 3 à 5 g de racines par litre d'eau. 1 tasse quatre fois par jour pour lutter contre la fatigue, renforcer la résistance à l'effort, tonifier convalescents et personnes âgées.*

• *Poudre : 0,5 g trois fois par jour, avant 16 heures, dans les mêmes indications.*

Demi-dose chez l'adolescent pour les 2 préparations.

ÉRYSIMUM ou SISYMBRE

Sisymbrium officinale (L.) Scop.
Brassicaceae

BOTANIQUE

Plante annuelle de 30 à 80 cm de haut, à tige dressée, portant des rameaux très étalés. Les feuilles basales sont pétiolées, profondément divisées en lobes inégaux, dont le supérieur est en forme de fer de hallebarde. Les fleurs sont petites et jaune pâle, réunies en grappes. Les fruits, étroitement appliqués contre la tige, sont des siliques droites, isolées, velues et épaisses. La plante a une saveur âcre et piquante.

PARTIES UTILISÉES

Les feuilles et les sommités fleuries, récoltées pendant tout l'été, fraîches, ou encore séchées à l'ombre dans un endroit bien aéré.

COMPOSANTS

Les feuilles et les sommités fleuries d'érysimum contiennent des hétérosides cardiotoniques, des isothiocyanates, des glucosinolates et aussi des lactones soufrées cycliques, surtout dans l'huile essentielle.

PROPRIÉTÉS DÉMONTRÉES

Ses propriétés expectorantes et mucolytiques sont dues aux glucosinolates, qui provoquent par action réflexe une sécrétion des voies respiratoires.

INDICATIONS USUELLES RECONNUES

L'érysimum est indiqué par voie orale dans le traitement symptomatique de la toux, au cours des affections bronchiques aiguës bénignes. En application locale, il soulage temporairement les maux de gorge et/ou les enrouements passagers ; c'est aussi un analgésique dans les affections de la cavité buccale et/ou de l'oropharynx.

PRÉCAUTIONS D'EMPLOI

Aucune aux doses préconisées.

L'érysimum de Dioscoride semble correspondre à une espèce très voisine de la nôtre. Il le conseillait contre les catarrhes pulmonaires, les toux purulentes, l'ictère, les poisons. La médecine arabo-islamique l'utilisait comme fortifiant. Cette plante ne semble pas avoir été connue au Moyen Âge. Au XVIe siècle, un contemporain de Matthiole, Guillaume Rondelet, la remit à l'honneur en rendant grâce à elle sa voix d'ange à un enfant de chœur « qui l'avait du tout cassée et quasi perdue avec le souffle même ». Au XVIIe siècle, Racine lui-même en témoigne, l'érysimum était recommandé pour ses vertus bienfaisantes contre l'enrouement et il était utilisé comme béchique et expectorant. C'est un exemple typique de plante médicinale restée jusqu'à nos jours au service de la phytothérapie.

Encore appelé sisymbre officinal, tortelle, julienne jaune, moutarde des haies, vélar, herbe aux chantres.

EMPLOIS

• *Infusion (20 min) : 20 g de plante sèche par litre d'eau, à sucrer avec du miel de préférence. 1 tasse avant chaque repas contre la toux.*

• *La même infusion peut être employée en bain de bouche ou en gargarisme dans les affections buccales et les enrouements.*

• *Suc frais de la plante : 15 à 30 g à prendre avec du lait ou du miel, pour les mêmes indications que l'infusion.*

• *Poudre : 2 à 4 g dans une infusion. Deux à trois fois par jour, avant les repas, contre la toux et les bronchites légères.*

Répandu presque partout en Europe, en Asie occidentale, en Amérique et en Australie, l'érysimum aime les sites isolés, les chemins, les décombres, les lieux incultes.

ESCHSCHOLZIA

Eschscholzia californica Cham.
Papaveraceae

BOTANIQUE

Plante herbacée annuelle, rarement bisannuelle, d'environ 40 cm de haut, qui renferme un latex incolore. Les feuilles, d'un vert glauque, sont finement découpées, et les fleurs terminales, d'un orangé resplendissant, sont formées de 4 pétales. Le fruit, très allongé, est une silique à 10 nervures contenant de nombreuses graines.

PARTIES UTILISÉES

Les parties aériennes, récoltées à la fin de la floraison et séchées.

COMPOSANTS

L'eschscholzia renferme de nombreux alcaloïdes (pavine, apomorphine, protopine) souvent plus abondants au niveau des racines que dans les parties aériennes. La plante contient aussi des phytostérols, des caroténoïdes colorants des pétales et des flavonoïdes.

PROPRIÉTÉS DÉMONTRÉES

Cette plante était réputée calmante et analgésique, et c'est en recherchant ces propriétés sur les souris qu'ont été démontrés des effets sédatifs, anxiolytiques, inducteurs du sommeil et analgésiques. Les propriétés anxiolytiques semblent impliquer des mécanismes d'action voisins de ceux des tranquillisants de la classe des benzodiazépines ; cependant, les principes actifs isolés n'ont pas été déterminés. La présence de protopine explique ses propriétés spasmolytiques.

INDICATIONS USUELLES RECONNUES

L'eschscholzia est indiqué dans l'anxiété, dans les états de nervosité et dans les difficultés d'endormissement de l'adulte et de l'enfant.

PRÉCAUTIONS D'EMPLOI

Aucune aux doses préconisées.

Ce n'est qu'au XIXe siècle que l'eschscholzia fut décrit pour la première fois, après une expédition dans l'Ouest californien, par le botaniste russe Eschscholtz, qui lui donna son nom. Les Amérindiens et les premiers colons de cette région utilisaient ses feuilles par voie orale contre les maux de dents et les coliques, et pour diminuer la lactation ; la plante était aussi recommandée en cataplasme pour guérir les plaies ulcérées. Au début du XXe siècle, les parties aériennes sont indiquées comme somnifère doux, calmant et analgésique, particulièrement recommandé en médecine infantile. En Amérique du Nord, on l'utilise pour soigner les maux de tête.

Encore appelé pavot de Californie.

Originaire des zones arides de Californie et du nord du Mexique, et de l'Arizona, l'eschscholzia est cultivé pour ses qualités ornementales ; il fleurit dans nos jardins.

EUCALYPTUS
Eucalyptus globulus Labill.
Myrtaceae

L'eucalyptus est originaire d'Australie et de Tasmanie. Introduit en Europe et en Amérique, il est cultivé et naturalisé dans le bassin méditerranéen et en Californie. Les feuilles de l'eucalyptus médicinal (Eucalyptus globulus) sont utilisées pour la production d'une huile essentielle.

BOTANIQUE

Arbre pouvant atteindre 40 m de haut, 100 m en Australie. Les feuilles sont de deux types : tendres, ovales et cordées à la base, sur les jeunes rameaux ; coriaces, lancéolées, falciformes sur les rameaux âgés. Les boutons floraux s'épanouissent au printemps. Le fruit est une capsule ligneuse en forme de pyramide renversée.

PARTIES UTILISÉES

Les feuilles, récoltées sur les rameaux âgés, et séchées à l'ombre. La présence en faible quantité de boutons floraux ou de fruits est tolérée.

COMPOSANTS

Le composant principal des feuilles est l'huile essentielle, pouvant contenir jusqu'à plus de 80 % d'eucalyptol (ou cinéol). Elles lui doivent leur odeur aromatique prononcée. On y trouve également des principes flavoniques, des tanins, un hétéroside phénolique, des acides organiques, des lipides, une résine.

L'eucalyptus était inconnu des Anciens. En Occident, sa première utilisation thérapeutique remonte à 1865.
Il fut découvert en 1792 par Jacques Julien Houtou de La Billardière, voyageur et botaniste français, au cours d'une expédition en Australie. *Eucalyptus globulus* y est connu sous le nom d'« arbre à fièvre », et la gomme rouge exsudée par le tronc est utilisée contre la diarrhée et les saignements.

Encore appelé eucalyptus globuleux, eucalyptus des pharmaciens, gommier bleu de Tasmanie.

PROPRIÉTÉS DÉMONTRÉES

Les propriétés antiseptiques, hypoglycémiantes, astringentes et fébrifuges, reconnues traditionnellement pour les feuilles d'eucalyptus, ont été démontrées.

INDICATIONS USUELLES RECONNUES

Les indications retenues concernent les affections bronchiques bénignes, la toux, le rhume et les rhinites. En Australie, les feuilles sont aussi utilisées comme fébrifuge et antiseptique urinaire.

PRÉCAUTIONS D'EMPLOI

Aucune aux doses préconisées. Il faut éviter l'emploi des feuilles en cours de grossesse et lors de l'allaitement. Attention, l'huile essentielle est toxique. Elle est réservée exclusivement à l'homéopathie.

EMPLOIS

• *Infusion (10 à 15 min) : 10 à 20 g de feuilles par litre d'eau. 3 à 4 tasses par jour, contre les affections bronchiques bénignes, la toux, le rhume, le nez bouché, les maux de gorge.*

• *Fumigation : une poignée de feuilles dans un grand bol d'eau bouillante, à inhaler, trois fois par jour ; mêmes indications que ci-dessus.*

• *Cigarettes : les feuilles, hachées puis roulées en cigarettes, peuvent aussi être fumées ; 4 cigarettes par jour, contre les affections bronchiques bénignes et la toux.*

FENOUIL DOUX
Foeniculum vulgare Mill. *ssp. vulgare*
Apiaceae

BOTANIQUE

Plante herbacée vivace ou bisannuelle de 1 à 2 m de haut, à feuilles finement découpées en lanières. Les petites fleurs, jaune verdâtre, forment de grandes ombelles et donnent naissance à des fruits qui sont des diakènes elliptiques soudés. La racine principale, blanchâtre, est fusiforme. La plante a une odeur anisée et une saveur sucrée.

PARTIES UTILISÉES

Les fruits : les ombelles sont coupées avant la complète maturité des fruits, mises à sécher puis vannées. Parfois les racines, récoltées à la fin de la première année et séchées.

COMPOSANTS

L'huile essentielle des fruits renferme 80 % d'anéthole, de l'estragole, du limonène et de la fenchone. La racine contient, outre l'huile essentielle, des flavonoïdes, des acides organiques et des dérivés coumariniques.

PROPRIÉTÉS DÉMONTRÉES

Les extraits alcooliques de fruits ont des effets cholérétiques, anti-inflammatoires, analgésiques et antipyrétiques et sont bactériostatiques. Les extraits hydroalcooliques de racines sont diurétiques chez le rat et carminatifs.

INDICATIONS USUELLES RECONNUES

Les fruits sont indiqués dans les troubles digestifs (douleurs abdominales, ballonnements, colites spasmodiques, digestion difficile, aérophagie, flatulences), les racines comme diurétique et pour faciliter les fonctions d'élimination rénale et digestive.

PRÉCAUTIONS D'EMPLOI

Respecter les doses préconisées. L'huile essentielle pure est à proscrire : quelques grammes suffisent pour provoquer une intoxication (convulsions, nausées, vomissements, œdème pulmonaire). Une utilisation chronique est déconseillée en raison des effets œstrogéniques de la plante.

Connu depuis la haute antiquité, le fenouil figure déjà dans les papyrus égyptiens et dans les traités de médecine chinoise et indienne. Les Grecs le considéraient comme galactogène, stomachique, emménagogue et diurétique. Ainsi, Dioscoride le recommandait « à ceux qui ne peuvent pisser que goutte à goutte ». Les Arabes disaient que la racine dilate les obstructions du foie et de la rate, réchauffe l'estomac et fait couler l'urine, et que les vipères se frottent les yeux avec la plante pour s'éclaircir la vue, d'où son usage populaire pour renforcer la vue. D'abord cultivé dans les jardins des monastères, le fenouil est utilisé dans toute l'Europe au Moyen Âge.

Encore appelé fenouil commun, fenouil des vignes, aneth doux.

Originaire du bassin méditerranéen, le fenouil s'est répandu en Europe centrale et au Moyen-Orient. Il aime les lieux arides ou incultes. En Amérique, on en fait la culture.

121

FENUGREC

Trigonella foenum-graecum L.
Papilionaceae

Originaire du Proche-Orient, le fenugrec est aujourd'hui largement cultivé au Maroc, en Égypte et en Inde. On l'exploitait autrefois en Europe pour l'engraissement du bétail et pour la teinturerie.

EMPLOIS

• *Graines : 1 à 2 cuillerées à soupe, trois fois par jour (ou 1 à 2 cuillerées de poudre de graines, dans de la confiture), avant les repas, contre les asthénies et les amaigrissements.*

• *Décoction (10 min) : 150 g de graines par litre d'eau. 1 verre le matin à jeun et 1 verre dans l'après-midi, contre les asthénies et les amaigrissements. Peut aussi être utilisée en gargarisme contre les aphtes, ou en badigeonnage sur les plaies, les gerçures.*

BOTANIQUE

Plante herbacée annuelle de 20 à 50 cm de haut, à feuilles alternes, longuement pétiolées, composées de 3 folioles obovales et dentées. Les fleurs, solitaires ou groupées par 2, sont jaune pâle, blanchâtres ou tirant sur le violet, et triangulaires. Les fruits sont des gousses contenant 10 à 20 graines très dures, aplaties, rhomboïdales, jaune fauve à brun. Leur odeur est forte et leur saveur amère.

PARTIES UTILISÉES

Les graines, importées surtout du Maroc, de l'Égypte et de l'Inde.

COMPOSANTS

Les graines renferment jusqu'à 30 % de protides riches en lysine, et des nucléoprotéines riches en fer et en phosphore. On trouve aussi d'autres composés phosphorés comme les lécithines (1 à 2 %), des stéroïdes, des glucosides à coumarine, de la trigonelline, beaucoup de glucides (20 à 30 %) et notamment un mucilage, des lipides (7 %). Des principes volatils et une structure furanique sont conjointement responsables de l'odeur de la plante.

PROPRIÉTÉS DÉMONTRÉES

Les graines, en raison de leur richesse en protides et en glucides, exercent une action positive sur la nutrition générale. Par leur richesse en phosphore, ce sont des stimulants neuromusculaires. En outre, des effets hypoglycémiants, antihypertenseurs, hypocholestérolémiants et hypolipidémiants ont été mis en évidence. La présence de dérivés de l'acide nicotinique (trigonelline) leur conférerait des propriétés provitaminiques PP. En usage externe, elles sont émollientes et anti-inflammatoires.

INDICATIONS USUELLES RECONNUES

Le fenugrec est classiquement utilisé dans le traitement des asthénies et des amaigrissements de toutes sortes. En usage externe, il est utilisé dans le traitement des furoncles, plaies, gerçures, aphtes.

PRÉCAUTIONS D'EMPLOI

Après la prise de fenugrec, les sueurs, d'odeur désagréable, déteignent en jaune sur les sous-vêtements.

Les graines de fenugrec étaient connues des Anciens : les Grecs faisaient avec leur farine des cataplasmes émollients et les Arabes les recommandaient contre l'amaigrissement, le rachitisme et l'asthénie. Quant aux Indiens, leur tradition culinaire en fait un complément alimentaire de grande valeur. En France, les médecins tentèrent d'utiliser leurs propriétés dans le traitement des états malingres, mais la difficulté à préparer des poudres désodorisées s'opposa à une large utilisation de ces graines.

Encore appelé trigonelle, sénégrain.

FICAIRE
Ranunculus ficaria L.
Ranunculaceae

BOTANIQUE

Plante herbacée vivace, de 10 à 30 cm de haut, à tiges glabres et creuses. Les feuilles, vertes et luisantes, alternes, entières, crénelées, longuement pétiolées, rappellent par leur forme celles du lierre. Les fleurs, isolées, sont d'un jaune brillant et comme vernissées. Les fruits sont des akènes. Les racines sont épaissies et renflées en tubercules fusiformes.

PARTIES UTILISÉES

Les racines tubérisées, prélevées après la floraison (septembre) et séchées dans un endroit sec à l'abri de la lumière.

COMPOSANTS

Les racines contiennent de l'amidon, de l'anémonine, des tanins, des saponosides (hétérosides de l'hédéragénine et de l'acide oléanolique).

PROPRIÉTÉS DÉMONTRÉES

Les propriétés antihémorroïdaires, analgésiques, anti-inflammatoires et diurétiques, conférées aux racines, sont dues aux saponosides.

INDICATIONS USUELLES RECONNUES

En usage externe seulement. Les racines sont utilisées dans les manifestations de l'insuffisance veineuse (jambes lourdes) et dans la symptomatologie hémorroïdaire et anale.

EMPLOIS

• *Cataplasme de décoction de racines : porter à ébullition 40 à 50 g de racines par litre d'eau. Laisser infuser 5 min. Appliquer en compresse chaude, pour soulager les douleurs et décongestionner les hémorroïdes.*

PRÉCAUTIONS D'EMPLOI

Attention ! La ficaire ne doit jamais être utilisée fraîche (présence de substances vésicantes et irritantes qui disparaissent au cours de la dessiccation ou à la cuisson). L'usage interne doit être absolument proscrit.

Au Moyen Âge, la ficaire était préconisée comme antiscorbutique, antiscrofuleuse, dans les maladies de poitrine et comme fébrifuge. C'est aux empiriques du XVIIe siècle que l'on doit la connaissance de ses effets décongestionnants sur les hémorroïdes, qui reposait sur la théorie des signatures (ressemblance des racines renflées en tubercules avec des hémorroïdes). Les racines, écrasées et appliquées sur la peau, étaient utilisées comme vésicatoire, ou contre les hémorragies, usages qui sont actuellement abandonnés.
Gustatives quand elles sont recueillies avant l'éclosion, les fleurs et les feuilles crues sont accommodées en salade, dans certaines campagnes françaises. Le bétail les fuit, en raison de leur effet dépuratif ; les paysans les emploient pour éliminer les rats.

Encore appelée bassinet, petite éclaire, éclairette, petite chélidoine, herbe aux hémorroïdes, herbe au fic.

Commune en Europe et naturalisée en Amérique du Nord, la ficaire affectionne les bois et les vallons humides. Elle croît au début du printemps et se reconnaît à ses fleurs jaunes étoilées.

FRAGON ÉPINEUX

Ruscus aculeatus L.
Liliaceae

BOTANIQUE

Plante ligneuse de 40 à 60 cm de haut, vivace, à rhizome rampant, à nombreux rameaux primaires portant des rameaux secondaires coriaces, aplatis, ovales lancéolés, vert foncé, terminés en pointe piquante. Ces rameaux portent sur la face supérieure des petites feuilles à l'aisselle desquelles apparaissent de petites fleurs verdâtres qui donnent au moment de la fructification des baies écarlates de la taille d'un pois.

PARTIES UTILISÉES

Les rhizomes, récoltés de septembre à octobre, nettoyés, coupés et séchés. Ils se présentent alors sous forme de petits fragments brun clair, noueux, portant en surface des anneaux d'accroissement circulaire ainsi que des racines adventives.

COMPOSANTS

Les plus importants, responsables de l'activité pharmacologique, sont des saponosides stéroïdiques : la ruscogénine et la néoruscogénine. On trouve dans les rhizomes d'autres constituants : des dérivés benzofuraniques, des flavonoïdes, une huile essentielle, des acides gras, des stérols, des sucres, des phénols, des sels minéraux.

PROPRIÉTÉS DÉMONTRÉES

Le fragon épineux est un vasoconstricteur veineux et un veinotonique. Il agirait en partie en stimulant les récepteurs adrénergiques de la paroi vasculaire.

INDICATIONS USUELLES RECONNUES

Le fragon épineux est indiqué dans le traitement symptomatique de l'insuffisance veinolymphatique (hémorroïdes, varices, jambes lourdes, fragilité capillaire, troubles de la circulation rétinienne, métrorragies). La tradition populaire attribue aux rhizomes une activité diurétique et anti-œdémateuse.

PRÉCAUTIONS D'EMPLOI

La décoction et le sirop de fragon épineux sont contre-indiqués en cas d'hyperkaliémie.

Le fragon épineux était utilisé comme diurétique par les Anciens. Les Arabes ont reconduit cette indication. En France, depuis le Moyen Âge, cette tradition thérapeutique se poursuit. Les médecins de l'École de Montpellier préconisaient l'usage de cette plante en particulier dans le traitement de l'ascite.

Encore appelé buis piquant, houx-frelon, myrte épineux, petit houx.

EMPLOIS

- *Décoction (15 min) : 60 g de rhizome par litre d'eau. 2 tasses par jour dans toutes les indications mentionnées ci-contre.*

- *Sirop : à 100 g de rhizomes découpés, ajouter 500 ml d'eau bouillante, laisser infuser 12 h, puis passer. Rajouter 500 ml d'eau bouillante sur les rhizomes pour faire une seconde infusion et passer à travers un tamis en pressant bien. Mélanger les deux infusions, ajouter 600 g de sucre et concentrer sur le feu pour obtenir 1 litre de sirop. Les doses de ce sirop sont de 20 à 50 g par jour en 2 prises, comme veinotonique, diurétique dans les œdèmes, oliguries.*

Petit arbrisseau des bois, de basse montagne calcaire, assez commun en France, le fragon épineux se rencontre également en Grande-Bretagne, en Europe centrale, en Afrique du Nord et sur le pourtour méditerranéen.

FRAISIER SAUVAGE

Fragaria vesca L.
Rosaceae

Originaire d'Europe, d'Asie et d'Afrique du Nord et naturalisé en Amérique, le fraisier, dont le « fruit » est la fraise des bois, affectionne les bois, les haies, les coteaux.

BOTANIQUE

Plante vivace, à tiges courtes et velues. Les feuilles, vert tendre, brillantes dessus, plus claires et duveteuses dessous, sont trifoliées, dentées et pétiolées. Les fleurs, blanches, forment des cymes. Les fruits (akènes) sont fixés sur la fraise, réceptacle devenu charnu et rouge à maturité. Le rhizome stolonifère est recouvert d'écailles membraneuses.

PARTIES UTILISÉES

Le rhizome et les racines, prélevés avant l'apparition des feuilles et séchés en plein air.

COMPOSANTS

Le rhizome contient des tanins catéchiques (9 à 12 %), des flavonoïdes, des triterpènes et des glucosides caractéristiques (fragarine et fragarianine). Les feuilles, également riches en tanins, contiennent des flavonoïdes, une huile essentielle et de la vitamine C. La fraise, riche en fer et en sucres de type lévulose, contient une huile essentielle et des dérivés anthocyaniques.

PROPRIÉTÉS DÉMONTRÉES

Le fraisier est un astringent antidiarrhéique et diurétique (effet lié aux tanins). Des effets angioprotecteurs sont attribués aux dérivés procyanidiques du rhizome.

INDICATIONS USUELLES RECONNUES

Les parties souterraines sont indiquées dans le traitement des diarrhées légères et en hygiène buccale (bains de bouche).

PRÉCAUTIONS D'EMPLOI

À signaler une possible urticaire provoquée par la fraise chez certains sujets prédisposés.

EMPLOIS

• *Décoction (10 min) : 40 g de parties souterraines par litre d'eau. 1 tasse, trois à quatre fois par jour, en cas de diarrhée et comme diurétique.*

• *Infusion (10 min) : 5 g par litre d'eau. À boire à volonté, comme antidiarrhéique et diurétique.*

• *Gargarisme : décoction (10 min) de 40 g par litre d'eau, contre les maux de gorge.*

Le fraisier était connu de nos ancêtres préhistoriques, puis des Grecs et des Romains, comme aliment. Sainte Hildegarde, quant à elle, déconseillait de manger des fraises. Au XVe siècle, on leur reconnaissait de nombreuses vertus plutôt imaginaires (elles protégeaient de la lèpre et favorisaient la fécondité). C'est à partir du XVIe siècle que la plante fut utilisée pour des vertus médicinales dont la plupart sont encore aujourd'hui reconnues : emploi des feuilles et du rhizome comme diurétique, pour guérir les ulcères, les plaies, la dysenterie, les hémorragies utérines, les rhumatismes et la goutte, pour fortifier les gencives... Linné affirmait avoir été guéri de la goutte par une alimentation exclusivement à base de fraises. La fraise était conseillée en cas de constipation, de scorbut, et aussi aux goutteux, aux tuberculeux, aux artériosscléreux, pléthoriques et hypertendus ; les bains d'eau de fraise étaient réputés embellissants.

Encore appelé fraisier des bois, caperonnier, capron, fraisier musqué, breslinge.

FRÊNE ÉLEVÉ ou GRAND FRÊNE

Fraxinus excelsior L.
Oleaceae

BOTANIQUE

Grand arbre de 20 à 40 m de haut, à écorce gris cendré, lisse devenant crevassée. Il se reconnaît à ses gros bourgeons noirs veloutés, qui donneront des feuilles pétiolées, imparipennées, composées de 9 à 15 folioles, vert foncé dessus, plus pâle dessous ; à ses petites fleurs brun rougeâtre sans pétales, qui apparaissent en avril-mai ; à ses fruits ailés, aplatis et pendants (samares).

PARTIES UTILISÉES

Les folioles : les feuilles sont récoltées au début de l'été, et les folioles sont séparées du pétiole et séchées à l'ombre.

COMPOSANTS

Les feuilles renferment des flavonoïdes (rutoside), des hétérosides coumariniques (fraxoside), des tanins catéchiques et galliques, du mannitol et de l'acide ursolique. Des études récentes ont identifié des iridoïdes, en particulier un séco-iridoïde, l'exelsoïde.

PROPRIÉTÉS DÉMONTRÉES

De récents travaux ont démontré l'action diurétique chez le rat avec élimination de sodium.

INDICATIONS USUELLES RECONNUES

Les feuilles sont indiquées comme stimulant des fonctions d'élimination rénale et digestive, comme diurétique, et comme antirhumatismal et analgésique, en particulier dans le traitement de la goutte.

PRÉCAUTIONS D'EMPLOI

Aucune aux doses préconisées.

Le grand frêne se rencontre dans toute l'Europe, excepté en région méditerranéenne. Il aime le bord des rivières et les bois frais. On le plante en Amérique comme arbre d'ornement.

Les Grecs connaissaient déjà les effets diurétiques et laxatifs des feuilles de frêne et les recommandaient dans le traitement de la goutte et des rhumatismes. Au III⁰ siècle, l'auteur latin Quintus Serenus cite dans ses préceptes curatifs l'emploi des semences pour soigner l'hydropisie. Plus tard, l'arbre joua un grand rôle dans les mythologies nordiques : le frêne Yggdrasil y couvrait le monde entier de ses rameaux et ombrageait le tribunal des dieux. Les anciennes indications mises en application par la médecine populaire étaient aussi largement appréciées par les médecins du siècle dernier, qui attribuaient aux feuilles et aux semences une activité anti-inflammatoire ; l'écorce en décoction ou en poudre était réputée fébrifuge et antidiarrhéique.

Si le bois de frêne, dur et élastique à la fois, fut longtemps utilisé pour la fabrication des skis, c'est désormais à l'ébénisterie et à la boissellerie qu'est réservé son emploi.

Encore appelé frêne commun, quinquina d'Europe, frêne à feuille aiguë.

EMPLOIS

• *Infusion (10 min) ou décoction (10 min) : 15 à 30 g de feuilles par litre d'eau. 1 tasse avant chaque repas et 2 tasses l'après-midi, en cas de rhumatismes, goutte, rétention d'eau.*

FUCUS VÉSICULEUX

Fucus vesiculosus L.
Fucaceae

BOTANIQUE

Algue de 60 à 70 cm de long, à renflements pleins d'air éclatant sous les doigts, le fucus vésiculeux se caractérise par ses touffes brunes (le thalle), minces et plates, fixées aux rochers par des crampons. Cette plante forme des amas de lanières maintenues par des flotteurs (aérocystes) leur permettant de garder une position verticale dans l'eau. L'algue dégage une odeur marine désagréable et a une saveur écœurante.

PARTIES UTILISÉES

Le thalle, recueilli l'été, séché au soleil et retourné toutes les heures pendant plusieurs jours jusqu'à dessiccation complète.

COMPOSANTS

Parmi les composants chimiques décrits, il faut retenir surtout la présence d'acide alginique, polymère linéaire d'acide, pouvant constituer 40 % du poids de l'algue. La présence d'oligoéléments (iode, cadmium, mercure) impose un strict contrôle de la composition de la drogue mise sur le marché

PROPRIÉTÉS DÉMONTRÉES

L'acide alginique est responsable des activités reconnues à l'espèce. Il a la propriété de s'organiser sous forme d'un gel visqueux et mousseux sous l'effet des sucs digestifs. Il assure ainsi une protection des muqueuses (œsophage, estomac) et possède un pouvoir laxatif par effet de lest.

INDICATIONS USUELLES RECONNUES

Le fucus vésiculeux est reconnu comme adjuvant dans les régimes amaigrissants et permet la perte de poids, justifiant ainsi son emploi comme coupe-faim en diététique.

PRÉCAUTIONS D'EMPLOI

La présence d'iode oblige à recommander un usage limité dans le temps et représente une contre-indication pour l'enfant. L'utilisation de cette plante comme adjuvant dans les régimes amaigrissants est délicate et doit être affaire de spécialiste. La dose utilisée doit être inférieure à 0,20 mg d'iode par jour. D'autre part, la qualité de la plante doit satisfaire à certaines exigences (absence de mercure, cadmium...).

Très prisé sur le plan alimentaire par les populations côtières anglo-saxonnes, le fucus était recommandé en cas de goitre hypothyroïdien bien avant qu'on eût reconnu chez lui la présence d'iode. Il fut également conseillé en cas d'obésité et de goutte. Il faut attendre le XIXe siècle pour que Duchesne-Duparc constate qu'une décoction de fucus favorise « la résorption des tissus graisseux ». Le fucus fut par ailleurs utilisé comme combustible et pour couvrir les chaumières.

Encore appelé varech vésiculeux, chêne marin, goémon, laitue marine.

EMPLOIS

• *Décoction (10 min) : 2 à 5 g de thalle par litre d'eau ; filtrer. 3 à 4 tasses par jour 30 min avant les repas, comme adjuvant dans les régimes amaigrissants.*

Algues brunes ou vertes, abondantes sur les côtes des mers froides ou tempérées, les fucus supportent les périodes d'émersion et on les trouve fréquemment sur les côtes américaines et européennes de l'Atlantique, accrochés aux rochers.

FUMETERRE OFFICINAL

Fumaria officinalis L.
Fumariaceae

BOTANIQUE

Plante herbacée annuelle, de 15 à 70 cm de haut, à tige frêle, dressée ou rampante, portant de petites feuilles alternes et découpées qui forment un feuillage vert glauque. Les fleurs, à corolle allongée rose violacé, apparaissant d'avril à septembre, sont disposées en grappes et donnent des fruits globuleux, qui sont des siliques. La racine est pivotante. Toute la plante possède une odeur âcre de fumée et une saveur amère et salée.

PARTIES UTILISÉES

Les parties aériennes fleuries, récoltées en été et séchées rapidement au soleil.

COMPOSANTS

La plante contient de nombreux alcaloïdes (au total 0,3 %). L'un d'entre eux, quantitativement le plus important, la protopine (0,13 %), possède des propriétés remarquables : antispasmodique, antihistaminique, antiarythmique, antibactérien, anti-inflammatoire, elle intervient activement dans certains mécanismes de transmission de l'influx nerveux au niveau central. Outre de nombreux autres alcaloïdes (une centaine), on trouve dans les parties aériennes de la fumeterre des flavonoïdes, des tanins, des acides-alcools et des sels minéraux.

PROPRIÉTÉS DÉMONTRÉES

La fumeterre possède des propriétés régulatrices sur le flux et l'évacuation de la bile. Elle facilite l'ouverture du sphincter d'Oddi, qui contrôle l'évacuation de la bile dans l'intestin ; la protopine est un stimulant cardiaque et respiratoire, un spasmolytique et un anticholinergique, propriétés qu'elle confère à la plante.

INDICATIONS USUELLES RECONNUES

Traditionnellement reconnue et recherchée pour ses vertus de régulation hépatobiliaire et pour ses effets diurétiques et laxatifs, la fumeterre est indiquée pour réguler et stimuler la cholérèse dans les digestions difficiles, pour favoriser la diurèse, et dans les affections vésiculaires.

PRÉCAUTIONS D'EMPLOI

Aucune aux doses préconisées. Attention ! Le traitement ne doit pas dépasser dix jours et on respectera un arrêt de dix jours avant toute nouvelle cure.

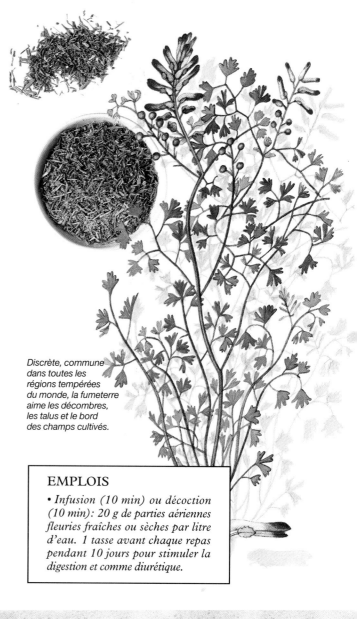

Discrète, commune dans toutes les régions tempérées du monde, la fumeterre aime les décombres, les talus et le bord des champs cultivés.

La fumeterre était bien connue des Anciens : Dioscoride et Galien la prescrivaient dans les obstructions du foie et les affections hépatiques. Au Moyen Âge, les Arabes l'employaient par voie orale pour « évacuer la bile brûlée, rafraîchir le sang, tonifier l'estomac et réveiller l'appétit » ; en usage externe, ils conseillaient son suc contre le prurit et la gale. Au XVIᵉ siècle, Matthiole la recommandait comme l'un des plus doux purgatifs. On la considère au début du XXᵉ siècle comme tonique et cholagogue en traitement d'une semaine, et sédative et antipléthorique en traitement régulier. En outre, la fumeterre a, comme l'angélique et le frêne, la réputation de faire des centenaires. Ses effets sur le rythme cardiaque et la tension artérielle sont utilisés traditionnellement en Russie.

Encore appelée fiel de terre, fine terre, herbe à la jaunisse, pisse-sang, lait battu, herbe à la veuve.

EMPLOIS

• *Infusion (10 min) ou décoction (10 min): 20 g de parties aériennes fleuries fraîches ou sèches par litre d'eau. 1 tasse avant chaque repas pendant 10 jours pour stimuler la digestion et comme diurétique.*

GENÉVRIER COMMUN

Juniperus communis L.
Cupressaceae

BOTANIQUE

Arbrisseau buissonnant ou petit arbre dioïque, à feuilles persistantes, verticillées par trois, étalées, effilées en une pointe piquante et marquées, au-dessus, d'une ligne blanche médiane. Les fleurs, jaunâtres, peu visibles, sont groupées en chatons à l'aisselle des feuilles. Les cônes fructifères (pseudofruits), issus des inflorescences femelles et improprement appelés baies, sont charnus, globuleux, d'abord verts puis bleu-noir, et recouverts de cire à maturité (deux ans après la floraison).

PARTIES UTILISÉES

Les cônes fructifères, à odeur résineuse aromatique et à saveur âcre-douce, récoltés à maturité (automne) et séchés à l'air, en couche mince.

COMPOSANTS

Les baies contiennent une huile essentielle (0,2 à 2 %), constituée principalement de dérivés terpéniques, mais aussi des flavonoïdes, des diterpènes, une résine (10 %) et un principe amer (junipérine). L'écorce contient également une huile essentielle, une résine et du ferruginol.

PROPRIÉTÉS DÉMONTRÉES

Les baies ont des effets toniques, elles stimulent l'appétit, accélèrent la digestion (à faibles doses). L'huile essentielle provoque une forte augmentation de l'élimination urinaire. Elle serait également dotée d'effets stupéfiants, soporifiques et bactéricides.

INDICATIONS USUELLES RECONNUES

Les baies de genièvre sont utilisées comme diurétique, dans les cas d'infections urinaires bénignes et pour stimuler l'appétit.

PRÉCAUTIONS D'EMPLOI

Aucune aux doses préconisées. À doses trop élevées, les baies peuvent irriter l'appareil urinaire (hématurie, albuminurie) ; à éviter chez les femmes enceintes et les insuffisants rénaux. Le traitement ne doit pas excéder deux semaines consécutives. L'huile essentielle est à proscrire.

Du celtique *juneprus* (âpre), *Juniperus communis* était considéré comme une panacée au Moyen Âge et jusqu'au XVIe siècle ; les baies du genévrier ont été de tout temps largement utilisées. Leurs effets diurétiques, toniques, stomachiques, sudorifiques, stimulants, dépuratifs, antiseptiques et anticatarrheux se retrouvent en médecine populaire, en usage interne ou externe. Le bois était également employé comme dépuratif dans les affections cutanées, la goutte et les rhumatismes. Les baies de genièvre, utilisées comme condiment, entrent aussi dans la préparation de plusieurs eaux-de-vie : le gin, fabriqué dans les pays anglo-saxons, et le genièvre, connu en Belgique, en Hollande et dans le nord de la France sous le nom de schiedam.

Encore appelé genièvre, pétron, pétrot.

Commun en Europe et en Amérique du Nord, le genévrier aime les terrains ensoleillés et peut croître jusqu'à 2 000 m d'altitude, où il survit tassé et rabougri ; sous des climats plus cléments, il peut atteindre 10 m de haut.

EMPLOIS

• *Infusion (10 min) : 20 g de baies par litre d'eau. 3 tasses par jour, 15 min avant chaque repas, comme diurétique et stomachique.*

GENTIANE JAUNE

Gentiana lutea L.
Gentianaceae

BOTANIQUE

Plante herbacée vivace de 0,50 à 2 m de haut, à tige vert glauque, non ramifiée et fistuleuse, à feuilles ovales, opposées, sessiles et embrassantes au sommet de la tige. Ses fleurs, jaunes, sont groupées en pseudoverticilles, à l'aisselle des feuilles supérieures. Les fruits sont des capsules ovoïdes. La racine, gris-jaune, longue, ramifiée, charnue, robuste et ridée longitudinalement, peut dépasser 1 m.

PARTIES UTILISÉES

Les racines, récoltées après la chute des feuilles sur des plantes d'au moins sept ans, séchées en plein air, puis à l'abri. Le séchage accroît leur amertume et leur donne une teinte brunâtre.

Attention en Europe ! Lors de la récolte, ne pas confondre les racines de la gentiane avec celles du vératre, ou hellébore blanc *(Veratrum album)*, espèce très toxique, pouvant provoquer des accidents mortels, qui pousse dans le même biotope. Le vératre se reconnaît à ses feuilles alternes, velues dessous, et surtout à ses fleurs blanchâtres le long des rameaux et à son rhizome court, noirâtre, couvert de racines.

COMPOSANTS

La racine doit son amertume aux séco-iridoïdes, surtout le gentiopicroside (2 à 3 % de la drogue fraîche). Présence de xanthones, phytostérols, acides-phénols, oligosaccharides, pectine.

PROPRIÉTÉS DÉMONTRÉES

Les effets eupeptiques de la racine sont imputés aux principes amers (augmentation des sécrétions salivaires, gastriques et biliaires ; hyperémie de la muqueuse stomacale...). Des effets anti-inflammatoires et cicatrisants ont été obtenus avec l'insaponifiable de la fraction lipidique. Des effets amœbicides et fongicides lui sont attribués. La pectine aurait des effets hémostatiques.

INDICATIONS USUELLES RECONNUES

La gentiane jaune est indiquée pour stimuler l'appétit. En usage externe, elle réduit les écoulements sanguins.

PRÉCAUTIONS D'EMPLOI

Aucune aux doses préconisées. À doses élevées, elle peut provoquer des irritations gastro-intestinales. En raison des risques de confusion avec le vératre, il est conseillé de laisser la récolte aux spécialistes.

EMPLOIS

• *Décoction (5 min) : 10 g de racines par litre d'eau. 1 tasse à thé, 30 min avant chaque repas, pour stimuler l'appétit.*

• *Macération à froid (4 h) : 10 g par litre d'eau. 1 tasse trois fois par jour, 30 min avant chaque repas, même indication.*

• *En usage externe, la décoction refroidie est appliquée en compresse.*

Commune en Europe centrale et méridionale, dans les bois et les prairies de haute montagne, la gentiane jaune se rencontre également en Asie Mineure.

Le nom de gentiane viendrait de Gentius, selon les uns roi d'Illyrie qui aurait fait connaître son action bienfaisante, selon les autres médecin de l'Antiquité qui l'aurait employée pour combattre la peste. Au Moyen Âge, on l'utilisait comme antidote et vulnéraire ; les adeptes de la médecine des signatures lui accordaient des effets cholérétiques (amertume des racines associée à celle de la bile, couleur jaune des fleurs). Elle fut également employée comme vermifuge, contre le paludisme, la gangrène, la dyspepsie et les fièvres de toute nature. Elle entre dans la composition de nombreux apéritifs et liqueurs.

Encore appelée grande gentiane, quinquina du pauvre, quinquina indigène.

GÉRANIUM HERBE À ROBERT

Geranium robertianum L.
Geraniaceae

BOTANIQUE

Plante annuelle ou bisannuelle. Sa tige, rouge, pouvant atteindre 40 cm de haut, porte des feuilles opposées, à limbe profondément divisé et nervures en éventail. Les fleurs, rose pourpre, sont à 5 pétales libres et 5 carpelles. À maturité, ces 5 carpelles qui composent le fruit se détachent en partie, donnant à l'ensemble l'aspect d'un petit lustre suspendu. Toute la plante dégage une odeur désagréable qui disparaît au séchage.

PARTIES UTILISÉES

La plante entière sans racines, récoltée pendant la floraison (avril-novembre) et séchée à l'ombre en bouquets suspendus. Ne récolter que les variétés à tiges rouges.

COMPOSANTS

Un tanin existe en quantité notable dans la plante. On trouve aussi du saccharose, de l'amidon et une résine.

PROPRIÉTÉS DÉMONTRÉES

Par son tanin, la plante est un bon astringent, antidiarrhéique, hémostatique, vulnéraire et tonique. Traditionnellement, elle est aussi utilisée comme diurétique.

INDICATIONS USUELLES RECONNUES

La plante est utilisée dans le traitement des diarrhées légères non infectieuses et, en usage externe, contre les stomatites, amygdalites inflammatoires, saignements de nez, et sur plaies superficielles, blessures et écorchures.

PRÉCAUTIONS D'EMPLOI

Aucune aux doses préconisées.

EMPLOIS

• *Infusion ou décoction légère (10 min) : 50 g par litre d'eau. 3 tasses par jour contre la diarrhée.*

• *Décoction concentrée (15 min) : 100 g par litre d'eau. En gargarisme plusieurs fois par jour, contre les stomatites, les amygdalites inflammatoires ; en irrigation nasale contre les saignements de nez ; en lavage et en badigeonnage sur les plaies et écorchures.*

• *Cataplasme de feuilles fraîches broyées : à appliquer sur les blessures légères.*

Le nom populaire de la plante dériverait du latin *ruber* (rouge), dont on a tiré au Moyen Âge *rubertiana* puis *ruberti*. A posteriori serait venue l'attribution de la plante à Rupert (saint Robert), évêque de Salzbourg au VIIe siècle, qui aurait vulgarisé son usage comme vulnéraire et hémostatique. Au XIIe siècle, sainte Hildegarde la recommandait dans le traitement de diverses maladies. Mais elle ne commença à être communément utilisée qu'au XVe siècle, surtout dans les pays germaniques, où elle devint une véritable panacée. Peu à peu, cependant, elle perdit de sa notoriété, sauf dans les campagnes. Au début du siècle, quelques médecins la prescrirent de nouveau dans les affections buccopharyngées et les hémoptysies, mais elle ne retrouva plus jamais sa gloire d'antan.

Encore appelé herbe rouge, persil maringouin.

Espèce cosmopolite répandue en Europe, en Asie, en Afrique de même qu'en Amérique du Nord, où on la rencontre dans les endroits pierreux, arides et dans les milieux frais et sombres.

GINSENG
Panax ginseng C.A. Meyer
Araliaceae

Originaire de la Corée, du Japon, du nord-est de la Chine et de la Sibérie orientale, où il est maintenant cultivé, le ginseng sauvage est devenu très rare. En Amérique du Nord, on cultive une espèce voisine, indigène mais rare, Panax quinquefolius, pour répondre à la demande.

BOTANIQUE

Petite plante herbacée de 60 à 80 cm de haut, aux feuilles palmatilobées, aux tiges lisses et vertes, parfois teintées de rouge. Les fleurs blanches, réunies en ombelles, donnent des baies rouges à maturité. La racine jaune clair est souvent bifurquée, arquée ou recourbée, fusiforme et ridée longitudinalement.

PARTIES UTILISÉES

Les racines. Le vrai ginseng *(P. ginseng)* est cultivé selon des techniques précises. Après semis, les plants de un à deux ans sont lavés et traités par fongicides puis replantés ; la récolte se fait en septembre-octobre de la 5e ou 6e année de culture. Les racines lavées et séchées donnent le ginseng « blanc » ; si elles sont préalablement étuvées, elles prennent une couleur brun rougeâtre qui leur vaudra la dénomination de ginseng « rouge ».

COMPOSANTS

Très étudiées, les racines de ginseng comprennent des vitamines (groupe B, C), des glucides, des amino-acides et des peptides, des acides organiques et surtout des saponosides (les ginsénosides) et des dérivés polyacétyléniques, mis en évidence dans l'huile essentielle tirée des racines. Ces ginsénosides ont principalement retenu l'attention des chimistes, et 21 composés ont été isolés.

PROPRIÉTÉS DÉMONTRÉES

De nombreuses activités du ginseng ont été vérifiées expérimentalement : pouvoir immunostimulant – par les ginsénosides –, auquel on rattache aussi les effets hypoglycémiants, hypocholestérolémiants, hypolipémiants et défatigants, les effets sur le stress, la mémoire, l'appareil cardiovasculaire ; activité anti-inflammatoire des dérivés polyacétyléniques ; pouvoir hypoglycémiant des polysaccharides (glycones).

INDICATIONS USUELLES RECONNUES

Le ginseng, proposé dans les états de fatigue et d'asthénie, convient aux convalescents. Si l'on doit se montrer très réservé quant aux propriétés miraculeuses trop souvent vantées de cette plante, il faut se souvenir qu'elle peut agir efficacement sur les troubles du stress et de la sénescence (dépression, troubles de la mémoire).

PRÉCAUTIONS D'EMPLOI

Aucune toxicité n'a été démontrée. Cependant, une administration prolongée peut provoquer chez l'homme des manifestations indésirables similaires à un surdosage en corticoïdes.
Ne pas dépasser les doses recommandées et limiter le traitement à trois mois au maximum.

EMPLOIS

• *Décoction (15 min) : 10 g de racines finement coupées par litre d'eau, laisser infuser 1 h. 2 tasses deux fois par jour avant les repas, en cas de fatigue, d'asthénie, de troubles de la mémoire.*

Le ginseng est le remède universel chinois, paré de toutes les vertus. On lui attribue le nom de *T'u ching*, ou « esprit du sol ». *Gin Seng* signifie homme-racine, sans doute en raison de la forme curieuse de la racine, qui rappelle une silhouette humaine : les ramifications de cette racine pouvant figurer les bras et les organes génitaux mâles. C'est peut-être ce qui lui vaut sa réputation de plante aphrodisiaque.

GIROFLIER

Syzygium aromaticum (L.) Merril et Perry
Myrtaceae

BOTANIQUE

Arbre de 12 à 15 m de haut, à feuilles opposées, persistantes, coriaces, ovales aiguës. Les fleurs, à calice rouge vif à maturité et à corolle blanc rosé, sont situées à l'extrémité des rameaux et forment des cymes compactes et ramifiées. Les fruits, baies allongées couronnées par le calice, contiennent une seule graine.

PARTIES UTILISÉES

Les boutons floraux, récoltés une ou deux fois par an lorsqu'ils commencent à rougir, séparés des pédoncules, séchés au soleil jusqu'à devenir brun-rouge ; on les appelle alors clous de girofle. Ils ont une odeur caractéristique et une saveur aromatique et brûlante.

COMPOSANTS

Le clou de girofle est exceptionnellement riche en huile essentielle (15 à 20 %) contenant notamment de l'eugénol (70 à 85 %), de nombreux composés terpéniques, en particulier du bêta-caryophyllène (10 %) ; il contient aussi des glucides, des lipides, des tanins, des chromones.

PROPRIÉTÉS DÉMONTRÉES

L'huile essentielle du clou de girofle possède de puissantes propriétés inhibitrices de l'agrégation plaquettaire et anti-inflammatoires, dues particulièrement à l'eugénol. Ce composant est aussi doué d'une activité antibactérienne.

INDICATIONS USUELLES RECONNUES

Le clou de girofle est utilisé pour traiter les petites plaies après lavage abondant et élimination des souillures ; il est aussi employé comme analgésique (céphalées, douleurs dentaires), pour soulager les maux de gorge et/ou les enrouements passagers, et en bain de bouche pour l'hygiène buccale. En usage interne, il est indiqué pour faciliter la digestion et en cas de troubles digestifs.

PRÉCAUTIONS D'EMPLOI

Aucune aux doses préconisées.

Au début du XVIIe siècle, après l'occupation des îles Moluques par les Hollandais, les sites naturels du giroflier furent détruits en grande partie par les nouveaux occupants, qui souhaitaient détenir le monopole de cette épice. Au cours du siècle suivant, grâce à l'intendant français Poivre, le giroflier fut cultivé dans diverses régions tropicales, en particulier à l'île Maurice et à la Réunion. L'usage du clou de girofle n'est pas mentionné dans la médecine ayurvédique en Inde, mais les Chinois le connaissaient comme aromate bien avant notre ère. Il fut importé en Occident vers le VIIIe siècle. Les auteurs arabo-persans le conseillaient pour faciliter la digestion et parfumer l'haleine, et le considéraient comme un remède qui fortifie tous les organes nobles. Le clou de girofle est très utilisé en dentisterie.

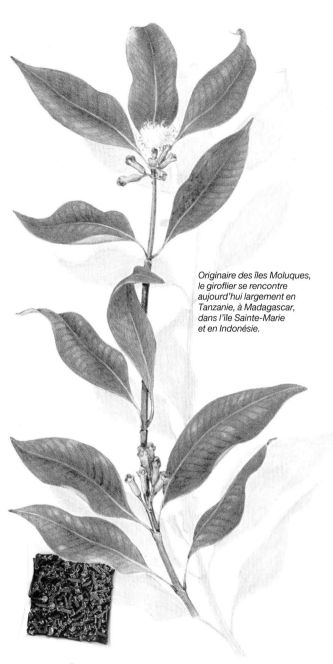

Originaire des îles Moluques, le giroflier se rencontre aujourd'hui largement en Tanzanie, à Madagascar, dans l'île Sainte-Marie et en Indonésie.

EMPLOIS

• *Décoction (3 min) : 10 g de clous de girofle par litre d'eau. 1 tasse après les repas pour faciliter la digestion.*

• *Même décoction en usage externe : bain de bouche ou gargarisme pour soulager les maux de gorge et pour l'hygiène buccale ; en compresse pour nettoyer les plaies.*

• *Le clou de girofle, appliqué sur la dent, calme la douleur.*

GRINDÉLIA

Grindelia robusta Nutt. ; *Grindelia squarrosa*
(Pursh) Dun.   Asteraceae

BOTANIQUE

Espèce herbacée vivace, touffue, de 50 à 90 cm de haut, à
feuilles persistantes, alternes, rigides, dentées, gluantes
dessous car recouvertes de poils sécréteurs contenant une
résine, comme d'ailleurs les capitules, entourés de bractées lancéolées. Les capitules sont hétérogènes, jaune
orangé, à bractées vernissées, coriaces, à pointes recour-
bées et parsemées de petites lentilles de résine de coloration brune. Les fleurs sont ligulées à la périphérie et tubuleuses hermaphrodites au centre. Les fruits (akènes) sont
munis d'une aigrette.

PARTIES UTILISÉES

Les sommités fleuries séchées, accompagnées de fragments de tige, à odeur balsamique et à saveur aromatique
chaude et amère.

COMPOSANTS

Les sommités fleuries renferment une résine riche en
acides diterpéniques (acide grindélique et autres composés à structure labdanique). La présence d'acides-phénols, de polyines, de flavonoïdes (quercétol, lutéolol,
kaempférol et dérivés) et de saponosides a été observée.
En outre, les capitules contiennent une huile essentielle.

PROPRIÉTÉS DÉMONTRÉES

Les flavonoïdes et les acides-phénols ont des propriétés
antispasmodiques vérifiées expérimentalement et une
activité antibactérienne, en particulier sur le pneumo-
coque et sur l'agent bactérien de la coqueluche. Les acides
diterpéniques semblent renforcer cette activité antibiotique. On attribue aux flavonoïdes l'action anti-inflammatoire de la plante en usage externe. La présence des saponosides triterpéniques explique aussi l'effet expectorant et
antitussif des préparations de grindélia.

INDICATIONS USUELLES RECONNUES

Les sommités fleuries de grindélia sont surtout utilisées
par voie orale dans le traitement symptomatique de la
toux (toux spasmodique, coqueluche). La plante peut être
un adjuvant utile dans le traitement de l'asthme et de
l'insuffisance respiratoire chronique. En usage externe, on
lui reconnaît un effet anti-inflammatoire utile dans les
rhumatismes.

PRÉCAUTIONS D'EMPLOI

Aucune aux doses préconisées.

Originaire de Californie, Grindelia robusta se plaît dans les marais saumâtres. Des essais de culture ont été effectués en Europe, notamment en Espagne, mais la plante continue d'être importée des États-Unis.

G. robusta

EMPLOIS

• *Infusion (10 min) : 40 à 60 g de sommités fleuries par litre d'eau. 1 tasse trois fois par jour, entre les repas et le soir au coucher, comme antispasmodique dans le traitement de la toux.*

• *En usage externe : même infusion à appliquer en compresse sur l'articulation gonflée.*

Les Amérindiens de Californie utilisaient différentes espèces de
grindélia, qui furent introduites en Europe par les Jésuites missionnaires. À la fin du XIXe siècle, elles étaient inscrites à la
Pharmacopée des États-Unis et utilisées en application locale,
sous forme de lotion anti-inflammatoire. À partir de 1908, elles
furent inscrites au Codex français.

GRIOTTIER

Prunus cerasus L.
Rosaceae

BOTANIQUE

Arbre de 3 à 5 m de haut, à écorce noirâtre, lisse et zonée. Les feuilles, ovales, sont glabres, luisantes et dentées. Les fleurs, blanches, odorantes, sont groupées en corymbes. Les fruits (griottes, cerises aigres) sont des drupes rouge vif, globuleuses, acides, charnues, portées par un long pédoncule.

PARTIES UTILISÉES

Les pédoncules des fruits (queues de cerise), séchés à l'abri du soleil.

COMPOSANTS

Les queues de cerise contiennent des flavonoïdes, des acides-alcools, des sels de potassium, des mucilages, des tanins. Les cerises contiennent de la vitamine A, des vitamines du groupe B, des tanins et des flavonoïdes.

PROPRIÉTÉS DÉMONTRÉES

Quelques expérimentations ont validé la tradition, en reconnaissant à la queue de cerise des effets diurétiques, attribués aux flavonoïdes.

INDICATIONS USUELLES RECONNUES

Le griottier est indiqué comme diurétique et pour faciliter les fonctions d'élimination rénale et digestive.

PRÉCAUTIONS D'EMPLOI

Aucune aux doses préconisées.

Sauvage en Asie occidentale, le griottier a été introduit en Occident dès l'Antiquité. Toutes les parties de son fruit ont eu un rôle en médecine. La teinture de noyau était un remède populaire contre la lithiase rénale, les maladies de la rate, la toux, la goutte et les rhumatismes. Les queues de cerise constituent depuis longtemps un des diurétiques les plus populaires, bénéfique aux enfants et aux personnes souffrant de rhumatisme ou d'obésité. La pulpe fraîche peut être utilisée en masque pour tonifier l'épiderme. Quant au bois de cerisier, dur et d'une belle couleur, il est très employé en ébénisterie.

Encore appelé cerisier aigre, cerisier austère, agriottier.

EMPLOIS

• *Décoction (10 min) : 40 g de queues de cerise par litre d'eau. 1 tasse quatre fois par jour (le matin à jeun, 30 min avant les deux principaux repas et dans l'après-midi), comme diurétique et carminatif.*

• *Macération à froid (2 h), puis décoction (10 min) : 25 g par litre d'eau. 3 tasses par jour, entre les repas, en cas d'inflammation de l'appareil urinaire.*

Originaire d'Asie Mineure et de Macédoine, le griottier est cultivé presque partout, sauf sur les sols crayeux trop secs, les sols argileux ou marécageux ; il affectionne les zones exposées à la lumière.

GUARANA

Paullinia cupana Kunth ex H.B.K. *var. sorbilis*
Sapindaceae

BOTANIQUE

Paullinia cupana est une liane ligneuse, à grandes feuilles isolées composées de 5 folioles ovales, à fleurs disposées en grappes. Les fruits sont de petites capsules rouge vif contenant une graine pourvue d'un arillode rouge et semblable à un petit marron de la taille d'une noisette.

PARTIES UTILISÉES

L'amande, tirée de la graine (fruits récoltés en novembre-décembre), après élimination de l'arillode, puis séchée au soleil ou légèrement torréfiée pour enlever le tégument. Elle est ensuite pilée et additionnée d'eau pour donner une pâte rouge-brun, le guarana, qui est soumise au fumage. La préparation a une odeur faible et une saveur amère et astringente.

COMPOSANTS

La graine contient de la caféine à forte dose (3,5 à 5 %), des tanins, une petite quantité d'huile essentielle, des saponosides ; de très faibles quantités de théophylline et de théobromine sont signalées. L'amande est riche en amidon (60 %) et autres sucres. Le tégument est riche en fibres et en pentosanes.

PROPRIÉTÉS DÉMONTRÉES

Par voie interne, la caféine possède des effets stimulants et diurétiques ; localement, elle a des effets métaboliques au niveau des adipocytes. Les tanins sont astringents, anti-diarrhéiques, antiseptiques et vasoconstricteurs.

INDICATIONS USUELLES RECONNUES

Le guarana est indiqué dans les cas de diarrhées légères et d'asthénies fonctionnelles.

PRÉCAUTIONS D'EMPLOI

Aucune aux doses préconisées. Éviter d'en boire le soir, en raison de la présence de caféine.

D'introduction relativement récente sur nos marchés, le guarana est souvent associé à d'autres plantes dans certaines spécialités pharmaceutiques. Il est traditionnellement utilisé en Amérique du Sud dans des boissons rafraîchissantes, gazéifiées et aromatisées. La coque du fruit est une source industrielle peu coûteuse de caféine. Une autre variété, *typica*, caractérisée par de gros fruits rouge sombre et cultivée au Venezuela, est également utilisée.

Originaire de basse Amazonie, où elle croît en abondance, cette liane, ou plutôt la préparation obtenue à partir de l'amande, appelée guarana, est connue dans le commerce depuis 1817.

EMPLOIS

• *La poudre obtenue à partir de l'amande (1 à 4 g), additionnée d'eau, est utilisée à raison de 2 ou 3 tasses par jour, comme tonique, et dans le traitement des diarrhées légères.*

On la mélange aussi à 1 ou 2 litres de boisson gazeuse.

GUIMAUVE
Althaea officinalis L.
Malvaceae

BOTANIQUE

Plante herbacée vivace, de 0,60 à 1,20 m de haut, à feuilles grisâtres, lobées, dentées, tomenteuses. Les fleurs, blanc rosé, sont assemblées en grappes, à l'aisselle des feuilles supérieures. Les fruits sont des polyakènes. La racine, gris jaunâtre, est pivotante, longue et charnue.

PARTIES UTILISÉES

Les feuilles, récoltées après la floraison et séchées à l'air ; les fleurs, récoltées en début de floraison et séchées à l'étuve ou à l'ombre ; la racine, privée de suber, récoltée en novembre et séchée au soleil.

COMPOSANTS

La plante contient du mucilage (surtout la racine), des flavonoïdes, des pectines, de la bétaïne, des acides-phénols, du scopolétol, des sels minéraux.

PROPRIÉTÉS DÉMONTRÉES

Le mucilage, présent dans la racine (30 %), les feuilles et les fleurs, explique les effets émollients, laxatifs et antitussifs. Des effets potentialisateurs de la dexaméthasone (corticoïde) ont été obtenus avec un extrait aqueux de racine, ce qui expliquerait son action anti-inflammatoire. Des polysaccharides, présents dans la racine, stimuleraient le système immunitaire.

INDICATIONS USUELLES RECONNUES

Fleurs, feuilles et racines sont indiquées, en usage externe, dans les affections dermatologiques (crevasses, écorchures, gerçures, piqûres d'insecte) et les affections de la cavité buccale et/ou de l'oropharynx (maux de gorge, enrouements) ; en usage interne, on les utilise en cas de colites spasmodiques et de toux bénignes occasionnelles. La racine est utilisée comme laxatif. En usage externe, elle était mâchonnée par le bébé faisant ses dents.

PRÉCAUTIONS D'EMPLOI

Aucune aux doses préconisées.

La guimauve tiendrait son nom d'une déformation du latin *bismalva* (double-mauve), en référence à la mauve, pour montrer sa valeur thérapeutique. Connue des Grecs pour ses effets calmants sur la toux, recensée dans le capitulaire de Louis le Pieux (795), elle fut cultivée au Moyen Âge. Sainte Hildegarde la recommandait contre la fièvre, les maux de tête, la migraine. Depuis le XVIᵉ siècle, elle s'est vu attribuer toute une série d'applications médicinales. Elle reste la plus populaire des plantes émollientes, surtout par ses feuilles ; ses fleurs sont adoucissantes et pectorales.

Encore appelée guimauve officinale, mauve blanche, bourdon de Saint-Jacques, althée.

Spontanée en Europe, principalement dans les régions humides de la façade atlantique, la guimauve, de la même famille que la rose trémière, se rencontre également dans l'ouest de l'Asie et en Afrique du Nord. Elle a été introduite en Australie et en Amérique.

EMPLOIS

• *Infusion (10 min) : 10 g de feuilles et fleurs sèches par litre d'eau. 3 tasses par jour, contre la toux et l'inflammation des muqueuses respiratoires et digestives.*

• *Macération (2 h) : 30 g de racines coupées menu dans 1 litre d'eau tiède ; chauffer doucement (10 min) sans faire bouillir. 3 tasses par jour, comme émollient et laxatif léger.*

• *En usage externe, la macération est utilisée en compresse et en cataplasme, ou encore en gargarisme, pour soigner angines, enrouements, gingivites et abcès.*

HAMAMÉLIS DE VIRGINIE

Hamamelis virginiana L.
Hamamelidaceae

BOTANIQUE

Arbrisseau de 3 à 5 m de haut. Les feuilles, alternes, pétiolées, ovales et dentées, ont une saveur astringente et amère. Fait étrange, les fleurs apparaissent en automne, en même temps que les fruits, à la chute des feuilles devenues jaune brillant ; elles ont 4 longs pétales formés d'étroites lanières jaunes. Le fruit mûrit au cours de l'année suivante et se trouve sur l'arbre en même temps que les nouvelles fleurs de l'année.

PARTIES UTILISÉES

Les feuilles, récoltées de juillet à septembre, et séchées dans un endroit frais et aéré, à l'abri de la lumière.

COMPOSANTS

L'activité de la feuille est due principalement à la présence de tanins galliques et catéchiques et de flavonoïdes, hétérosides du kaempférol, de la myricétine et du quercétol. Les premiers, surtout responsables des effets astringents et vasoconstricteurs veineux, sont les plus importants quantitativement. Les flavonoïdes expliquent plutôt les effets vasoprotecteurs sur la microcirculation.

PROPRIÉTÉS DÉMONTRÉES

L'extrait d'hamamélis a montré in vitro des propriétés vasoconstrictrices, ce qui justifie son emploi comme astringent en dermatologie. Son activité antimicrobienne a été démontrée.

INDICATIONS USUELLES RECONNUES

L'usage des feuilles par voie interne est indiqué dans les affections veineuses (varices, ulcères variqueux, périphlébites), et plus particulièrement dans la symptomatologie hémorroïdaire. On peut les utiliser par voie locale pour leurs effets astringents, cicatrisants et antiseptiques, en particulier pour traiter la couperose.

PRÉCAUTIONS D'EMPLOI

Aucune aux doses préconisées.

L'hamamélis a été utilisé pendant des siècles par les Amérindiens pour ses propriétés sédatives contre les tumeurs douloureuses et les inflammations externes. Les esclaves noirs s'en servaient, dans le sud des États-Unis, pour arrêter les hémorragies provoquées par les avortements dus à l'emploi de la racine de cotonnier. Les propriétés de cette plante, plus spécifiques des affections du système veineux, ont valu à l'hamamélis le nom de digitaline des veines.

Encore appelé noisetier des sorcières, café du diable.

Très commun en Amérique du Nord, l'hamamélis croît dans les forêts humides du Mississippi jusqu'au Canada. Il fut introduit en Europe au XVIIIe siècle comme espèce ornementale et médicinale. C'est aujourd'hui une plante utilisée en Occident.

EMPLOIS

• *Infusion (10 min) : 10 à 20 g de feuilles par litre d'eau. 3 tasses par jour entre les repas, en cure de 15 jours, en cas d'affections veineuses ou d'hémorroïdes.*

• *Décoction en usage externe (5 min) : 15 g de feuilles dans 0,5 litre d'eau. Appliquer deux ou trois fois par jour avec un coton (5 min), comme léger astringent et antiseptique de la peau.*

HARPAGOPHYTON

Harpagophytum procumbens DC ex Meissn.
Pedaliaceae

BOTANIQUE

Plante herbacée vivace. La racine primaire s'enfonce jusqu'à 1 m dans le sol, elle a des racines secondaires renflées et tubéreuses. Les tiges, rampantes, émergent du sol après les pluies et portent des feuilles opposées plus ou moins lobées. Les fleurs, éphémères, solitaires, à la corolle jaune à la base puis rouge vif, donnent naissance à un fruit brunâtre et ligneux surmonté d'excroissances munies de crochets qui lui ont valu son nom de genre, *harpagos* signifiant grappin en grec.

PARTIES UTILISÉES

Les racines secondaires, séchées et découpées en rouelles.

COMPOSANTS

Les racines séchées contiennent 1 à 3 % d'iridoïdes (harpagoside, procumbide et harpagide), considérés comme les principes les plus actifs de la plante, des flavonoïdes, des acides-phénols, des phytostérols, des triterpènes et des sucres.

PROPRIÉTÉS DÉMONTRÉES

Des propriétés anti-inflammatoires et analgésiques ont été démontrées chez l'animal dans des cas d'inflammation articulaire expérimentale. Chez l'homme, des études laissent penser qu'un usage prolongé peut soulager les arthroses.

INDICATIONS USUELLES RECONNUES

L'harpagophyton est indiqué dans le traitement des douleurs articulaires d'origine inflammatoire, telles qu'arthrose et rhumatismes, ainsi que les tendinites.

PRÉCAUTIONS D'EMPLOI

Aucune aux doses préconisées. Des troubles gastro-intestinaux mineurs ont été signalés à fortes doses chez des sujets sensibles.

C'est un fermier allemand, Menhert, qui en 1904 observa en Afrique du Sud sur un blessé hottentot les effets bénéfiques d'un traitement fourni par un guérisseur. Grâce à ses chiens de chasse, le fermier découvrit l'endroit d'où les racines avaient été déterrées et identifia l'harpagophyton.

Les indigènes bochimans et bantous, comme les Hottentots, avaient traditionnellement recours aux racines par voie orale pour traiter les indigestions, la fièvre et les douleurs liées à l'accouchement. Mais l'harpagophyton était aussi indiqué contre les migraines, les réactions allergiques et les rhumatismes. Aujourd'hui, les Allemands le recommandent également pour stimuler l'appétit. On appelle la plante griffe-du-diable en raison des mouvements frénétiques que font les animaux pour se débarrasser des fruits accrochés à leur pelage ou à leurs sabots, comme s'ils étaient possédés du démon.

Encore appelé racine de Windhoek.

EMPLOIS

• *Décoction (20 min) : 15 g de racines par litre d'eau. 3 tasses par jour contre les douleurs articulaires.*

• *Macération (12 h) : 10 g pour 500 ml d'eau. 3 tasses par jour en dehors des repas dans les mêmes indications.*

Plante originaire d'Afrique du Sud, du Botswana (désert du Kalahari) et de Namibie, l'harpagophyton se développe sur des sols sablonneux désertiques. Il fut connu en Occident au tout début du siècle.

HOUBLON
Humulus lupulus L.
Cannabaceae

D'origine probablement asiatique, le houblon est présent dans les régions tempérées humides d'Europe et d'Amérique du Nord, au Brésil, en Australie et en Asie. Poussant à l'état sauvage dans les buissons et en bordure de rivière, il est cultivé pour la production de la bière.

BOTANIQUE

Grande herbe vivace à feuilles divisées en 3 à 5 lobes profonds, portant des fleurs mâles blanchâtres sans corolle. Certains pieds ne laissent apparaître que des fleurs femelles, réunies en un cône jaune verdâtre formé de bractées. Ces dernières portent des glandes apparaissant sous forme de petits grains rouge orangé, le lupulin. Le houblon grimpe aux arbres en spirale, sur 5 à 6 m de haut.

PARTIES UTILISÉES

Les cônes (c'est-à-dire les fleurs femelles), récoltés au moment de la pleine floraison, séchés dans un endroit frais et stockés au moins un à deux ans.

COMPOSANTS

Les cônes de houblon renferment des tanins, des flavonoïdes, des phyto-œstrogènes et des antiandrogènes. L'huile essentielle (0,3 à 1 %) est riche en carbures monoterpéniques et sesquiterpéniques et contient du méthylbuténol, aux propriétés neurosédatives.
Des substances amères, contenues dans la résine du houblon en quantité importante (15 à 30 %), l'humulone et la lupulone, sont à l'origine de l'amertume de la bière et possèdent des propriétés antibactériennes. Le houblon est riche en matières minérales, dont le potassium.

PROPRIÉTÉS DÉMONTRÉES

Le houblon est surtout reconnu pour ses propriétés sédatives et hypnotiques, qui seraient dues à la présence d'un principe actif, le méthylbuténol, dont la concentration augmente au cours du stockage. Les expérimentations ont également montré une activité antibactérienne et antifongique qui n'était pas connue de la tradition. Enfin, la présence de substances à activité hormonale explique les effets anaphrodisiaques et le développement mammaire chez les grands buveurs de bière.

INDICATIONS USUELLES RECONNUES

Les indications traditionnelles confirment l'expérimentation et préconisent son utilisation dans le traitement des troubles mineurs du sommeil et pour stimuler l'appétit.

PRÉCAUTIONS D'EMPLOI

Aucune aux doses préconisées. Un usage excessif peut provoquer céphalées, nausées et vertiges, et à long terme induire une gynécomastie.

Le houblon est surtout utilisé pour la fabrication de la bière, mais ses nombreuses utilisations médicinales ont été reconnues de tout temps. Sainte Hildegarde le préconisait contre la mélancolie ; le Moyen Âge vantait ses vertus particulières, qui s'opposaient « aux apostures qui sont au foye et en la rate », et le disait « propre à calmer l'éréthisme génital et à réduire les érections douloureuses » ! Les médecins de la Renaissance lui reconnaissaient des propriétés apéritives, fébrifuges et diurétiques.

Encore appelé lupulin, vigne du Nord, bois du diable.

HYDROCOTYLE

Hydrocotyle asiatica L.
Apiaceae

BOTANIQUE

Plante herbacée vivace, à petites feuilles arrondies plus ou moins cordiformes, à bords crénelés, sur les nœuds d'une longue tige grêle et radicante. Les petites fleurs blanches sont groupées en ombelles. Les fruits sont des diakènes discoïdes comprimés. La plante a une saveur amère.

PARTIES UTILISÉES

La plante entière séchée.

COMPOSANTS

L'hydrocotyle contient une huile essentielle, des stérols, des flavonoïdes, des polyines, des saponosides dérivés de l'acide asiatique (asiaticoside), de l'acide madécassique et des tanins.

PROPRIÉTÉS DÉMONTRÉES

Les effets cicatrisants et eutrophiques sur le tissu conjonctif sont liés à l'asiaticoside. Les saponosides et surtout les polyines donnent à la plante une certaine activité antiparasitaire, antifongique, antibiotique et antivirale.

INDICATIONS USUELLES RECONNUES

Utilisée en Inde pour traiter diverses affections cutanées, l'hydrocotyle est employée localement comme appoint dans le soin des plaies chirurgicales, des brûlures légères et des ulcères variqueux. Elle est indiquée également dans les troubles de la circulation veineuse périphérique et dans la symptomatologie hémorroïdaire.

PRÉCAUTIONS D'EMPLOI

Aucune aux doses préconisées. En raison de ses effets irritants, la plante ne doit pas être consommée oralement.

Anciennement utilisée en Inde et à Madagascar pour traiter les plaies et la lèpre, sous forme de suc de plante fraîche, *Hydrocotyle asiatica* entre actuellement dans la préparation de spécialités pharmaceutiques, sous la forme de comprimés, de pommades et de compresses. En Europe, *Hydrocotyle vulgaris* (l'écuelle d'eau), qui pousse au bord des lacs, est une espèce toxique par la présence de vellarine, anciennement utilisée en médecine populaire comme sudorifique, dépuratif, diurétique, purgatif. En usage externe, c'était un vulnéraire.

EMPLOIS

• *Infusion en usage externe (10 min) : 10 g de plante par litre d'eau, en application locale, pour le soin des plaies et des brûlures légères.*

L'hydrocotyle est largement répandue au Pakistan, en Inde et dans les îles de l'océan Indien, de Madagascar à l'Indonésie. L'espèce croît aussi en Europe de l'Est.

HYSOPE OFFICINALE

Hyssopus officinalis L.
Lamiaceae

BOTANIQUE

Plante vivace touffue, de 20 à 60 cm de haut, à tiges carrées, ligneuses à la base, aux nombreuses petites feuilles lancéolées, opposées et presque sessiles. Les fleurs, bleu violacé, sont groupées en épis unilatéraux compacts et allongés. Les 4 akènes du fruit sont trigones et bruns. La plante a une odeur aromatique et une saveur un peu amère.

PARTIES UTILISÉES

Les sommités fleuries et les feuilles, récoltées à la floraison, séchées à l'ombre, puis conservées au sec.

COMPOSANTS

La plante contient des tanins, des flavonoïdes, des acides-phénols, dont l'acide rosmarinique, des di- et triterpènes (marrubiine et acide oléanique), de la choline et 0,3 à 1 % d'une huile essentielle riche en cétones (pinocamphone, isopinocamphone, thuyone) à la fois actives biologiquement et toxiques pour le système nerveux.

PROPRIÉTÉS DÉMONTRÉES

C'est à la marrubiine que l'on attribue les effets expectorants et fluidifiants des sécrétions bronchiques de la plante. Les composés polyphénoliques possèdent des vertus hypotensives. L'huile essentielle s'avère antiseptique et stimulante des fonctions digestives, mais elle est dangereuse en raison de ses effets neurotoxiques (effet convulsivant de la pinocamphone).

INDICATIONS USUELLES RECONNUES

L'hysope est indiquée dans le traitement des affections bronchiques aiguës bénignes et dans le traitement local du rhume et du nez bouché.

PRÉCAUTIONS D'EMPLOI

Aucune aux doses préconisées. Toutefois, l'usage de la plante doit rester modéré et l'utilisation de l'huile essentielle est à proscrire (possibilités de convulsions et de crampes, dès 2 g chez l'adulte).

EMPLOIS

• *Infusion (10 min) : 20 g de sommités fleuries par litre d'eau. 3 à 4 tasses par jour, dans les affections bronchiques aiguës bénignes. Est également utilisée en gargarisme et en usage externe (compresse chaude).*

• *Sirop : laisser infuser (10 min) 100 g de plante par litre d'eau ; filtrer ; ajouter 1,5 kg de sucre et laisser chauffer doucement jusqu'à consistance sirupeuse. 5 cuillerées à soupe par jour, en cas de trachéite ou de bronchite bénignes.*

Souvent citée dans l'Ancien Testament pour ses vertus lustrales, évoquée par David dans les *Psaumes,* l'hysope (*ézôb,* en hébreu) n'est vraisemblablement pas l'hysope officinale, qui ne croît d'ailleurs pas en Palestine. Hippocrate et Dioscoride la recommandaient déjà pour soulager les troubles respiratoires. Au Moyen Âge, l'hysope officinale était recommandée par sainte Hidlegarde contre l'enrouement, les maux de tête et de dents, l'hydropisie. On la conseillait aussi contre les vers et comme puissant remède des affections du foie et des poumons. De nos jours, la médecine populaire l'emploie toujours dans les affections des bronches, mais aussi pour ses effets stimulants, astringents, résolutifs et vulnéraires.

Encore appelée hiope.

Spontanée sur les coteaux calcaires ensoleillés d'une grande partie de l'Europe, en Asie Mineure et en Afrique du Nord, l'hysope est aussi naturalisée en certains endroits d'Amérique du Nord, sur les terrains secs.

ISPAGHUL

Plantago ovata Forsk.
Plantaginaceae

BOTANIQUE

Plante herbacée annuelle de 10 à 50 cm de haut, ramifiée, à feuilles étroites, lancéolées, dentées et pubescentes. Les fleurs, blanches, sont groupées en épis cylindriques. Les fruits sont des capsules pyxides contenant de petites graines gris-rose, ovales, carénées et portant une ligne brune sur la face convexe.

PARTIES UTILISÉES

Les graines séchées et leurs téguments.

COMPOSANTS

La graine renferme du mucilage (jusqu'à 30 %), des fibres insolubles, une huile grasse (5 %), de l'acide linolénique (3 %), des protéines, des alcaloïdes (0,06 %), un iridoïde (aucuboside), des stérols, des triterpènes, ainsi que des hydrocarbures concentrés dans les couches superficielles du tégument.

PROPRIÉTÉS DÉMONTRÉES

Les effets laxatifs mécaniques, non irritants, sont imputés au mucilage, très hydrophile et doué d'un fort pouvoir de gonflement, et aux fibres insolubles. Son action est aussi métabolique (activités hypoglycémiantes, hypolipidémiantes et hypocholestérolémiantes). Des études cliniques ont également montré les effets bénéfiques de l'ispaghul dans les cas de diverticulose, dans le traitement symptomatique du syndrome du côlon irritable et dans celui de l'obésité.

INDICATIONS USUELLES RECONNUES

L'ispaghul est indiqué comme laxatif mécanique ayant un effet de lest, contre la constipation ou en cas de fissures anales ou d'hémorroïdes, et pour faciliter la défécation.

PRÉCAUTIONS D'EMPLOI

Aucune aux doses préconisées. Ne pas prolonger le traitement au-delà de huit jours. En cas d'abus, des effets indésirables mineurs sont rapportés, comme le météorisme. Les graines doivent être employées avec précaution chez les malades insulinodépendants et sont contre-indiquées en cas de sténoses gastro-intestinales.

L'ispaghul est très commun et cultivé en Asie occidentale, en Inde et au Pakistan.

EMPLOIS

• *5 g de graines dans 250 ml d'eau, 30 min avant le repas du soir, comme laxatif.*

Les graines peuvent aussi être mélangées à du bouillon, du lait ou de la confiture.

Plante très utilisée dans ses pays d'origine, l'ispaghul entre dans la composition de quelques spécialités pharmaceutiques à visée laxative (traitement des constipations chroniques). La médecine populaire le préconise également dans le traitement des hémorragies internes. Ses graines s'avèrent plus riches en mucilage que celles de *Plantago psyllium* et de *Plantago arenaria*, utilisées pour les mêmes indications.

Encore appelé plantain de l'Inde, psyllium de l'Inde.

KARKADÉ

Hibiscus sabdariffa L.
Malvaceae

BOTANIQUE

Plante annuelle subtropicale, 1 m à 1,50 m de haut, à tiges robustes, vertes ou teintées de rouge suivant les variétés, glabre ou couverte de poils. Les feuilles sont ovales, trilobées ou simples, longuement pétiolées. Les fleurs sont caractérisées par un calice (doublé d'un calicule) à 5 pièces ciliées, vert ou rouge, et par une corolle à 5 pétales jaunes teintés par endroits de rouge ou de brun. Le fruit est une capsule entourée par le calice.

PARTIES UTILISÉES

L'ensemble constitué par le calice et le calicule, récoltés après la fructification et séchés rapidement. Les récoltes destinées à l'exportation ne portent que sur les variétés à calices rouges. Le karkadé est importé surtout du Sénégal, du Soudan, de la Thaïlande et de l'Inde.

COMPOSANTS

Les calices contiennent une forte proportion d'acides organiques (de 15 à 30 %), qui atteignent leur maximum après la floraison. On y trouve également un mucilage, des composés phénoliques, des vitamines, dont de la vitamine C, des oligoéléments.

PROPRIÉTÉS DÉMONTRÉES

Diverses études expérimentales ont permis d'attribuer au karkadé des propriétés spasmolytiques, angioprotectrices, émollientes, diurétiques, hypotensives, antimicrobiennes. Une action laxative légère a aussi été rapportée.

INDICATIONS USUELLES RECONNUES

Le karkadé est utilisé principalement chez nous pour faire des boissons rafraîchissantes et diurétiques. Certains phytothérapeutes le prescrivent aussi dans l'asthénie, la maigreur et les colibacilloses urinaires. Mais il est surtout employé comme eupeptique. En Afrique, la tradition lui confère aussi des propriétés tonifiantes.

PRÉCAUTIONS D'EMPLOI

Aucune aux doses préconisées.

La plante est spontanée en Amérique centrale, d'où elle a été introduite au milieu du XIXᵉ siècle dans diverses contrées tropicales ou subtropicales (Inde, Antilles, Afrique noire, Égypte, Soudan, Érythrée, etc.). Lors de la guerre d'Abyssinie, en 1936, les soldats italiens empruntèrent aux populations locales l'usage du karkadé pour faire des boissons rafraîchissantes et aseptiser l'eau de bouche. De là, il fut introduit en Italie sous le nom de « thé rose » et devint même la boisson nationale sous Mussolini.

Encore appelé oseille de Guinée.

EMPLOIS

• *Infusion (10 min) : 10 à 20 g de calices par litre d'eau.*

• *Macération (20 min) : 10 à 20 g par litre d'eau. On obtient dans les deux cas une boisson parfumée, de goût acidulé agréable, qui se boit chaude ou glacée, sucrée ou non, et aromatisée, si on le désire, avec un zeste de citron. 2 à 3 grands verres par jour comme stimulant, eupeptique, diurétique, antiseptique urinaire ou laxatif léger.*

Le karkadé, dont l'usage comme boisson est d'introduction récente, a des utilisations multiples dans les pays chauds. Il fut cultivé à l'origine sous le nom de roselle pour la production de fibres textiles tirées de la tige. Dans le sud des États-Unis, on le cultive surtout pour ses qualités alimentaires.

KOLATIER

Cola nitida (Vent.) A. Chev.
Cola acuminata (P. Beauv.) Schott et Endl.
Sterculiaceae

BOTANIQUE

Arbres à croissance lente, de 10 à 15 m de haut, possédant de grandes feuilles entières et oblongues et de petites fleurs mâles ou femelles, rassemblées en grappes. Ces fleurs sont sans pétales, mais à sépales blancs, veinés de pourpre. Le fruit typique, bosselé, formé de 2 à 6 follicules d'une dizaine de centimètres de long disposés en étoile, contient 5 à 10 graines blanches ou rosées : les noix de kola. Ce n'est qu'à partir de la quinzième année que l'arbres commence à porter des fruits.

PARTIES UTILISÉES

Les graines, obtenues à partir des fruits récoltés avant maturité, mis à sécher ou immergés dans de l'eau et débarrassés de leur tégument pulpeux. Les graines séchées prennent une teinte acajou et se séparent en 2 (*C. nitida*) ou en 4 à 6 morceaux chez les autres espèces.

COMPOSANTS

La graine renferme principalement de la caféine et des polyphénols (proanthocyanidols). La caféine, présente à la concentration moyenne de 2,5 %, est le principe actif responsable des propriétés stimulantes. Des tanins peuvent se combiner à la caféine et prolonger son effet.

PROPRIÉTÉS DÉMONTRÉES

La caféine, stimulant du système nerveux central, favorise l'éveil et s'oppose au sommeil. Cependant, son activité stimulante, bien qu'intense, ne dure pas, alors que l'effet d'un extrait de kola frais ou stabilisé est moins intense mais plus durable. Ce sont les tanins catéchiques liés à la caféine qui modulent l'intensité et prolongent l'effet pharmacologique. La caféine possède aussi des effets diurétiques et cardiotoniques.

INDICATIONS USUELLES RECONNUES

La noix de kola est un stimulant recommandé dans les asthénies fonctionnelles et le surmenage physique ou intellectuel.

PRÉCAUTIONS D'EMPLOI

Aucune aux doses préconisées. Éviter la consommation dès l'après-midi à cause des effets stimulants.

EMPLOIS

• *Poudre : 1 à 2 g de poudre de kola le matin comme stimulant, tonicardiaque, astringent et diurétique.*

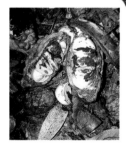

C. acuminata

Les Africains font grand usage de la noix de kola en raison de ses vertus toniques ; elle joue pour eux un rôle semblable à celui de la coca pour les habitants des Andes et du qat pour les Yéménites et les Éthiopiens. Si elle fut exportée vers l'Occident dès la fin du XVe siècle, elle ne fut utilisée pour ses vertus thérapeutiques qu'à partir de la fin du XIXe. La noix de kola entre aussi dans la fabrication de certaines boissons.

Originaire des régions chaudes et humides de l'Afrique tropicale occidentale, le kolatier est aujourd'hui largement cultivé aux Antilles, au Brésil et en Indonésie.

LAITUE VIREUSE

Lactuca virosa L.
Asteraceae

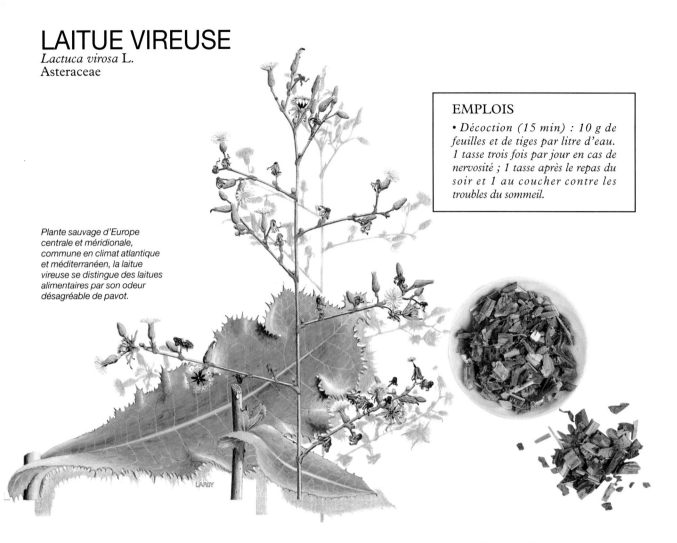

Plante sauvage d'Europe centrale et méridionale, commune en climat atlantique et méditerranéen, la laitue vireuse se distingue des laitues alimentaires par son odeur désagréable de pavot.

EMPLOIS

• *Décoction (15 min) : 10 g de feuilles et de tiges par litre d'eau. 1 tasse trois fois par jour en cas de nervosité ; 1 tasse après le repas du soir et 1 au coucher contre les troubles du sommeil.*

BOTANIQUE

Herbe bisannuelle de 1 à 2 m de haut, à feuilles entières aux nervures principales recouvertes d'aiguillons et à fleurs jaune pâle disposées en capitules caractéristiques de la famille des astéracées. Toutes les parties de la plante renferment un latex blanc qui coule à la moindre coupure ; récolté puis séché, il forme une masse résineuse rougeâtre, le lactucarium.

PARTIES UTILISÉES

Les feuilles séchées.

COMPOSANTS

La plante renferme des lactones sesquiterpéniques instables, la lactucine et la lactucopicrine, et des traces d'un alcaloïde mydriatique.

PROPRIÉTÉS DÉMONTRÉES

Bien que ce soit une des rares plantes dont les effets sur l'insomnie aient été énoncés dans les médecines savantes grecque et arabe, aucun travail pharmacologique récent n'a été entrepris pour expliquer ces effets.

INDICATIONS USUELLES RECONNUES

Les feuilles de laitue sont utilisées dans la nervosité et les troubles mineurs du sommeil chez l'adulte.

PRÉCAUTIONS D'EMPLOI

Attention ! Une ingestion trop importante peut engendrer nausées, sueurs, dilatation de la pupille et augmentation des rythmes respiratoire et cardiaque.

La laitue vireuse était la plante des eunuques en raison de ses effets sédatifs sur l'appareil génital : cette plante était déjà bien connue des Grecs de l'Antiquité, et Dioscoride en recommandait le suc pour tempérer la luxure. Galien prétend que, dans sa vieillesse, seule la laitue lui permettait de vaincre l'insomnie. Cette dernière indication figurait en médecine arabe classique, Rufus la recommandait contre les irritations de l'estomac et Rhazes lui attribuait aussi une action calmante sur les toux sèches.

Encore appelée laitue fétide, laitue sauvage.

LAMIER BLANC

Lamium album L.
Lamiaceae

BOTANIQUE

Plante herbacée vivace, de 15 à 65 cm de haut, à tige quadrangulaire, rigide, velue et creuse. Les feuilles, vert clair, non urticantes, sont opposées, ovales, irrégulièrement dentées, terminées en pointe effilée et velues. Les fleurs, blanc jaunâtre, souvent mouchetées de vert, sont groupées en pseudoverticilles à l'aisselle des feuilles supérieures. Les fruits, à 4 akènes, sont glabres. Le rhizome blanchâtre est stolonifère. La plante exhale une odeur rappelant le miel ; sa saveur est un peu amère.

PARTIES UTILISÉES

Les sommités fleuries, récoltées en début de floraison, et les pétales, récoltés à l'épanouissement (mai), séchés à l'ombre, dans un endroit sec.

COMPOSANTS

La plante contient des tanins catéchiques, des saponosides, des flavonoïdes, des acides-phénols, des iridoïdes (lamalbide, alboside, caryoptoside), du mucilage, des oligosaccharides, des amines (histamine, choline...).

PROPRIÉTÉS DÉMONTRÉES

Les effets toniques et astringents sont imputés aux tanins catéchiques. On attribue aux saponosides du lamier blanc des propriétés anti-inflammatoires, diurétiques et hypotensives.

EMPLOIS

• *Infusion (10 min) : 20 g de fleurs sèches par litre d'eau. 1 à 3 tasses par jour, comme diurétique et dépuratif.*

• *Décoction chaude (10 min) de 50 g de fleurs par litre d'eau. Appliquer localement en compresse sur les tuméfactions, enflures, suppurations et sur le cuir chevelu.*

• *La tisane de fleurs fraîches a des effets dépuratifs (tisane de printemps).*

INDICATIONS USUELLES RECONNUES

Le lamier blanc est indiqué pour ses effets dépuratifs et diurétiques. Localement, il est employé dans le traitement des irritations cutanées, des démangeaisons et des desquamations du cuir chevelu (pellicules).

PRÉCAUTIONS D'EMPLOI

Aucune aux doses préconisées.

Le lamier blanc doit son nom à sa fleur en forme de gueule béante. Dans la mythologie grecque, Lamia était aimée de Zeus ; sa femme, Héra, furieuse, fit mourir l'enfant né de cette union. Par vengeance, Lamia se mit alors à dévorer les enfants des mères heureuses. C'est la lamie des anciens temps, croque-mitaine dont on menaçait les enfants pour les rendre sages. Ce n'est qu'après le Moyen Âge que la plante prit une large place en médecine populaire, qui lui a attribué des effets astringents, toniques, dépuratifs, diurétiques, cholagogues, résolutifs, vulnéraires, hémostatiques, antiscrofuleux et rafraîchissants. Elle est devenue officinale au XIXe siècle et était traditionnellement employée en lavement vaginal pour soigner les leucorrhées. Les jeunes pousses se consomment à la manière des épinards ou en potage.

Encore appelé ortie blanche, ortie morte, ortie folle, archangélique, pied-de-poule, marachemin.

Originaire d'Europe et d'Asie, le lamier blanc est naturalisé dans l'est de l'Amérique du Nord. Il se rencontre sur le bord des chemins, dans les clairières, les décombres et ressemble à une ortie.

LAVANDE VRAIE

Lavandula angustifolia Mill. *ssp. angustifolia*
Lamiaceae

BOTANIQUE

Sous-arbrisseau vivace, atteignant 60 cm de haut, touffu, à rameaux dressés portant de petites feuilles opposées, lancéolées, vert cendré, enroulées sur les bords. Les fleurs bleues, d'odeur suave, sont en épi terminal.

PARTIES UTILISÉES

Les fleurs, séchées à l'ombre, après récolte des rameaux à la pleine floraison. Les fleurs destinées à la production d'huile essentielle doivent être acheminées rapidement vers les centres d'extraction ou distillées sur place.

COMPOSANTS

Le plus important est l'huile essentielle (0,5 à 0,8 % de la fleur fraîche). Elle est constituée par divers composés terpéniques (linalol, acétate de linalyle...). Son parfum suave est dû en grande partie à l'éthylamylcétone et à des dérivés coumariniques présents en petites quantités.

PROPRIÉTÉS DÉMONTRÉES

Les fleurs sont antispasmodiques, cholérétiques et diurétiques. L'huile essentielle a une activité bactéricide légère, sédative du système nerveux central et hypotensive. Elle exerce sur la peau une action antiseptique et cicatrisante. En friction, elle stimule la circulation superficielle. Enfin, elle est parasiticide contre les poux, les puces et la gale, et répulsive contre les moustiques.

INDICATIONS USUELLES RECONNUES

Indiquée dans le traitement symptomatique des états neurotoniques des adultes et des enfants (troubles mineurs du sommeil), la lavande est aussi utilisée en cas d'insuffisance biliaire, dyspepsie, oligurie. L'huile essentielle est administrée dans le traitement des toux quinteuses, des rhumes et du nez bouché. On l'utilise dans les soins des érythèmes fessiers, brûlures superficielles, piqûres d'insectes, coups de soleil ; en gargarisme pour l'hygiène buccale, en friction contre courbatures et rhumatismes.

PRÉCAUTIONS D'EMPLOI

Pour les fleurs : aucune aux doses préconisées. L'huile essentielle s'utilisera avec prudence car la richesse de sa composition peut occasionner des effets secondaires indésirables chez certains sujets.

L'utilisation de la lavande en parfumerie et en médecine remonte à l'Antiquité. En France, dès le XIVᵉ siècle, elle apparaît dans les prescriptions des médecins comme vulnéraire et diurétique, usages qui se sont maintenus dans les campagnes.

Encore appelée lavande officinale, lavande femelle.

EMPLOIS

• *Infusion (10 à 15 min) : 50 g de fleurs par litre d'eau. 4 tasses par jour contre les toux quinteuses, l'oligurie, l'insuffisance biliaire, la dyspepsie ; 1 tasse au coucher contre les troubles mineurs du sommeil.*

• *Soluté alcoolique d'huile essentielle : dissoudre 2 g d'huile essentielle dans 100 g d'alcool à 90°. En compresse sur les plaies et les piqûres d'insectes ; en friction contre les rhumatismes, douleurs locales, courbatures ; en massage sur le cuir chevelu comme tonique capillaire et parasiticide ; en gargarisme, dilué dans cinq fois son volume d'eau tiède, pour l'hygiène buccale.*

Spontanée dans le midi de la France, la lavande vraie se rencontre sur les pentes calcaires, rocailleuses, sèches et bien exposées. Elle est cultivée en France, Italie, Espagne, Bulgarie, au Maroc...

LIERRE COMMUN

Hedera helix L.
Araliaceae

Espèce courante des bois de France et de presque toutes les régions tempérées, le lierre commun est aussi cultivé comme plante ornementale.

BOTANIQUE

Arbrisseau grimpant ou rampant, toujours vert, dont les rameaux s'accrochent à leur support à l'aide de crampons. Sur les rameaux stériles, les feuilles sont alternes, pétiolées, à limbe coriace, vert foncé et divisé en lobes triangulaires. Sur les rameaux à fleurs, elles sont entières et ovales, lancéolées. Les fleurs, jaune verdâtre, sont rassemblées en ombelles. Les fruits, petites baies charnues, noirs à maturité (hiver-printemps), sont toxiques.

PARTIES UTILISÉES

La feuille fraîche.

COMPOSANTS

Les principes actifs sont des saponosides (5 à 8 %), des stérols, des flavonoïdes, des polyines dérivées du falcarinol, des substances hydrodistillables (germacrène B et élémènes), des acides caféique et chlorogénique.

PROPRIÉTÉS DÉMONTRÉES

Les extraits de feuilles testés sur l'animal ont montré des propriétés antibactériennes, antifongiques et antiparasitaires. Ils ont aussi des effets vasoconstricteurs et antispasmodiques. En usage externe, les feuilles ont des propriétés décongestionnantes, résolutives et analgésiques.

INDICATIONS USUELLES RECONNUES

Seul l'usage externe peut être retenu. Le lierre est utilisé en cas de cellulite, engorgements mammaires ou des ganglions, algies postcicatricielles, névralgies, rhumatismes, prurit. La tradition populaire utilise aussi les feuilles par voie externe contre la gale et les cors.

PRÉCAUTIONS D'EMPLOI

L'usage par voie interne est dangereux. En usage externe, certains sujets peuvent avoir une forte réaction cutanée.

Le lierre commun était appelé chez les Égyptiens « arbre d'Osiris ». Chez les Grecs, il était le symbole de l'ivresse. Au Ier siècle, Dioscoride le signale pour ses propriétés médicinales et pour sa toxicité. Les Arabes, puis les médecins du Moyen Âge, l'utilisèrent largement contre diverses affections : dysménorrhée, engorgements des ganglions, affections cutanées, brûlures, céphalées, toux. Traditionnellement, on faisait boire les enfants malades de la coqueluche dans les gobelets en bois de lierre.

Encore appelé lierre grimpant, lierre à cautère.

LIERRE TERRESTRE

Glechoma hederacea L.
Lamiaceae

Plante originaire d'Europe, le lierre terrestre est commun en Amérique du Nord. Il rampe généralement sur les terrains humides et ombragés.

EMPLOIS

• *Infusion (10 min) : 20 à 30 g de fleurs par litre d'eau. 3 à 4 tasses par jour entre les repas dans le traitement des toux bénignes et des affections bronchiques.*

BOTANIQUE

Plante vivace, à tige quadrangulaire, courant le long du sol pour se redresser à sa partie supérieure. Les feuilles, d'un vert sombre parfois violacé, sont opposées, longuement pétiolées et en forme de cœur ; leurs bords sont grossièrement crénelés. Les tiges supportent des fleurs bleu violacé, réunies par 3 ou 4 à l'aisselle des feuilles supérieures. Le lierre terrestre a une forte odeur aromatique.

PARTIES UTILISÉES

Les parties aériennes, récoltées au moment de la floraison (avril-juin), et séchées dans un endroit bien ventilé.

COMPOSANTS

Le lierre terrestre contient une huile essentielle dont l'un des constituants, en très faible quantité, la pinocamphone, est connu pour être toxique à doses élevées. On remarque dans la plante la présence de triterpènes, de bêta-sitostérol, d'acides-phénols et flavonoïdes. La présence de marrubiine, si elle était confirmée, expliquerait ses effets eupnéiques.

PROPRIÉTÉS DÉMONTRÉES

Le lierre terrestre présente des propriétés antitussives et expectorantes identiques à celles du marrube blanc, mais aucune expérimentation n'est venue confirmer les utilisations traditionnelles dans le domaine des affections bronchiques. On lui prête des propriétés antiulcéreuses.

L'ancienne gléchome fait partie des herbes de la Saint-Jean (c'est la courroie-de-Saint-Jean) et, de ce fait, rentrait dans la confection de nombreuses tisanes aux vertus les plus diverses. Elle fut très en vogue chez les médecins jusqu'à la fin du XVIIIe siècle. Le lierre terrestre était utilisé dans les affections du tube digestif et des voies urinaires. En raison de ses propriétés vulnéraires, on le recommandait autrefois pour soigner abcès, plaies et furoncles, mais son usage principal concernait les maladies des voies respiratoires. Son utilisation est encore courante dans les campagnes françaises.

Encore appelé rondotte, couronne-de-terre, drienne, rondelette, rondette.

INDICATIONS USUELLES RECONNUES

La plante est recommandée dans l'irritation bronchique due à un état grippal ou à l'asthme. La tradition populaire préconise le lierre comme stimulant des bronches et dans les affections respiratoires.

PRÉCAUTIONS D'EMPLOI

S'il n'existe pas de risque en usage interne aux doses préconisées, la présence de substances toxiques dans l'huile essentielle incite à la prudence.

LIN UTILE

Linum usitatissimum L.
Linaceae

Probablement originaire du Caucase, le lin affectionne les terres meubles, profondes et fraîches. Il est cultivé dans de nombreuses régions du monde pour les fibres textiles de ses tiges et l'huile de ses graines.

BOTANIQUE

Plante herbacée annuelle, de 40 à 80 cm de haut, à tige glabre, dressée, sans nœuds. Les feuilles, vert tendre, sont étroites, lancéolées et alternes. Le haut de la tige est ramifié en branches grêles terminées par des fleurs bleues isolées. Les fruits sont des capsules globuleuses contenant 10 graines brunes, brillantes, lisses et aplaties.

PARTIES UTILISÉES

Les graines, récoltées à maturité (juillet-août).

COMPOSANTS

Les graines contiennent du mucilage (10 %), une huile (35 à 45 %) riche en acides gras insaturés, des protéines (20 à 25 %). On y trouve aussi en faibles quantités des glycosides cyanogènes (linamaroside...).

PROPRIÉTÉS DÉMONTRÉES

Les effets laxatifs (action mécanique, non irritante), émollients et adoucissants sont liés au mucilage et à l'huile grasse. En infusion, les graines sont efficaces dans le traitement des irritations des muqueuses de l'estomac, de l'intestin, des voies urinaires et respiratoires.
Les glycérides d'acides gras sont responsables de l'action vitaminique F (propriétés antieczémateuses de l'acide linoléique). En usage externe, les graines favorisent la vasodilatation, et l'huile a des effets bactéricides.

INDICATIONS USUELLES RECONNUES

Le lin est indiqué comme laxatif non irritant dans le traitement des colites spasmodiques. Il est réputé soulager les inflammations de l'appareil urinaire. En cataplasme, il possède un effet révulsif et adoucissant.

PRÉCAUTIONS D'EMPLOI

Conservées trop longtemps, les graines broyées peuvent provoquer des dermatoses car l'huile rancit. Les téguments des graines doivent être ôtés pour éviter une irritation digestive (placer les graines broyées dans un sachet de tulle bien fermé ou filtrer soigneusement). Usage déconseillé chez les personnes souffrant de troubles thyroïdiens. Ne pas prolonger le traitement au-delà de huit jours.

Doyen des textiles, le lin était cultivé au début du néolithique au Moyen-Orient. C'est une très ancienne plante médicinale, connue de toutes les grandes civilisations. Il fut cité comme remède contre la toux par Théophraste, contre la sciatique et la goutte par Hippocrate, contre les inflammations par Dioscoride ; la médecine arabe utilisait l'huile de lin contre les ulcères intestinaux et l'impétigo. L'eau de lin, aux effets diurétiques, antilithiasiques et émollients, était très prisée au Grand Siècle.

EMPLOIS

• *Infusion (10 min) : 15 g de graines (dans un sachet de tulle) par litre d'eau. 1 à 2 tasses par jour avant les repas comme laxatif et émollient.*

• *Macération à froid (1 h) : 15 g de graines broyées par litre d'eau ; jeter le liquide mucilagineux et faire infuser. 2 à 3 tasses par jour comme calmant en cas d'inflammation ou d'irritation des muqueuses.*

• *Cataplasme chaud dans du tulle : farine de lin délayée dans un peu d'eau bouillie tiède, comme adoucissant et révulsif.*

MAÏS
Zea mays L.
Poaceae

BOTANIQUE

Plante annuelle robuste, pouvant atteindre 2,50 m de haut, à tige dressée, pleine, à feuilles larges et rugueuses. Les fleurs mâles forment de longs épis disposés en panicules terminales ; les fleurs femelles sont groupées en gros épis cylindriques, solitaires à l'aisselle des feuilles et enveloppés de grandes bractées membraneuses. Les épis femelles comportent plusieurs rangées de grains ovoïdes.

PARTIES UTILISÉES

Les styles et stigmates. La touffe constituant l'ensemble des styles prolongés par les stigmates est détachée des épis puis rapidement séchée. C'est ce qu'on appelle indifféremment en herboristerie styles ou stigmates de maïs.

COMPOSANTS

Les styles contiennent 4 à 5 % de matières minérales, dont plus de la moitié en sels de potassium, 20 % environ de sucres et de gommes, 2 à 3 % de lipides renfermant des acides gras et des sitostérols, des tanins, de l'allantoïne, des traces d'huile essentielle, de la vitamine K, de l'acide salicylique, des enzymes.

PROPRIÉTÉS DÉMONTRÉES

Les styles ont une action diurétique puissante. Ils auraient de plus une action sédative sur l'appareil urinaire. En raison de la présence de vitamine K, ils sont également préconisés comme antihémorragique.

INDICATIONS USUELLES RECONNUES

Les styles sont indiqués dans le traitement des oliguries, des cystites, de l'hydropisie, de l'albuminurie, et dans toutes les affections où il est utile d'augmenter la diurèse et le drainage : néphrites, lithiase rénale, œdèmes, cardiopathies, goutte, etc. En raison de la présence d'acide salicylique, ils donneraient aussi quelques résultats contre les rhumatismes.

PRÉCAUTIONS D'EMPLOI

Éviter l'usage des styles de maïs en cas d'hyperkaliémie.

Inconnu des Anciens en Europe, le maïs est originaire d'Amérique centrale, où il était largement cultivé à l'arrivée des premiers conquistadors. Aztèques, Incas et Amérindiens en faisaient la base de leur alimentation. Introduit en Espagne en 1520, il fut très vite cultivé en Italie et surtout en Turquie, d'où il revint en France quelques décennies plus tard sous le nom de « blé de Turquie ». À partir du XVIIᵉ siècle, les Turcs et les Arabes l'adoptèrent en thérapeutique, et ce n'est qu'en 1879 que les styles de maïs furent introduits dans la matière médicale moderne comme diurétique et sédatif des voies urinaires.

EMPLOIS

• *Infusion (10 à 15 min) : 20 g de styles de maïs par litre d'eau. 3 à 4 tasses par jour comme diurétique léger.*

• *Décoction (10 min) : 20 g par litre d'eau pour une action diurétique plus puissante. 4 tasses par jour.*

MARJOLAINE VRAIE

Origanum majorana L.
Lamiaceae

BOTANIQUE

Sous-arbrisseau vivace cultivé comme annuel, à tiges touffues portant de petites feuilles ovales, blanchâtres et tomenteuses, de 2 cm de long environ. Les fleurs, petites, blanc sale ou rosées, apparaissent en été, groupées par 3. Toute la plante exhale une odeur très agréable.

PARTIES UTILISÉES

Les sommités fleuries et les feuilles, récoltées à la floraison puis séchées à l'ombre.

COMPOSANTS

Le principal est une huile essentielle (0,7 à 3 % de la plante sèche) constituée surtout d'alpha-terpinéol, de 1-terpiné-4-ol et de linalol. On trouve également dans la marjolaine vraie des acides-phénols, des flavonoïdes, de l'hydroquinol, de l'arbutoside et du méthylarbutoside, du tanin, des pentosanes.

PROPRIÉTÉS DÉMONTRÉES

La marjolaine vraie a des propriétés antispasmodiques et sédatives. Elle a de plus une activité antibactérienne démontrée ainsi que des propriétés antivirales et gonadotrophiques.

INDICATIONS USUELLES RECONNUES

La marjolaine est utilisée, en usage interne, dans le traitement des troubles digestifs, des affections bronchiques aiguës bénignes. Par voie locale, elle est employée contre le rhume, le nez bouché et pour l'hygiène buccale. La tradition populaire lui attribue aussi une action antidiarrhéique et un effet contre l'anxiété et l'insomnie.

PRÉCAUTIONS D'EMPLOI

Aucune aux doses préconisées. L'huile essentielle est neurotoxique.

L'usage de la marjolaine vraie, connue déjà des Égyptiens et des Grecs, fut vulgarisé en Occident par les médecins arabes, qui la prescrivaient contre la migraine, la nervosité et le hoquet. À la Renaissance, on l'utilisa beaucoup comme remède des maladies de la tête et comme stimulant général. La plante fut par la suite intégrée dans la formule de l'alcoolat vulnéraire par les apothicaires.

Encore appelée marjolaine à coquilles, marjolaine d'Orient, grand origan.

EMPLOIS

• *Poudre de plante : placée dans le nez, elle est sternutatoire et décongestionnante.*

• *Infusion (10 min) : 50 g de plante par litre d'eau. 2 à 3 tasses par jour, dans le traitement des bronchites aiguës bénignes, des troubles digestifs et de l'anxiété ; 1 tasse le soir, au coucher, contre l'insomnie. Peut être utilisée aussi en gargarisme en cas d'inflammations buccales et en irrigation nasale contre le rhume et le nez bouché.*

Originaire d'Orient, la marjolaine vraie ne doit pas être confondue avec l'origan (Origanum vulgare).

MARRONNIER D'INDE

Aesculus hippocastanum L.
Hippocastanaceae

BOTANIQUE

Arbre de 20 à 25 m de haut, aux fleurs blanches tachées de rouge et de jaune, regroupées en grappes dressées et pyramidales. Ses grandes feuilles, opposées, à 5 ou 7 folioles, ont un long pétiole. Le fruit est une capsule épineuse renfermant de grosses graines acajou, les marrons.

PARTIES UTILISÉES

La graine fraîche (marron), ramassée à maturité (automne), et l'écorce de la tige, prélevée au printemps sur un arbre de plus de trois ans.

COMPOSANTS

La graine est riche en saponosides (5 à 10 %), substances aux propriétés veinotoniques et anti-inflammatoires, et réunies sous le nom d'escine. Elle renferme aussi de l'amidon (40 à 50 %), des lipides (6 à 8 %), des proanthocyanidols (tanins), présents dans le tégument, et des flavonoïdes (kaempférol, quercétol). L'écorce de la tige contient des tanins et des coumarines, comme l'esculoside (à propriétés vitaminiques P) et le fraxoside.

PROPRIÉTÉS DÉMONTRÉES

L'escine augmente la résistance capillaire et le tonus veineux, et favorise la circulation veineuse. Elle possède des propriétés veinotoniques, anti-inflammatoires et anti-œdémateuses. Les effets anti-inflammatoires et analgésiques mineurs obtenus avec des extraits de marron sont attribués à la fois à l'escine et aux flavonoïdes. Quant à l'écorce, elle doit son effet vasculoprotecteur aux dérivés coumariniques, en particulier à l'esculoside.

INDICATIONS USUELLES RECONNUES

Le marron d'Inde est indiqué dans le traitement de l'insuffisance veineuse (jambes lourdes, crampes, œdème variqueux), des hémorroïdes et de la fragilité capillaire (pétéchies, ecchymoses), en usage interne et externe.

PRÉCAUTIONS D'EMPLOI

Aucune aux doses préconisées. Ne pas manger les graines fraîches, elles ont un effet irritant sur le tube digestif.

> **EMPLOIS**
>
> • *Décoction (10 min) : 30 g de marrons frais ou d'écorce fraîche par litre d'eau. 2 tasses par jour, entre les repas, comme veinotonique ; 4 tasses par jour pendant 2 jours en cas d'hémorroïdes.*
>
> • *Cette préparation s'utilise également en compresse sur les ecchymoses.*

Curieusement inconnu de la médecine ayurvédique, le marronnier d'Inde n'est mentionné ni en médecine chinoise, ni en médecine grecque ou arabo-islamique. Il fut décrit au XVIe siècle par Matthiole, qui en avait reçu un rameau et des fruits de Constantinople. Les Turcs avaient depuis longtemps reconnu aux marrons la propriété de guérir les chevaux poussifs, d'où le nom de genre de l'arbre, *Hippocastanum*, qui signifie châtaignier de cheval. Mais, en Europe, ce n'est qu'au XVIIIe siècle que ses propriétés furent établies. En 1720, Bon propose l'écorce, comme fébrifuge et comme succédané de la quinine. Arthault de Vevey conseille en 1896 le marron comme antihémorroïdaire et dans toutes les affections veineuses.

Encore appelé châtaignier de mer.

Originaire des Balkans, de Turquie et du nord de la Grèce, et non d'Inde ou de Perse, le marronnier est aujourd'hui cultivé dans les régions tempérées d'Europe et d'Amérique.

MARRUBE BLANC

Marrubium vulgare L.
Lamiaceae

BOTANIQUE

Plante vivace aux tiges dressées de 30 à 80 cm de haut, ramifiées et couvertes d'un duvet blanchâtre. Les feuilles, opposées, sont ovales, inégalement crénelées et blanchâtres dessous. Les fleurs, groupées en glomérules, sont blanches et insérées dans un calice de 5 à 10 dents. Le marrube blanc a une forte odeur aromatique, légèrement musquée.

PARTIES UTILISÉES

Les feuilles et les sommités fleuries, récoltées de mai à septembre et séchées dans un endroit sec à l'abri de la lumière.

COMPOSANTS

On a identifié dans la plante un composant terpénique majoritaire, la marrubiine (1 à 2 %). Elle serait responsable des principaux effets antitussifs, fluidifiants et expectorants. À noter également, la présence d'alcools diterpéniques, de tanins, de saponosides, d'acides-phénols et de quantités importantes de potassium.

PROPRIÉTÉS DÉMONTRÉES

Certains travaux font état d'une activité sur la circulation sanguine (hypotension et vasodilatation). Des études récentes mettent également en évidence une activité anti-inflammatoire modérée de la plante. Enfin, on a trouvé à l'huile essentielle de marrube une activité antiparasitaire.

INDICATIONS USUELLES RECONNUES

Traditionnellement recommandée dans le traitement de la toux et des affections bronchiques, la plante est souvent reconnue en outre pour ses effets tonifiants, eupeptiques, emménagogues et cardiosédatifs.

PRÉCAUTIONS D'EMPLOI

Aucune aux doses préconisées.

EMPLOIS

• *Infusion (10 min) : 10 g de sommités fleuries par litre d'eau. 2 à 3 tasses par jour loin des repas, en cas de toux ou d'affection bronchique bénigne, comme tonifiant en cas de fatigue, et comme eupeptique.*

Originaire d'Asie centrale, très tôt répandu en Égypte et dans le bassin méditerranéen, le marrube blanc est aussi naturalisé en Amérique du Nord. On le rencontre généralement près des habitations, en bordure des chemins et dans les terrains vagues.

Comme le montrent des documents de l'Égypte ancienne, les Égyptiens utilisaient le marrube dans les maladies des voies respiratoires ; les Grecs en faisaient le même usage, mais ils regroupaient sous le nom de *prasion* deux espèces de marrubes. La plante fut officialisée dans le Codex français au xixe siècle. C'est sa saveur amère qui lui vaut le nom de marrube, de l'hébreu *mar*, amer, et *rob*, suc.

Encore appelé bonhomme, herbe au croc, marrochemin.

MATÉ

Ilex paraguariensis St-Hil.
Aquifoliaceae

BOTANIQUE

Arbre de 4 à 10 m de haut, pouvant même atteindre 20 m à l'état sauvage, à écorce blanchâtre. Ses feuilles, alternes, luisantes, oblongues lancéolées, aux bords dentés, sont vertes dessus. Les fleurs blanches sont disposées en inflorescence régulière, et la corolle est constituée par quatre pétales libres. Le fruit est une petite drupe charnue, rouge violacé à maturité.

PARTIES UTILISÉES

Les feuilles, récoltées sur les arbres de culture âgés d'au moins quatre ans, au moment de la maturité des fruits. Elles sont rapidement séchées près d'un feu de bois.

COMPOSANTS

Les feuilles contiennent des composés phénoliques (flavonoïdes, acide chlorogénique) ; il faut noter la présence de dérivés azotés et de vitamines. La drogue est surtout utilisée pour sa teneur en caféine, dont le taux peut varier de 0,7 à 2,5 %, avec une faible teneur en théobromine, et pour la présence de tanins catéchiques.

PROPRIÉTÉS DÉMONTRÉES

Les activités pharmacologiques du maté sont celles de la caféine, confirmées par l'utilisation traditionnelle de cette plante, stimulant intellectuel, nerveux et musculaire, avec effet diurétique. La présence de tanins laisse prévoir un effet antidiarrhéique.

INDICATIONS USUELLES RECONNUES

Sa teneur en caféine confère à cette plante des propriétés stimulantes sur le système nerveux central, qui justifient son indication dans les asthénies fonctionnelles. Les préparations à base de maté sont en outre diurétiques.

PRÉCAUTIONS D'EMPLOI

Aucune aux doses préconisées. Il ne faut cependant pas abuser de cette boisson, qui peut provoquer insomnies et tremblements. Éviter la consommation dès l'après-midi.

Originaire du Paraguay, d'Argentine et du Brésil, où il pousse spontanément, le maté est, en outre, cultivé aujourd'hui dans ces pays.

Dans les pays d'origine, les Amérindiens Guaranis mastiquaient des feuilles de maté ou s'en faisaient des infusions pour soutenir leurs forces dans les voyages ou les travaux pénibles. Ils tenaient cette espèce en grande estime et l'appelaient *caa*, c'est-à-dire « la plante ». Ce sont les Jésuites qui, au XVIe siècle, répandirent l'usage de la boisson aux feuilles de maté en Europe. Cette infusion stimulante est toujours très populaire en Amérique du Sud.

Encore appelé thé des Jésuites, thé des missions, thé du Paraguay, herbe de saint Barthélemy, Yerba-maté.

EMPLOIS

• *Infusion (15 min) : 10 g de feuilles par litre d'eau. 2 à 3 tasses par jour, à prendre le matin et en début d'après-midi, comme diurétique et stimulant.*

MATRICAIRE

Matricaria recutita L.
Asteraceae

BOTANIQUE

Plante herbacée annuelle à feuilles bipennatiséquées portées par des tiges très ramifiées. La fleur s'organise en un capitule ressemblant à une petite marguerite ; elle est composée de pétales blancs sur le pourtour et de tubules jaunes constituant le cœur de la fleur, en pain de sucre.

PARTIES UTILISÉES

Les capitules floraux, récoltés à l'état sauvage à la floraison complète et séchés dans un endroit frais.

COMPOSANTS

On en extrait une huile essentielle (0,3 à 1,5 % du capitule sec) contenant surtout, après distillation, du chamazulène provenant de la matricine (15 % de l'huile essentielle), ainsi que du bisabolol (50 % de l'huile essentielle avec son oxyde). Ces dérivés sesquiterpéniques confèrent à la plante des propriétés anti-inflammatoires et antispasmodiques. On trouve aussi dans la fleur des flavonoïdes, des coumarines et des acides-phénols, qui participent aux effets antispasmodiques.

PROPRIÉTÉS DÉMONTRÉES

La matricaire possède des propriétés anti-inflammatoires et spasmolytiques bien établies. L'huile essentielle est douée d'actions antimicrobiennes et d'effets anesthésiques locaux. La plante semble posséder des effets antiviraux, antifongiques, hypocholestérolémiants. Elle stimule la digestion par la présence d'un principe amer.

INDICATIONS USUELLES RECONNUES

Cette espèce et ses préparations sont particulièrement utilisées par voie orale dans les troubles digestifs et pour stimuler l'appétit. En usage local, cette plante entre dans les préparations destinées aux traitements d'appoint adoucissants et propres à améliorer certaines affections cutanées (eczéma, gerçures, crevasses, écorchures), mais également les irritations oculaires.

PRÉCAUTIONS D'EMPLOI

Aucune aux doses préconisées. À signaler, des réactions allergiques chez certains sujets. Peut provoquer de l'insomnie chez les sujets nerveux.

Dans l'Antiquité, la matricaire était vénérée par les Égyptiens, qui la dédiaient à Rê, le dieu solaire. Elle était par ailleurs réputée pour son parfum et ses effets régulateurs sur le cycle menstruel, d'où son nom.

Encore appelée camomille allemande, matricaire camomille, petite camomille, œil-du-soleil.

EMPLOIS

• *Infusion (10 min) : 20 g de capitules par litre d'eau. 3 tasses par jour entre les repas en cas de troubles digestifs (avant les repas pour donner de l'appétit).*

• *Infusion en usage externe (15 min) : 30 g par litre d'eau. Appliquer à l'aide de tampons de coton (10 min) pour les affections cutanées. En cas de gêne oculaire, faire un bain d'œil pendant quelques minutes, après refroidissement.*

Originaire du sud de l'Eurasie, la matricaire vit à l'état sauvage en Europe et en Afrique du Nord. Elle y pousse au bord des chemins et en terre inculte. Sa culture est importante en Hongrie et en Yougoslavie. La matricaire est aussi naturalisée en Amérique du Nord.

MAUVE

Malva sylvestris L.
Malvaceae

BOTANIQUE

Plante herbacée de 20 à 70 cm de haut, bisannuelle ou pérennante, à tige dressée, ramifiée. Les feuilles alternes, longuement pétiolées, sont palmatilobées et dentées sur les marges. Les fleurs sont rose violacé veinées de rouge. Le fruit est composé d'akènes disposés en cercle, évoquant un fromage.

PARTIES UTILISÉES

Les fleurs bien épanouies et les feuilles avant floraison, séchées rapidement à l'abri de la lumière. La conservation se fait dans des locaux secs et à l'abri de la lumière.

COMPOSANTS

Les fleurs contiennent 15 à 20 % de mucilage de nature uronique, des anthocyanosides, des flavonoïdes, des acides-phénols. Les feuilles contiennent, outre mucilage et flavonoïdes, un principe stimulant de l'intestin et ocytocique.

PROPRIÉTÉS DÉMONTRÉES

Le mucilage confère à la plante des propriétés émollientes qui s'exercent en particulier par des actions laxatives, béchiques et adoucissantes. De plus, les extraits de feuille possèdent une activité hyperglycémiante et ocytocique. Les fleurs ont des propriétés vitaminiques P dues aux anthocyanosides.

INDICATIONS USUELLES RECONNUES

Par ses fleurs, la mauve fait partie des espèces pectorales. Ses indications concernent la constipation (fleurs et feuilles), le catarrhe bronchique, la toux, l'enrouement et la laryngite (fleurs surtout), les inflammations de la peau et des muqueuses, les irritations oculaires, les peaux sèches et déshydratées. Les feuilles sont aussi utilisées traditionnellement contre les colites spasmodiques et les diarrhées parce qu'elles diminuent les spasmes. En cosmétologie, la mauve est très utilisée comme adoucissant.

PRÉCAUTIONS D'EMPLOI

Aucune aux doses préconisées.

EMPLOIS

• *Infusion (10 min) : 10 à 15 g de fleurs ou 15 à 30 g de feuilles par litre d'eau, avec un peu de miel. 3 à 4 tasses par jour contre la constipation, le catarrhe bronchique, la toux, l'enrouement, la laryngite, les inflammations de l'appareil digestif ou urinaire.*

• *Décoction concentrée en usage externe (faire bouillir puis laisser infuser 10 min) : 30 g de feuilles et/ou de fleurs par litre d'eau. En bain d'yeux, contre les irritations de l'œil et l'inflammation de la paupière ; en lotion, contre le prurit et la peau sèche ; en gargarisme, contre les inflammations buccopharyngées et l'enrouement.*

• *Cataplasme de poudre de plante sèche humectée ou de feuilles fraîches hachées, en application sur les crevasses, gerçures, furoncles ou abcès.*

Depuis la plus haute antiquité, la mauve est utilisée comme émollient, laxatif, pectoral et calmant. Cicéron s'en servait pour se purger. Martial et Horace la recommandaient contre la constipation et comme stimulant des facultés intellectuelles. Pythagore la conseillait pour modérer les passions. Charlemagne ordonna sa culture dans les monastères. Au XVIe siècle, on la croyait capable de tout guérir. Les Arabes préparent encore aujourd'hui avec la mauve un mets apprécié.

Encore appelée fromageon, fouassier, fausse guimauve.

MÉLILOT JAUNE

Melilotus officinalis (L.) Pall.
Fabaceae

BOTANIQUE

Plante herbacée d'environ 60 cm de haut. Sa tige cannelée porte des feuilles à 3 folioles dentées vers le sommet. De petites fleurs jaunes réunies en grappes allongées donnent naissance à des gousses. Une espèce très voisine, à fleurs blanches, *Melilotus albus*, est également utilisée en médecine populaire.

PARTIES UTILISÉES

Les sommités fleuries, récoltées à la floraison (juin-septembre) et séchées sur des claies dans un endroit frais et à l'abri de la lumière.

COMPOSANTS

La composition chimique du mélilot est relativement bien connue. On peut identifier des saponosides triterpéniques et des flavonoïdes. Parmi les composants actifs, la principale molécule est la coumarine. À noter, le mélilotoside présent dans la plante fraîche, précurseur de la coumarine.

PROPRIÉTÉS DÉMONTRÉES

L'expérimentation animale a mis en évidence les propriétés anti-inflammatoires d'extraits de mélilot. Ils présentent aussi une activité sur les vaisseaux, dont ils augmentent le débit et diminuent la perméabilité. Des travaux expérimentaux ont démontré une augmentation du débit lymphatique, accélérant ainsi la résorption des œdèmes ; des observations cliniques soulignent l'intérêt de cette plante en association avec des flavonoïdes dans les manifestations habituelles de l'insuffisance veineuse.

INDICATIONS USUELLES RECONNUES

On reconnaît encore aujourd'hui au mélilot des effets sédatifs, somnifères, diurétiques, légèrement anticoagulants et vasculoprotecteurs. Il est souhaitable de réserver son usage au traitement des troubles circulatoires mineurs, en cas de fragilité capillaire cutanée. Il trouve également son emploi dans les troubles digestifs et les troubles mineurs du sommeil. En usage externe, il est décongestionnant (irritations oculaires).

PRÉCAUTIONS D'EMPLOI

Aucune aux doses préconisées. Noter cependant que le séchage permet d'éviter toute contamination fongique qui pourrait altérer la plante et renforcer son caractère anticoagulant.

Le mélilot a été utilisé pour de nombreuses propriétés, en particulier celle de calmer les fureurs de l'ivresse, mais il était aussi d'un précieux secours aux oculistes. Placé dans une armoire, il parfume le linge et chasse les insectes. Son nom dérive du grec *méli*, miel, et *lôtos*, lotus.

Encore appelé petit trèfle jaune, trèfle des mouches, pratelle, mirlirot, casse-lunettes, trèfle d'odeur jaune.

Spontané dans toute l'Europe et en Amérique du Nord, le mélilot se rencontre dans les champs, sur le bord des chemins, dans les pâturages, les décombres et les friches.

EMPLOIS

• *Infusion (15 min) : 20 g de fleurs par litre d'eau. 2 à 3 tasses par jour en cas de troubles digestifs ou vasculaires mineurs, à prendre entre les repas.*

• *Infusion (15 min) : 40 g par litre d'eau. Appliquer localement en bain ou en lavage 2 à 3 fois par jour, en cas d'inflammation ou d'irritation oculaires.*

Pour les douleurs rhumatismales et le soin des plaies, utiliser la même infusion en compresse chaude ou tiède.

MÉLISSE OFFICINALE

Melissa officinalis L.
Lamiaceae

Originaire de la partie orientale
du bassin méditerranéen,
et naturalisée dans l'est de
l'Amérique du Nord, la mélisse
est présente dans de nombreux
jardins et cultivée pour l'industrie.
Ses fleurs font le délice des
abeilles, qui lui ont donné son
nom botanique, melissa signifiant
abeille en latin.

EMPLOIS

• *Infusion (10 min) : 15 g de feuilles sèches par litre d'eau. 1 tasse après les trois repas contre les troubles digestifs ; demi-dose contre l'insomnie : 1 tasse après le repas du soir et au coucher.*

• *En friction, les feuilles fraîches calment les piqûres d'insectes.*

BOTANIQUE

Plante herbacée vivace à tiges carrées et ramifiées de 20 à 80 cm de haut. On la reconnaît à ses feuilles gaufrées vert foncé sur le dessus, vert pâle sur la face inférieure, à ses petites fleurs blanchâtres ou violacées disposées en verticilles à l'aisselle des feuilles, mais surtout à son intense odeur citronnée.

PARTIES UTILISÉES

Les feuilles fraîches ou séchées, récoltées avant la floraison, par temps sec et ensoleillé.

COMPOSANTS

Les principaux constituants de la mélisse recensés à ce jour sont des substances classiques des végétaux : acides triterpéniques, flavonoïdes et acides-phénols. Son odeur très prononcée est due à la présence d'une huile essentielle, riche en néral et en géranial. Plus de 44 constituants ont ainsi été isolés de l'huile essentielle ; on leur attribue l'activité antispasmodique de la plante.

PROPRIÉTÉS DÉMONTRÉES

De nombreux travaux ont révélé l'existence de propriétés pharmacologiques diversifiées, dont les plus remarquables sont les effets sédatifs, inducteurs du sommeil, spasmolytiques, analgésiques et antithyroïdiens. La mélisse est aussi douée d'effets antiviraux et antifongiques.

INDICATIONS USUELLES RECONNUES

En Europe, les indications thérapeutiques en usage interne sont variées et concernent les troubles digestifs (douleurs stomacales, coliques flatulentes, nausées de la grossesse), les troubles nerveux (insomnies, mélancolie, hystérie), les bourdonnements d'oreilles, syncopes, vertiges et palpitations.

PRÉCAUTIONS D'EMPLOI

Aucune aux doses préconisées.

Les parties aériennes de la mélisse, cultivée depuis l'Antiquité comme plante mellifère ou médicinale, étaient utilisées en médecine grecque et arabe ; Avicenne la recommandait pour ses effets digestifs, carminatifs et curatifs vis-à-vis des troubles intestinaux, et Rhazes la prescrivait contre « les chagrins et la mélancolie ». Les Anciens l'appelaient la « gaieté du cœur » en raison de prétendues vertus cordiales. L'usage de la mélisse a été retransmis en Occident par la médecine arabo-islamique. En 1661, l'eau de mélisse des Carmes devient un alcoolat réputé antispasmodique.

Encore appelée thé de France, citronnelle, herbe au citron, piment des abeilles.

MENTHE POIVRÉE
Mentha x *piperita* L.
Lamiaceae

EMPLOIS

• *Infusion (10 à 15 min) : 15 g de feuilles par litre d'eau. 1 tasse après chaque repas contre les troubles digestifs et comme diurétique.*

• *En gargarisme, utiliser une infusion plus concentrée, à raison de 50 g de feuilles par litre d'eau. Cette préparation pourra également convenir à l'application, en usage externe, comme adoucissant et antiprurigineux dans les affections dermatologiques.*

BOTANIQUE

Plante vivace de 40 à 60 cm de haut, à tige carrée, à feuilles opposées, pétiolées, découpées en dents de scie, vert foncé dessus et vert plus pâle dessous. Les fleurs, rose violacé, sont groupées en épis serrés, coniques, au sommet des rameaux. L'odeur de la plante est forte, poivrée.

PARTIES UTILISÉES

Les feuilles, récoltées de juin à septembre, séchées dans un endroit frais et à l'abri du soleil.

COMPOSANTS

La feuille de menthe poivrée renferme de nombreux composants parmi lesquels des flavonoïdes (dérivés polysubstitués de flavones), des triterpènes, des tanins et des caroténoïdes. L'huile essentielle, qui a fait l'objet de nombreuses investigations chimiques, représente 1 à 3 % du poids de la feuille sèche ; sa composition varie en fonction des conditions de culture. Ses constituants sont des monoterpènes, parmi lesquels le menthol, majoritaire (40 à 60 %), est accompagné de menthone (15 à 25 %).

PROPRIÉTÉS DÉMONTRÉES

Ce sont surtout les propriétés de l'huile essentielle et plus particulièrement du menthol qui ont retenu l'attention des chercheurs. Le menthol manifeste expérimentalement une activité antiseptique. Quant à l'activité antispasmodique revendiquée dans les extraits aqueux (infusion), elle semble due à la présence des flavonoïdes.

INDICATIONS USUELLES RECONNUES

Traditionnellement utilisée pour faciliter la digestion, la feuille de menthe poivrée est recommandée dans les lenteurs de la digestion et autres troubles mineurs tels que ballonnements, éructations, flatulences. Elle est utile dans le traitement de la composante douloureuse de la colite spasmodique et comme diurétique. En indication locale, la menthe est utilisée pour l'hygiène buccale et en gargarisme comme analgésique.

Il existe dans les régions tempérées du globe de très nombreuses variétés de menthes difficiles à distinguer, en raison du grand nombre d'hybrides. L'espèce officinale, la menthe poivrée, est un hybride de Mentha aquatica et Mentha spicata.

PRÉCAUTIONS D'EMPLOI

Aucune aux doses préconisées. Utilisée uniquement en homéopathie, l'huile essentielle peut être responsable, selon sa composition et son utilisation, d'une hépatotoxicité et d'un risque de spasme mortel de la glotte chez l'enfant, par simple inhalation.

Il faudrait parler des menthes, tant sont nombreuses les espèces qui poussent sous toutes les latitudes. Les Anciens utilisaient la menthe Pouliot pour en tresser des couronnes, mais aussi pour ses propriétés médicinales. Hippocrate attribuait aux menthes des vertus aphrodisiaques, et Pline leur reconnaissait une action analgésique. Les Chinois vantaient leurs propriétés antispasmodiques. La menthe poivrée n'est connue avec certitude que depuis la fin du XVIIe siècle, et le menthol fut isolé pour la première fois en 1771, en Hollande. C'est à lui que les menthes doivent leurs vertus thérapeutiques, pratiquement identiques pour toutes les espèces. La menthe verte est, avec la verveine et le tilleul, l'une des tisanes les plus populaires.

MÉNYANTHE TRIFOLIÉ

Menyanthes trifoliata L.
Menyanthaceae

Le nom de genre de la plante, *Menyanthes,* vient de deux mots grecs, *mên,* signifiant mois, et *anthos,* fleur, par allusion à sa courte durée de floraison. L'emploi médicinal du ményanthe est relativement récent : il a été utilisé comme tonique amer, anti-scorbutique, fébrifuge, diurétique, purgatif et cholagogue. Il est inscrit à la Pharmacopée russe.

Encore appelé *trèfle des marais, trèfle d'eau, trèfle aquatique, trèfle de la fièvre, trèfle de castor.*

Plante des étangs, cours d'eau, fossés humides, prés inondés et tourbières, le ményanthe est commun dans l'hémisphère Nord du globe. Il vit aux deux tiers plongé dans l'eau, et c'est une plante facile à reconnaître en raison de ses caractères bien spécifiques de plante aquatique.

BOTANIQUE

Plante vivace aquatique, de 20 à 40 cm de haut, à tige rampante, courte et charnue, enfouie dans la vase, portant des écailles et les restes fibreux des organes précédents. Les feuilles, alternes, divisées en 3 folioles ovales, longuement pétiolées et engainantes, ont une saveur âcre. Les fleurs, à corolle en entonnoir, rosées ou blanches, très poilues à l'intérieur, portant des étamines à anthères violacées, sont groupées en panicules. Le fruit est une capsule globuleuse renfermant des graines ovoïdes comprimées, jaunes et luisantes. La plante dégage une odeur de bitume.

PARTIES UTILISÉES

Les feuilles, récoltées au début de la floraison ou encore à la fin de l'été, séchées sur des claies dans un endroit bien aéré.

COMPOSANTS

Le ményanthe contient des composés phénoliques (flavonoïdes, acides-phénols, scopolétol) et des iridoïdes (loganoside, menthiofoline, dihydromenthiofoline), auxquels il doit son amertume. On signale également la présence d'alcaloïdes du type de la gentianine et des bases voisines.

PROPRIÉTÉS DÉMONTRÉES

Le ményanthe n'a pas encore fait l'objet d'études pharmacologiques très poussées. Toutefois, le rapprochement entre ses effets constatés et sa composition laisse penser qu'au-delà de son effet apéritif, apporté par les iridoïdes, il a probablement une activité laxative et cholagogue par ses composés phénoliques et une activité fébrifuge par ses alcaloïdes.

INDICATIONS USUELLES RECONNUES

Les feuilles de la plante sont utilisées pour stimuler l'appétit et pour faciliter la prise de poids. On peut aussi rechercher un effet laxatif et cholagogue.

PRÉCAUTIONS D'EMPLOI

Aucune aux doses préconisées.

EMPLOIS

• *Infusion (30 min) : 15 g de feuilles par litre d'eau. 2 à 3 tasses par jour avant les repas pour stimuler l'appétit. Prise après les repas, l'infusion aura plutôt un effet laxatif.*

MILLEPERTUIS COMMUN

Hypericum perforatum L.
Hypericaceae

Commun dans tout l'hémisphère Nord, le millepertuis croît dans les endroits secs et incultes, dans les haies et au bord des chemins.

BOTANIQUE

Plante herbacée vivace de 20 à 80 cm de haut, glabre, à tige rougeâtre anguleuse, dressée, rameuse. Les feuilles, vert foncé, opposées, sessiles, ovales-oblongues, bordées de noir, portent de petites poches translucides sécrétant de l'huile. Les fleurs, jaunes, sont groupées en panicules, au sommet de la tige ou des rameaux latéraux. Les fruits sont des capsules ovoïdes. La plante a une odeur balsamique et une saveur aromatique, amère et astringente.

PARTIES UTILISÉES

Les sommités fleuries, récoltées de juin à septembre, fraîches ou séchées à l'ombre, en bouquets.

COMPOSANTS

La plante renferme une huile essentielle (0,5 à 3 %), des tanins catéchiques, des flavonoïdes (rutoside, hypéroside...), des naphtodianthrones (hypéricine...), des triterpènes, des stérols, des composés phénoliques (hyperforine, adhyperforine...), de la pectine, de la choline, des saponines et des composés antibactériens (novoïmanine, imanine). Une xanthone a été isolée dans la racine.

PROPRIÉTÉS DÉMONTRÉES

Les effets astringents, cicatrisants et antiseptiques sont liés aux tanins et à l'huile essentielle, qui est également anti-inflammatoire. Les flavonoïdes sont spasmolytiques. L'hypéricine est laxative, photodynamisante et antivirale. L'hyperforine est bactéricide. Les effets antidépresseurs observés chez l'homme seraient à mettre au compte des xanthones.
L'activité antivirale a fait l'objet de beaucoup d'études, en particulier contre le VIH.

INDICATIONS USUELLES RECONNUES

Le millepertuis est indiqué localement comme adoucissant et antiprurigineux dans les affections dermatologiques (crevasses, écorchures, gerçures, piqûres d'insectes), les coups de soleil, les érythèmes fessiers, les affections de la cavité buccale et/ou de l'oropharynx.
En usage interne, il soulage les dystonies neurovégétatives ; il a des effets anti-inflammatoires, antispasmodiques et antidépresseurs.

PRÉCAUTIONS D'EMPLOI

Éviter l'exposition au soleil pendant le traitement, surtout par voie externe (risques de dermite). De trop fortes doses en usage interne provoqueraient convulsions et excitation. Ce risque est inexistant aux doses préconisées.

EMPLOIS

• *Infusion (10 min) : 15 g de sommités fleuries sèches par litre d'eau. 2 tasses par jour avant ou pendant les repas, dans les dystonies neurovégétatives. 1 tasse le soir contre l'énurésie et les terreurs nocturnes de l'enfant.*

• *Infusion en usage externe (10 min) : 100 g de sommités fleuries par litre d'eau, en compresse sur les brûlures, les plaies ; ou 50 g par litre d'eau pour laver les plaies.*

• *Huile de millepertuis : chauffer 2 h au bain-marie, en agitant, 100 g de sommités fleuries fraîches dans 100 g d'huile d'olive ; filtrer et laisser refroidir. En application sur plaies, brûlures, érythèmes ; en friction sur les articulations douloureuses.*

Herbe magique au Moyen Âge, surtout en Europe centrale, le millepertuis était réputé chasser les sorcières et préserver de la foudre et des mauvais esprits. Il fut longtemps considéré comme une panacée, mais ce sont surtout ses effets vulnéraires qui ont établi sa renommée. L'usage populaire en a fait le remède universel de tous les accidents externes (coupures, ulcères, luxations, lumbago...) ; on lui accordait également des effets sédatifs, diurétiques et vermifuges.

Encore appelé herbe de la Saint-Jean, herbe aux mille trous, herbe percée, herbe aux piqûres, chasse-diable.

MYRTILLE
Vaccinium myrtillus L.
Ericaceae

La myrtille se rencontre en Europe centrale et septentrionale et en Asie septentrionale. Les Amérindiens utilisaient plutôt le bleuet, Vaccinium angustifolium, en tisane, pour purifier le sang.

BOTANIQUE

Sous-arbrisseau glabre à tige dressée de 20 à 60 cm de haut, à rameaux verts anguleux, portant des feuilles alternes, caduques, ovales, aiguës et finement dentées. Les fleurs, en grelots, tendres et globuleuses, blanches ou rosées, sont solitaires ou par deux à l'aisselle des feuilles. Le fruit, alimentaire et médicinal, est une baie globuleuse, déprimée au sommet, noir bleuâtre à maturité, de saveur aigre-douce et légèrement astringente.

PARTIES UTILISÉES

Les fruits, récoltés de juin à septembre suivant les régions, sont utilisés à l'état frais pour l'extraction des anthocyanosides, mais aussi séchés : ils sont alors noirs, ridés, de saveur sucrée et astringente.

COMPOSANTS

Les fruits frais contiennent des acides-phénols, des flavonoïdes, des anthocyanosides et des dérivés catéchiques et épicatéchiques, des sucres, de la pectine, des vitamines (A et C).

PROPRIÉTÉS DÉMONTRÉES

Les propriétés vitaminiques P des anthocyanosides de la myrtille ont révélé une activité vasoprotectrice et anti-œdémateuse chez les animaux de laboratoire. Ces composés inhibent l'agrégation plaquettaire et améliorent la vision en lumière atténuée. En recherche clinique, chez l'homme, les résultats obtenus dans le traitement des troubles vasculaires sont encourageants.

INDICATIONS USUELLES RECONNUES

Les fruits frais et secs sont utilisés en usage externe et par voie orale contre les manifestations de l'insuffisance veineuse et les troubles circulatoires (jambes lourdes, hémorroïdes). Les fruits frais sont utilisés contre la fragilité capillaire cutanée (ecchymoses, pétéchies).

PRÉCAUTIONS D'EMPLOI

Aucune aux doses préconisées.

EMPLOIS

• *Décoction (10 min) : 20 g de fruits secs par litre d'eau. 4 à 6 tasses à thé par jour contre les troubles vasculaires (fragilité capillaire et hémorroïdes). Cette décoction peut aussi être utilisée localement, en compresse ou en lavement.*

• *Les fruits sont aussi administrés sous forme de gelée, de compote et de préparations galéniques contre les stomatites et les diarrhées.*

La myrtille ne poussant pas en Grèce, elle a probablement échappé aux observations des Anciens. Même les auteurs du Moyen Âge passent sous silence sa propriété essentielle : anti-diarrhéique. Celle-ci fut probablement découverte par la pratique populaire européenne, qui a sans doute joué un rôle dans l'utilisation de la plante en thérapeutique moderne. Au cours de la Seconde Guerre mondiale, la myrtille fut utilisée lors des missions de bombardement pour améliorer la vision nocturne.

Encore appelée airelle anguleuse, brimbelle, raisin des bois, myrtille noire, raisin de bruyère, aire.

NOISETIER COMMUN

Corylus avellana L.
Betulaceae

Très commun jusqu'à 1 500 m dans les jardins, les parcs et les bois, le noisetier commun se rencontre dans presque toute l'Europe, en Asie occidentale et centrale et en Afrique du Nord. Il est cultivé en Amérique du Nord.

EMPLOIS

• *Infusion (10 min) : 25 g de feuilles par litre d'eau. 1 tasse trois fois par jour comme veinotonique et dans le traitement des hémorroïdes. Cette infusion s'emploie aussi en bain de bouche et en gargarisme dans les affections de la cavité buccale et/ou de l'oropharynx.*

• *Décoction (15 min) : 30 g d'écorce par litre d'eau. 3 tassses, réparties dans la journée, comme fébrifuge.*

• *La même décoction s'emploie en usage externe : appliquer en compresse, lotion contre les ulcères variqueux, les plaies atones.*

BOTANIQUE

Arbuste touffu de 1 à 5 m de haut, à rameaux flexibles, à écorce lisse, luisante, gris clair. Les feuilles, alternes, velues lorsqu'elles sont jeunes, sont pétiolées, largement ovales, en cœur renversé à la base et rétrécies en pointe au sommet, à bords doublement dentés. Les fleurs s'épanouissent au printemps, avant l'apparition des feuilles ; les fleurs mâles, jaunâtres, sont groupées en chatons allongés, sessiles, pendants ; les groupes de fleurs femelles ressemblent à des bourgeons d'où sortent les styles rougeâtres. Les fruits (noisettes), isolés ou groupés, sont globuleux ou ovoïdes-allongés, de consistance ligneuse, entourés chacun d'un involucre foliacé.

PARTIES UTILISÉES

Les feuilles séchées et moins souvent l'écorce séchée.

COMPOSANTS

Les feuilles contiennent notamment des tanins catéchiques, des flavonoïdes (myricitroside...), des proanthocyanidols, de la vitamine C.

PROPRIÉTÉS DÉMONTRÉES

Des effets anti-inflammatoires, antiœdémateux et veinotoniques ont été démontrés expérimentalement, ainsi que des propriétés cicatrisantes. Les effets antihémorragiques sont liés à la présence des flavonoïdes.

INDICATIONS USUELLES RECONNUES

Le noisetier est indiqué dans les troubles de la circulation veineuse périphérique (jambes lourdes), la symptomatologie hémorroïdaire (usages interne et externe) ; on préconise aussi l'écorce par voie orale comme fébrifuge et dans les cas de diarrhées légères. Anti-inflammatoire et antiœdémateux, il est indiqué localement dans les affections de la cavité buccale et/ou de l'oropharynx.

PRÉCAUTIONS D'EMPLOI

Aucune aux doses préconisées.

Connue depuis la préhistoire, la noisette était utilisée par la médecine arabe contre la toux et les affections intestinales. Sainte Hildegarde recommandait les chatons contre la scrofulose, les amandes contre l'impuissance. Au XVIIe siècle, Lusitanus conseillait les noisettes contre les lithiases et les coliques néphrétiques. La médecine populaire utilisait l'écorce de racine contre les fièvres intermittentes, comme cicatrisant et hémostatique ; les chatons et leur pollen servaient contre la grippe, les pneumonies, la diarrhée et l'épilepsie. Les Amérindiens employaient l'écorce de *Corylus americana* en tisane et en compresse. De nos jours, le noisetier constitue un succédané de l'hamamélis et de l'hydrastis. La noisette est alimentaire et oléagineuse, tandis que l'huile de noisetier remplace parfois l'huile d'amande en cosmétologie et en dermatologie.

Encore appelé coudrier, avelinier.

NOYER ROYAL

Juglans regia L.
Juglandaceae

BOTANIQUE

Grand arbre à écorce lisse, gris argenté, à feuilles composées de 5 à 9 folioles ovales lancéolées. Les fleurs mâles sont des chatons pendants, les fleurs femelles sont groupées par 2 à 4 en épis courts. Le fruit est une grosse drupe constituée d'une enveloppe verte et molle, devenant noire (le brou) et entourant la noix, ligneuse et dure, à 2 valves, contenant la graine.

PARTIES UTILISÉES

Les feuilles, récoltées en juin-juillet et séchées.

COMPOSANTS

Les feuilles contiennent surtout des tanins, mais aussi des dérivés naphtoquinoniques (l'hydrojuglone, qui donnera la juglone), des flavonoïdes, de l'inositol, un peu d'huile essentielle contenant de l'eugénol, et de la vitamine C.

PROPRIÉTÉS DÉMONTRÉES

Les feuilles, aux propriétés astringentes, ont une activité tonique, antidiarrhéique et antileucorrhéique (tanins et dérivés naphtoquinoniques). Elles ont une action antiseptique, fongicide, kératinisante et analgésique (juglone).

INDICATIONS USUELLES RECONNUES

Les indications des feuilles concernent surtout la dermatologie (impétigo, eczéma, pyodermites, engelures, dartres, ulcérations de la peau, plaies fistuleuses, abcès, prurit, petites brûlures superficielles, coups de soleil, chute de cheveux, démangeaisons et pellicules du cuir chevelu). En usage externe, elles sont aussi utilisées dans le traitement des apthes, abcès buccaux, amygdalites, hémorroïdes, jambes lourdes, leucorrhées et vaginites. Par voie interne, on les utilise comme antidiarrhéique, dépuratif et adjuvant dans le traitement de certains diabètes. En cosmétologie, les feuilles de noyer (et le brou) sont utilisées comme colorant et stimulant capillaires.

PRÉCAUTIONS D'EMPLOI

Aucune aux doses préconisées.

Dès l'Antiquité, l'usage du noyer en thérapeutique est mentionné dans les traités médicaux, en particulier chez les Perses, qui auraient introduit en Grèce les variétés cultivées aujourd'hui. Au cours de l'histoire, cet arbre a aussi joué un rôle important dans l'économie : l'amande et l'huile servaient dans l'alimentation, le bois en ébénisterie et dans la fabrication des crosses de fusil, le brou de noix en teinturerie. Ces usages sont encore courants aujourd'hui. En Amérique du Nord, l'extrait de l'écorce du noyer cendré, *Juglans cinerea*, était utilisé pour soigner divers maux, tandis que le noyer royal y est maintenant cultivé pour ses noix comestibles (noix de Grenoble).

Des variétés améliorées de noyer originaires de l'Asie Mineure se rencontrent aujourd'hui un peu partout dans les régions tempérées.

EMPLOIS

• *Infusion (10 min) : 10 g de feuilles sèches par litre d'eau. 3 à 5 tasses par jour, comme hypoglycémiant, dépuratif et antidiarrhéique.*

• *Décoction légère (10 min) : 15 à 30 g de feuilles fraîches par litre d'eau. 3 à 5 tasses par jour, dans les mêmes indications que l'infusion.*

• *Décoction concentrée en usage externe (10 min) : 50 à 100 g de feuilles sèches par litre d'eau. En gargarisme (aphtes, abcès buccaux, amygdalites) ; en lavements vaginal et anal ; en lotion pour toutes les indications de dermatologie.*

• *Cataplasme de feuilles fraîches hachées : en topique sur les hémorroïdes externes, et sur les seins pour arrêter la sécrétion lactée.*

OLIVIER
Olea europaea L.
Oleaceae

BOTANIQUE

Arbre de 4 à 10 m de haut, à tronc tortueux, rameux, à feuilles opposées, entières, lancéolées, coriaces, révolutées sur les marges, vert grisâtre dessus et blanchâtres dessous. Les fleurs, blanches, petites, apparaissent en grappes, d'avril à juin, à l'aisselle des feuilles. Le fruit est une drupe ovoïde, d'abord verte puis rougeâtre et enfin noire.

PARTIES UTILISÉES

Les feuilles, fraîches ou séchées en couche mince.

COMPOSANTS

La feuille contient des séco-iridoïdes, des flavonoïdes, des tanins, de la choline, du mannitol, des sucres, des acides-alcools et des acides triterpéniques, des hydrocarbures, des alcools proches des phytostérols, du carotène, des traces d'huile essentielle, des acides gras, une résine. On a trouvé dans la feuille plusieurs alcaloïdes du quinquina.

PROPRIÉTÉS DÉMONTRÉES

On reconnaît à la feuille d'olivier des propriétés hypotensives légères dues à un séco-iridoïde qui exercerait de plus une action coronarodilatatrice et spasmolytique. Des propriétés diurétiques et hypoglycémiantes ont été également reconnues expérimentalement et cliniquement.

INDICATIONS USUELLES RECONNUES

Les feuilles d'olivier sont indiquées dans les hypertensions légères, l'artériosclérose et dans tous les cas où il faut augmenter la diurèse et les fonctions d'élimination rénale et digestive : oligurie, rétention d'eau. Elles peuvent également être utilisées comme adjuvant dans le traitement de certains diabètes et dans les fièvres.

PRÉCAUTIONS D'EMPLOI

Aucune aux doses préconisées.

EMPLOIS

• *Infusion ou décoction : 40 g de feuilles fraîches (de préférence) ou 20 g de feuilles sèches par litre d'eau. 2 à 3 tasses par jour dans l'hypertension, l'artériosclérose, l'oligurie, certains diabètes et fièvres.*

• *Vin de feuilles d'olivier : faire macérer (3 jours) 100 g de feuilles fraîches dans 1 litre de vin ; passer en exprimant. 1 petit verre à liqueur deux fois par jour contre l'hypertension et comme diurétique.*

Depuis des milliers d'années, l'olivier a joué un rôle économique et social de premier plan : source d'alimentation et d'éclairage, il était présent et honoré partout autour de la Méditerranée. Des formes améliorées sont cultivées depuis cinq mille ans au Proche-Orient. Égyptiens, Sumériens, Hébreux, Grecs et Arabes mentionnent l'olivier et ses productions dans leurs écrits. En Palestine, le rameau d'olivier est le symbole de la paix. À Rome, on se servait de l'huile d'olive, en onctions sur tout le corps, à la sortie des thermes et avant les compétitions sportives, pour fortifier l'organisme. C'est aux Phocéens qu'on attribue l'implantation de l'olivier en Gaule, vers 600 avant J.-C.

Cultivé surtout pour ses fruits et pour la production de l'huile d'olive, l'olivier est répandu dans tout le bassin méditerranéen, où l'on rencontre aussi sa forme sauvage (l'oléastre), à petits fruits. L'olivier, qui peut vivre plusieurs siècles, s'adapte bien à des sols pauvres et peu arrosés.

ORANGER AMER

Citrus aurantium L. *var. amara* Link
Rutaceae

BOTANIQUE

Arbre de 4 à 5 m de haut, pourvu d'épines longues et acérées, portant à l'aisselle des feuilles coriaces, brillantes, et des fleurs blanches au parfum suave, qui donneront des fruits amers et petits. Les feuilles de l'oranger amer se reconnaissent à leur pétiole ailé atteignant 1 cm de large.

PARTIES UTILISÉES

Les feuilles, les fleurs et l'écorce des fruits, riches en huiles essentielles. Les feuilles sont récoltées de préférence sur l'arbre pendant la période de pleine végétation, puis rapidement séchées à l'ombre. Les fleurs fraîches, récoltées en boutons avant leur épanouissement le matin après la rosée, servent à la fabrication de l'eau distillée de fleur d'oranger. L'écorce des fruits, ou zeste, obtenue à partir des fruits verts, se présente sous forme de rubans.

COMPOSANTS

Les parties médicinales renferment chacune une huile essentielle différente : celle des feuilles, dite de petit grain, est riche en limonène, en linalol et en nérol ; celle des fleurs, dite de Néroli Bigarade, doit son parfum à l'anthranilate de méthyle ; celle de l'écorce des fruits, dite de Curaçao, est surtout composée de limonène. Les hétérosides flavoniques de l'écorce des fruits lui confèrent des propriétés veinotoniques de type vitaminique P.

PROPRIÉTÉS DÉMONTRÉES

Les citroflavonoïdes augmentent la résistance capillaire ; ils sont industriellement extraits de diverses espèces de *Citrus* pour la fabrication de médicaments veinotoniques.

INDICATIONS USUELLES RECONNUES

Feuilles et fleurs sont indiquées dans les insomnies et les états de nervosité de l'adulte et de l'enfant, les zestes pour stimuler l'appétit et faciliter la prise de poids.

PRÉCAUTIONS D'EMPLOI

Aucune aux doses préconisées.

En médecine arabe classique, les fleurs servent à préparer une huile carminative, alors que les écorces de fruit arrêtent les coliques. En Occident, les feuilles sont réputées antispasmodiques, stomachiques et sédatives, et préconisées contre les toux spasmodiques, le hoquet et les palpitations.
Les fleurs servent à la fabrication de l'eau distillée de fleur d'oranger, aux propriétés aromatisantes et antispasmodiques légères ; elles favorisent le sommeil. Les zestes donnent après macération des teintures amères, stomachiques, toniques et rafraîchissantes, indiquées pour stimuler les organes digestifs. Beaucoup d'apéritifs et de liqueurs en contiennent.

L'oranger amer, ou bigaradier, originaire de Chine, s'est propagé en Inde puis en Asie Mineure. Introduit en Europe par les Arabes, il est aujourd'hui largement cultivé dans plusieurs régions tropicales et subtropicales à travers le monde.

EMPLOIS

• *Infusion (15 min) : 10 g de fleurs ou 20 g de feuilles par litre d'eau. 1 tasse deux fois par jour comme sédatif contre l'insomnie. Demi-dose chez l'enfant.*

• *Eau distillée de fleur d'oranger : 1 cuillerée à soupe dans du lait pour les mêmes indications, chez l'adulte et chez l'enfant.*

• *Décoction (15 min) : 60 g d'écorce d'orange par litre d'eau ; demi-dose chez l'enfant. 1 tasse 5 min avant les trois repas pour stimuler l'appétit.*

ORIGAN

Origanum vulgare L.
Lamiaceae

BOTANIQUE

Plante vivace de 30 à 80 cm de haut, à tige dressée, d'un vert souvent teinté de rouge, plus ou moins velue. Ses feuilles sont opposées, pétiolées, ovales, pointues à l'extrémité, vertes sur les deux faces. Les fleurs sont nombreuses, disposées en glomérules terminaux très denses, entourées de bractées ovales imbriquées, pourpre violacé. Le fruit est un tétrakène ovoïde et lisse.

PARTIES UTILISÉES

Les sommités fleuries, récoltées en pleine floraison, séchées en bouquets.

COMPOSANTS

Le composant principal de l'origan est une huile essentielle (0,15 à 0,40 % de la drogue sèche), riche en thymol et/ou carvacrol. On a aussi signalé la présence d'acidesphénols (caféique, chlorogénique, rosmarinique), de flavonoïdes dérivés de l'apigénol, de lutéolol, de kaempférol, de diosmétine et d'un glucoside antioxydant.

PROPRIÉTÉS DÉMONTRÉES

Les propriétés antispasmodiques, antibactériennes et antifongiques du thymol et du carvacrol ont été démontrées. Elles sont mises à profit dans les affections pulmonaires et digestives.

INDICATIONS USUELLES RECONNUES

Les sommités fleuries sont indiquées en usage local comme traitement d'appoint adoucissant et pour calmer les démangeaisons de la peau (crevasses, écorchures, gerçures, piqûres d'insectes), ainsi que pour soulager le nez bouché, le rhume, les maux de gorge et enrouements passagers. En usage interne, on les utilise pour faciliter la digestion et au cours des affections bronchiques aiguës bénignes.

PRÉCAUTIONS D'EMPLOI

Aucune aux doses préconisées. Il faut éviter l'usage de l'huile essentielle, qui, à fortes doses, est neurotoxique et peut provoquer des convulsions.

Plante commune de toute l'Europe tempérée et d'Asie, l'origan aime les terrains rocailleux et les prés ensoleillés. Son nom évoque son habitat, oros signifiant montagne en grec. Ses fleurs fournissent aux abeilles un nectar abondant et parfumé.

EMPLOIS

• *Infusion (10 min) : 10 à 20 g de sommités fleuries par litre d'eau. 3 tasses par jour, avant ou après les repas, comme antispasmodique.*

• *Même infusion en usage externe : en bain de bouche contre les affections de la gorge .*

L'origan a souvent été confondu avec la marjolaine vraie, *Origanum majorana*, originaire du nord de l'Afrique et d'Asie. Par ailleurs, l'espèce dont parlent Hippocrate et Dioscoride n'est pas l'origan qui nous est familier, mais une espèce voisine à fleurs blanches, commune au Proche-Orient. C'est donc entouré d'un certain flou scientifique que l'origan est parvenu jusqu'à nous à travers l'histoire des simples. Ses propriétés médicinales sont néanmoins indiscutables. L'infusion d'origan est utilisée comme stomachique et antispasmodique ; on lui reconnaît aussi un effet cicatrisant et des propriétés expectorantes.

Encore appelé marjolaine sauvage, marjolaine bâtarde, marjolaine vivace, marjolaine d'Angleterre, grande marjolaine, pied-de-lit, thym de berger, origan commun, pelevoué, thé rouge.

ORTHOSIPHON

Orthosiphon stamineus Benth.
Lamiaceae

BOTANIQUE

Herbe vivace à port dressé, de 30 à 60 cm de haut. Les feuilles, en forme de losange, trois fois plus longues que larges, vert foncé dessus et plus clair dessous, et à pétiole violet, sont opposées sur une tige à section carrée. Les fleurs, formées d'une corolle en 2 lèvres bleu pâle ou blanches et disposées en verticilles à l'extrémité des rameaux, portent de longues étamines à filet bleu caractéristiques, les moustaches-de-chat.

PARTIES UTILISÉES

Les tiges feuillées, récoltées au début de la floraison et séchées à l'abri de la lumière. L'Indonésie fournit une grande partie de la production.

COMPOSANTS

Les feuilles sont riches en sels minéraux, en particulier sels de potassium (3 %), et renferment aussi des acides-alcools (acides citrique, lactique, glycolique, malique), des flavonoïdes, des dérivés terpéniques, des diterpènes (orthosiphols). Une huile essentielle en faible quantité (0,05 %) contient des composés phénoliques, en particulier des acides rosmarinique et dicaféyltartrique.

PROPRIÉTÉS DÉMONTRÉES

Des extraits aqueux d'orthosiphon stimulent la diurèse et l'excrétion du sodium chez le rat ; ces mêmes extraits ont des propriétés bactériostatiques et antifongiques. L'orthosiphon favorise l'élimination urinaire des chlorures, de l'urée et de l'acide urique. On connaît aussi l'action antioxydante, bactériostatique et anti-inflammatoire de l'acide rosmarinique.

INDICATIONS USUELLES RECONNUES

L'orthosiphon est réputé favoriser les fonctions d'élimination rénale et digestive. Il est utilisé comme diurétique et dans le traitement des cystites et des lithiases urinaires. Il est également proposé contre la goutte.

PRÉCAUTIONS D'EMPLOI

Aucune aux doses préconisées. Prudence pour les insuffisants cardiaques et rénaux : la plante leur est déconseillée s'ils éliminent mal le potassium (hyperkaliémie).

L'orthosiphon est traditionnellement recommandé contre les affections rénales et vésicales en Inde et en Indonésie, où il est populaire ; son usage fut introduit en Occident par les Hollandais à la fin du XIXᵉ siècle. Il fut proposé comme dépuratif et dans le traitement de certaines lithiases, des infections rénales, de l'ascite et de l'eczéma ; il fut également recommandé dans l'hyperglycémie.

Encore appelé thé de Java, barbiflora, moustaches-de-chat.

Spontané dans le Sud-Est asiatique et dans le nord-est de l'Australie, l'orthosiphon a été introduit en Guyane et en Amérique centrale.

> ## EMPLOIS
>
> • *Infusion (10 min) : 10 g de plante sèche par litre d'eau. 2 tasses au cours de la journée pendant 10 jours comme diurétique.*

ORTIE DIOÏQUE

Urtica dioica L.
Urticaceae

BOTANIQUE

Plante vivace à tige dressée de 70 à 90 cm de haut, quadrangulaire, à feuilles fortement dentées dont les poils sont très urticants. Les petites fleurs, verdâtres, sont réunies en grappes à l'aisselle des feuilles. Les parties souterraines sont ramifiées et jaunes.

PARTIES UTILISÉES

Les parties aériennes feuillées, récoltées au cours de la floraison (juin-septembre), et les parties souterraines, récoltées à l'automne ou au printemps.

COMPOSANTS

L'ortie est riche en chlorophylle, vitamines (A, C, E), acides organiques, fer, soufre, magnésium, silicium, nitrates de potassium et de calcium. Les poils contiennent acide formique, acétylcholine, histamine et sérotonine, qui expliquent les effets irritants de la plante. À signaler, dans la racine, polysaccharides et dérivés stéroliques.

PROPRIÉTÉS DÉMONTRÉES

Des expérimentations sur l'animal ont montré que des extraits de racine permettaient de réduire de façon significative le volume de la prostate. Des fractions polysaccharidiques d'un extrait aqueux de racine ont montré une activité anti-inflammatoire. Les feuilles ont une action diurétique. Une activité hypotensive rapide et brève a été montrée chez l'animal en laboratoire.

INDICATIONS USUELLES RECONNUES

Employée jadis comme révulsif, l'ortie était également appréciée contre les diarrhées, les hémorragies et les dermatoses, et pour son action stimulante sur les voies digestives. On l'emploie pour ses propriétés diurétiques, antirhumatismales et contre la goutte. La racine s'utilise dans les troubles de la miction d'origine prostatique. L'usage externe des feuilles est limité aux cas d'acné modérée et de douleurs articulaires.

PRÉCAUTIONS D'EMPLOI

Aucune aux doses préconisées. Mais le contact de la plante fraîche avec la peau peut provoquer des irritations désagréables, et une ingestion répétée de tisane est contre-indiquée en cas d'insuffisance rénale.

L'ortie était autrefois magique, souveraine pour vaincre la peur ou attraper les poissons à la main... Dioscoride lui trouvait des vertus aphrodisiaques après macération des graines dans du vin additionné de raisins secs. On la consomme encore aujourd'hui dans certaines campagnes à la manière des épinards.

Encore appelée ortie méchante, ortie commune, grande ortie.

Plante cosmopolite, l'ortie est très commune dans les régions de l'hémisphère Nord. Elle se plaît sur des terrains riches en nitrates et affectionne les lieux incultes, les décombres et le voisinage des habitations.

EMPLOIS

• *Infusion (15 min) : 10 g de parties aériennes par litre d'eau. 3 tasses par jour 30 min avant les repas, comme diurétique.*

• *Décoction (5 min) suivie d'infusion (10 min) : 30 g de racines par litre d'eau. 3 tasses par jour entre les repas, en cas de troubles prostatiques.*

• *Infusion en usage externe (15 min) : 20 g de parties aériennes par litre d'eau. En friction ou en compresse (5 à 10 min suivant la réaction de la peau), deux ou trois fois par jour en cas d'acné ou de douleurs articulaires.*

PASSIFLORE OFFICINALE

Passiflora incarnata L.
Passifloraceae

BOTANIQUE

La fleur de *Passiflora incarnata* a une architecture très originale, avec son calice cupuliforme, sa corolle de pétales blancs entrelacés de filaments pourpres et ses étamines à anthères orangées ; ses grandes fleurs solitaires sont portées par une tige ligneuse grimpante munie de vrilles qui lui permettent de se fixer et d'atteindre une dizaine de mètres de longueur. Le fruit est une baie ovoïde, jaune, qui renferme des graines noires.

PARTIES UTILISÉES

Les parties aériennes sèches, avec fleurs ou fruits.

COMPOSANTS

La plante renferme des alcaloïdes dérivés de l'harmane, en faible concentration, et des flavonoïdes (vitexine, orientine ou saponarine). Une pyrone, le maltol, est aussi présente en faible quantité. C'est au moment où la teneur en flavonoïdes est le plus élevée, à la floraison, qu'il est recommandé de la récolter.

PROPRIÉTÉS DÉMONTRÉES

Des effets sédatifs, anxiolytiques et inducteurs du sommeil ont été mis en évidence chez l'animal, ainsi que des actions antispasmodiques. L'activité pharmacologique découle probablement d'une interaction entre plusieurs molécules. En infusion, l'effet sédatif domine.

INDICATIONS USUELLES RECONNUES

La passiflore officinale est indiquée dans les troubles mineurs du sommeil, la nervosité et l'anxiété chez l'adulte et l'enfant ; on la recommande aussi dans l'éréthisme cardiaque de l'adulte (tachycardie avec un cœur sain).

PRÉCAUTIONS D'EMPLOI

Aucune aux doses préconisées. Les doses très élevées peuvent engendrer des céphalées.

En découvrant une passiflore à fruits comestibles *(Passiflora caerulea)*, les conquérants espagnols virent dans ses fleurs les instruments de la Passion du Christ : la crucifixion avec les cinq étamines en forme de marteau, les filaments de la corolle évoquant la couronne d'épines, et les stigmates disposés en croix. Les Amérindiens utilisaient ses racines en cataplasme pour soigner les coupures, maux d'oreilles et inflammations. On utilisa la plante aux États-Unis à la fin du XIXe siècle dans le traitement de l'insomnie, de l'hystérie, de la neurasthénie et de l'épilepsie, sous forme de teinture mère. Elle sert aujourd'hui en homéopathie dans le traitement de l'insomnie.

Encore appelée fleur de la passion, grenadille.

EMPLOIS

• *Infusion ou décoction (10 min) suivie d'une macération (20 min) : 20 g de parties aériennes par litre d'eau. 1 tasse aux trois repas contre la nervosité ou l'anxiété ; 1 tasse après le repas du soir et au coucher contre les troubles du sommeil. Demi-dose chez l'enfant.*

• *En cas d'éréthisme cardiaque de l'adulte, 3 à 4 tasses par jour.*

Originaire du Brésil et du sud des États-Unis, la passiflore officinale possède également des fruits comestibles, jaunes en forme d'œuf.

PENSÉE DES CHAMPS

Viola arvensis Murray
Violaceae

BOTANIQUE

Petite plante herbacée annuelle ou bisannuelle, de 10 à 40 cm de haut, à tige dressée, à feuilles ovales, pointues, parfois crénelées. Ses fleurs ont 5 pétales dressés, panachés de blanc, de jaune et de violet. L'odeur de la plante est légère, sa saveur salée et amère.

PARTIES UTILISÉES

Les parties aériennes fleuries, récoltées au petit matin de juin à septembre, séchées dans un endroit frais, à l'abri de la lumière. À conserver dans des bocaux en verre afin d'éviter l'altération de cette délicate espèce.

COMPOSANTS

Les parties aériennes de la pensée sauvage contiennent des saponosides, une quantité importante de sucre sous forme de mucilage (10 %), des acides-phénols, des pigments du groupe des flavonoïdes (violanthine, orientine) et des anthocyanes (violanine). Des dérivés salicylés, en faible quantité, ont également été mis en évidence.

PROPRIÉTÉS DÉMONTRÉES

La bibliographie scientifique ne fait pas mention de l'activité pharmacologique de cette plante. Des auteurs allemands soulignent toutefois les succès obtenus dans l'emploi de la pensée pour soigner les affections cutanées.

INDICATIONS USUELLES RECONNUES

La tradition populaire reconnaît à cette espèce de nombreuses vertus. Elle est considérée comme laxative, dépurative, fébrifuge, émétique, cicatrisante et antispasmodique. Aujourd'hui, on réserve son utilisation aux affections de la peau, en particulier chez le nourrisson et l'enfant (eczéma du nourrisson, croûtes de lait, dermatoses infantiles), ainsi qu'aux toux bénignes.

PRÉCAUTIONS D'EMPLOI

Aucune aux doses préconisées. Éviter l'utilisation des racines, qui peuvent être vomitives.

Plante des champs, des vignes et des terrains vagues, la pensée des champs est originaire de l'Europe tempérée et a été introduite en Amérique du Nord. Cette espèce est à l'origine de nombreuses variétés qui ornent nos jardins.

C'est au XVIe siècle que cette fleur, en devenant symbole du souvenir, prit le nom de pensée. À la même époque, on lui reconnut la vertu de soigner les maladies de peau (dartres, eczéma, herpès). Mais les Amérindiens faisaient déjà semblable usage de la violette du Canada, *Viola canadensis*. En Europe, Matthiole rapporte son action bienfaisante sur les « inflammations des poumons ». Aux XVIIIe et XIXe siècles, de grands médecins l'employèrent essentiellement contre les dermatoses. La plante exige toutefois une grande patience, et il ne faut pas en attendre de résultats avant quinze jours de traitement.

Encore appelée pensée sauvage, petite pensée, violette tricolore, violette sauvage, petite jacée, herbe de la Trinité.

EMPLOIS

• *Infusion (10 min) : 15 g de plante par litre d'eau. 3 à 4 tasses par jour, en dehors des repas, en cas de toux bénignes, de dermatoses étendues ; pour les enfants, mélanger à du lait très sucré.*

• *Même infusion en usage externe : appliquer en compresses sur les zones cutanées à soigner.*

PERSIL

Petroselinum crispum (Mill.) A.W. Hill
Apiaceae

BOTANIQUE

Plante herbacée bisannuelle. La forme la plus cultivée a une racine pivotante, des feuilles deux ou trois fois divisées en segments dentés plats (var. *neapolitanum*) ou frisées (var. *crispum*). Les fleurs, vert jaunâtre, groupées en ombelles, donnent des fruits côtelés.

PARTIES UTILISÉES

Les fruits, les racines de la première année, les parties aériennes fraîches, récoltées de préférence sur la variété à feuilles plates (var. *neapolitanum*).

COMPOSANTS

Les fruits contiennent 2,5 à 5 % d'une huile essentielle à apiol ou à myristicine. On trouve également des flavonoïdes, dont l'apiine, des lipides (20 %), des protides, des furo-coumarines. Les feuilles et les tiges contiennent aussi un peu d'huile essentielle (0,3 %), de l'apiine, des furo-coumarines, une assez bonne proportion de vitamines A et C. La racine contient 0,05 à 0,08 % de la même huile essentielle, de l'apiine, du mucilage, des sucres, des substances minérales (5 %).

PROPRIÉTÉS DÉMONTRÉES

L'expérimentation sur l'animal a montré que l'apiol développait une activité spasmolytique, vasodilatatrice et emménagogue. La myristicine a seulement une activité vasodilatatrice. L'activité diurétique est apportée par l'apiine. Les furo-coumarines sont photosensibilisantes.

INDICATIONS USUELLES RECONNUES

Le persil est principalement indiqué, par voie orale, dans les règles douloureuses, et comme diurétique (oliguries). On l'emploie aussi comme stimulant dans les asthénies et les convalescences. En usage local, la plante fraîche (parties aériennes) intervient dans le traitement des engorgements mammaires et lymphatiques, des contusions et ecchymoses, des piqûres d'insectes.

PRÉCAUTIONS D'EMPLOI

Respecter les doses préconisées, car le persil, non dénué de toxicité, peut provoquer maux de tête, ivresse et convulsions. Photosensibilisant par ses furo-coumarines, il peut provoquer des dermatites chez certains sujets sensibles.

Le persil est utilisé depuis l'Antiquité. Les médecins grecs et arabes le mentionnent dans leurs traités pour ses propriétés diurétiques et emménagogues. En Occident, il fut d'abord cultivé comme plante médicinale. Son usage comme condiment commença à se répandre au XVe siècle.

Encore appelé persion, jauvert.

EMPLOIS

• *Suc frais de plante : 100 à 150 g par jour. 2 à 3 prises, comme diurétique dans les oliguries, rétentions d'eau, fièvres, comme stimulant dans les asthénies et comme emménagogue.*

• *Décoction (5 min, laisser infuser 15 min) : 15 à 60 g de racines fraîches (de préférence) par litre d'eau, ou 10 à 30 g de racines sèches. 4 tasses par jour comme diurétique.*

• *Infusion (10 min) : 20 g de feuilles fraîches par 500 ml d'eau. Boire 500 ml dans la journée en cas de spasmes utérins.*

• *Cataplasme de plante fraîche. Comme résolutif en application sur les engorgements mammaires et lymphatiques, contusions et ecchymoses, piqûres d'insectes.*

Cosmopolite, le persil existe sous plusieurs formes horticoles : persil tubéreux, persil frisé, persil de Naples. C'est l'un des aromates les plus populaires dans nos jardins.

PEUPLIER NOIR

Populus nigra L.
Salicaceae

BOTANIQUE

Arbre dioïque de 20 à 30 m de haut, à rameaux étalés, terminés par des bourgeons végétatifs brun clair, à écailles visqueuses, glabres, à odeur balsamique et à saveur amère. Les feuilles, triangulaires, plus claires dessous, sont alternes, pétiolées, luisantes et finement crénelées. Les fleurs sont groupées en chatons dioïques et pendants – les femelles verdâtres, les mâles à étamines rouges – recouverts d'écailles brunes avant la floraison (bourgeons floraux). Les fruits sont des capsules.

PARTIES UTILISÉES

Les bourgeons, récoltés avant l'éclosion (mars-avril), et les feuilles, séchés au soleil ou dans un endroit aéré. L'écorce des rameaux de deux à trois ans, séchée.

COMPOSANTS

Les bourgeons contiennent une huile essentielle (0,5 à 0,7 %), des tanins, des flavonoïdes, des acides-phénols (acide caféique), des glycosides du type salicoside libérant par hydrolyse leurs génines (saligénine, benzoylsaligénine), qui seront transformées dans le foie en acide salicylique à activité anti-inflammatoire, analgésique et fébrifuge. Hormis l'huile essentielle, l'écorce contient la plupart de ces composants en quantité non négligeable.

Commun en Europe , en Afrique du Nord et en Asie tempérée, le peuplier noir affectionne les terrains humides.

PROPRIÉTÉS DÉMONTRÉES

L'huile essentielle est antiseptique et fluidifiante. Les dérivés flavoniques et les glycosides phénoliques sont diurétiques et favorisent l'élimination de l'acide urique. Les dérivés phénoliques sont fongicides. Les tanins sont astringents et toniques. Des effets cicatrisants et anesthésiques locaux sont rapportés.

INDICATIONS USUELLES RECONNUES

Les bourgeons sont utilisés localement dans les affections dermatologiques (crevasses, écorchure, gerçures, piqûres d'insectes), en usages local et interne dans les affections bronchiques aiguës bénignes, et comme diurétique favorisant l'élimination de l'acide urique. L'écorce pulvérisée s'emploie comme fébrifuge. Réduite en charbon, elle est utile contre les ballonnements et les diarrhées.

PRÉCAUTIONS D'EMPLOI

Aucune aux doses préconisées.

Décrit par Homère dans *l'Iliade*, le peuplier est utilisé depuis l'Antiquité pour calmer les douleurs liées à la goutte et contre les inflammations stomacales et intestinales. Il était autrefois employé dans le traitement de la tuberculose, ainsi que des hémorroïdes sous la forme d'une pommade nommée « onguent populeum ». Les habitants des bords du Pô pensaient que la résine sortant des fentes de son écorce était de l'ambre. L'usage populaire en a fait un remède de nombreuses affections fébriles, infectieuses et rhumatismales, et de maladies de la peau.

Encore appelé liard, liardier, peuplier commun, peuplier franc.

EMPLOIS

• *Infusion (15 min) : 20 g de bourgeons par litre d'eau. 1 tasse avant chaque repas et 1 dans l'après-midi en cas d'affections bronchiques, ou 15 g de feuilles par litre d'eau comme diurétique (goutte).*

• *Décoction (10 min) : 40 g d'écorce par litre d'eau. 2 tasses par jour, avant les repas, contre la fièvre et dans le traitement de la goutte.*

• *Onguent chaud : faire bouillir 2 h à feu doux 100 g de bourgeons dans 300 ml d'eau ; ajouter 150 ml d'huile de table et 50 g de cire vierge ; laisser à feu doux jusqu'à évaporation puis filtrer à chaud. Conserver en boîte hermétiquement close. En application locale en cas d'affections dermatologiques ou bronchiques.*

PIED-DE-CHAT

Antennaria dioica (L.) Gaertn.
Asteraceae

BOTANIQUE

Plante herbacée de 5 à 25 cm de haut, vivace et dioïque, à feuilles basales en rosette, spatulées, vert blanchâtre dessus, blanc laineux dessous. Les tiges florifères sont blanches et duveteuses, à feuilles alternes et linéaires ; elles sont terminées par de petits capitules de fleurs en corymbe terminal très dense, à bractées brillantes, blanches et arrondies (capitules mâles) ou roses et dressées (capitules femelles). Les fruits sont des akènes lisses à aigrette soyeuse.

PARTIES UTILISÉES

Les capitules femelles, récoltés en début de floraison (juin-juillet), séchés rapidement, à l'ombre et dans un lieu bien aéré.

COMPOSANTS

On a identifié dans la composition chimique de la drogue des flavonoïdes, des tanins et un mucilage.

PROPRIÉTÉS DÉMONTRÉES

C'est à son mucilage que la plante doit ses propriétés émollientes et antitussives. On a rapporté des effets cholagogues des capitules frais, que l'on attribue aux flavonoïdes. Enfin, la plante possède des effets immunostimulants, sans que l'on sache vraiment à quels composants les attribuer, ainsi qu'une activité antiulcéreuse.

INDICATIONS USUELLES RECONNUES

Le pied-de-chat est indiqué dans le traitement des toux bénignes occasionnelles. Localement, il est utilisé dans les affections de la cavité buccale et/ou de l'oropharynx.

PRÉCAUTIONS D'EMPLOI

Aucune aux doses préconisées.

EMPLOIS

• *Infusion (10 min) : 15 à 20 g de capitules femelles par litre d'eau. 3 tasses par jour, après les repas et au coucher, contre la toux.*

• *L'infusion en usage externe peut servir à des bains de bouche et à des gargarismes.*

Commun en altitude (jusqu'à 2 800 m) dans toute l'Europe centrale et occidentale, dans le nord de l'Asie et de l'Amérique, le pied-de-chat se rencontre dans les prés secs, les pâturages, les landes à bruyères, les bois clairs, et sur les pentes ensoleillées.

Le pied-de-chat doit son nom aux doux coussinets formés par ses capitules floraux. Il était par ailleurs utilisé contre les maladies de poitrine, la phtisie, la coqueluche, la dysenterie. La médecine populaire recommande les capitules comme adoucissant, astringent, fortifiant, cholagogue et vulnéraire. Le pied-de-chat entre dans la composition des espèces pectorales et dans celle des espèces vulnéraires.

Encore appelé patte-de-chat, piéchatier, œil-de-chien, hispidule, immortelle dioïque, gnaphale, gnaphale dioïque, cotonnière immortelle, petite piloselle, piloselle blanche, herbe blanche.

PILOSELLE ou
ÉPERVIÈRE PILOSELLE

Hieracium pilosella L.
Asteraceae

Familière des prairies ou des sols sablonneux et secs, l'épervière piloselle est répandue dans toute l'Europe, en Afrique du Nord, dans l'ouest de l'Asie et en Amérique du Nord où elle a été introduite.

BOTANIQUE

Petite plante herbacée vivace, de 10 à 15 cm de haut. Les feuilles, ovales et allongées, forment des rosettes et portent des poils cotonneux sur les deux faces. Le capitule floral, solitaire et jaune clair, formé de fleurs ligulées, est entouré de nombreuses bractées velues. Les fruits (akènes) sont surmontés d'une aigrette.

PARTIES UTILISÉES

La plante entière, fraîche de préférence, mais aussi sèche, comprenant des morceaux de tiges, de feuilles et de fleurs, récoltée à la floraison.

COMPOSANTS

La plante, en particulier les feuilles, renferme des hétérosides coumariniques dont le principal est le glucoside de l'ombelliférone (0,2 à 0,6 %), un dérivé de la coumarine doué de propriétés antibiotiques. Des flavonoïdes, des acides-phénols, de l'acide ascorbique et des alcools triterpéniques ont également été identifiés. La racine contient de l'inuline.

PROPRIÉTÉS DÉMONTRÉES

Des extraits hydroalcooliques par voie injectable et des extraits aqueux par voie orale stimulent la diurèse chez le rat. De plus, l'ombelliférone et les acides-phénols ont des effets antibiotiques vis-à-vis de germes induisant des cystites et vis-à-vis des bactéries *Brucella*, responsables de la fièvre de Malte. Ces résultats confirment les indications traditionnelles en médecine humaine et vétérinaire. La plante a également des propriétés cholagogues et cholérétiques, déchlorurantes et hypoazotémiques.

INDICATIONS USUELLES RECONNUES

L'épervière piloselle s'utilise comme diurétique et antiseptique urinaire en cas d'infections urinaires bénignes, et comme stimulant des fonctions rénale et digestive.

PRÉCAUTIONS D'EMPLOI

Aucune aux doses préconisées.

On recommanda la piloselle au XVIe siècle contre la dysenterie et les métrorragies après avoir remarqué que les bergers évitaient que leur bétail ne la consomme, en raison de ses effets nocifs de « resserrement du ventre ». En revanche, elle semble protéger les troupeaux contre la fièvre de Malte et l'avortement épizootique. Les Anciens avaient recours au latex en usage externe comme cicatrisant et hémostatique, et, en médecine populaire, on préparait un macérat à appliquer sur les plaies et ulcères. Elle était assez diurétique « pour faire rendre les graviers ».

Encore appelée veluette, oreille-de-chat, oreille-de-souris, épervière, herbe-à-l'épervier.

EMPLOIS

• *Infusion de plante fraîche (30 min) : 100 g par litre d'eau. 1 litre au cours de la journée entre les repas en cas d'infection urinaire ou comme diurétique.*

• *Infusion de plante sèche (15 min) : 30 g par litre d'eau. 1 tasse au début des trois repas pendant 1 semaine comme stimulant des fonctions hépatique et rénale.*

PIN SYLVESTRE

Pinus sylvestris L.
Pinaceae

BOTANIQUE

Arbre monoïque de 20 à 40 m de haut, à cime pyramidale puis plate et étalée en fin de croissance, à écorce rougeâtre, crevassée et écailleuse. Les aiguilles, vert glauque, sont courtes, raides et engainées par deux. Les inflorescences mâles sont groupées en épi à la base des rameaux de l'année ; les femelles, arrondies et brun violacé, sont isolées à l'extrémité des pousses. Les cônes fructifères, gris ou bruns, sont écailleux, ovoïdes, mats et pendants. L'odeur et la saveur sont aromatiques.

PARTIES UTILISÉES

Les petits bourgeons, improprement baptisés bourgeons de sapin et entourant un bourgeon central plus volumineux, récoltés en mars-avril et séchés dans un endroit ventilé par un courant d'air chaud.

COMPOSANTS

Les bourgeons contiennent une huile essentielle (0,2 à 1 %) à carbures monoterpéniques, en particulier du pinène. Ils contiennent également des flavonoïdes, une résine, de la vitamine C.

PROPRIÉTÉS DÉMONTRÉES

Les effets expectorants, fluidifiants, antiseptiques et activateurs de la circulation sanguine périphérique de la drogue sont dus à l'huile essentielle. Les effets diurétiques et sudorifiques sont imputés à la résine.

INDICATIONS USUELLES RECONNUES

Indiqué en usage interne dans le traitement des toux bénignes occasionnelles et des affections bronchiques aiguës bénignes, le pin est utilisé localement en cas de rhume, de nez bouché, d'affections de la cavité buccale et/ou de l'oropharynx.

PRÉCAUTIONS D'EMPLOI

Aucune avec les bourgeons, aux doses préconisées. N'utiliser l'huile essentielle pure et l'essence de térébenthine que sur prescription médicale.

Autrefois très employée comme expectorant, hémostatique, antiseptique, antinévralgique et parasiticide, l'essence de térébenthine, obtenue à partir de la résine de l'arbre (térébenthine de Bordeaux), est surtout utilisée par l'industrie du parfum et des arômes et dans la production de solvants, colles et détergents ; on l'utilise encore localement comme rubéfiant, en inhalation et dans des baumes antirhumatismaux. Le goudron (goudron de Norvège), balsamique, succédané de la térébenthine obtenu par distillation sèche du bois, n'est plus employé.

Encore appelé pin d'Écosse, pin du Nord, pin de Genève, pin de Russie, pin de Riga, sapin rouge du Nord.

EMPLOIS

• *Décoction (5 min) : 30 g de bourgeons par litre d'eau. 4 à 5 tasses réparties dans la journée en cas de toux, d'affections bronchiques.*

• *La même décoction peut être utilisée en usage externe : en inhalation (affections des voies aériennes supérieures, rhumes), gargarisme (angines, laryngites), compresse chaude (douleurs rhumatismales).*

Spontané dans toutes les régions montagneuses d'Europe et du nord de l'Asie, le pin sylvestre se laisse volontiers planter en plaine. Il est avide de lumière. Plusieurs cultivars ont été développés pour leur valeur ornementale.

PISSENLIT OFFICINAL

Taraxacum officinale Wiggers
Asteraceae

Certainement une des plantes les plus connues, le pissenlit, fréquent dans les prairies humides ou sur le bord des chemins, est très polymorphe, et l'on a décrit une trentaine de groupes répartis dans toutes les régions tempérées du globe.

BOTANIQUE

Plante herbacée vivace, à feuilles très découpées, étalées à même le sol, en forme de rosette. Au centre de l'ensemble foliaire s'élève une hampe fistuleuse de 10 à 30 cm de haut qui porte au sommet des fleurs hermaphrodites, irrégulières, jaunes, disposées en capitules. Le fruit (akène) est surmonté d'une aigrette plumeuse. La racine, pivotante, simple ou ramifiée, s'enfonce de 20 à 30 cm sous terre.

PARTIES UTILISÉES

La racine, récoltée de juin à septembre, réduite en fragments d'environ 1 cm, et séchée dans un endroit frais et à l'abri de la lumière. Les feuilles, récoltées en juin-juillet, séchées dans les mêmes conditions. Le latex extrait de la plante n'a plus d'usage aujourd'hui.

COMPOSANTS

La racine est riche en sucres (fructose, inuline) et contient des alcools triterpéniques et des stérols. Son amertume est due à des lactones sesquiterpéniques. Les feuilles contiennent des flavonosides, tels qu'apigénol et lutéolol.

PROPRIÉTÉS DÉMONTRÉES

Les propriétés pharmacologiques de tous ces constituants sont encore insuffisamment connues. Des travaux plus anciens reconnaissaient au pissenlit des vertus eupeptiques, cholagogues, cholérétiques et diurétiques. Toutefois, cette dernière propriété est aujourd'hui contestée sur la base d'essais sur l'animal de laboratoire.

INDICATIONS USUELLES RECONNUES

Les qualités du pissenlit sont vantées depuis très longtemps et l'on a pu au début du siècle parler d'une véritable taraxacothérapie. Mais il faut reconnaître l'intérêt de la racine dans les troubles hépatiques (cholagogue et cholérétique) ; elle favorise l'élimination d'eau. Les indications externes dans les affections oculaires sont passées de mode.

PRÉCAUTIONS D'EMPLOI

Aucune aux doses préconisées.

EMPLOIS

• *Décoction (10 min) : 15 à 20 g de racines par litre d'eau. 1 tasse trois fois par jour 1 h avant les repas, comme cholérétique, laxatif et diurétique.*

• *Infusion (10-15 min) : 15 à 20 g d'un mélange de feuilles et de racines, à parties égales. 1 tasse trois fois par jour, 1 h avant les repas, comme diurétique.*

Le pissenlit ne semble pas avoir été connu dans l'Antiquité, même si la tradition veut qu'il soit né de la poussière soulevée par le char du dieu Soleil. Mais le XVIe siècle lui reconnaît de nombreuses vertus, en particulier des propriétés diurétiques (d'où son nom vernaculaire), cholagogues et cholérétiques. Ces dernières sont certainement en accord avec la théorie des signatures : associant volontiers l'amertume des racines à celle de la bile, on l'utilisait pour dissiper les ennuis hépatiques. Son nom savant, *Taraxacum* (qui guérit les maladies des yeux), nous rappelle qu'on trouvait au latex des vertus curatives dans les affections oculaires. Après avoir été longtemps abandonné à la médecine populaire, le pissenlit conquiert au XXe siècle une place importante en phytothérapie.

Encore appelé dent-de-lion, laitue de chien, couronne-de-moine, salade de taupe, florin d'or.

PLANTAIN

a) *Plantago major* L., **b)** *P. media* L., **c)** *P. lanceolata* L.
Plantaginaceae

BOTANIQUE

Plantes herbacées vivaces, à feuilles disposées en rosette à la base, ovales sinuées *(P. major)*, elliptiques *(P. media)* ou lancéolées *(P. lanceolata)*. Les fleurs, petites, sont groupées en épis terminaux. Le fruit est une capsule ovoïde.

PARTIES UTILISÉES

Les feuilles, récoltées au printemps et en été, et séchées.

COMPOSANTS

Les plantains renferment un mucilage, de la pectine, du tanin, des flavonoïdes, des iridoïdes (aucuboside surtout), des acides-phénols. La feuille du grand plantain contient de la choline et des alcaloïdes, dont la noscapine.

PROPRIÉTÉS DÉMONTRÉES

Les plantains ont une activité anti-inflammatoire et astringente due aux iridoïdes, au mucilage, au tanin et à la pectine, d'où leur emploi en dermatologie et en ophtalmologie. L'expérimentation sur l'animal a montré que *P. major* développait une action antihistaminique et spasmolytique due sans doute à la noscapine, ce qui expliquerait son efficacité dans les piqûres d'insectes. *P. major* et *P. lanceolata* ont aussi des propriétés antibactériennes.

Les Anciens utilisaient déjà les plantains comme vulnéraires, antiophtalmiques et émollients-astringents, et contre les saignements, morsures de serpent, maux d'oreilles et de dents.

Le grand plantain est encore appelé plantain à larges feuilles ; le plantain moyen, plantain blanc, langue-d'agneau ; le plantain lancéolé, petit plantain, oreille-de-lièvre, herbe aux charpentiers.

INDICATIONS USUELLES RECONNUES

Les plantains sont indiqués en usage local comme anti-inflammatoires dans les irritations et gênes oculaires (conjonctivites bénignes, blépharites, irritations), mais aussi comme antiprurigineux et adoucissant dans diverses affections de la peau (écorchures, gerçures, crevasses, piqûres d'insectes...) et comme agents cicatrisants et antiseptiques. Par voie orale, les actions astringentes et adoucissantes des plantains sont mises à profit dans le traitement de diarrhées bénignes, d'affections bronchiques et de la toux (surtout *P. lanceolata*).

PRÉCAUTIONS D'EMPLOI

Aucune aux doses préconisées.

EMPLOIS

• *Décoction (10 min) : 50 à 100 g de feuilles fraîches (ou 25 à 40 g de feuilles sèches) par litre d'eau. 3 tasses par jour contre la diarrhée. Contre la toux, 3 tasses par jour avec du miel. S'emploie en gargarisme dans les pharyngites, laryngites, trachéites, enrouements ; en bain de bouche dans les douleurs dentaires.*

• *Infusion en usage externe (15 min) : 10 g de feuilles sèches pour 150 g d'eau ; filtrer. Bain d'yeux plusieurs fois par jour dans les irritations et les gênes oculaires.*

• *Cataplasme de plante fraîche hachée, sur les crevasses, gerçures, écorchures, piqûres d'insectes.*

Trois espèces de plantains sont utilisées en phytothérapie : le grand plantain (P. major), le plantain moyen (P. media), le plantain lancéolé (P. lanceolata). Ces plantes, d'origine eurasienne, sont répandues dans les lieux incultes, les prés, les terrains cultivés et le long des chemins.

b   c   a

POTENTILLE OFFICINALE ou TORMENTILLE

Potentilla erecta (L.) Räusch.
Rosaceae

BOTANIQUE

Plante vivace de 10 à 40 cm de haut, à rhizome épais, brunâtre et tortueux, à tiges nombreuses dressées ou étalées ; les feuilles sont alternes et pétiolées à la base, sessiles ailleurs. Le limbe des feuilles, divisé en 3 lobes dentés, est accompagné de 2 stipules simulant 2 autres folioles. Les fleurs, à long pédoncule, sont jaunes, petites, solitaires. Le fruit est composé de nombreux akènes.

PARTIES UTILISÉES

Le rhizome, ramassé au printemps, séché en plein air ou à l'étuve.

COMPOSANTS

Le rhizome de la plante est riche en tanins catéchiques (20 %) ; il renferme aussi un tanin ellagique, l'agrimoniine, et divers polyphénols (quercétol, kaempférol, glucosides de cyanidol, catéchol et dérivés). Les racines contiennent du tormentoside.

PROPRIÉTÉS DÉMONTRÉES

La plante présente des propriétés astringentes et antidiarrhéiques dues aux tanins catéchiques. Des effets anti-inflammatoires ont été démontrés chez le rat et sont attribués aux polyphénols. Ses activités sur la pression sanguine et sur la résistance capillaire ont été mises en évidence respectivement chez le chat et le lapin. En outre, l'acide tormentique du tormentoside augmente la sécrétion d'insuline. On a signalé ses effets antiallergiques et son pouvoir immunostimulant.

INDICATIONS USUELLES RECONNUES

Le rhizome est indiqué par voie orale dans le traitement symptomatique des diarrhées légères, dans les manifestations de l'insuffisance veineuse (jambes lourdes, hémorroïdes). Localement, il est employé comme adoucissant.

PRÉCAUTIONS D'EMPLOI

Aucune aux doses préconisées.

EMPLOIS

• *Décoction (15 min) : 20 g de rhizome par litre d'eau. 1 à 2 tasses par jour contre les insuffisances veineuses. 3 tasses par jour entre les repas en cas de diarrhées légères.*

• *Même décoction en usage externe : bain de bouche dans les inflammations buccopharyngées ; compresse contre les irritations cutanées.*

Les noms de la plante montrent bien l'importance qu'on accordait à ses vertus : *Potentilla* vient en effet du latin *potens*, puissant, et tormentille de *tormen*, colique. C'est dire le pouvoir qu'on accordait à la plante pour guérir les coliques. Inconnue des Anciens, elle était réputée au Moyen Âge comme tonique astringent, stomachique, antiscorbutique et même fébrifuge. Au XVIIIe siècle, un grand phytothérapeute, Gilibert, raconte avoir vu un phtisique guérir en prenant chaque matin à jeun, sur le conseil d'un paysan, une dose de 4 g de poudre de tormentille.

Encore appelée potentille-tormentille, herbe de sainte Catherine, herbe au diable, tormentille droite, tormentille tubéreuse.

Plante commune dans presque toute l'Europe et dans le nord et le sud-ouest de l'Asie où elle pousse dans les prés, les fossés, en bordure des chemins et près des coupes de bois.

PRÊLE DES CHAMPS

Equisetum arvense L.
Equisetaceae

BOTANIQUE

Plante herbacée. Ses parties souterraines donnent naissance à deux types de tiges aériennes. Les premières, dites fertiles, apparaissent au printemps. Elles se terminent par les organes reproducteurs, constitués par un épi oblong, cylindrique, à écailles, rempli de spores qui essaiment. Puis, en été, apparaissent les tiges stériles, de 20 à 60 cm de haut, grêles, cannelées, creuses et vertes. Elles portent des verticilles de feuilles étroites et rigides formant une sorte de collerette autour de la tige.

PARTIES UTILISÉES

Les tiges stériles, récoltées de juin à août.

COMPOSANTS

La prêle a une teneur importante en substances minérales (20 %), dont le potassium et surtout le silicium, très majoritaire. C'est la plante la plus riche en silice. À noter également, la présence de flavonoïdes, d'acides-phénols et de tanins.

PROPRIÉTÉS DÉMONTRÉES

Les résultats expérimentaux démontrent principalement une activité diurétique et des effets hémostatiques. En raison de sa forte teneur en sels minéraux, elle est également considérée comme un agent de reminéralisation. Riche en silicium, elle a trouvé des applications en cosmétologie dans la prévention des rides et des vergetures.

INDICATIONS USUELLES RECONNUES

La plante est réputée pour ses propriétés reminéralisantes dans la décalcification et pour les séquelles de fracture, et comme diurétique et hémostatique. Elle a aussi des propriétés antirhumatismales et dépuratives.

PRÉCAUTIONS D'EMPLOI

Aucune. Il faut toutefois réserver la récolte à des spécialistes car, dans les espèces voisines, il existe une plante toxique : *Equisetum palustre*, la prêle des marais.

Très commune en Europe, la prêle des champs croît également en Asie, en Afrique et en Amérique du Nord. Elle affectionne les endroits humides et ombragés tels que fossés, bord des étangs et terrains inondables.

Vieille de deux cent cinquante millions d'années au moins, la prêle était considérée comme une panacée par les Romains. Les Anciens l'employaient comme diurétique, astringent et hémostatique. Reminéralisante, elle est recommandée en cas de fragilité osseuse et d'ongles cassants. Elle a la réputation de faire disparaître les sueurs profuses des pieds.
Les ébénistes trouvent leur bonheur dans son emploi, car la poudre de prêle, riche en sels minéraux, était un excellent abrasif servant à polir les bois précieux.

Encore appelée queue-de-rat, queue-de-renard, queue-de-chat, queue-de-cheval, herbe à récurer.

EMPLOIS

• *Décoction : faire tremper 20 g de tiges dans 1 litre d'eau pendant 3 à 4 heures, amener doucement à ébullition ; faire bouillir 15 min, laisser infuser 10 min. 3 à 4 tasses par jour (à boire froid), comme diurétique.*

• *Décoction concentrée : même temps mais doubler la dose. À utiliser localement en lavage et compresse sur plaies, ulcères, irritations cutanées.*

PRIMEVÈRE OFFICINALE

Primula veris L.
Primulaceae

BOTANIQUE

Plante herbacée vivace de 8 à 30 cm de haut, à feuilles spatulées, gaufrées, fortement réticulées, grisâtres dessous, disposées en rosette basale. Les fleurs, odorantes, jaune vif, marquées de taches orangées à la base, forment une ombelle au sommet de la hampe florale. Les fruits sont des capsules ovoïdes. Le rhizome est épais.

PARTIES UTILISÉES

Les fleurs, récoltées au printemps et séchées en couche mince, et les parties souterraines, récoltées de préférence avant la floraison et séchées à l'abri de la lumière.

COMPOSANTS

La plante contient des saponosides triterpéniques (5 à 10 %) dérivés de l'oléanane (acide primulique A...), des glycosides phénoliques (primulavérine...), une huile essentielle (0,25 %) et de nombreux flavonoïdes (kaempférol, quercétol...). On y trouve des traces de primine, une benzoquinone qui peut provoquer des réactions allergiques cutanées (rougeur, urticaire, démangeaisons) – c'est la dermatite primulaire, beaucoup plus fréquente avec les variétés asiatiques.

PROPRIÉTÉS DÉMONTRÉES

Les effets expectorants et fluidifiants des sécrétions bronchiques sont dus aux saponosides, qui sont aussi responsables d'effets antiexsudatifs. Leurs pouvoirs antibiotique, antifongique et hémolytique sont utilisés en traitement local. L'huile essentielle a une certaine activité antirhumatismale, sans doute par ses dérivés salicylés. Des effets laxatifs légers ont été obtenus avec des préparations de primevère. A signaler : des effets hypertenseurs et spasmogènes observés avec des fractions de saponosides.

INDICATIONS USUELLES RECONNUES

Par voie orale, la primevère est utilisée contre les toux occasionnelles ou persistantes. Elle est aussi utilisée localement en cas d'affections dermatologiques (crevasses, écorchures, gerçures, piqûres d'insectes) et pour l'hygiène buccale.

PRÉCAUTIONS D'EMPLOI

Aucune par voie générale aux doses préconisées. En usage externe, de rares cas d'allergies locales sont rapportés : arrêter alors l'emploi.

Comme son nom latin l'indique, la primevère est une fleur printanière, *primus* signifiant premier et *ver*, printemps. Elle semble ne pas avoir été connue des Anciens, mais, au Moyen Âge, sainte Hildegarde la recommande comme remède à la mélancolie, à la paralysie, à l'apoplexie. Elle était très utilisée à la Renaissance.
Presque oubliée au XIXe siècle, elle fut redécouverte au XXe dans les cliniques viennoises, comme expectorant et diurétique. La plante est traditionnellement considérée comme un sédatif de la toux, des maux de tête et des douleurs.

Encore appelée coucou, fleur de coucou, primerole, printanière, clé de saint Pierre, herbe de saint Paul, herbe à la paralysie, brairelle, primevère jaune, fleur de printemps, oreille d'ours.

Commune dans toute l'Europe et le nord de l'Asie, la primevère officinale aime les bois clairs, les prairies sèches, les taillis, les haies de plaine et de montagne.

EMPLOIS

• *Infusion (10 min) : 20 à 30 g de fleurs par litre d'eau. 1 tasse après chacun des trois repas contre les maux de tête, la migraine et les douleurs articulaires.*

• *Décoction (10 min) : 20 g de parties souterraines par litre d'eau. 3 tasses par jour comme expectorant et diurétique.*

• *Décoction en usage externe (20 min) : 100 g de parties souterraines par litre d'eau, laisser réduire au tiers. Application locale en compresse sur les contusions.*

PSYLLIUM

Plantago psyllium L.
Plantaginaceae

BOTANIQUE

Plante herbacée annuelle pouvant atteindre 60 cm, à tige dressée et à feuilles sessiles, étroites, opposées ou verticillées par trois. Ses petites fleurs blanchâtres sont groupées en épis grêles à bractées courtes. Les fruits, capsules pyxides, contiennent deux graines brunes, luisantes, ovoïdes, aplaties et élargies à une extrémité.

PARTIES UTILISÉES

Les graines, récoltées en automne, séchées, conservées à l'abri de l'humidité.

COMPOSANTS

Les graines renferment du mucilage (10 à 12 %), des lipides à acides gras insaturés (5 à 10 %), des stérols, des protéines (15 à 18 %), un iridoïde (aucuboside), des alcaloïdes à l'état de traces (noscapine, plantagonine...), des tanins, de la choline et des sucres (plantéose).

PROPRIÉTÉS DÉMONTRÉES

Les effets laxatifs mécaniques de la plante sont dus au mucilage, très hydrophile et doué d'un fort pouvoir de gonflement. La noscapine possède des effets spasmolytiques. On prête à l'aucuboside des propriétés antibactériennes et anti-inflammatoires.

INDICATIONS USUELLES RECONNUES

Le psyllium est indiqué dans le traitement des colites spasmodiques et comme laxatif non irritant à effet de lest. En usage externe, on l'utilise pour soulager les douleurs rhumatismales et pour soigner brûlures et ulcères variqueux.

PRÉCAUTIONS D'EMPLOI

Aucune aux doses préconisées. Des cas exceptionnels de réactions allergiques cèdent à l'arrêt de l'usage du produit. Ne pas prolonger le traitement au-delà de huit jours.

Spontané sur les sols sablonneux et arides du bassin méditerranéen, le psyllium est naturalisé dans l'est des États-Unis.

EMPLOIS

• *Graines : 1 à 3 cuillerées à thé dans du potage, de la purée, de la marmelade, ou avalées avec un peu d'eau, avant le repas du soir, en cas de constipation ; demi-dose chez l'enfant de 6 à 12 ans. 1 à 3 cuillerées à thé, trois fois par jour, en cas de colites spasmodiques.*

• *Décoction en usage externe (5 min) : 10 à 20 g de graines par litre d'eau. Appliquer en compresse en cas de rhumatismes, brûlures et ulcères variqueux.*

C'est à ses graines minuscules et luisantes que la plante doit son nom : *psylla*, en grec, signifie puce. Elle était utilisée comme laxatif et contre les inflammations des voies urinaires par les médecins égyptiens plus de dix siècles avant J.-C. La médecine arabe reprit ces mêmes indications. Le psyllium est ensuite tombé dans l'oubli pour de longs siècles avant d'être redécouvert par la médecine populaire. Laxatif moins puissant que l'ispaghul, qui appartient aussi au genre *Plantago*, il était préconisé traditionnellement comme régulateur dans les troubles du transit intestinal, comme cicatrisant local (la feuille) et comme adoucissant des inflammations oculaires et des paupières. Autrefois, ses jeunes feuilles fraîches, mélangées au pissenlit, se mangeaient en salade pour leurs vertus dépuratives.

Encore appelé psyllium vrai, plantain psyllion, plantain des sables, herbe aux puces, pucier, pucière, pucilaire.

RADIS NOIR

Raphanus sativus L. *var. nigra*
Brassicaceae

BOTANIQUE

Plante herbacée bisannuelle à tige de 30 à 60 cm de haut, à feuilles alternes rudes au toucher. Les fleurs, blanches, réunies en grappes, donnent un fruit court, renflé et spongieux. La racine, volumineuse, peut atteindre 50 cm. Épaisse, charnue, blanche à l'intérieur, noire à l'extérieur, elle a une forte odeur et une saveur piquante.

PARTIES UTILISÉES

La racine.

COMPOSANTS

Le radis noir contient des dérivés à base de soufre dont les glucosinolates, responsables de son odeur. Le composé principal, la glucobrassicine, est une molécule instable, rapidement dégradable dans la plante même. D'autres structures soufrées ont été décrites (sulphoraphène et isothiocyanate d'allyle), qui semblent être également des produits de dégradation enzymatique. La racine contient des substances banales (glucides, acides aminés, vitamines).

PROPRIÉTÉS DÉMONTRÉES

Des études font mention de bons résultats dans les problèmes digestifs (dyskinésies biliaires). Des expérimentations chez l'animal viennent valider l'usage traditionnel. Une activité diurétique a été démontrée chez le rat ainsi qu'une action modérée sur la diminution du poids des calculs urinaires chez l'animal. Une activité cholagogue et cholérétique, également démontrée, justifie le terme de draineur hépatique souvent associé à cette espèce. À signaler, l'effet protecteur de l'extrait aqueux contre la grippe expérimentale chez la souris.

INDICATIONS USUELLES RECONNUES

Il faut surtout retenir l'activité du radis noir dans la sphère hépatique (cholagogue et cholérétique) et au cours d'affections bronchiques bénignes, où il est efficace contre la toux. En usage local, la tradition populaire lui reconnaît des propriétés adoucissantes et cicatrisantes (coups de soleil, brûlures légères, érythèmes fessiers). La cosmétologie l'emploie pour limiter l'alopécie.

PRÉCAUTIONS D'EMPLOI

Aucune aux doses préconisées. Mais le radis noir peut être difficile à digérer par certaines personnes souffrant de dyspepsie.

Nombreuses sont les espèces cultivées de radis dont l'ancêtre commun pourrait être le radis sauvage (R. raphanistrum), très répandu dans toute l'Europe jusqu'en Russie et naturalisé en Amérique du Nord.

EMPLOIS

• *Jus de radis, obtenu à l'aide d'un broyeur ménager. 300 ml avant chaque repas pour soulager les problèmes hépatiques.*

• *Sirop de radis : préparer environ 50 g de radis noir coupé en fines lamelles dans une assiette ; saupoudrer de sucre et couvrir. Recueillir le sirop après 24 h. 1 cuillerée à thé après chaque quinte de toux.*

Déjà vers 2800 avant J.-C., les ouvriers qui construisaient les pyramides d'Égypte consommaient le radis avec l'ail et l'oignon. Au VIIIe siècle, on le rencontre dans le capitulaire de Louis le Pieux, parmi les légumes cultivés dans les domaines impériaux. Mais la plante est aussi utilisée depuis très longtemps comme antiscorbutique, diurétique et stimulant. Au Moyen Âge, on lui attribuait des vertus propres à « purger le cerveau et les viscères de leurs humeurs malignes ». Tombée dans l'oubli, elle fut réhabilitée au XIXe siècle pour son efficacité dans le traitement des lithiases biliaires et des digestions difficiles.

Encore appelé raifort des Parisiens.

RAIFORT

Armoracia rusticana Gaertn., Mey. et Scherb.
Brassicaceae

BOTANIQUE

Plante herbacée vivace de 0,60 à 1,20 m de haut. Les feuilles basales sont pétiolées, grandes et entières, celles de la partie moyenne profondément divisées, celles du sommet sessiles et munies de petites dents. Les petites fleurs blanches sont réunies en grappes terminales. Les fruits sont des silicules globuleuses. La racine, jaune grisâtre, est épaisse, charnue, munie de longues et fines radicelles ; sa saveur est âcre et piquante ; brisée ou pilée, elle dégage une forte odeur provoquant le larmoiement.

PARTIES UTILISÉES

Les racines, de préférence fraîches, récoltées sur des plants d'au moins trois ans.

COMPOSANTS

Le raifort contient des glucosinolates (en particulier du sinigroside), des vitamines (C et autres), une enzyme (myrosinase) et des acides aminés. En présence d'eau, la myrosinase transforme le sinigroside pour donner de l'isothiocyanate d'allyle, substance volatile à effet rubéfiant.

PROPRIÉTÉS DÉMONTRÉES

Le raifort est connu pour ses effets eupeptiques. Le sinigroside qu'il contient est responsable des effets externes révulsifs et rubéfiants, ainsi que des effets antibiotiques de la plante. Des effets antifongiques ont été observés.

INDICATIONS USUELLES RECONNUES

Le raifort est utilisé par voie orale comme eupeptique et dans les cas de bronchites aiguës bénignes. Localement, il est indiqué dans les affections de la cavité buccale et/ou de l'oropharynx.

PRÉCAUTIONS D'EMPLOI

Le goût très fort de la racine peut décourager le consommateur. Des réactions d'hypersensibilité cutanée sont possibles. Contre-indiqué chez les nerveux et les femmes enceintes, et en cas d'irritation du tube digestif (gastrite).

Originaire du sud de la Russie et de l'Asie occidentale, le raifort est cultivé en Europe et en Amérique du Nord ; il est subspontané dans les endroits frais et ombragés, sur les terrains humides et le long du littoral.

Le raifort a gagné l'Europe occidentale au Moyen Âge ; il était alors largement utilisé pour traiter les affections les plus diverses : la racine fraîche s'employait surtout comme antiscorbutique (sirop de raifort) et comme diurétique dans le traitement des rhumatismes et de la goutte. Sainte Hildegarde préconisait la plante dans les maladies des reins, les empoisonnements, la jaunisse, l'eczéma, les maux d'oreilles, et contre les poux. La médecine populaire l'employait volontiers en cataplasme.

Encore appelé grand-raifort, cranson rustique, moutarde des capucins, cran des Anglais, cran de Bretagne, méredich, radis de cheval, herbe aux cuillers, herbe au scorbut.

EMPLOIS

• *Infusion (5 min) : 20 g de racines par litre d'eau. 2 à 3 tasses par jour, après les repas, en cas d'affections respiratoires.*

• *L'infusion en usage externe peut servir en bain de bouche et en gargarisme en cas d'affections de la bouche ou de la gorge.*

RÉGLISSE
Glycyrrhiza glabra L.
Fabaceae

BOTANIQUE

Plante herbacée, vivace, de 0,30 à 1,20 m de haut, à rhizome stolonifère. Les tiges, dressées, portent des feuilles alternes, composées, ayant 9 à 17 folioles ovales. Les fleurs, bleues ou lilas, papilionacées, sont réunies en grappes allongées. Le fruit est une gousse aplatie.

PARTIES UTILISÉES

Les racines et les rhizomes avec leurs stolons, séchés, mondés et conservés au sec.

COMPOSANTS

La réglisse contient des saponosides triterpéniques, principalement la glycyrrhizine (3 à 5 %), des flavonoïdes (1 à 1,5 %), des stéroïdes, des acides-phénols, de l'amidon (25 à 30 %), des sucres, des coumarines, des triterpénoïdes, de l'asparagine, une résine.

PROPRIÉTÉS DÉMONTRÉES

Une action anti-inflammatoire des extraits de réglisse a été mise en évidence sur l'animal. Elle développe, de plus, une activité œstrogénique liée à la présence de stéroïdes et exerce une action modératrice sur la motricité intestinale. Enfin, elle a une action antiulcéreuse liée à l'augmentation de la sécrétion de mucus gastrique qu'elle provoque.

D'autre part, la glycyrrhizine a des propriétés antivirales, antimicrobiennes et immunostimulantes. Par son action antioxydante, elle aurait également des propriétés anti-hépatotoxiques.

INDICATIONS USUELLES RECONNUES

La réglisse est utilisée par voie orale, dans le traitement des ulcères gastriques et duodénaux, des gastrites, ballonnements, éructations, flatulences et digestions difficiles ainsi que dans les toux et les enrouements. Par voie locale, elle est utile dans le traitement symptomatique des hémorroïdes et des manifestations inflammatoires cutanées. On l'utilise aussi comme antalgique dans les affections de la cavité buccale, de la langue et de l'oropharynx. Enfin, c'est un édulcorant.

PRÉCAUTIONS D'EMPLOI

Aucune aux doses préconisées. Toutefois, les troubles graves observés en cas d'abus nécessitent le respect de certaines règles. Elle est à proscrire en cas d'hypertension, d'hypokaliémie, d'insuffisance rénale, d'œdèmes et de traitement à base de corticoïdes. Éviter les traitements de longue durée. Pas plus de 5 g de poudre par jour ; limiter à 8 g par jour la quantité de racines utilisées en macération. Tenir compte dans le calcul de ces doses de l'apport éventuel de réglisse sous d'autres formes (tisanes, bonbons, apéritifs, etc.).

Spontanée en Europe, en région méditerranéenne et en Asie, la réglisse, importée pour les besoins de l'industrie, provient de plantes sauvages (Russie, Pakistan, Syrie, Iran, Afghanistan) et cultivées (Espagne, Italie, Turquie).

EMPLOIS

• *Poudre de racines : 2 g deux fois par jour avant les repas, contre les ulcères gastriques ou duodénaux, gastrites et problèmes digestifs.*

• *Macération (6 h) : 30 g de racines découpées et écrasées au marteau par litre d'eau. 2 tasses par jour avant les repas, contre les ulcères gastriques ou duodénaux, gastrites, problèmes digestifs, toux occasionnelles, enrouement.*

• *Décoction concentrée pour usage local : 50 g de réglisse par litre d'eau en bain de bouche et gargarisme dans les inflammations de la cavité buccale et de l'oropharynx. Peut servir en application sur les hémorroïdes externes et les phénomènes inflammatoires cutanés.*

Égyptiens, Chinois, Grecs et Arabes prescrivaient la réglisse dans diverses affections gastriques, respiratoires et vésicales. Dès le XIIᵉ siècle, elle est cultivée en Italie, puis en France. Sainte Hildegarde la conseillait pour clarifier la voix. Au XIXᵉ siècle, une boisson rafraîchissante à base de réglisse, le coco, fut très à la mode à Paris. Outre ses usages médicinaux, la réglisse est utilisée en confiserie, liquoristerie, brasserie.

Encore appelée bois doux, bois sucré.

REINE-DES-PRÉS

Filipendula ulmaria (L.) Maxim.
Rosaceae

BOTANIQUE

Plante herbacée de 1 à 1,50 m de haut, elle se reconnaît à son port altier et à la délicatesse du parfum de ses fleurs. Ses grandes feuilles sont divisées en folioles dentées et inégales, vert foncé dessus et blanchâtres dessous. La tige de la sommité fleurie est anguleuse et supporte des grappes de petites fleurs blanc jaunâtre très odorantes, qui font le délice des abeilles.

PARTIES UTILISÉES

Les sommités fleuries et leurs fleurs, récoltées en juillet-août et séchées. La conservation de ces divers organes ne doit pas excéder un an.

COMPOSANTS

Les parties utilisées de la reine-des-prés contiennent des sels minéraux, des flavonoïdes (jusqu'à 6 % dans les fleurs) et des tanins en abondance (10 à 20 %). L'huile essentielle contient du salicylate de méthyle et de l'aldéhyde salicylique en quantité importante.

PROPRIÉTÉS DÉMONTRÉES

Des travaux ont montré la réalité de l'activité diurétique et anti-inflammatoire de la plante. L'activité diurétique est surtout due aux sels minéraux. L'activité anti-inflammatoire serait due aux dérivés salicylés.

INDICATIONS USUELLES RECONNUES

La tradition populaire reconnaît de nombreuses vertus à cette plante dans le traitement des affections rhumatismales mineures, des états fébriles et grippaux, ainsi que des céphalées. Cette espèce trouve également un emploi bien connu comme diurétique.

PRÉCAUTIONS D'EMPLOI

Aucune aux doses préconisées.

Bien connue des herboristes du Moyen Âge, la reine-des-prés ne fut reconnue comme plante médicinale qu'à la Renaissance : à cette époque, on la prescrit déjà dans l'« hydropisie » et les « douleurs de jointures ». En concurrence avec des plantes voisines (la petite reine-des-prés, la barbe-du-bouc), elle en triomphe puis tombe dans l'oubli, avant de donner son nom à l'aspirine grâce aux chimistes du XIXᵉ siècle qui baptisèrent ainsi l'acide acétylsalicylique en souvenir de *Spiraea ulmaria*, autre nom savant de la plante.

Encore appelée ulmaire, spirée, herbe-aux-abeilles, barbe-du-chêne, ormière, belle-des-prés.

Très commune dans toute l'Europe – sauf sur le littoral méditerranéen –, en Asie et en Amérique du Nord, la reine-des-prés croît en bordure des rivières et dans les fossés et forme de très belles taches de végétation dans les prairies inondables.

RHUBARBE OFFICINALE

Rheum officinale Baill.
Polygonaceae

BOTANIQUE

Plante herbacée vivace. Les feuilles, à long pétiole charnu, ont un large limbe palmatilobé à nervures saillantes rougeâtres sur la face inférieure. Les fleurs, verdâtres ou rougeâtres, sont petites et groupées en panicule au sommet de la tige florifère. Les fruits sont des akènes. Le rhizome, volumineux, porte de grosses racines.

PARTIES UTILISÉES

Le rhizome, prélevé sur des plantes d'au moins six ans, débarrassé des racines, de la tête et de l'écorce, puis fendu longitudinalement et séché à l'air.

COMPOSANTS

Le rhizome renferme de nombreux dérivés hydroxyanthracéniques (2 à 5 %) – principalement des hétérosides anthraquinoniques auxquels la plante doit ses vertus laxatives –, des tanins, des phénylbutanones (lindleyine), des dérivés flavaniques (catéchol), des acides-phénols (acides caféique et gallique), une huile essentielle et une résine.

PROPRIÉTÉS DÉMONTRÉES

Selon la dose de plante utilisée, les tanins sont laxatifs (0,5 à 1 g) ou purgatifs (1 à 3 g). Les hétérosides anthraquinoniques sont laxatifs par renforcement de la sécrétion de mucus du péristaltisme du côlon et par inhibition de la réabsorption d'eau. À faible dose, la présence de tanins donne à la plante des vertus astringentes et antidiarrhéiques. Des effets hémostatiques (dus au catéchol et à l'acide gallique), anticoagulants et inhibiteurs de l'agrégation plaquettaire (catéchol), mais aussi anti-inflammatoires (phénylbutanones) sont rapportés. À noter des effets hypoazotémiants et antibactériens chez le rat.

INDICATIONS USUELLES RECONNUES

Indiquée localement dans les poussées dentaires douloureuses et les inflammations de la cavité buccale. Par voie orale, c'est un laxatif ; à plus forte dose un purgatif.

PRÉCAUTIONS D'EMPLOI

Contre-indiquée en cas de goutte, cystite, oxalurie, hémorroïdes, pendant la grossesse et la lactation. L'utilisation prolongée peut provoquer une constipation post-laxative : ne pas dépasser huit jours de traitement. L'usage de la plante fraîche et des feuilles est fortement déconseillé pour leurs effets irritants et même toxiques (feuilles).

Utilisée en Chine vingt-sept siècles avant J.-C., la rhubarbe importée était déjà mentionnée par Dioscoride « pour fortifier le foie, l'estomac et les autres viscères, contre la diarrhée aiguë, les fièvres chroniques, comme purgatif ». Les noms qui lui ont été attribués (rhubarbe de Turquie, de Perse, de Russie) sont liés aux voies d'importation de l'époque. Ce n'est qu'au milieu du XIXe siècle que l'on commença à l'importer directement de Chine. D'autres espèces cultivées en Europe *(Rheum palmatum),* voisines par leurs effets et leur origine, donnent des produits très proches de la drogue chinoise et sont actuellement indiquées comme laxatifs. La rhubarbe des jardins *(Rheum rhubarbarum)* est appréciée pour ses qualités gastronomiques.

EMPLOIS

• *0,05 g de parties souterraines pulvérisées, avant chacun des trois repas, comme digestif et tonique.*

• *0,20 g de parties souterraines pulvérisées, trois fois par jour, comme laxatif.*

Originaire d'Asie, comme toutes les rhubarbes, et plus particulièrement des hauts plateaux de Chine et du Tibet, Rheum officinale pousse entre 3 000 et 4 000 m d'altitude. Une espèce voisine est cultivée en Europe.

ROMARIN
Rosmarinus officinalis L.
Lamiaceae

Commun dans les garrigues du midi de la France, le romarin est répandu dans le bassin méditerranéen. Il est cultivé dans les jardins comme plante condimentaire et ornementale.

BOTANIQUE

Arbrisseau de 0,50 à 2 m de haut, à rameaux dressés et touffus. Les feuilles sont opposées, sessiles, linéaires, coriaces et à bords légèrement enroulés. Les fleurs, bleu pâle, sont réunies en grappes vers le sommet des rameaux. Le fruit est un tétrakène brun.

PARTIES UTILISÉES

Les sommités fleuries, fraîches ou séchées, les feuilles.

COMPOSANTS

Le romarin contient des acides-phénols, notamment l'acide rosmarinique, des flavonoïdes, des lactones diterpéniques, des dérivés triterpéniques, du bêta-sitostérol, des acides gras, des acides-alcools, de la choline, des tanins, un mucilage. L'huile essentielle, à odeur fortement camphrée, contient principalement de l'alpha-pinène, du bornéol, du camphre et du cinéol.

PROPRIÉTÉS DÉMONTRÉES

L'expérimentation animale a mis en évidence le pouvoir cholérétique, antispasmodique et hépatoprotecteur du romarin, qui possède également des activités anti-inflammatoires et diurétiques. L'huile essentielle exerce des effets bactéricides et spasmolytiques. C'est à l'acide rosmarinique que l'on attribue les activités antioxydantes et anti-inflammatoires du romarin.

INDICATIONS USUELLES RECONNUES

Le romarin stimule la cholérèse et la diurèse. Il est indiqué dans les cholécystites, ictères, dyspepsies, fermentations intestinales, règles douloureuses, asthénies, œdèmes, oliguries. En usage local, il est utilisé dans les gonflements articulaires, œdèmes, contusions, rhumatismes, ainsi que dans l'hygiène buccale et le traitement symptomatique du rhume et du nez bouché.

PRÉCAUTIONS D'EMPLOI

Aucune aux doses préconisées. L'huile essentielle est réservée à l'homéopathie.

Le romarin occupait une place importante dans les rites antiques égyptiens et grecs. Les Arabes l'utilisèrent largement en thérapeutique. En France, il fut cultivé très tôt dans les monastères comme plante médicinale. Au XVIIᵉ siècle, son alcoolat devint célèbre comme eau de jouvence sous le nom d'Eau de la reine de Hongrie, en souvenir de la reine Isabelle, qui, goutteuse, paralytique et de surcroît septuagénaire, aurait recouvré santé et jeunesse grâce à ce breuvage. Le romarin et son huile essentielle sont aujourd'hui très utilisés en phytothérapie, en parfumerie et comme condiment.

Encore appelé herbe aux couronnes, encensier.

EMPLOIS

• *Infusion (10 min) : 20 g de sommités fleuries sèches par litre d'eau. 3 tasses par jour avant les repas dans les cholécystites et les ictères ; 2 à 3 tasses par jour dans les dyspepsies, fermentations intestinales, rhumes et asthénies. S'emploie aussi en gargarisme dans les affections de la bouche et les amygdalites.*

• *Décoction concentrée en usage externe (10 min) : 1 poignée de feuilles fraîches dans 1 litre d'eau. À utiliser en compresse contre les rhumatismes et les contusions.*

RONCE

Rubus fruticosus L. *(sensu lato)*
Rosaceae

BOTANIQUE

Arbrisseau buissonnant de 0,20 à 2 m de haut, très envahissant, à longues tiges flexibles munies d'aiguillons ; les feuilles alternes sont divisées en folioles vert foncé et brillantes dessus, mates et pubescentes dessous, ovales, dentées et couvertes de fines épines sur la nervure médiane. Les fleurs, blanches ou rosées, sont disposées en grappes terminales. Les fruits (mûres), composés de drupéoles charnus, sont globuleux et noirs à maturité.

PARTIES UTILISÉES

Les feuilles (minces, tendres et vertes), récoltées avant la floraison (mai-juin) et séchées.

COMPOSANTS

On trouve dans la ronce des tanins (tri- et pentagalloylglucose, 4 à 15 %), de l'hydroquinone, de l'arbutine, de l'inositol, de la vitamine C, des acides organiques et des traces d'huile essentielle.

PROPRIÉTÉS DÉMONTRÉES

Les tanins ont fait l'objet de nombreuses études qui ont mis en avant leurs effets vasculoprotecteurs (sur les petits vaisseaux), antibactériens, antifongiques et antiviraux. Par leurs effets astringents, les tanins de la plante sont responsables de son effet antidiarrhéique et de son activité bénéfique sur les vaisseaux capillaires (augmentation de la résistance, diminution de la perméabilité). Les feuilles se sont montrées hypoglycémiantes chez le lapin.

INDICATIONS USUELLES RECONNUES

Par voie orale, les feuilles sont indiquées dans les diarrhées légères. En usages interne et externe, elles sont indiquées dans les manifestations de l'insuffisance veineuse et dans la symptomatologie hémorroïdaire. Localement, on les utilise aussi pour traiter les petites plaies, et dans les affections de la cavité buccale et/ou de l'oropharynx.

PRÉCAUTIONS D'EMPLOI

Aucune aux doses préconisées.

Commune en Amérique, en Europe, en Asie et en Afrique du Nord, la ronce croît jusqu'à 2 300 m, dans les haies, les sous-bois, les lieux incultes. Il en existe de très nombreuses variétés.

La présence de nombreuses graines de mûre sur des sites néolithiques montre que ce fruit était déjà une nourriture pour les populations préhistoriques. Citée par Théophraste au IVe siècle avant J.-C. pour ses effets médicinaux, la ronce était surtout connue comme astringent. Au XIIe siècle, sainte Hildegarde en recommandait l'usage. Elle reste un remède populaire contre les affections de la cavité buccale et/ou de l'oropharynx.

Encore appelée ronce des buissons, ronce des bois, mûrier sauvage, mûrier des haies, mûrier de renard, catimuron, aronce.

EMPLOIS

• *Infusion (10 min) : 15 g de feuilles par litre d'eau. 2 à 3 tasses par jour, avant les repas, en cas de diarrhées chroniques.*

• *Décoction (15 min) : 50 g de feuilles par litre d'eau. En gargarisme ou bain de bouche, cinq à six fois par jour, en cas d'inflammation de la gorge ou de la bouche. En compresse sur les petites plaies.*

ROSE À CENT FEUILLES

Rosa × centifolia L.
Rosaceae

BOTANIQUE

Petit arbrisseau de 0,50 à 1 m de haut, à tiges armées d'aiguillons et à feuilles alternes, stipulées, composées de 5 à 7 folioles dentées et portant aussi des aiguillons sur la nervure centrale. Les fleurs, très odorantes, possèdent de nombreux pétales rose vif. Le réceptacle, ovoïde et charnu à maturité, renferme les véritables fruits, akènes poilus à une seule graine.

PARTIES UTILISÉES

Les pétales séchés et les boutons floraux.

COMPOSANTS

Les pétales renferment 0,03 à 0,04 % d'une huile essentielle – contenant du géraniol, du nérol, du citronellol et de l'aldéhyde phényléthylique –, un tanin gallique et des anthocyanosides.

PROPRIÉTÉS DÉMONTRÉES

Les pétales possèdent des propriétés astringentes légères utilisées en ophtalmologie et en cosmétologie. Utilisés par voie interne, ils exercent une action laxative légère et adoucissante.

INDICATIONS USUELLES RECONNUES

La rose à cent feuilles est utilisée dans le traitement des constipations légères, principalement chez l'enfant et le vieillard, et, en usage externe, dans le traitement des inflammations oculaires bénignes (conjonctivites, irritations de l'œil, etc.), du prurit dans certaines affections cutanées et de la déshydratation de la peau.

PRÉCAUTIONS D'EMPLOI

Aucune aux doses préconisées.

Originaire du Caucase, la rose à cent feuilles est – comme les autres roses parfumées (*R. × damascena, R. × alba*) – cultivée depuis longtemps par les Perses, les Grecs, les Romains et les populations du Proche-Orient. La distillation des roses remonte, en Perse, aux environs du IXe siècle. La pommade de rose y est aussi très ancienne. Ce sont les Arabes, au Xe siècle, et plus tard les croisés qui firent connaître l'eau distillée de rose en Europe occidentale.

Encore appelée rose pâle, rose de mai.

EMPLOIS

• *Décoction de pétales (10 min) : 20 g de pétales séchés par litre d'eau bouillante ; passer en exprimant. 1 grande tasse le soir, contre les constipations légères. Peut servir aussi en lotion dans les manifestations prurigineuses des affections cutanées.*

• *Eau distillée de rose à cent feuilles : en bain d'yeux ou en collyre contre les inflammations oculaires bénignes et les irritations de l'œil (conjonctivites, fatigue de l'œil, irritations). S'utilise aussi en lotion dans les soins du visage (peaux déshydratées, peaux sèches).*

• *Conserve de rose : 30 g de pétales frais, débarrassés de l'onglet (la base du pétale), broyés avec 90 g de sucre et 10 g d'eau distillée de rose. 50 à 100 g le soir, comme laxatif léger (demi-dose chez l'enfant et le vieillard). Cuite, cette conserve peut se garder longtemps en bocaux fermés.*

La rose à cent feuilles est cultivée dans toutes les régions tempérées du bassin méditerranéen pour la production de pétales séchés, d'eau distillée (l'eau de rose) ou d'huile essentielle. C'est la rose de Damas (Rosa × damascena), une espèce voisine cultivée en Bulgarie et en Turquie, qui fournit l'essence de rose officinale.

ROSE TRÉMIÈRE

Alcea rosea L.
Malvaceae

BOTANIQUE

Grande plante bisannuelle de 2,50 à 3 m de haut, ressemblant beaucoup à la guimauve. Les tiges plus ligneuses portent des feuilles gaufrées, d'un beau vert, alternes et lobées. Les fleurs, solitaires ou groupées par deux à l'aisselle des feuilles, ou encore disposées en épi terminal, sont grandes et très colorées (blanches, jaunes, roses, pourpres, noires, panachées). Les fruits sont des polyakènes. La saveur est mucilagineuse, un peu âpre.

PARTIES UTILISÉES

Les fleurs, récoltées en début de floraison et séchées ; les feuilles, récoltées après la floraison et séchées.

COMPOSANTS

La plante contient un mucilage uronique, des pigments anthocyaniques (althaeïne), des flavonoïdes, des acides-phénols, du scopolétol, des polysaccharides et des sels minéraux (9 %). Les tiges et les racines, qui ne sont pas utilisées, contiennent les mêmes éléments.

PROPRIÉTÉS DÉMONTRÉES

Les propriétés antitussives, émollientes et laxatives de la plante sont principalement dues au mucilage. Les anthocyanosides présents dans les pétales augmentent la résistance des capillaires et en diminuent la perméabilité (activité vitaminique P). Des effets antiulcéreux ont été obtenus expérimentalement avec les polysaccharides des tiges.

INDICATIONS USUELLES RECONNUES

La rose trémière est indiquée par voie orale dans le traitement symptomatique de la toux et de la composante douloureuse des colites spasmodiques.
Localement, on l'utilise en traitement d'appoint adoucissant et antiprurigineux des affections dermatologiques (crevasses, écorchures, gerçures, piqûres d'insectes) et comme analgésique dans les affections de la cavité buccale et/ou de l'oropharynx.

PRÉCAUTIONS D'EMPLOI

Aucune aux doses préconisées.

La rose trémière aurait été rapportée d'Orient par les Turcs. Elle n'est en tout cas mentionnée avec certitude qu'à partir du XVIe siècle. À cette époque, elle était déjà cultivée dans les jardins comme plante ornementale. Elle est utilisée en thérapeutique comme succédané de la guimauve, pour les mêmes indications. On l'a parfois employée comme colorant dans les sirops, les liqueurs et les sucreries, car son colorant est inoffensif.

Encore appelée passe-rose, rose d'outre-mer, rose mauve, rose à bâton, bâton de Jacob, alcée rose, mauve arborée.

Originaire d'Orient, la rose trémière est très cultivée dans les jardins pour ses fleurs décoratives. Elle affectionne les sols légers, frais, profonds et riches.

EMPLOIS

• *Infusion (15 min) ou macération (60 min) : 10 g de fleurs ou de feuilles par litre d'eau. 2 à 3 tasses par jour avant les repas en cas de colite, entre les repas contre la toux.*

• *Infusion en usage externe (15 min) : 20 g de fleurs par litre d'eau. En lavage dans les affections dermatologiques ; en gargarisme dans les affections de la cavité buccale et/ou de l'oropharynx.*

SALICAIRE

Lythrum salicaria L.
Lythraceae

Plante commune en Amérique du Nord, en Europe et dans les régions tempérées d'Asie, d'Afrique et d'Australie, la salicaire aime et envahit les lieux humides, le bord des cours d'eau, des fossés, des marécages. On la rencontre souvent à proximité des saules.

BOTANIQUE

Plante herbacée vivace de 0,30 à 1,50 m de haut, à tige dressée, quadrangulaire, velue et ramifiée dans sa partie supérieure. Les feuilles, velues elles aussi, sont lancéolées, opposées et disposées en croix, plus rarement verticillées par trois. Les fleurs, rose violacé, sont groupées en grappes allongées, terminales ou latérales. Les fruits sont des capsules.

PARTIES UTILISÉES

Les sommités fleuries, récoltées à la floraison (juin-septembre) et séchées à l'ombre.

COMPOSANTS

La plante contient des tanins galliques (10 %), des anthocyanosides, des glucosides de flavones (orientine, vitexine...), des acides-phénols, une huile essentielle, une résine, du mucilage, des hétérosides (salicarine).

EMPLOIS

• *Infusion (10 min) : 20 g de sommités par litre d'eau. 3 à 4 tasses par jour, entre les repas, en cas de diarrhées, surtout chez l'enfant en bas âge.*

• *Sirop : 150 g de sommités pulvérisées par litre d'eau ; laisser macérer 24 h, passer et ajouter 1 litre de sirop de sucre. 8 cuillerées à thé (50 g) par jour, entre les biberons, dans l'entérite du nourrisson.*

• *Infusion en usage externe (20 min) : 50 g de sommités par litre d'eau, à utiliser en bain de bouche et en gargarisme dans les affections buccopharyngées, mais aussi en lavement et en compresse dans les troubles hémorroïdaires et veineux.*

PROPRIÉTÉS DÉMONTRÉES

Les effets astringents et antidiarrhéiques sont dus aux tanins. Des effets anti-inflammatoires, analgésiques, antiseptiques et hypoglycémiants (probablement attribuables – au moins en partie – aux flavonoïdes) ont été observés. On attribue à la salicarine un effet hémostatique. Les anthocyanosides diminuent la perméabilité des capillaires et en renforcent la résistance.

INDICATIONS USUELLES RECONNUES

En usage interne, la salicaire est indiquée dans le traitement des diarrhées légères, en particulier chez le nourrisson et l'enfant en bas âge. Par voie orale et en usage externe, elle est utilisée dans les manifestations de l'insuffisance veineuse (jambes lourdes) et la symptomatologie hémorroïdaire. Localement, on l'emploie dans les affections de la cavité buccale et/ou de l'oropharynx.

PRÉCAUTIONS D'EMPLOI

Aucune aux doses préconisées. Attention ! les diarrhées des nourrissons doivent toujours faire l'objet d'une attention particulière (risque de déshydratation). Les diarrhées abondantes avec fièvre sont des urgences médicales qui imposent l'appel au médecin le plus rapidement possible.

Occupant une place importante dans les superstitions germaniques du Moyen Âge, la salicaire, était considérée comme la demeure des lutins. C'est à partir du XVIIIe siècle que fut découvert son usage thérapeutique dans les troubles intestinaux, la dysenterie, les hémorragies, l'eczéma, l'entérite et la typhoïde. La médecine populaire la préconisait comme astringent dans les diarrhées infantiles, comme hémostatique et vulnéraire, ainsi que dans le traitement des leucorrhées et des ulcères variqueux. Ses jeunes pousses ou la moelle de ses tiges sont parfois consommées, cuites, en légume.

Encore appelée salicaire à épis, lysimaque rouge, lythre salicaire, herbe aux coliques.

SARRIETTE D'HIVER

Satureja montana L.
Lamiaceae

BOTANIQUE

Sous-arbrisseau vivace de 12 à 40 cm de haut, à tiges ligneuses dans leur partie inférieure. Les feuilles sont coriaces, luisantes, opposées, ciliées sur le bord, lancéolées. Les fleurs, blanches ou teintées de rose, sont disposées en grappes unilatérales de petits glomérules. L'odeur est aromatique, la saveur est amère et chaude.

PARTIES UTILISÉES

Les feuilles et les sommités fleuries, séchées en bouquets au-dessus d'une source de chaleur.

COMPOSANTS

La sarriette d'hiver contient une huile essentielle (au moins 0,7 %) riche en thymol et en carvacrol, ainsi que des polyphénols.

PROPRIÉTÉS DÉMONTRÉES

Les effets antiseptiques de l'huile essentielle sont démontrés (action antibactérienne et antifongique). Les polyphénols semblent responsables des effets cholagogues et cholérétiques.

INDICATIONS USUELLES RECONNUES

La sarriette d'hiver est indiquée oralement dans les troubles digestifs (ballonnements épigastriques, lenteur de la digestion, éructations, flatulences). Localement, elle est utilisée pour traiter les petites plaies, le rhume, le nez bouché, et pour assurer l'hygiène buccale.

PRÉCAUTIONS D'EMPLOI

Aucune aux doses préconisées. L'huile essentielle est réservée à l'homéopathie.

Espèce des coteaux arides méridionaux, des rocailles et rochers, la sarriette d'hiver se rencontre dans le sud de l'Europe et en Afrique du Nord. Elle aime les sols calcaires et se trouve rarement au-dessus de 1 500 m.

La sarriette était déjà utilisée comme condiment par les Grecs. La médecine populaire la préconisait pour ses effets stimulants, aphrodisiaques et fortifiants. Elle entre dans la composition d'un remède vulnéraire populaire, l'alcoolat vulnéraire ou eau d'arquebusade. Elle est également utilisée en guise d'assaisonnement rendant les féculents plus digestes. Elle est cultivée comme plante ornementale.

Encore appelée sarriette des montagnes, sarriette sauvage, sarriette vivace, savourée, pebre d'aï, herbe de saint Julien.

EMPLOIS

• *Infusion (10 min) : 10 à 20 g de sommités fleuries par litre d'eau. 3 tasses par jour après chaque repas en cas de troubles digestifs, pour ses effets carminatifs.*

• *Infusion en usage externe (10 min) : 50 g de sommités fleuries par litre d'eau. En gargarisme ou bain de bouche pour le traitement des plaies et l'hygiène buccale.*

SAUGE OFFICINALE
Salvia officinalis L.
Lamiaceae

BOTANIQUE

Sous-arbrisseau aromatique, très ramifié, de 40 à 80 cm de haut, à tiges quadrangulaires portant des feuilles opposées, lancéolées, épaisses, laineuses, vert blanchâtre. Les fleurs, bleu violacé, bilabiées, groupées en faux verticilles au sommet des rameaux, comportent 2 étamines. Le fruit (akène) a 4 graines.

PARTIES UTILISÉES

Les feuilles, séchées à l'abri de la lumière.

COMPOSANTS

La sauge officinale est riche en flavonoïdes (1 à 3 %). On y trouve aussi des triterpènes (acide ursolique, acide oléanolique), des diterpènes (carnosol, rosmanol, manool, acide carnosolique), des acides-phénols, dont l'acide rosmarinique, mais aussi 1 à 2 % d'une huile essentielle à alpha- et bêta-thuyone, camphre, camphène, cinéol, bornéol, acétate de bornyle.

PROPRIÉTÉS DÉMONTRÉES

La sauge officinale contient de nombreuses substances très actives, dont certaines sont même toxiques (les thuyones provoquent à fortes doses de graves troubles nerveux et digestifs). Les feuilles ont des propriétés antioxydantes, bactéricides, cholérétiques, astringentes, antispasmodiques et antisudorales. Les vertus emménagogues de la sauge sont mises sur le compte de constituants à effets œstrogéniques ; s'y ajouterait une activité antigonadotrophinique.

INDICATIONS USUELLES RECONNUES

La plante est indiquée par voie orale dans le traitement symptomatique des troubles digestifs (dyspepsies, petites diarrhées, vomissements spasmodiques, cholécystites...) ; dans les règles douloureuses, troubles de la ménopause, sueurs profuses ; enfin dans les asthénies et pour tarir la sécrétion lactée au cours du sevrage des nourrissons. En usage local, elle est utilisée comme cicatrisant et, en bain de bouche ou en gargarisme, dans les affections buccales (aphtes, gingivites) et de la gorge (amygdalites).

PRÉCAUTIONS D'EMPLOI

Respecter les doses préconisées, car la plante n'est pas dénuée de toxicité. Éviter chez la femme au cours de la grossesse et de l'allaitement et aussi chez l'enfant. L'huile essentielle est réservée à l'homéopathie.

Connue des Grecs, des Romains et des Arabes, la sauge officinale est cultivée depuis longtemps en Europe et dans toutes les régions tempérées pour son usage médicinal et condimentaire. Au cours des siècles, Hippocrate, Dioscoride, Galien puis sainte Hildegarde en ont vanté les vertus. Au Moyen Âge, elle était considérée comme une panacée. « Celui qui veut vivre à jamais doit manger la sauge en mai. »

Encore appelée thé de France, thé d'Europe, herbe sacrée, herbe aux plaies, ormin, toute-bonne.

Spontanée en région méditerranéenne, où elle aime pentes arides, coteaux stériles et rocailles, la sauge officinale est aussi cultivée dans les jardins.

EMPLOIS

• *Infusion (10 min) : 20 g de feuilles par litre d'eau. 2 à 3 tasses par jour dans les asthénies nerveuses, petites diarrhées, troubles de la ménopause, sueurs, et pour arrêter la montée de lait ; 1 tasse deux fois par jour, la semaine précédente, pour prévenir les règles douloureuses.*

• *Décoction (10 min) : 15 g de feuilles par litre d'eau, en bain de bouche ou en gargarisme, trois à quatre fois par jour, contre les aphtes, gingivites, muguet, amygdalites.*

• *Décoction forte en usage externe (10 min) : 30 g par litre d'eau. En compresse sur les plaies, les eczémas.*

SAULE BLANC

Salix alba L.
Salicaceae

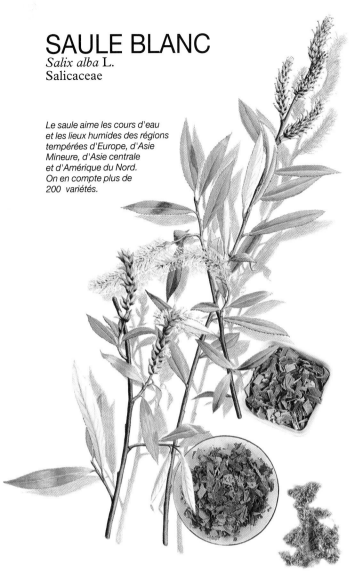

Le saule aime les cours d'eau et les lieux humides des régions tempérées d'Europe, d'Asie Mineure, d'Asie centrale et d'Amérique du Nord. On en compte plus de 200 variétés.

PROPRIÉTÉS DÉMONTRÉES

Les principales propriétés de l'écorce démontrées expérimentalement sont essentiellement dues au salicoside, qui se transforme dans les intestins en acide salicylique voisin de l'aspirine et a une activité anti-inflammatoire, antipyrétique et analgésique.

INDICATIONS USUELLES RECONNUES

L'écorce est astringente, réputée depuis fort longtemps pour ses propriétés fébrifuges. Elle est surtout recommandée pour son action anti-inflammatoire, contre les manifestations articulaires douloureuses mineures et les fièvres légères dues à un état grippal. Les chatons sont doués de propriétés antispasmodiques et sédatives nerveuses.

PRÉCAUTIONS D'EMPLOI

Aucune aux doses préconisées.

Le saule a toujours joui d'une grande réputation. Les médecins de l'Antiquité lui attribuaient trois vertus calmantes : sur la fièvre, sur les douleurs et sur l'excitation sexuelle. Au XVIᵉ siècle, il était « l'arbre contre la douleur ». Les feuilles et les chatons étaient utilisés pour leurs vertus sédatives et pouvaient « refroidir ceux qui sont par trop échauffés en amour ». À la même époque, Matthiole signale son intérêt dans l'insomnie. Toutes les espèces de saules possèdent des vertus fébrifuges, comme le saule de Babylone, espèce ornementale communément appelée saule pleureur, celui que les amis de Musset plantèrent près de sa tombe.

Encore appelé saule commun, saule argenté, osier blanc.

BOTANIQUE

Arbre très commun, le saule blanc (comme ses sous-espèces) peut atteindre 20 m de haut. Il se caractérise par un tronc à l'écorce crevassée et des rameaux flexibles à feuilles lancéolées blanchâtres et soyeuses dessous. Les fleurs, jaunes ou verdâtres et groupées en chatons, apparaissent en avril-mai.

PARTIES UTILISÉES

L'écorce, récoltée en mars sur des branches âgées de moins de 3 ans à la belle saison, et séchée dans un endroit frais. Les chatons et les feuilles, récoltés en avril, séchés également.

COMPOSANTS

L'écorce est riche en composés polyphénoliques : tanins, flavonoïdes, dont le plus intéressant, le salicoside, est responsable de l'activité fébrifuge et antirhumatismale. Les chatons contiendraient en particulier des substances à activité œstrogénique.

EMPLOIS

• *Décoction : 40 g d'écorce concassée par litre d'eau ; faire bouillir 5 min et infuser 10 min. 2 à 3 tasses par jour, contre la fièvre, les cystites et les rhumatismes.*

• *Infusion (15 min) : 20 g de chatons ou de feuilles par litre d'eau. 2 tasses par jour, plus 1 au coucher pour calmer l'anxiété, la nervosité, les douleurs utérines, et pour procurer le sommeil.*

• *La même infusion est employée en lotion journalière contre la peau grasse.*

SCROFULAIRE NOUEUSE

Scrofularia nodosa L.
Scrofulariaceae

BOTANIQUE

Plante herbacée de 0,40 à 1,50 m de haut, à tiges raides, pleines, quadrangulaires, à feuilles glabres, opposées, triangulaires, allongées, irrégulièrement dentées. Les petites fleurs brun-rouge sont longuement pédonculées et groupées en panicules terminales lâches. Les fruits sont des capsules ovoïdes pointues. Le rhizome gris-brun est gros et noueux. L'odeur de la plante est très désagréable et écœurante, la saveur est nauséeuse et amère.

PARTIES UTILISÉES

Les parties souterraines et les sommités fleuries, séchées, et les feuilles, fraîches.

COMPOSANTS

La plante renferme des saponines, des flavonoïdes, une anthraquinone (rhéine), et des iridoïdes en faible quantité (harpagoside...).

PROPRIÉTÉS DÉMONTRÉES

La rhéine est dotée d'effets purgatifs. Les iridoïdes sont anti-inflammatoires. Les saponines à forte dose se sont révélées toxiques pour certains animaux (hématurie).

INDICATIONS USUELLES RECONNUES

La plante est indiquée localement en cas de coups de soleil, de brûlures superficielles et peu étendues, d'érythème fessier. En usages interne et externe, on la recommande dans les manifestations articulaires douloureuses et les rhumatismes.

PRÉCAUTIONS D'EMPLOI

Ne pas dépasser les doses préconisées. À fortes doses, la scrofulaire noueuse provoque des vomissements et une diarrhée violente. Elle peut induire des troubles du rythme cardiaque et une atteinte rénale.

Tirant son nom de son ancienne réputation dans le traitement des tumeurs scrofuleuses, la scrofulaire noueuse était également utilisée au XVIᵉ siècle comme vulnéraire et antihémorroïdaire. On employait les feuilles en lotion contre la gale, tandis que la racine broyée et mélangée à du beurre constituait un onguent contre les furoncles, les abcès et les panaris. Son utilisation populaire comme hypoglycémiant a également été rapportée, la plaçant au XIXᵉ siècle parmi les remèdes antidiabétiques. La tradition lui accorde des effets toniques, stimulants, vermifuges et vulnéraires. On a par ailleurs remarqué que vaches, moutons et chèvres évitent de brouter cette plante.

Encore appelée scrofulaire des bois, grande scrofulaire, herbe aux écrouelles, herbe au siège, orvale, agrouelles.

Plante des bois clairs humides et du bord des cours d'eau, la scrofulaire noueuse est assez commune en Europe, sauf en région méditerranéenne ; elle croît jusqu'à 1 800 m.

EMPLOIS

• *Décoction (10 min) : 15 à 20 g de parties souterraines par litre d'eau. 2 tasses dans la journée comme anti-inflammatoire.*

• *La même décoction s'emploie en usage externe en compresse dans les affections cutanées.*

• *Cataplasme de feuilles fraîches pilées dans les affections cutanées, petites brûlures, coups de soleil, érythème fessier.*

SÉNÉ D'ALEXANDRIE
Senna alexandrina Mill.
Cesalpiniaceae

BOTANIQUE

Sous-arbrisseau de 40 à 60 cm de haut, à tiges dressées, à feuilles alternes, composées, paripennées : les folioles, vert jaunâtre à vert grisâtre, sont opposées, lancéolées, aiguës, plus ou moins pubescentes. Les fleurs, jaunes et veinées de brun, sont groupées en grappes axillaires. Les fruits, gousses brun pâle aplaties, arquées, parcheminées, déhiscentes, contiennent 6 à 8 graines. L'odeur des folioles est faible, leur saveur mucilagineuse, puis amère et légèrement âcre.

PARTIES UTILISÉES

Les folioles et les fruits, récoltés en septembre et séchés au soleil.

COMPOSANTS

La composition chimique des folioles et des fruits du séné présente des dérivés hydroxyanthracéniques (2 à 5 %), qui par séchage forment les sennosides, principes actifs du séné. On trouve aussi des flavonoïdes, des polysaccharides acides, un polyol (pinnitol), des phytostérols, des matières minérales (10 à 12 %) et des dérivés naphtaléniques.

PROPRIÉTÉS DÉMONTRÉES

Les effets laxatifs sont liés aux sennosides, après hydrolyse au niveau du côlon et transformation en rhéine-anthrone : augmentation du péristaltisme intestinal ; inhibition de la réabsorption de l'eau, du sodium, du chlore ; augmentation de la sécrétion de potassium.

INDICATIONS USUELLES RECONNUES

Le séné est indiqué comme laxatif stimulant.

PRÉCAUTIONS D'EMPLOI

Ne pas utiliser la plante ou les graines fraîches, irritantes pour l'intestin, la vessie et l'utérus. Ne pas prolonger le traitement au-delà de huit jours : risque de troubles métaboliques (hypokaliémie, colite avec diarrhées, mélanose rectocolique...). Contre-indiqué chez les enfants de moins de 12 ans.

EMPLOIS

• *Infusion (10 min) : 3 à 15 g de folioles par litre d'eau. 1 tasse après chaque repas contre la constipation.*

Les médecins arabes connaissaient les effets laxatifs et purgatifs du séné depuis le Xe siècle. Ce sont eux qui l'introduisirent dans la thérapeutique occidentale. Ils le recommandaient contre la goutte, la sciatique, les douleurs articulaires causées par la bile, l'atrabile et la pituite, mais aussi contre les gerçures, la chute des cheveux, les poux, la céphalée chronique, la gale, le prurit...

Le séné d'Alexandrie est encore appelé séné de Khartoum, séné de Tinnevelly.

C. senna

Le séné d'Alexandrie croît naturellement au Mexique, en Afrique tropicale, au Proche-Orient et en Inde. On le connaît aussi sous les noms de Cassia senna et C. angustifolia.

SERPOLET ou THYM SERPOLET

Thymus serpyllum L.
Lamiaceae

BOTANIQUE

Petit sous-arbrisseau vivace de 10 à 50 cm de haut, à tiges généralement couchées, redressées au sommet, peu touffues. Les feuilles, à disposition opposée, sont petites, entières, oblongues, aux bords faiblement enroulés. Les fleurs sont roses, blanches ou rose violacé, en glomérules terminaux. Le fruit est un tétrakène brun et lisse. La plante a une odeur et une saveur aromatiques.

PARTIES UTILISÉES

Les sommités fleuries, récoltées en été ou en automne, séchées à l'ombre en bouquets.

COMPOSANTS

Le composant le plus important du serpolet est une huile essentielle riche en thymol et/ou carvacrol qui contient également du cinéol, des alcools et des carbures terpéniques. Il renferme aussi de nombreux flavonoïdes, des acides-phénols et des triterpènes.

PROPRIÉTÉS DÉMONTRÉES

L'huile essentielle possède des propriétés antispasmodiques, expectorantes, antibactériennes et antifongiques. On attribue aussi à la plante des activités antivirales et antigonadotrophiques.

INDICATIONS USUELLES RECONNUES

Par voie interne, le serpolet est indiqué dans le traitement symptomatique de la toux, dans celui des troubles digestifs à caractère spasmodique, et contre la fatigue.
En application locale, il est employé pour le soin des petites plaies, pour le soulagement temporaire des maux de gorge et/ou des enrouements passagers, contre le nez bouché, le rhume et aussi en bain de bouche, pour l'hygiène buccale.

PRÉCAUTIONS D'EMPLOI

Aucune aux doses préconisées. À fortes doses ou en utilisation continue, l'huile essentielle peut être neurotoxique. Elle n'est utilisée qu'en homéopathie.

Les Anciens connaissaient et utilisaient déjà des espèces voisines du thym serpolet. Dioscoride les recommandait comme diurétiques et emménagogues, et contre les spasmes, les convulsions, les hernies, les inflammations du foie, les troubles cérébraux. Au Moyen Âge, le thym serpolet était indiqué dans le traitement des maux de tête, des douleurs et de la coqueluche. Rabelais a cité le serpolet dans son *Tiers Livre*, aux côtés de la quintefeuille : « Le serpoulet, herpe contre terre », disait-il, et l'on comprend ainsi son nom. En effet, *herpe*, en vieux français, provient du grec *herpein*, ramper, qui fut traduit en latin par *serpyllum*, le nom de l'espèce, rappelant bien l'allure rampante de ses tiges. Le serpolet a toujours tenu une place importante dans la médecine populaire.

Encore appelé *thym sauvage, pilolet, serpoulet, thym rouge, thym bâtard, poleur, poliet, poulliot, pouilleux, petit poulliot, poujeu bâtard, poujeu de bique, sent-il-bon, bouquet.*

EMPLOIS

• *Infusion (10 min) : 15 g de sommités fleuries par litre d'eau. 2 à 3 tasses par jour après les repas comme antispasmodique dans les troubles digestifs, contre la toux et la fatigue.*

• *Même infusion en usage externe : en application locale contre les affections de la peau.*

Très commun en Europe, le serpolet aime les coteaux, les pâturages de montagne, le maquis. Apprécié par les abeilles, il constitue un bon herbage pour les moutons.

SOLIDAGE VERGE D'OR

Solidago virgaurea L.
Asteraceae

Plus d'une centaine d'espèces de verges d'or sont originaires d'Amérique du Nord. Celle-ci, dont dérive le nom commun de toutes les autres, est d'origine européenne. Les verges d'or se trouvent en divers habitats, bords de routes, forêts, champs, rivages, tourbières...

BOTANIQUE

Plante herbacée vigoureuse, vivace, de 0,30 à 1 m de haut, dont la tige, souvent rouge violacé, porte des feuilles ovales. Les organes floraux sont constitués de fleurs tubuleuses au centre et ligulées à la périphérie, formant un capitule jaune. Les fruits (akènes) sont cylindriques, jaune pâle et surmontés d'une aigrette.

PARTIES UTILISÉES

Les sommités fleuries, récoltées de juin à août.

COMPOSANTS

Parmi les nombreux constituants identifiés, il faut citer : une huile essentielle, des tanins, des flavonoïdes (1,5 à 2 %), des dérivés terpéniques, des acides-phénols en grande quantité (10 à 15 %) et de la coumarine. On a isolé en outre des polysaccharides particuliers.

PROPRIÉTÉS DÉMONTRÉES

De nombreuses expérimentations in vivo ont permis de mettre en évidence plusieurs activités. Parmi celles-ci, il faut mentionner l'activité diurétique, mais également des activités analgésiques, hypotensives, antifongiques, anti-inflammatoires et vasculoprotectrices.

INDICATIONS USUELLES RECONNUES

Les indications thérapeutiques principales concernent les propriétés diurétiques. Mais l'usage populaire lui reconnaît également des propriétés sédatives, analgésiques, anti-inflammatoires et vulnéraires. Anti-exsudative, elle convient au traitement des diarrhées et des entérites ; elle est aussi antimycosique et répulsive pour les moustiques. Elle améliore la circulation veineuse.

PRÉCAUTIONS D'EMPLOI

Aucune aux doses préconisées. Le pollen de la plante fraîche serait, d'après certains, responsable du rhume des foins.

Décrite par Olivier de Serres dans *Théâtre d'agriculture*, cette espèce végétale a toujours été reconnue pour ses nombreuses vertus, en particulier dans les maladies des reins et de la vessie, et en usage externe comme vulnéraire pour la cicatrisation des plaies. Elle a beaucoup inspiré l'imagination populaire.

Encore appelée verge d'or, verge dorée, herbe des juifs, solidage des bois.

EMPLOIS

• *Infusion (10 min) : 30 à 40 g de sommités fleuries par litre d'eau. 3 à 4 tasses par jour en dehors des repas, comme diurétique. Interrompre 10 jours de suite après 10 jours de traitement.*

• *La même infusion est employée localement en lotion ou en compresse sur les petites plaies à cicatriser ou les irritations cutanées.*

SOUCI OFFICINAL
Calendula officinalis L.
Asteraceae

EMPLOIS

• *Infusion (10 min) : 15 à 20 g de capitules par litre d'eau. 3 tasses par jour avant les repas, comme emménagogue, anti-inflammatoire, sédatif, hypotenseur.*

• *La même infusion est employée en lotion et en compresse, comme antiseptique, cicatrisant et décongestionnant, et aussi en gargarisme.*

D'origine méditerranéenne, le souci officinal était déjà cultivé en Europe au Moyen Âge, en particulier pour sa valeur ornementale. Apprécié aujourd'hui pour ses vertus thérapeutiques, il est aussi cultivé pour ses fleurs comestibles.

BOTANIQUE

Plante herbacée annuelle ne dépassant pas 50 cm de haut, aux tiges anguleuses et velues, à feuilles alternes, à floraison mensuelle. L'organisation florale est faite d'un capitule ressemblant à une marguerite, constituée par des fleurs centrales tubuleuses jaune safran, ligulées à la périphérie. Le fruit (akène) est épineux.

PARTIES UTILISÉES

Les capitules, récoltés de mai à août et séchés. Leur conservation requiert le plus grand soin, car l'humidité ambiante pourrait nuire à leur efficacité.

COMPOSANTS

La composition chimique est faite d'un nombre imposant de constituants : saponosides en proportions importantes (2 à 10 %), hétérosides flavoniques et caroténoïdes en abondance, polyholosides, alcools triterpéniques, acides organiques dont l'acide salicylique, tanins, stérols... Les fleurs contiennent en outre une huile essentielle.

PROPRIÉTÉS DÉMONTRÉES

De très nombreuses propriétés ont été reconnues au souci : antiseptiques, anti-inflammatoires, antiœdémateuses, antiulcéreuses, cicatrisantes, sédatives, hypolipémiantes, antivirales, antivenimeuses et antiparasitaires. On y ajoutera des effets œstrogéniques, emménagogues, spermicides, hypotenseurs... Toutefois, les applications de ces propriétés sont encore au stade expérimental.

INDICATIONS USUELLES RECONNUES

Le souci est surtout employé en usage local dans les traitements des affections cutanées, et plus particulièrement dans le traitement des petites plaies, comme adoucissant et pour calmer les démangeaisons, crevasses, écorchures, gerçures, mais également contre les coups de soleil, petites brûlures, érythèmes fessiers et maux de gorge. Il est précieux contre les piqûres d'insectes. En usage interne, il est utilisé avec prudence comme cholérétique, antiulcéreux, anti-inflammatoire, sédatif, hypotenseur.

PRÉCAUTIONS D'EMPLOI

Aucune en usage externe. Son usage interne n'est pas dénué d'effets indésirables dus aux substances œstrogéniques. À éviter chez la femme au cours de la grossesse et de l'allaitement.

Jadis très en vogue dans la médecine populaire, le souci était considéré au Moyen Âge comme une plante magique. Tombé en désuétude pendant plusieurs siècles, il connaît un regain de faveur depuis qu'on a identifié ses nombreux principes actifs.

Encore appelé souci des jardins, fleur de calendule.

SUREAU NOIR

Sambucus nigra L.
Caprifoliaceae

BOTANIQUE

Arbuste de 3 à 5 m de haut, pouvant atteindre 10 m, à feuilles caduques composées de 5 à 7 folioles, au tronc et aux branches caractérisés par une épaisse moelle blanche. De minuscules fleurs, blanches et odorantes, sont disposées en corymbes. Le fruit est une petite baie noire et ronde.

PARTIES UTILISÉES

Les fleurs récoltées à épanouissement complet (mai-juillet) et séchées rapidement sur claies, et les fruits à maturité (automne). La seconde écorce, verte, grattée au printemps ou à l'automne, après avoir détaché l'écorce grise, et soigneusement séchée à l'air.

COMPOSANTS

Les fleurs de sureau noir sont riches en minéraux (8 à 9 %), particulièrement en sels de potassium, et renferment aussi des acides-phénols, des flavonoïdes et une huile essentielle en faible quantité (alcools monoterpéniques). On trouve dans les fruits des sucres, des acides citrique et malique, des flavonoïdes et des anthocyanosides (dérivés du cyanidol à action vitaminique P). Des hétérosides cyanogénétiques ont été isolés des graines. La seconde écorce a une composition voisine de celle des fleurs.

PROPRIÉTÉS DÉMONTRÉES

L'extrait aqueux des fleurs stimule la diurèse et possède un effet natriurétique chez le rat, alors que l'extrait hydro-alcoolique est dépourvu d'action. Une action diurétique et sudorifique des feuilles a également été démontrée.

INDICATIONS USUELLES RECONNUES

Fleurs, fruits et écorce sont indiqués comme diurétique et sudorifique dans les rétentions d'eau et en cas de refroidissement ou d'état grippal, et recommandés comme stimulant des fonctions d'élimination digestive et rénale. Les fruits sont légèrement laxatifs.

PRÉCAUTIONS D'EMPLOI

Aucune aux doses préconisées, sauf en cas d'hyperkaliémie.

La découverte de graines de sureau dans des lieux d'habitation datant de l'âge de la pierre et du bronze atteste leur utilisation depuis la préhistoire. La médecine grecque attribuait au sureau des propriétés laxatives et diurétiques ; aux feuilles, des effets cholagogues par voie orale et anti-inflammatoires en usage externe ; aux racines, des actions emménagogues et alexitères. Selon les médecins de la fin du XIXe siècle, les fleurs fraîches sont diurétiques ; sèches, elles sont indiquées dans la grippe et les refroidissements. La pharmacopée américaine utilise aux mêmes fins le sureau du Canada, *Sambucus canadensis*.

Encore appelé suseau, haut-bois, sus, sambuc.

EMPLOIS

• *Infusion (10 min) : 10 g de fleurs sèches par litre d'eau. 5 tasses par jour comme diurétique et contre les rhumatismes et les refroidissements.*

• *Décoction de fruits (15 min) : 30 g pour 150 ml d'eau ou de lait. 1 tasse avant chacun des trois repas, comme laxatif et stimulant des fonctions d'élimination.*

• *Décoction d'écorce : 20 g par litre d'eau. Chauffer jusqu'à réduction de moitié. 3 tasses dans la journée comme diurétique.*

Originaire de l'Europe centrale et méridionale, répandu en Afrique du Nord et en Asie, le sureau noir est une espèce rudérale, habituée du bord des chemins, des haies et des bois clairs. On le cultive en Amérique du Nord pour sa valeur ornementale.

THÉIER

Camellia sinensis (L.) O. Kuntze
Theaceae

BOTANIQUE

Arbuste à feuilles alternes, persistantes, dentées, brièvement pétiolées et vertes, velues dessous, glabres dessus, le théier peut atteindre 10 m à l'état sauvage ; il est maintenu à 1 ou 2 m en culture. Les fleurs régulières, blanches ou jaunâtres, sont composées d'un calice à 5 sépales et d'une corolle à 5 pétales. Ornées de très nombreuses étamines, ces fleurs ont un ovaire dont le fruit donne naissance à une capsule arrondie.

PARTIES UTILISÉES

Les feuilles, rapidement séchées sur des claies chauffées à une température peu élevée, ce qui leur conserve leur couleur verte. Roulées encore chaudes, elles constituent le thé vert, par opposition au thé noir, obtenu en ne séchant les feuilles qu'après un début de fermentation, d'où sa couleur caractéristique et son arôme particulier.

COMPOSANTS

La feuille contient des sucres et des vitamines (vitamine C et du groupe B). La caféine est un de ses constituants spécifiques. À noter, la présence de polyphénols en grande quantité (30 %), responsables de l'astringence (acides-phénols et tanins galliques), d'alcools terpéniques, à l'origine de l'arôme de l'infusion, et de flavonoïdes.

PROPRIÉTÉS DÉMONTRÉES

L'activité stimulante sur le système nerveux central a été démontrée ; elle est due à la caféine et à la théophylline, qui possèdent également des propriétés diurétiques. Il faut signaler les activités angioprotectrices et anti-inflammatoires de la plante, qui seraient liées à la présence des polyphénols. L'absorption intestinale du cholestérol alimentaire serait réduite.

INDICATIONS USUELLES RECONNUES

La feuille de théier est utilisée traditionnellement dans le traitement symptomatique des diarrhées légères, dans les asthénies fonctionnelles et comme diurétique léger.

PRÉCAUTIONS D'EMPLOI

Aucune aux doses préconisées. Comme avec le café, un usage trop intensif peut provoquer troubles du sommeil et tremblements (le théisme).

Le thé est une des boissons les plus consommées au monde. Boisson traditionnelle de la Chine depuis plus de quatre mille ans, il est apparu en Europe au XVIIe siècle. Il est bu sous la forme de thé vert et de thé noir, dont la fermentation développe l'arôme. Environ 2 millions de tonnes sont consommées par an sous toutes les formes. Si l'infusion de thé est une boisson agréable, les Anciens y trouvaient de nombreuses vertus thérapeutiques : aider une digestion difficile, éviter les diarrhées ou combattre les états fébriles (en association avec le rhum).

EMPLOIS

• *Infusion (15 min) : 20 g de thé par litre d'eau. 1 tasse deux fois par jour en dehors des repas, de préférence le matin et en milieu d'après-midi, en cas de diarrhées, de fatigue ou comme diurétique léger.*

Spontané dans les forêts pluvieuses, le théier est originaire d'Assam et de Chine. Sa culture s'est répandue au Sri Lanka, en Inde, dans le Sud-Est asiatique, au Japon ; il a été introduit en Afrique tropicale de l'Est.

THYM COMMUN

Thymus vulgaris L.
Lamiaceae

Originaire du bassin méditerranéen occidental, le thym commun se rencontre dans tout le midi de la France, en Italie, en Espagne, au Portugal. En Amérique du Nord, il est cultivé comme plante ornementale mais surtout culinaire.

BOTANIQUE

Petite plante vivace de 10 à 20 cm de haut, à rameaux serrés et dressés, aux petites feuilles opposées, velues, vert cendré. Les fleurs, petites, blanches ou rosées, disposées en un faux capitule globuleux, sont constituées d'une corolle bilabiée et d'un calice très velu et bossu.

PARTIES UTILISÉES

Les feuilles et les sommités fleuries, récoltées au moment de la pleine floraison (juin-juillet) ; deuxième récolte possible dans les premiers jours de septembre. Les plantes sont séchées dans un endroit frais et bien aéré.

COMPOSANTS

La plante contient une huile essentielle de teneur très variable (0,5-2,5 %), et dont les composants majoritaires appartiennent à des groupes chimiques différents tels que thymol, carvacrol (phénols) ou géraniol, linalol, etc. (monoterpènes), qui définissent différents chimiotypes. Les sommités fleuries contiennent des sucres, des triterpènes, des acides-phénols mais surtout des flavonoïdes (dérivés du lutéolol) parmi lesquels des flavones triméthoxylées (cirsilinéol) présentes en quantité variable.

PROPRIÉTÉS DÉMONTRÉES

L'activité antibactérienne et antifongique de l'huile essentielle a été démontrée sur des tests in vitro : son action antimicrobienne serait liée à la présence de phénols. L'expérimentation sur l'animal a mis en évidence l'activité spasmolytique du thym, qui pourrait être attribuée aux phénols, mais aussi aux dérivés flavoniques.

Le thym fut toujours réputé pour son activité antispasmodique mais surtout antiseptique. Sainte Hildegarde le recommandait contre la lèpre, la paralysie et la pédiculose. Peu à peu oublié sur le plan thérapeutique, il maintint ses positions dans le domaine culinaire. Au Maghreb, on utilise encore une décoction de thym dans l'huile d'olive pour nettoyer les plaies.

Encore appelé farigoule, barigoule, frigoule, pote.

INDICATIONS USUELLES

La tradition attribue au thym des propriétés antitussives et digestives. Il faut réserver son emploi en usage local pour le lavage des petites plaies (effet antibactérien) ; en usage interne pour faciliter la digestion, soulager les toux bénignes, maux de gorge ou enrouements passagers. Les bains de bouche sont préconisés pour l'hygiène buccale.

PRÉCAUTIONS D'EMPLOI

Aucune aux doses préconisées. Réserver l'usage de l'huile essentielle à la prescription médicale car elle peut provoquer de graves intoxications.

EMPLOIS

• *Infusion (10 min) : 15 à 20 g de plante par litre d'eau. 3 à 4 tasses par jour en dehors des repas, comme spasmolytique dans les problèmes bronchiques et digestifs.*

• *Macération (10 jours) : 100 g de plante dans 1 litre d'alcool à 50° ; filtrer. Appliquer localement sur les petites plaies comme désinfectant ; ou utiliser en bains de bouche : 1 cuillerée à thé dans 1 verre d'eau.*

TILLEUL

Tilia cordata Mill. ; *Tilia platiphyllos* Scop. ;
Tilia × vulgaris Hayne   Tiliaceae

EMPLOIS

• *Infusion (15 min) : 20 g de fleurs
par litre d'eau chez l'adulte, 10 g par
litre chez l'enfant. 3 fois par jour
entre les repas, comme sédatif nervin
et contre la toux. 1 tasse après le
repas du soir et 1 au coucher en cas
de troubles du sommeil.*

• *Bain : préparer une infusion
(30 min) à raison de 150 g de fleurs
par litre d'eau chez l'adulte, et 75 g
chez l'enfant, que l'on ajoute à l'eau
du bain. Cet usage a des effets antiprurigineux et relaxants.*

• *Décoction (5 min) suivi d'une
macération (30 min) : 20 g d'aubier
par litre d'eau. Avant les trois repas
en cas de dyskinésie biliaire.*

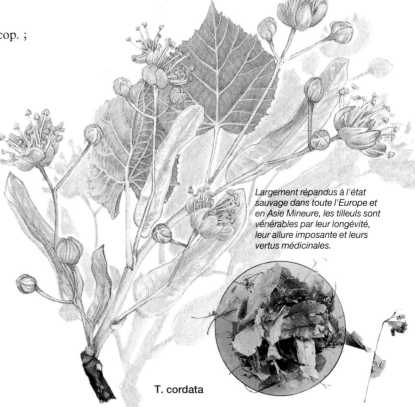

*Largement répandus à l'état
sauvage dans toute l'Europe et
en Asie Mineure, les tilleuls sont
vénérables par leur longévité,
leur allure imposante et leurs
vertus médicinales.*

T. cordata

BOTANIQUE

Arbres de 20 à 30 m de haut. Trois espèces sont retenues
pour leur usage médicinal, le tilleul à petites feuilles *T. cordata* et le tilleul à grandes feuilles *T. platiphyllos* ainsi que
leur hybride *Tilia × vulgaris*. Les feuilles, en forme de cœur
à la base et à bord denté, sont glabres chez le tilleul à
petites feuilles et velues chez l'espèce à grandes feuilles.
Les petites fleurs, jaunâtres, au nombre de 5 à 10 chez *T.
cordata* et de 2 à 5 chez *T. platiphyllos*, rattachées à une
bractée jaune-vert en forme de lame, apparaissent à l'aisselle des feuilles.

PARTIES UTILISÉES

Les inflorescences avec les bractées, et l'aubier (écorce
débarrassée de sa couche externe, le suber, et bois sous-
jacent). Les fleurs sont récoltées par temps sec, lorsque les
deux tiers sont épanouies, puis séchées à l'ombre. L'aubier
est récolté sur des arbres sauvages âgés de quinze à
vingt ans, et séché sur claies.

COMPOSANTS

Les fleurs et les bractées sont riches en polyphénols de
nature flavonosidique (1 %) et en mucilages constitués
par des polysaccharides (3 %). L'huile essentielle sécrétée
par les fleurs en faible quantité (0,02 %) contient plusieurs
alcools, dont le farnésol, alcool sesquiterpénique doué de
propriétés sédatives. L'aubier contient des polyphénols,
des tanins, des hétérosides coumariniques et aussi de la
vanilline.

PROPRIÉTÉS DÉMONTRÉES

Si les inflorescences n'ont pas fait l'objet de travaux
récents, les propriétés antispasmodiques de l'aubier ont
été démontrées, en particulier au niveau intestinal et vési-
culaire, ainsi qu'un effet régulateur de la sécrétion biliaire.
Une faible activité œstrogénique a été observée.

INDICATIONS USUELLES RECONNUES

Les inflorescences sont recommandées par voie orale dans
les troubles du sommeil et dans les états de nervosité, et
en usage externe comme adoucissant et antiprurigineux.
L'aubier est indiqué par voie orale dans les troubles des
voies biliaires (dyskinésies biliaires) ainsi que pour stimuler les fonctions rénale et digestive.

PRÉCAUTIONS D'EMPLOI

Aucune toxicité n'a été mise en évidence, mais l'usage
continu du tilleul est déconseillé en raison de son activité
faiblement œstrogénique. Le pollen est allergisant.

Arbre chargé de légendes, en usage dans les rites de sorcellerie, le tilleul avait été dédié à Vénus par les Anciens. Au Moyen
Âge, il chassait les démons. Aujourd'hui utilisé comme calmant,
il est une des plantes les plus vendues en médecine populaire.
Les fleurs du tilleul d'Amérique ont aussi des vertus médicinales.

*Le tilleul à petites feuilles est encore appelé tilleul mâle, tilleul
sauvage, tilleul d'hiver ; et le tilleul à grandes feuilles, tilleul
femelle, tilleul d'été.*

VALÉRIANE OFFICINALE

Valeriana officinalis L.
Valerianaceae

BOTANIQUE

Grande herbe vivace pouvant atteindre 2 m de haut. Les feuilles, en rosette à la base, opposées sur la tige, sont découpées. Les fleurs, rosées ou blanches, forment des cymes en ombelles.

PARTIES UTILISÉES

Les parties souterraines (racines, rhizomes et stolons), récoltées en automne sur des pieds âgés de deux ou trois ans, puis lavées et séchées. La forte odeur des racines se développe après le séchage.

COMPOSANTS

Certains constituants isolés de la plante sont courants : sucres, acides gras, acides-phénols et acides aminés. Mais elle se distingue par des substances originales telles que des dérivés terpéniques, surtout acides (acides valérénique et hydroxyvalérénique), et des iridoïdes (les valépotriates) : les uns et les autres, thermolabiles, sont impliqués dans l'activité sédative et spasmolytique de la plante. Elle contient aussi une huile essentielle riche en alcools terpéniques (bornéol, eugénol) et en esters de ces alcools.

PROPRIÉTÉS DÉMONTRÉES

Des effets antispasmodiques, sédatifs, potentialisateurs du sommeil ont été mis en évidence, ainsi que des activités analgésiques mineures, hypotensives, dépressives sur la respiration, et de ralentisseur du transit intestinal. À faible dose, la valériane serait stimulante (sur le système nerveux central et sur la pression artérielle), et à forte dose déprimante.

INDICATIONS USUELLES RECONNUES

Elle est indiquée dans les états de nervosité et dans les troubles du sommeil de l'adulte et de l'enfant. On la recommande dans les spasmes gastro-intestinaux.

PRÉCAUTIONS D'EMPLOI

Aucune aux doses préconisées.

EMPLOIS

• *Macération (7 h), ou infusion (20 min) : 15 g de parties souterraines par litre d'eau. 1 tasse trois fois par jour en cas de nervosité ; 1 tasse après le repas du soir et 1 au coucher en cas de troubles du sommeil. Demi-dose chez l'enfant. En cas de spasmes intestinaux, doubler la quantité de parties souterraines.*

Les Indiens de Basse-Californie et du Mexique consommaient une valériane indigène avant leurs expéditions, pour lutter contre la fatigue et les privations. Certaines espèces étaient déjà connues des Grecs, des Arabes et des Chinois pour des indications diverses (diurétiques, antalgiques, toux, asthme), et la valériane officinale était très utilisée au Moyen Âge contre les points de côté, la goutte, l'hémoptysie, la peste, la toux, l'asthme et les morsures d'animaux vénéneux. À partir de l'expérience de Fabio Colonna, en 1592, qui affirma lui devoir la guérison de son épilepsie, la valériane devint un antispasmodique très utilisé. Au début du XXᵉ siècle, elle était indiquée dans les névroses, l'hystérie, les convulsions de l'enfance, les états neurasthéniques, les gastralgies nerveuses, les hoquets opiniâtres et l'éréthisme cardiovasculaire.

Encore appelée *herbe aux coupures, herbe à la femme battue, guérit-tout, herbe du loup, herbe aux chats.*

Spontanée dans toute l'Europe, à l'exception du bassin méditerranéen, la valériane affectionne les zones humides, les bords de cours d'eau et les bois. Elle est cultivée dans de nombreux pays et naturalisée en certains endroits en Amérique du Nord.

VERGERETTE DU CANADA

Conyza canadensis (L.) Cronq.
Asteraceae

BOTANIQUE

Plante herbacée annuelle dont la tige velue, vert cendré, peut atteindre 1 m à 1,50 m. Les feuilles de la base sont en rosette, celles supportées par la tige, alternes et dentées. Les fleurs sont petites et d'un blanc jaunâtre.

PARTIES UTILISÉES

La plante fleurie, privée des racines, récoltée de juin à août, puis séchée pendant un mois environ à l'abri de la lumière, dans un endroit frais.

COMPOSANTS

Les divers composants chimiques identifiés sont les tanins galliques, de l'acide O-benzylbenzoïque, des polyines, des stéroïdes, des hétérosides flavoniques (scutellaroside) et une faible quantité d'huile essentielle.

PROPRIÉTÉS DÉMONTRÉES

De nombreuses propriétés ont été démontrées in vivo chez l'animal. Parmi celles-ci, il faut mentionner une stimulation de la musculature lisse, une diminution de la pression artérielle, une activité analgésique et antipyrétique. Quant aux propriétés traditionnellement attribuées à la plante, des expérimentations ont permis de mettre en évidence son activité antidiarrhéique (tanins), mais également ses activités anti-inflammatoires, antibactériennes, antifongiques (polyines) et diurétiques.

INDICATIONS USUELLES RECONNUES

Traditionnellement reconnue pour ses propriétés diurétiques, la plante est utile dans le traitement de la goutte et de certains rhumatismes. Il ne faut pas négliger ses activités anti-inflammatoires et antidiarrhéiques, démontrées par l'expérimentation.
En Amérique du Nord, on lui attribue des vertus antihémorragiques et vermifuges.

PRÉCAUTIONS D'EMPLOI

Aucune aux doses préconisées.

Cette plante originaire du Canada est acclimatée dans toute l'Europe, où ses vertus thérapeutiques (antidiarrhéique et diurétique) sont également reconnues. Selon certains, elle aurait été introduite en Europe avec les peaux de castor dont elle constituait l'emballage. Pour d'autres, la vergerette aurait été cultivée par un amateur en 1665 dans le jardin botanique de Gaston d'Orléans, à Blois, d'où elle aurait colonisé l'Europe entière. Quant aux botanistes, ils donnèrent anciennement à cette espèce le nom de genre *Erigeron*, du grec *er* (printemps) et *gerôn* (vieillard), allusion à la formation des fruits plumeux blancs apparaissant sur la tête des fleurs à la fin de la floraison.

Encore appelée érigère du Canada, conyze du Canada, fausse camomille, herbe aux Français.

La vergerette du Canada est fréquente dans les terrains vagues, jachères, terres sableuses des rivières et le long des voies ferrées. Elle est répandu sur presque tout le globe.

> ## EMPLOIS
>
> • *Infusion (10 min) : 15 g de plante par litre d'eau. 3 tasses par jour en dehors des repas, comme diurétique et antidiarrhéique.*

VERVEINE ODORANTE

Aloysia triphylla (L'Hér.) Britt.
Verbenaceae

La verveine odorante, originaire
d'Argentine et du Chili, dégage
une agréable odeur citronnée.

EMPLOIS

• *Infusion (10 min) : 20 g de feuilles par litre d'eau. 1 tasse le soir comme sédatif dans les troubles mineurs du sommeil et les états nerveux. 1 tasse après chaque repas dans les mauvaises digestions, lourdeurs d'estomac, gastralgies, palpitations.*

• *Soluté alcoolique d'huile essentielle : dans 20 ml d'alcool à 90°, dissoudre 20 gouttes d'huile essentielle. Le mélange de 5 ml de ce soluté dans 1/2 verre d'eau chaude peut être utilisé en gargarisme, deux à trois fois par jour, dans les aphtes, les gingivites et pour purifier l'haleine.*

PROPRIÉTÉS DÉMONTRÉES

La plante est réputée posséder des propriétés stoma-chiques, antispasmodiques et sédatives. L'expérimenta-tion animale a démontré son action antispasmodique. On a mis aussi en évidence l'activité bactéricide de l'huile essentielle de verveine odorante : elle est particulièrement active sur la flore pathogène buccale.

INDICATIONS USUELLES RECONNUES

La verveine odorante est principalement utilisée dans les troubles mineurs du sommeil et les états nerveux. On l'emploie aussi dans les mauvaises digestions, les gastral-gies, les lourdeurs d'estomac.

PRÉCAUTIONS D'EMPLOI

Aucune aux doses préconisées.

BOTANIQUE

Arbrisseau vivace, de 0,50 à 2 m de haut, ramifié, à tiges cannelées, portant des feuilles verticillées par 3 ou 4, lan-céolées, d'un vert franc et d'odeur citronnée. Les fleurs, petites, bleu violacé ou blanches, sont groupées en pyra-mides d'épis, donnant à maturité un fruit charnu à noyau (drupe).

PARTIES UTILISÉES

Les feuilles, mondées et séchées en couche mince à l'ombre, dans un local aéré. On pratique jusqu'à quatre récoltes de feuilles par an.

COMPOSANTS

La plante fraîche contient 0,2 à 0,4 % d'une huile essen-tielle riche en citral (géranial, néral), cinéol et méthylhep-ténone. On a décelé aussi dans la verveine de nombreux flavonoïdes (salvigénine, eupafoline, hispiduline...).

Originaire d'Amérique du Sud, la verveine odorante a été intro-duite en Europe vers la fin du XVIIe siècle. Elle connaît aujourd'hui partout une très grande vogue comme boisson hygiénique et de confort, sous forme de tisane. Actuellement largement cultivée au Maroc, en Tunisie, en Espagne, en Italie et en Inde, elle y est exploitée pour la production de feuilles et d'huile essentielle destinées à l'industrie de la parfumerie et à la pharmacie.

Encore appelée citronnelle, verveine des Indes, verveine à trois feuilles, aloyse citronnée.

VERVEINE OFFICINALE

Verbena officinalis L.
Verbenaceae

BOTANIQUE

Plante herbacée vivace de 35 à 80 cm de haut, à tige mince, dressée, carrée, rainurée, rude aux angles et à rameaux grêles, écartés de la tige. Les feuilles, rudes, sont opposées et plus ou moins profondément lobées. Les fleurs, lilas, sont disposées en longs épis grêles terminaux. Les fruits sont des capsules à 4 graines. La plante est sans odeur, sa saveur est amère.

PARTIES UTILISÉES

La plante entière, récoltée en début de floraison et rapidement séchée.

COMPOSANTS

La plante contient des iridoïdes – verbénaloside, hastatoside (0,2 à 0,5 %) –, des stérols, des flavonoïdes, du mucilage, une huile essentielle à citral, terpènes et alcools terpéniques.

PROPRIÉTÉS DÉMONTRÉES

De légers effets parasympathomimétiques, fébrifuges, utérotoniques et de vasodilatation rénale ont été obtenus avec le verbénaloside. Des effets analgésiques, potentialisateurs des prostaglandines, antitussifs et antigonadotrophiques ont été observés avec des extraits de verveine. Des auteurs russes ont signalé un effet cardiotonique.

INDICATIONS USUELLES RECONNUES

La verveine est indiquée localement dans les affections dermatologiques (crevasses, écorchures, gerçures, piqûres d'insectes), en cas de coups de soleil, de brûlures superficielles et peu étendues, d'érythème fessier. Par voie orale, on l'utilise surtout comme diurétique.

PRÉCAUTIONS D'EMPLOI

Aucune aux doses préconisées.

Élevée au rang de plante sacrée par les Romains, la verveine servait aux lustrations de l'autel de Jupiter. Elle eut une grande place dans les pratiques de magie et de sorcellerie des Celtes et des Germains. On bénissait autrefois avec une branche de verveine trempée dans l'eau bénite les maisons hantées par le diable ; on trouve encore des traces de ces superstitions dans certaines régions d'Europe. La médecine populaire actuelle la préconise pour faciliter la digestion, contre les rhumatismes, les névralgies, les chocs de toute nature. La verveine utilisée en infusion courante est en fait la verveine odorante *(Aloysia triphylla)*, plus parfumée que l'espèce officinale.

Encore appelée verveine sauvage, verveine commune, herbe sacrée, herbe de sang, herbe de foie, herbe aux sorciers, herbe aux enchantements, herbe de chat, guérit-tout.

EMPLOIS

• *Infusion (5 min) : 15 g de plante par litre d'eau. 3 tasses par jour comme diurétique.*

• *Décoction en usage externe (15 min) : 40 g de plante par litre d'eau.` En compresse sur les coups de soleil, les contusions.*

Plante des décombres, lieux incultes, talus et bords des chemins, la verveine officinale croît en Europe, en Asie, en Afrique et en Amérique.

VIBURNUM ou VIORNE À FEUILLES DE PRUNIER

Viburnum prunifolium L.
Caprifoliaceae

BOTANIQUE

Arbuste de 3 à 8 m de haut, à tronc court, souvent tortueux, à branches étalées, à rameaux velus portant des feuilles obovales, courtement pétiolées, finement dentées, d'un rouge flamboyant en automne. Les petites fleurs blanches sont groupées en cymes ombelliformes. Les fruits sont des petites drupes ovoïdes, bleu foncé, à 1 ou 2 graines. L'écorce a une odeur rappelant celle de la valériane et une saveur légèrement astringente et amère, puis un peu âcre.

PARTIES UTILISÉES

L'écorce du tronc et des branches, séchée.

COMPOSANTS

L'écorce contient une huile essentielle, des composés flavoniques (amentoflavone), des coumarines (scopolétol, esculétol), des acides triterpéniques (ursolique et oléanolique...), des acides organiques (oxalique, valérianique, salicylique...), de la salicine, une résine et des tanins.

PROPRIÉTÉS DÉMONTRÉES

Les coumarines, qui exercent une faible activité de type papavérine, sont considérées comme responsables des effets sédatifs et spasmolytiques (notamment au niveau de l'utérus). Les effets anti-inflammatoires et antiulcéreux de la plante sont imputés à l'amentoflavone.

INDICATIONS USUELLES RECONNUES

La viorne à feuilles de prunier est indiquée, en usages interne et externe, en cas de fragilité capillaire (ecchymoses, pétéchies...) et dans le traitement des manifestations de l'insuffisance veineuse et de la symptomatologie hémorroïdaire. La plante est surtout reconnue dans le traitement des dysménorrhées et des aménorrhées.

PRÉCAUTIONS D'EMPLOI

Aucune aux doses préconisées.

Les premières observations sur les effets favorables de la viorne à feuilles de prunier dans les dysménorrhées sont dues aux médecins américains de la fin du XIXᵉ siècle. L'usage populaire la préconise dans les dysménorrhées, les menaces d'avortement, les troubles nerveux et les vomissements de la grossesse, les troubles de la ménopause, comme tonique général du système nerveux, astringent et diurétique.

Encore appelé écorce à aubépine, écorce de viorne.

Originaire d'Amérique du Nord, où elle croît spontanément sur les pentes rocheuses sèches, la viorne à feuilles de prunier est aussi cultivée à titre ornemental.

EMPLOIS

• *Infusion (10 min) : 10 g de poudre d'écorce par litre d'eau. 2 à 3 tasses par jour comme spasmolytique, dans le traitement des dysménorrhées.*

• *Décoction (15 min) : 10 g d'écorce par litre d'eau. 3 tasses par jour en cas de fragilité capillaire. Cette décoction peut s'utiliser localement en compresse sur les ecchymoses et les hématomes.*

VIGNE ROUGE
Vitis vinifera L. 'Purpurea'
Vitaceae

Originaire d'Asie Mineure, la vigne est maintenant cultivée dans toutes les régions tempérées du monde. Le terme vigne rouge définit un grand nombre de cépages à raisin noir et à pulpe rouge, dont le feuillage rougit en presque totalité à l'automne, dits cépages teinturiers.

BOTANIQUE

Arbuste sarmenteux à rameaux grimpants munis de vrilles, aux feuilles alternes palmatilobées, longuement pétiolées. Les fleurs, petites, régulières et verdâtres, donneront naissance à un fruit constitué de baies sphériques ou allongées disposées en grappes, le raisin.

PARTIES UTILISÉES

Les feuilles (rouges), récoltées en automne et séchées à l'abri de la lumière dans un endroit frais.

COMPOSANTS

On trouve dans la feuille des substances banales (acides organiques, sucres, vitamine C). Les principaux constituants responsables de l'activité sont des polyphénols, des flavonoïdes, des tanins hydrolysables et condensés, mais principalement des anthocyanosides ainsi que des proanthocyanidols (surtout présents dans les pépins).

PROPRIÉTÉS DÉMONTRÉES

Les feuilles contiennent de nombreux composants chimiques réputés pour leur efficacité dans les troubles des capillaires veineux. Cette activité vasculoprotectrice, mise en évidence in vivo, et surtout attribuée aux anthocyanosides, se manifeste par une diminution de la perméabilité et une augmentation de la résistance des capillaires. La diminution de la perméabilité est due à une stabilisation du collagène. Les proanthocyanidols ont une action inhibitrice sur l'enzyme de conversion de l'angiotensine et ont des propriétés antihypertensives. Ils ont aussi un effet vasculoprotecteur.

INDICATIONS USUELLES RECONNUES

Les principales indications concernent la circulation sanguine, plus particulièrement les capillaires veineux. À l'origine, les feuilles furent utilisées surtout contre les hémorragies utérines, mais les indications traditionnelles retiennent son utilisation dans les troubles veineux (fragilité capillaire, jambes lourdes, hémorroïdes). En usage externe, on la recommande contre les affections oculaires.

PRÉCAUTIONS D'EMPLOI

Aucune aux doses préconisées. S'assurer de l'absence d'une quantité anormale de cuivre dans la feuille.

EMPLOIS

• *Infusion (10 min) : 30 à 40 g de feuilles par litre d'eau. 3 tasses par jour en dehors des repas, en cas de troubles de la circulation veineuse.*

Si l'Asie Mineure paraît bien être la terre d'origine de la vigne, on trouve des traces de sa culture pour la vinification aux XVIIe, VIIIe et VIe siècles avant J.-C. dans toute l'Europe méditerranéenne. En France, Charlemagne la développa largement à travers les monastères. Elle connut sa plus grande expansion au XVIe siècle. Les Anciens, Grecs, Égyptiens, puis les médecins du Moyen Âge lui reconnaissaient des vertus thérapeutiques. C'est ainsi qu'une cure de raisin, recommandée pour son action laxative et diurétique, permettait aussi d'augmenter l'appétit du malade, lui donnant « une sensation de bien-être inaccoutumée ».

VIOLETTE ODORANTE

Viola odorata L.
Violaceae

BOTANIQUE

Petite plante herbacée, vivace, d'environ 10 cm de haut, à feuilles alternes et longuement pétiolées, en forme de cœur et aux bords légèrement cannelés. Les fleurs, bleu-pourpre, sont formées de 5 pétales caractéristiques, dont deux dressés et l'antérieur prolongé en éperon.

PARTIES UTILISÉES

Les fleurs, récoltées en pleine floraison (avril-mai), et principalement les pétales. Ceux-ci sont séchés avec précaution à l'abri de la lumière, dans un endroit sec, et conservés dans des récipients en verre bien bouchés.

COMPOSANTS

Les fleurs doivent leur parfum à une huile essentielle, présente en faible quantité (0,01 %) mais riche en aldéhydes et en alcools. Elles contiennent aussi du salicylate de méthyle, des anthocyanosides, mais surtout des mucilages. Les racines contiennent des saponosides et un alcaloïde (odoratine) considéré comme hypotenseur.

PROPRIÉTÉS DÉMONTRÉES

Les propriétés antitussives, expectorantes et émollientes de la fleur sont attribuées aux mucilages. Des extraits aqueux de plantes fraîches ont révélé des activités antifongiques dans des tests in vitro. Des extraits de feuille ont montré des activités antipyrétiques chez l'animal.

INDICATIONS USUELLES RECONNUES

Les fleurs sont utilisées pour leurs propriétés antitussives dans les toux bénignes occasionnelles – la violette est une espèce pectorale. Elles sont employées en usage local comme traitement d'appoint adoucissant et pour calmer les démangeaisons de la peau, en cas de crevasses, écorchures, gerçures et contre les piqûres d'insectes.

PRÉCAUTIONS D'EMPLOI

Aucune aux doses préconisées.

La violette était connue des Anciens pour ses vertus antitussives et calmantes. En outre, ils en tressaient des couronnes qui avaient le prétendu pouvoir de dissiper les maux de tête dus à l'ivresse des orgies trop arrosées. Les racines de la violette, plante multifacette, ont été recommandées comme vomitif par les médecins arabes du Moyen Âge, et les feuilles comme remède contre le cancer par sainte Hildegarde. Malheureusement, cette vertu relève du conte de fées. L'usage n'a retenu les fleurs de violette que pour leurs propriétés antitussives.

Encore appelée fleur de mars, violette des haies, violette de mars, viole de carême, jacée de printemps.

Très commune dans tout l'hémisphère Nord, la violette odorante affectionne les bois, les haies, les endroits abrités. Elle est également cultivée et de nombreuses variétés agrémentent nos jardins au printemps.

EMPLOIS

• *Infusion (10 min) : 15 g de fleurs par litre d'eau. 4 tasses dans la journée dans les cas d'affections bronchiques légères.*

• *Cataplasme, en application locale, soit de feuilles cuites à l'eau, soit de feuilles fraîches, comme adoucissant sur les petites plaies, éruptions, gerçures.*

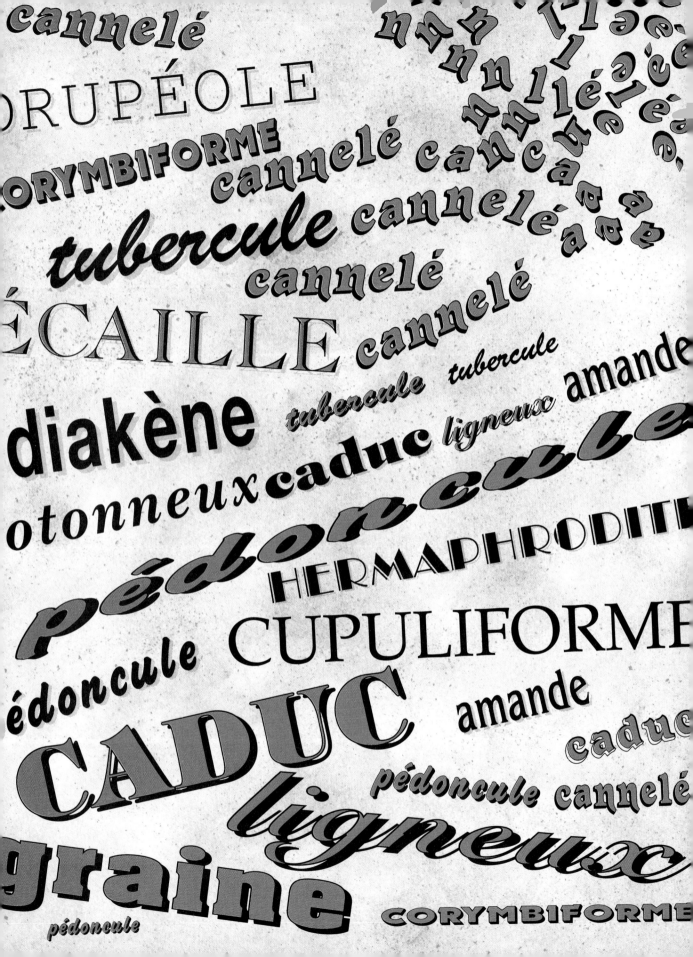

Glossaire botanique

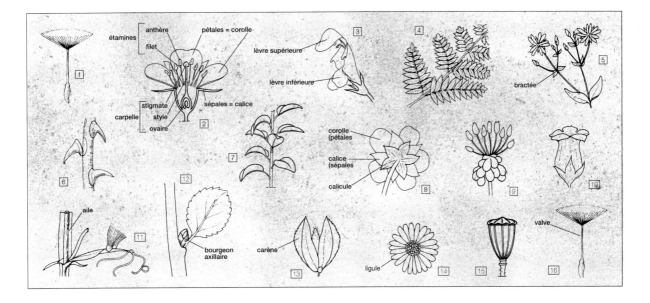

A

adventif Se dit d'un organe se développant à un endroit inhabituel. Ex. : racine sur la tige.

aigrette Sorte de pinceau de poils ou de soies, plus ou moins ramifiés, surmontant les fruits ou graines de certaines espèces, notamment celles de la famille des astéracées. Ce pinceau donnant prise au vent permet la dissémination des graines. ⬚1

aiguillon Protubérance acérée et piquante qui se développe superficiellement sur les tiges et s'en détache assez aisément, contrairement aux épines, qui prennent naissance dans le bois et offrent beaucoup plus de résistance. ⬚6

aile Lame mince bordant le pétiole, la tige ou la graine comme une continuation de l'organe. ⬚11

ailé Bordé d'une aile.

aisselle Angle intérieur formé par un pétiole et une tige, ou par un rameau et une branche. À l'aisselle des feuilles se trouve le plus souvent un bourgeon. ⬚12

akène Fruit sec à une seule graine qui ne s'ouvre pas spontanément. Ex. : noisette.

alterne Mode de disposition des feuilles sur la tige, insérées chacune à différents niveaux. ⬚7

amande Partie intérieure de la graine quand le tégument est enlevé, ou la graine elle-même si elle est dans un noyau.

annuel Se dit d'un végétal dont la vie ne dure qu'un an, par opposition à vivace. Sa reproduction est assurée par la graine.

anthère Terminaison renflée de l'étamine. L'anthère contient les cellules génératrices des grains de pollen qui formeront eux-mêmes les gamètes mâles. ⬚2

axillaire Se dit d'un organe s'insérant au niveau d'une aisselle. ⬚12

B

baie Fruit charnu à une ou plusieurs graines. Ex. : bleuet.

bifurqué Divisé en deux branches.

bilabié Se dit d'un calice ou d'une corolle dont le limbe est divisé en deux lèvres, l'une au-dessus de l'autre. ⬚3

bipennatiséqué Se dit d'une feuille à divisions pennatiséquées, elles-mêmes pennatiséquées ; les découpures, profondes, atteignent la nervure centrale de chaque lobe. ⬚4

bisannuel Se dit d'un végétal qui a normalement besoin de deux années pour accomplir son .cycle vital entier. Première année : naissance et croissance ; seconde année : fructification et mort.

bractée Feuille, généralement atrophiée, située à la base d'une fleur. Parfois, l'ensemble des bractées peut former une collerette. ⬚5

bulbe Renflement à la base d'une plante formé par des feuilles ou des écailles gorgées de réserves alimentaires.

bulbille Très petit bulbe inséré à l'aisselle des feuilles ou à la place de quelques fleurs. ⬚9

C

caduc Se dit généralement du feuillage, mais aussi des pièces florales qui tombent à la fin de leurs fonctions, par opposition à persistant. La corolle est toujours caduque, le calice souvent persistant.

caïeu Bourgeon secondaire à l'intérieur d'un bulbe, qui entraîne une fragmentation du bulbe initial en plusieurs bulbes.

calice La plus externe des enveloppes florales, composée par les sépales. ⬚2 ⬚8

calicule Ensemble de bractées à la base d'un calice ou d'un capitule, à allure de petits sépales, constituant une sorte de calice supplémentaire. ⬚8

campanulé Se dit d'un calice ou d'une corolle dont les sépales ou les pétales, soudés sur une partie de leur longueur, forment une cloche.

cannelé Marqué par des côtes saillantes et parallèles, séparées les unes des autres par des sillons réguliers.

capitule Inflorescence très serrée, caractéristique des astéracées, constituée par des fleurs sessiles, insérées directement sur un renflement de la tige appelé réceptacle. ⬚14

capsule Fruit sec déhiscent comprenant un certain nombre de loges intérieures, qui s'ouvrent pour libérer les graines, soit par des trous ⬚15, soit par des valves. ⬚16

carène Protubérance en forme de nacelle apparaissant sur certains organes. ⬚13

carpelle élément de l'organe femelle de la fleur, composé d'un ovaire, d'un style et d'un stigmate, et constituant le pistil. Le pistil peut être formé de plusieurs carpelles, libres ou soudés entre eux. ⬚17

charnu Se dit d'un fruit (baie ou drupe) dont les graines sont entourées d'une pulpe épaisse.

Dans les définitions, les numéros ⬚x renvoient aux dessins.

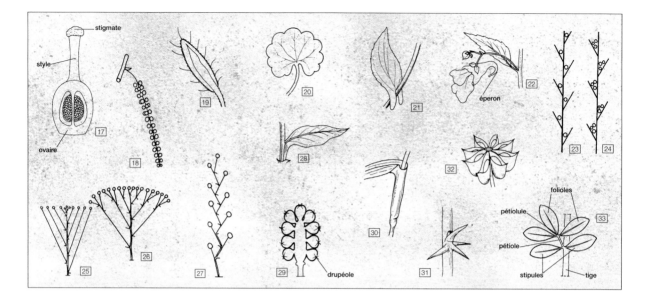

chaton Inflorescence en épi simple, généralement retombant, et formé le plus souvent de fleurs unisexuées. [18]

cilié Porteur de cils, répartis le plus souvent en une frange marginale. [19]

cils Poils formés d'une ou de plusieurs cellules et disposés sur le bord d'un organe, comme les cils d'une paupière. [19]

cône Agglomération de graines disposées en forme de cône. Ex. : pin. Chaque graine est protégée par une écaille, qui peut être très dure ou tout simplement membraneuse.

cordé, cordiforme En forme de cœur.

coriace Se dit d'un organe dont la consistance est tenace.

corolle Enveloppe florale interne constituée des pétales. [2] [8]

corymbe Inflorescence ombelliforme, simple [25] ou composée [26], à pédoncules inégaux. Les fleurs sont toutes à peu près à la même hauteur.

corymbiforme En forme de corymbe.

côte On donne ce nom à des lignes en relief, à la surface d'un fruit, par exemple. Si ces côtes sont parallèles, elles déterminent entre elles des rainures en creux, et l'organe est dit cannelé.

cotonneux Se dit d'un organe végétal couvert de poils si fins et si denses que son aspect imite celui du coton.

crénelé Se dit du bord d'un limbe de feuille où se dessinent des dents larges et arrondies, qui ne forment cependant pas de vrais lobes. [20]

cupuliforme En forme de cupule.

cyme Inflorescence où chaque axe, terminé par une fleur, se ramifie sous la fleur pour donner d'autres axes fleuris et ramifiés de même. [27]

D

décurrent Se dit d'une feuille dont le limbe se prolonge sur le pétiole et sur la tige en deux ailes latérales. [28]

déhiscent Se dit d'un fruit sec pouvant s'ouvrir spontanément à maturité.

denté ou dentelé Se dit d'une feuille, d'un pétale, d'un sépale dont les bords sont garnis de dentelures à angle aigu, peu profondes. C'est l'angle aigu, ou l'étroitesse des dents, qui distingue « denté » de « crénelé ».

déprimé Synonyme d'aplati.

diakène Akènes jumelés et portés par un pédoncule commun fourchu à son extrémité. C'est le cas de toutes les apiacées.

dioïque Se dit d'une plante possédant des fleurs mâles, à étamines, et des fleurs femelles, à carpelles, sur des pieds différents.

discoïde En forme de disque.

drupe Fruit charnu à graine enfermée dans une enveloppe fortement lignifiée et résistante, appelée noyau. Ex. : cerise.

drupéole Très petite drupe, élément d'un fruit multiple. Ex. : ronce. [29]

E

écaille Ce terme a de très nombreuses significations. Il s'agit en général d'une feuille modifiée, coriace, dont le rôle est la protection : revêtement des rhizomes, des bulbes, des bourgeons hivernaux ; abri des fleurs sans corolle ni calice (chaton de noisetier) ; support des graines dans les cônes de résineux.

embrassant Se dit d'un limbe de feuille, d'un pétiole ou bien encore d'une stipule enserrant la tige en son lieu d'insertion. [21]

engainant S'applique surtout aux poacées : le limbe de la feuille se prolonge en une gaine entourant complètement la tige jusqu'au nœud où s'insère la feuille. [30]

entier Se dit d'une feuille ou d'un pétale dont les bords ne sont ni dentés ni crénelés.

éperon Prolongement tubuleux du calice ou de la corolle, plus ou moins pointu et recourbé. [22]

épi Inflorescence où toutes les fleurs sont insérées, sans pédoncule, le long d'un axe central appelé rachis. L'épi peut être simple ou composé selon que l'axe est unique [23] ou ramifié [24].

épillet Petit épi de fleurs. Les épillets sont eux-mêmes disposés soit en épi, soit en panicule.

épine Pointe droite et aiguë, faisant partie de la tige et des rameaux, et ne s'en détachant que par déchirure des fibres. [31]

étamine Organe mâle de la fleur. Voir anthère. [2]

F

falciforme En forme de faucille.

filet Pédoncule de l'étamine supportant l'anthère. [2]

filiforme Aussi ténu et allongé qu'un fil.

fistuleux Cylindrique et creux.

florifère Qui porte les fleurs.

foliacé Qui a la forme et le rôle d'une feuille : sépale foliacé.

foliaire Relatif aux feuilles.

foliole Division d'une feuille composée. Elle a son limbe propre, rattaché au pétiole principal par un pétiolule. On peut distinguer les folioles des feuilles par

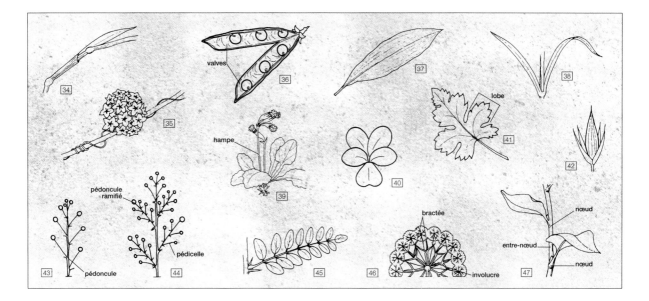

l'absence de bourgeon axillaire à l'aisselle du pétiolule. 33

follicule Fruit sec déhiscent, s'ouvrant à maturité par une seule fente longitudinale, se distinguant ainsi de la gousse, qui a deux fentes, et de la silique, qui en a quatre. 32

fructifère Qui porte les fruits.

fusiforme En forme de fuseau, renflé dans la partie médiane, effilé aux deux extrémités. 42

G

gaine Prolongement du pétiole ou du limbe qui entoure la tige jusqu'au nœud d'insertion de la feuille. 34

gaufré Se dit d'un organe à saillies disposées régulièrement.

glabre Sans poils ni cils. C'est l'opposé de velu, laineux ou pubescent.

glauque D'un vert bleuté.

globuleux À peu près rond ou sphérique.

glomérule Inflorescence composée de fleurs sessiles agglomérées. Le glomérule se distingue ainsi du capitule, où les fleurs sessiles sont insérées sur un plateau horizontal, le réceptacle, et ne forment pas une boule. 35

gousse Fruit sec déhiscent à deux valves, s'ouvrant par deux fentes. Caractéristique des fabacées. 36

graine élément final des phases de la reproduction sexuée chez les plantes à fleurs. Elle contient le germe, ou embryon, de la future plante.

grappe Inflorescence, simple 43 ou ramifiée 44, où les fleurs sont insérées par un court pédoncule le long de l'axe principal.

H

hampe Pédoncule nu, partant de la souche et portant les fleurs. 39

herbacé Qui a l'aspect et la consistance de l'herbe, à constitution cellulosique et souple. S'oppose à ligneux ou lignifié.

hermaphrodite Se dit d'une fleur porteuse des deux sexes, mâle et femelle. L'arbre qui possède des fleurs mâles et des fleurs femelles n'est pas dit hermaphrodite, mais monoïque.

I

imparipenné À nombre impair de folioles ; le rachis porte sur toute sa longueur des folioles géminées et, à son extrémité, une foliole terminale. 45

indéhiscent Se dit d'un fruit qui ne s'ouvre pas spontanément à maturité. Ex. : raisin.

inflorescence Mode de répartition des fleurs sur la tige ou ensemble de fleurs.

involucre Couronne de bractées située à la base de l'ombelle. L'involucre peut exister aussi pour une fleur unique ou pour un capitule. 46

irrégulier Se dit d'une fleur à symétrie bilatérale, c'est-à-dire par rapport à un plan, contrairement à une fleur régulière, dont toutes les pièces sont identiques autour d'un axe. 40

L

lancéolé En forme de lance, effilé aux deux extrémités et plus large dans la partie médiane. 37

latex Produit d'excrétion que certains végétaux répandent à chaque point de brisure. Il n'a rien de commun avec la sève. Ex. : pissenlit.

lèvre Chez les lamiacées, chacune des divisions principales de la corolle et du calice. 3

ligneux Se dit de cellules et de tissus végétaux où la cellule initiale des cloisons a été remplacée par la lignine du bois, plus résistante et imperméable. Une fibre ligneuse est le plus souvent morte.

ligule Chez les poacées, petite languette membraneuse, le plus souvent incolore, située au point de jonction du limbe et du sommet de la gaine.

Chez les astéracées, fleur externe du capitule : les ligules, ou fleurs ligulées, entourent en général un disque central de fleurs tubuleuses. Voir capitule. 14

limbe Partie élargie d'une feuille ou d'un pétale.

linéaire S'applique à un organe, généralement une feuille, très long, étroit, sans cependant être filiforme. 38

lobe Portion d'un limbe ou d'un pétale, déterminée par deux découpures. 41

lobé Qui est partagé en lobes.

M

marcescent Se dit d'un organe qui se dessèche sans tomber.

membraneux Qui a l'aspect ou la consistance d'une membrane, sorte de pellicule mince et fragile, jouant très rarement le rôle de cloison.

N

nœud a) Renflement de la tige au point d'insertion d'une feuille.

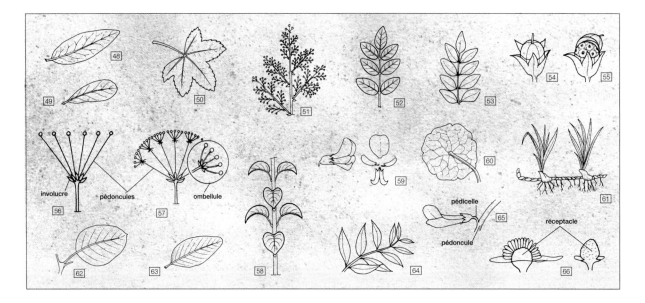

b) Formation ligneuse extrêmement dense au milieu du bois. [47]

noyau Enveloppe ligneuse formée par la par̠i du fruit et enveloppant la graine avec son tégument au centre d'une drupe.

O

oblong Plus long que large (2/3 pour 1/3), et arrondi aux extrémités. [48]

obovale Se dit d'une feuille dont la partie supérieure du limbe est nettement plus élargie que la base, au point d'insertion. Voir ovale. [49]

ombelle Inflorescence simple [56] ou composée [57], dont les pédoncules partent tous du même point.

opposé Situation de deux organes insérés l'un en face de l'autre sur le même nœud. [58]

ovaire Partie principale du carpelle contenant l'ovule qui sera fécondé par le pollen. Après la fécondation, l'ovaire évoluera en fruit, sec ou charnu ; l'ovule fécondé évoluera en graine. [17]

ovale Ayant la forme d'un œuf. Conventionnellement, on situe l'extrémité la plus large au point d'insertion. Si c'est le contraire, on use du mot obovale. [62]

ovoïde Dont la forme se rapproche de l'ovale. [63]

P

palmatilobé Se dit d'une feuille dont les lobes sont disposés en éventail, comme les doigts d'une main. [50]

panicule Grande inflorescence pyramidale, très ramifiée et lâche, composée de grappes. [51]

papilionacé Se dit d'une fleur dont les pétales, par leur forme et leur disposition, évoquent la forme d'un papillon. [59]

paripenné S'applique à une feuille composée pennée à folioles géminées, en nombre pair, sans foliole terminale. [64]

pédicelle Ramification d'un pédoncule reliant chaque fleur à l'axe commun de l'inflorescence. [65]

pédicellé Muni d'un pédicelle.

pédoncule Petite ramification de la tige se terminant par une fleur.

pédonculé Muni d'un pédoncule.

pelté Dont le limbe est en forme de bouclier, avec un pétiole s'insérant non loin du centre. [60]

pennatiséqué Se dit d'une feuille qui comporte des découpures atteignant la nervure centrale et disposées de part et d'autre le long de cette nervure. [52]

penne Voir Penné.

penné Se dit d'une feuille à lobes ou à folioles disposés le long de l'axe central à la manière des barbes d'une plume. [53]

pérennant Se dit d'un végétal dont l'appareil aérien subsiste de nombreuses années (les arbres).

persistant Opposé à caduc : qui subsiste pendant plusieurs années. Un feuillage persistant demeure sur l'arbre après l'été.

pétale Élément de la corolle (enveloppe interne), souvent coloré. [2] [8]

pétiole Partie constitutive de la feuille portant le limbe.

pétiolé Muni d'un pétiole.

piriforme En forme de poire.

pivotant Se dit d'une racine comportant un pivot central nettement développé.

plumeux Muni de poils ou de barbes, à la manière d'une plume d'oiseau.

pluriannuel Se dit d'un végétal dont le cycle vital dure plusieurs années.

pollen Poussière jaune ou violette, issue des anthères et dont chaque grain forme deux gamètes mâles destinés à fusionner avec le gamète femelle de l'ovule et une autre de ses cellules.

polyakène Fruit composé de plusieurs akènes.

pubescent Recouvert de poils courts et simples.

pyxide Fruit sec déhiscent, du genre capsule [54], s'ouvrant par la chute d'un couvercle en forme de calotte. [55]

R

radicant Dont les tiges couchées émettent des racines. [61]

radicelle Fine racine secondaire.

rameux À nombreux rameaux.

rayon Pédoncule ou pédicelle d'une inflorescence en ombelle. [56] [57]

réceptacle Renflement du sommet du pédoncule ou du rameau florifère, sur lequel viennent s'insérer les diverses pièces florales. [66]

régulier À symétrie axiale. Si un axe passe au centre d'une fleur, les pièces florales se retrouvent identiques les unes aux autres tout autour de cet axe. [67]

rejet Jeune rameau qui naît sur la souche ou sur la racine d'une plante vivace ; il s'enracine et peut devenir indépendant. Les plantes à rejets sont envahissantes.

réniforme En forme de rein. [73]

réticulé Marqué par des nervures qui s'entrecroisent en tous sens, formant un réseau comme les mailles d'un filet. [68]

révoluté Dont les bords sont enroulés.

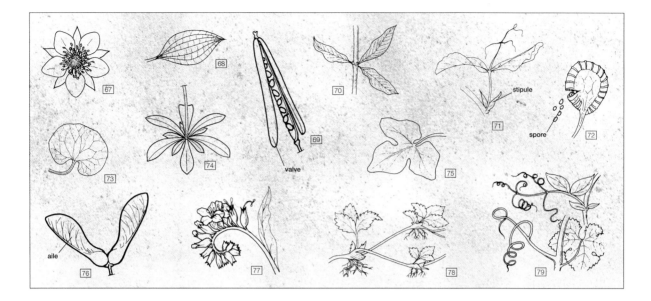

rhizome Tige souterraine vivace.

rhomboïdal En forme de losange.

rosette Disposition des feuilles à la base, appliquées sur le sol et dessinant une rosace. ⬜74

rubané En forme de ruban.

S

samare Fruit sec indéhiscent, muni d'une aile. ⬜76

sarmenteux Se dit d'un végétal aux tiges longues, flexibles et ligneuses.

scorpioïde En forme de queue de scorpion. Se dit d'une inflorescence unilatérale en grappe, d'abord roulée en crosse, puis se déroulant à mesure que les fleurs éclosent. ⬜77

sépale Pièce du calice, enveloppe florale externe. ⬜2 ⬜8

sessile Rattaché directement au rameau sans pédoncule ou sans pétiole.

silicule Silique courte et souvent élargie.

silique Fruit sec déhiscent à deux valves et une cloison médiane, s'ouvrant par quatre fentes, se distinguant ainsi du follicule, à une fente, et de la gousse, à deux fentes. ⬜69

soie Poil végétal assez long et rigide, généralement constitué de plusieurs cellules bout à bout.

soyeux Couvert de poils fins et courts, doux comme la soie.

spiralé Disposé en spirale.

spontané Croissant en l'absence de toute intervention humaine, donc ni introduit ni cultivé. Équivalent de « sauvage ».

spore Élément du premier stade de reproduction des plantes sans fleurs : champignons, fougères, prêles...

Asexuée, la spore germe pour donner un prothalle dans lequel se développeront les gamètes mâles et femelles. ⬜72

stigmate Partie supérieure du carpelle qui reçoit les grains de pollen. Des papilles sécrétant un liquide sucré garnissent souvent le stigmate, et favorisent la fixation et la germination du grain de pollen. ⬜17

stipule Organe de la feuille généralement rudimentaire et sessile, se développant à la naissance d'une vraie feuille. ⬜71

stolon Tige rampante aérienne ou souterraine, non gorgée de réserves, s'enracinant aux nœuds et multipliant la plante. ⬜78

stolonifère Qui porte des stolons.

style Prolongement vertical de l'ovaire, surmonté du stigmate. ⬜17

subspontané Se dit d'un végétal qui se répand à partir des cultures, mais ne survivrait pas si celles-ci étaient abandonnées.

suc Liquide sécrété par un des organes du végétal et accumulé généralement dans les fruits charnus ou dans les feuilles de plantes grasses. À ne confondre ni avec la sève ni avec le latex.

T

tétrakène Akène quadruple.

tomenteux Couvert d'une pubescence très fine et serrée, qui donne l'aspect du velours. Entre laineux, cotonneux et tomenteux, la distinction est réelle.

traçant Se dit d'une tige ou d'une racine qui s'étale sur le sol ou se développe horizontalement à faible profondeur ; elle émet des rejets en diverses directions.

triakène Akène triple.

trifide Fendu en trois.

trigone À trois angles.

trilobé Divisé en trois lobes. ⬜75

tube La disposition en tube n'existe que chez certaines familles de plantes. a) Les pétales sont soudés à la base pour constituer un tube complet, ou seulement partiel si la suture ne se produit pas sur toute la longueur des pétales : la fleur est dite gamopétale ; b) même remarque pour les sépales des fleurs gamosépales ; c) chez beaucoup d'astéracées, les fleurs du centre du capitule sont entièrement constituées en tube : tube de la corolle et tube des étamines. Le calice est remplacé par des poils.

tubercule Renflement souterrain d'une tige ou d'une racine ; il est gorgé de matières de réserve.

tubéreux, tuberculeux Se dit d'un végétal qui porte des tubercules.

tubuleux En forme de tube.

V

valve Pièce composant l'enveloppe d'un organe déhiscent, un fruit sec ou parfois une anthère.

velu Couvert de poils assez longs, mous et rapprochés.

verticille Ensemble de feuilles ou de fleurs insérées en cercle au niveau même de la tige. ⬜70

vivace Se dit d'une plante qui survit plusieurs années et fleurit chaque année, même si les parties aériennes meurent tous les ans.

vrille Terminaison ou foliole filiformes de la nervure principale d'un limbe, capable de s'enrouler autour d'un support. D'autres vrilles sont des rameaux à feuilles très petites, comme les vrilles de la vigne. ⬜79

LES QUATRE ÉLÉMENTS

*Se soigner
par le soleil,
l'eau,
la terre, l'air*

Le soleil, l'eau, la terre et l'air représentent les quatre éléments naturels d'où nous tirons tous nos moyens de vivre. Complémentaires mais cependant opposés, ces éléments déterminent en permanence les conditions de notre existence : l'être humain ne peut rester en vie que dans certaines limites de température et de pression ; ses besoins alimentaires ne peuvent être assurés qu'en vertu d'un équilibre savant où jouent harmonieusement la lumière et la chaleur du soleil, l'humidité et la composition du sol, ainsi que la composition de l'air ambiant. Que le soleil soit trop violent, la terre trop sèche ou trop ingrate, l'air raréfié, et la nature devient insensiblement hostile à l'homme, aux animaux et au monde végétal. Que le soleil soit trop rare, l'air trop froid, et ce sont les espaces glacés et sans vie.

Depuis les temps les plus reculés, l'homme entretient avec ces quatre éléments des rapports de crainte et de vénération. Tout naturellement il les a déifiés, et les mythologies abondent de ces déesses et de ces dieux plus ou moins bienfaisants, toujours puissants et objets de dévotion pour beaucoup.

À notre époque, nous continuons d'établir avec chacun de ces éléments des relations particulières liées à notre culture et à nos modes de vie. La nature même de ces relations peut avoir des effets directs sur notre santé, en bien comme en mal. Ainsi, les modes passagères ou durables de pratiques estivales et les nouvelles formes de culte du soleil, tout comme les réglementations concernant l'hygiène et la potabilité des eaux, mais aussi le développement du thermalisme et de la thalassothérapie

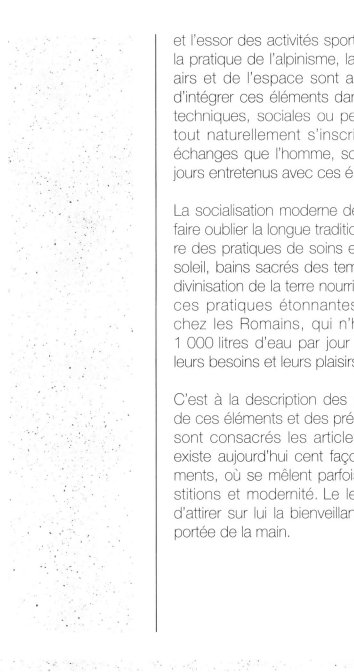

et l'essor des activités sportives en eau douce ou en mer, la pratique de l'alpinisme, la climatologie, la conquête des airs et de l'espace sont autant de manières modernes d'intégrer ces éléments dans des activités économiques, techniques, sociales ou personnelles ; celles-ci viennent tout naturellement s'inscrire dans la longue suite des échanges que l'homme, sous toutes les latitudes, a toujours entretenus avec ces éléments primordiaux.

La socialisation moderne de leur usage ne doit pas nous faire oublier la longue tradition qu'ils occupent dans l'histoire des pratiques de soins et de santé (cultes antiques du soleil, bains sacrés des temples grecs, culte de Déméter, divinisation de la terre nourricière, puis, plus près de nous, ces pratiques étonnantes des bains et des thermes chez les Romains, qui n'hésitaient pas à consommer 1 000 litres d'eau par jour et par habitant pour assouvir leurs besoins et leurs plaisirs).

C'est à la description des principaux usages médicinaux de ces éléments et des précautions qui s'y rattachent que sont consacrés les articles de cette troisième partie. Il existe aujourd'hui cent façons de mettre en jeu ces éléments, où se mêlent parfois intimement traditions, superstitions et modernité. Le lecteur y puisera les manières d'attirer sur lui la bienveillance de ces forces naturelles à portée de la main.

Le soleil...

Lointain par la distance, proche par ses rayons de feu, le soleil participe intimement à notre vie. Indispensable source d'énergie pour toute la végétation, il joue aussi un rôle essentiel sur notre humeur et notre organisme. Les Québécois le savent bien, eux qui, chaque année, font par milliers leur « pèlerinage » au soleil de la Floride, des Antilles ou du Mexique. Mais si le soleil est un merveilleux antidote au difficile hiver nordique, il peut aussi brûler, faire surgir des déserts et provoquer des ravages chez les êtres humains. Car ces dégâts ne se limitent pas à la peau, mais nous atteignent jusque dans notre structure cellulaire.

... POUR LE MEILLEUR ET POUR LE PIRE

Mais comment fonctionne cette étoile nommée Soleil, sans laquelle notre vie sur terre ne serait pas possible ?

■ Une usine à rayons

Cette boule de feu dont la température superficielle est estimée à 5 750 °C projette sur la terre une multitude de rayonnements dont notre œil ne perçoit que ceux qui constituent la lumière du jour. Il y a de bons et de mauvais rayons. Notre connaissance de l'astre doit permettre à chacun d'en profiter, mais aussi de se protéger de ses effets agressifs.

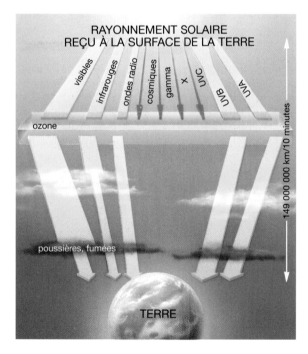

RAYONNEMENT SOLAIRE
REÇU À LA SURFACE DE LA TERRE

visibles — infrarouges — ondes radio — cosmiques — gamma — X — UVC — UVB — UVA

ozone

149 000 000 km/10 minutes

poussières, fumées

TERRE

Le soleil est une centrale thermonucléaire qui transforme par seconde 564 millions de tonnes d'hydrogène en 560 millions de tonnes d'hélium. Les 4 millions de tonnes de matière qui disparaissent chaque seconde produisent un immense rayonnement électromagnétique irradiant à travers l'espace dans toutes les directions. Avant d'atteindre la terre, beaucoup de ces radiations sont arrêtées par des filtres naturels. La couche d'ozone est le principal filtre bloquant les rayonnements nocifs : rayons cosmiques, rayons gamma, rayons X et certains rayons ultraviolets. C'est dire l'importance de cette couche pour tous les êtres vivants.

Les rayons ultraviolets

Les rayons ultraviolets (UV) se caractérisent par des ondes plus courtes que la lumière visible et aussi par une énergie plus grande. On les divise en trois spectres, A, B et C (UVA, UVB, UVC), suivant la longueur des ondes qu'ils émettent.
Les UVC sont les plus dangereux des rayons ultraviolets. Toutefois, contrairement aux UVA et aux UVB, ils sont en grande partie absorbés par la couche d'ozone... là où il en reste.
Les UVB stimulent la synthèse de la mélanine, un pigment brun foncé qui donne à la peau sa coloration. Ce sont les UVB d'abord qui sont à l'origine des coups de soleil et aussi du vieillissement et des cancers de la peau. Le verre bloque les UVB, mais l'eau les laisse passer de même que les nuages. C'est pourquoi on n'est pas à l'abri des coups de soleil par temps nuageux.
La quasi-totalité (99 %) de la lumière atteint le sol sous forme de UVA. De tous les ultraviolets, les UVA sont ceux qui émettent les ondes les plus longues. Ils pénètrent donc plus profondément dans la peau que les autres et passent, par ailleurs, à travers le verre.

Longtemps on a cru que les UVA étaient inoffensifs. Aujourd'hui, on sait qu'ils contribuent aux réactions de photosensibilisation aux médicaments, à l'allergie au soleil, au vieillissement prématuré de l'épiderme et au développement des cancers cutanés par effet cumulatif.

La couche d'ozone

L'ozone est une variété allotropique de l'oxygène à trois atomes (O_3). Rare dans la basse atmosphère, il forme dans la stratosphère une couche qui filtre les rayons du soleil. L'épaisseur de la couche d'ozone varie naturellement ; plus elle est épaisse, plus ses capacités filtrantes sont grandes. Des facteurs naturels, par exemple une éruption volcanique ou une configuration particulière des vents, peuvent altérer temporairement l'épaisseur de la couche d'ozone. Ainsi en a-t-il été de l'éruption de 1991 du Pinatubo, aux Philippines, dont les débris sont restés dans l'atmosphère pendant deux ou trois ans en quantité suffisante pour contribuer sensiblement à l'appauvrissement de l'ozone.

Depuis la fin des années 1970, toutefois, on enregistre un appauvrissement à long terme de la couche d'ozone ; ce phénomène serait dû à une accumulation dans la haute atmosphère de substances chimiques d'origine industrielle, notamment de chlorofluorocarbones (CFC), des gaz employés dans les réfrigérants, les aérosols et les mousses expansées. En 1987, les États-Unis et le Canada se sont engagés dans le cadre du Protocole de Montréal à interdire pour 1995 et 1996 toute production et importation de CFC.

Certains scientifiques estiment cependant que, malgré le bannissement complet de ces substances, il faudra encore 100 ans pour que l'ozone atmosphérique offre un degré de protection comparable à ce qu'il était dans les années 1970. D'après Environnement Canada, en 1995, la couche pro-

Ozone sinistré

Environnement Canada continue d'enregistrer un amincissement graduel et à long terme de la couche d'ozone au-dessus du Canada. En effet, le Canada fait partie des zones du globe au-dessus desquelles la dégradation est la plus rapide. En 1995, les valeurs relevées étaient proches des minimums records établis en 1993. On s'attend à ce que ces niveaux se maintiennent jusqu'au début du XXIe siècle. D'ici là, les Canadiens devraient éviter les expositions excessives au soleil. Le niveau estival des ultraviolets au pays demeure préoccupant pour la santé.

tectrice d'ozone au-dessus du pays a été de 5 à 10 % inférieure à la normale. La période de mai à août est toujours la plus critique sous nos latitudes car le soleil est haut dans le ciel et les rayonnements d'ultraviolets sont plus élevés. Déjà, sans tenir compte des pertes d'ozone, le niveau naturel d'UV durant l'été peut être assez accentué pour causer des problèmes de santé et affecter les plantes et les écosystèmes.

Les populations nordiques qui, culturellement, ont déjà tendance à vouloir reprendre l'été le soleil qu'elles n'ont pas eu l'hiver, devraient être très attentives à ce phénomène et apprendre à modérer leur penchant pour les bains de soleil et à se protéger (voir *Comment choisir les lotions solaires*).

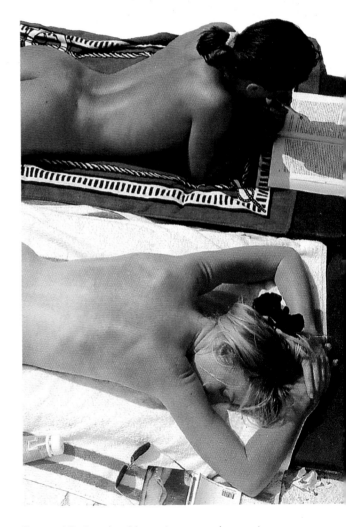

Comment illustrer plus clairement que peaux brunes et peaux blanches réagissent différemment au soleil ?

Comment recevons-nous le soleil ?

Le rayonnement solaire est reçu soit directement, soit par diffusion à travers les masses nuageuses, soit par réflexion sur certains sols (glace, neige, sable). L'intensité et la qualité du rayonnement dépendent :
– de la saison : dans l'hémisphère Nord, les radiations les plus intenses sont relevées en juin ;
– de la latitude : l'ensoleillement est maximal sous les tropiques ;
– de l'altitude : pour chaque élévation de 300 m, les radiations augmentent de 5 %.
L'utilisation d'un chapeau à large bord ou d'un parasol sur une plage ne protège pas des radiations par réflexion. L'intensité de la réflexion varie avec le type de sol : 85 % pour la neige, 17 % pour le sable, 5 % pour l'eau et 3 % pour l'herbe.

■ La peau comme barrière

Notre peau est conçue pour nous protéger. Les tissus qui la composent sont différents en surface et en profondeur. En surface, juste sous la fine couche des cellules de l'épithélium cutané, ou couche cornée, la peau est constituée par l'épiderme, sous lequel se trouve le derme.
Sous le fragile épithélium cutané (qui pèle après les petits coups de soleil), l'épiderme agit comme une barrière contre les agressions des produits chimiques ou autres, contre le soleil, contre les microbes et sert aussi d'agent de contrôle en effectuant un tri contre les intrus.
Certaines cellules de l'épiderme, les mélanocytes, possèdent des poches qui se remplissent d'un pigment coloré : la mélanine. La taille de ces poches de mélanine, appelées mélanosomes, est proportionnelle à la quantité de rayonnement solaire reçu. C'est ce qui fait la différence entre une peau noire, bronzée ou blanche.
Dans la partie profonde de l'épiderme, d'autres cellules, les kératinocytes, avalent et digèrent la mélanine, ce qui explique la mauvaise protection des peaux claires contre le soleil.
Chacun de nous naît avec un capital de mélanocytes qui est fonction de son héritage génétique. Les sujets à peau blanche, les habitants des villes qui vivent dans une atmosphère sans soleil et les nordiques qui passent de longs mois couverts de la tête aux pieds doivent être prudents tout au long de leur vie vis-à-vis du soleil. Si nous nous exposons de façon excessive aux rayonnements (choc thermique, coups de soleil, bronzage extrême), nous mettons en péril notre santé et celle de nos enfants.

■ Les bienfaits du soleil

L'héliothérapie

● Le soleil est nécessaire à la croissance : il permet de transformer dans la peau certaines substances chimiques en vitamine D, ce qui protège l'enfant du rachitisme et l'adulte de certaines maladies osseuses.
● Les rayons ultraviolets contribuent à la fixation du calcium. Au cours de l'adolescence, les bains de soleil, une alimentation équilibrée et un apport en calcium constituent la meilleure garantie d'une bonne ossification.
● Les bains de soleil, à condition que l'exposition soit très courte (dix minutes), favorisent la guérison de plusieurs pathologies : l'eczéma, les mycoses ou champignons de la peau, le psoriasis, les crevasses des seins lors de l'allaitement. Des bains de soleil répétés permettent de continuer sans problème à donner le sein. On voit alors disparaître tous les pénibles incidents des mamelons humides et douloureux. En outre, l'héliothérapie accélère la cicatrisation des plaies et stimule les échanges de la circulation sanguine périphérique.
● Dans la vie de tous les jours, la carence en soleil est reconnue pour avoir des effets négatifs sur notre humeur. Les 3 millions de Canadiens, dont près du tiers de Québécois, qui font chaque année un saut sous les tropiques sont là pour nous le rappeler. La photothérapie est d'ailleurs utilisée dans le traitement des troubles affectifs saisonniers.

Se protéger la peau avant et après toute exposition au soleil est une précaution salutaire.

Réactions cutanées sans danger

● *Le hâle immédiat.* Ce sont les ultraviolets qui sont responsables de ces remaniements moléculaires passagers. La peau prend en quelques minutes, au contact du plein air, une coloration légère qui disparaît dès le lendemain.

● *Le bronzage.* La course au bronzage est le sport favori des vacanciers, qui ont été privés de soleil toute l'année. La coloration peut démarrer dès le troisième jour, avec un point culminant vers la troisième semaine. La pigmentation disparaît doucement si l'exposition au soleil n'est pas entretenue. Ce sont les rayons UVB qui sont responsables du bronzage.

La très forte réflexion du soleil sur la neige (85 %) nécessite une plus grande protection.

Dix conseils pour vivre au soleil

La mode du bronzage, devenue phénomène de société, pose problème. Il serait impensable d'interdire le bronzage ou d'annuler tous les vols de vacances vers les « destinations-soleil », mais quelques conseil s'imposent :

▶ Choisir ses heures de plage en évitant l'exposition entre 10 heures et 15 heures (les UVB sont à leur maximum d'intensité).

▶ Préférer le mouvement sur la plage (marche, pratique du volley-ball) à la position passive, allongé sur sa serviette.

▶ Éviter la prise d'un repas trop important avant toute exposition au soleil et surtout la consommation de boissons alcoolisées ou encore de jus de fruits acides (orange, pamplemousse, citron) en quantités exagérées.

▶ Programmer prudemment ses temps d'exposition au soleil selon le schéma suivant, qui peut varier d'un individu à l'autre : le premier jour, ne pas dépasser vingt minutes d'exposition en deux ou trois fois, puis augmenter de dix minutes par jour le temps de bronzage. Penser à la protection vestimentaire et aux lunettes de soleil.

▶ Se protéger la peau en appliquant un filtre ou un écran solaire trente minutes avant l'exposition, ainsi qu'avant et après la baignade, et renouveler l'application régulièrement.

▶ Ne jamais s'exposer plus de deux heures d'affilée au soleil.

▶ Éviter les pilules à bronzer ; si elles donnent un teint carotte, elles n'ont aucun pouvoir protecteur.

▶ Veiller à faire porter aux enfants une protection vestimentaire, un tee-shirt, un chapeau, quand ils ne sont pas dans l'eau.

▶ Toujours se protéger la tête.

▶ Ne jamais dormir en plein soleil.

Comment choisir les lotions solaires

Si on a cru pendant longtemps que seuls les UVB étaient nocifs pour la santé, on sait aujourd'hui qu'il faut aussi se protéger contre les UVA. En fait, même si la réglementation reste encore à préciser en la matière aussi bien aux États-Unis qu'au Canada, la plupart des fabricants de lotions solaires incluent maintenant dans leurs produits une protection contre les UVA. Cette protection n'est toutefois pas égale dans tous les cas et il faut apprendre à l'évaluer.

Il existe deux types de protecteurs solaires, les écrans et les filtres. Les écrans (dioxyde de titane et oxyde de zinc) bloquent complètement la lumière et, par conséquent, aussi bien les UVA que les UVB. Chimiquement inertes, ils sont peu allergènes. Les dermatologues recommandent de les utiliser pour les enfants de 6 mois à 2 ans (plus jeunes, les enfants ne devraient pas être exposés au soleil).

Les filtres solaires, qui, contrairement aux écrans, permettent de bronzer, sont pour leur part des produits de synthèse ou des dérivés organiques chimiquement modifiés. Liés à la peau, ils filtrent une partie des ultraviolets. Tous présentent à des degrés divers des risques d'irritation.

Les filtres anti-UVB sont les plus connus. Ce sont les benzophénones (ou oxybenzone), les cinnamates, les salicylates et le Padimate-O, un dérivé du PABA (acide para-amino-benzoïque), qui est de moins en moins utilisé aujourd'hui parce qu'il est allergène et tache les vêtements. Selon qu'ils sont plus ou moins concentrés, ces filtres affichent un « facteur de protection solaire » (FPS) qui peut aller de 2 à 60. Un indice d'efficacité de 2 signifie simplement qu'on devra s'exposer deux fois plus longtemps au soleil pour obtenir le même effet de rougeur qu'à peau nue.

Pour une exposition de deux heures ou moins, les dermatologues recommandent un FPS de 15, qui offre une protection d'environ 93 % contre les UVB. Par comparaison, un FPS de 30 offre une protection qui n'est que de 4 % supérieure.

Toutefois, qu'il soit de 15, de 30 ou de 60, le FPS n'est en rien un indicateur de protection contre les UVA. Même si une lotion affiche le sceau de l'Association canadienne de dermatologie (ACD), il faut encore vérifier qu'elle filtre bien les UVA car le sceau est vendu à tout fabricant dont la lotion présente un FPS d'au moins 15, sans plus. Seul le filtre chimique Parsol 1789 protège efficacement contre les UVA, en plus, bien sûr, des écrans totaux, dioxyde de titane et oxyde de zinc. Une lotion solaire devrait contenir au moins 2 % de Parsol 1789 ou d'un écran total. Les benzophénones (ou oxybenzone) que certaines lotions affichent comme anti-UVA ne bloquent en fait que les UVA très courts, laissant passer tout le reste du spectre.

■ Les méfaits du soleil

Réactions dangereuses à court terme

● *Les coups de soleil.* Sur toutes les plages, il est courant de voir ce phénomène, dont les blonds et les roux sont les principales victimes. La violence du coup de soleil varie en fonction de l'intensité du rayonnement, du temps d'exposition et de la sensibilité individuelle (peaux blanches, prenez garde !). En se rappelant qu'il s'agit de réelles brûlures, il faut différencier plusieurs stades dans le coup de soleil.

— Les deux premiers stades peuvent apparaître après une courte exposition, selon l'intensité du rayonnement : le coup de soleil rosé, qui disparaît en un ou deux jours sans desquamation ni coloration ; le coup de soleil rouge vif, qui disparaît en trois ou quatre jours sans desquamation mais en laissant une légère coloration.

— Plus sérieux est le stade cyanique, douloureux, œdémateux (on ne supporte plus sa chemise, ni même la douche), qui va évoluer vers une desquamation et laisser un œdème plus durable et un certain bronzage.

— Encore plus grave, le stade des phlyctènes, véritables brûlures au deuxième degré avec atteinte de l'état général, température élevée, nausées, céphalées. La desquamation est plus intense, sans coloration résiduelle ni cicatrice le plus souvent.

● *L'insolation.* Due à un échauffement massif de la tête et du corps (attention de ne pas vous endormir nu-tête sur la plage), elle peut provoquer un œdème cérébral, des troubles nerveux, parfois un état comateux. Les décès par insolation ne sont pas rares. On peut y assimiler les coups de chaleur, dont sont victimes enfants et animaux laissés dans des véhicules exposés au soleil.

● Les effets sur le système immunitaire semblent pouvoir favoriser l'apparition d'un *herpès* chez certains sujets.

Lisez les étiquettes

Méfiez-vous de l'inflation verbale de certains fabricants. Vérifiez soigneusement que le produit que vous achetez présente les protections suivantes :

▶ **Protection UVA :** une lotion doit contenir au moins 2 % de Parsol 1789, de dioxyde de titane ou d'oxyde de zinc pour protéger contre les UVA.

Pour les enfants de 6 mois à 2 ans, choisissez un écran total (dioxyde de titane ou oxyde de zinc).

▶ **Protection UVB :** un FPS de 15 offre à l'adulte une protection suffisante contre les UVB.

Pour les jeunes de 2 à 18 ans qui passent la journée dehors, prenez un FPS plus élevé.

▶ La protection **IR** (infrarouge) est superflue.

▶ **Sans PABA :** l'acide para-amino-benzoïque (PABA) provoque des réactions allergiques chez certains, en plus de tacher les vêtements. Évitez-le.

▶ **Hydrofuge :** choisissez un produit hydrofuge si vous aimez vous baigner ; le soleil brûle jusqu'à 1 m sous l'eau.

Réappliquez de la lotion si vous restez au soleil au sortir de l'eau.

▶ **Sceau de l'ACD :** le sceau de l'Association canadienne de dermatologie (ACD) peut être utilisé pour toute lotion affichant un facteur de protection solaire (FPS) de 15 ou plus contre les UVB. Il n'est pas garant de la protection contre les UVA.

▶ Enfin, préférez les **produits en crème :** ils hydratent la peau en même temps qu'ils la protègent.

Réactions cutanées après expositions répétées (plusieurs années)

Le vieillissement. Le phénomène de vieillissement des parties du corps non protégées se constate facilement chez les adeptes du soleil ou parmi les populations des régions très ensoleillées.

Les rides et les taches. Une exposition durable entraîne un remaniement de la peau, avec apparition de cellules épidermiques anormales et multiplication de taches colorées. La peau perd sa tonicité, devient flasque et des rides se creusent.

Les cancers cutanés. C'est l'une des conséquences les plus graves de la surexposition au soleil ou de l'exposition répétée sans protection. En 1993 seulement, 50 200 nouveaux cancers de la peau sans mélanomes et 2 950 mélanomes malins ont été déclarés au Canada. Si le premier type de cancer se guérit facilement lorsqu'il est rapidement dépisté, le second est souvent mortel. Or, son incidence a plus que doublé en quinze ans.

Autres méfaits du soleil

L'allergie au soleil se rencontre chez certains sujets, en particulier en altitude (skieurs de haute montagne, alpinistes). Elle se manifeste souvent par un larmoiement, une conjonctivite. C'est aussi la lucite estivale bénigne qui touche les jeunes femmes. Il s'agit d'une allergie solaire des parties du corps non recouvertes, qui fait penser à une petite éruption. Il suffit en général de protéger la peau pendant quelques jours pour y remédier.

L'allergie solaire se rencontre également chez les malades prenant certains médicaments (antibiotiques, sulfamides, crèmes à base de vitamine A, antimitotiques).

Le soleil aggrave certaines maladies telles que l'acné juvénile, l'herpès, le lupus érythémateux, l'acné rosacée et l'eczéma de contact. Par ailleurs, le mélasma, encore appelé masque de grossesse, peut être accentué par le soleil. Ce mélasma se voit parfois aussi chez les femmes prenant la pilule. La coloration peut aller jusqu'au brun-noir.

En définitive, le soleil doit devenir un allié et non une menace. À condition de savoir en gérer l'usage, il peut être un élément fondamental de notre bien-être et de notre santé. Mais il représente l'exemple même de ces merveilleux dons de la nature dont l'emploi immodéré peut faire courir les pires dangers, alors qu'il est la source même de notre énergie et de notre plaisir de vivre.

Le soleil dans les sociétés autochtones

Toutes les sociétés autochtones traditionnelles ont vénéré le soleil. Bien souvent en conjonction avec la lune, comme chez les Inuit, l'astre du jour était reconnu comme une source primordiale de vie et de fertilité et faisait l'objet de divers rituels.

Ainsi, la danse du soleil compte parmi les cérémonies religieuses les plus connues et les plus spectaculaires des Amérindiens du nord de l'Amérique. À cette occasion, les diverses bandes d'un même peuple convergeaient vers un lieu prédéterminé afin de prier pour la fertilité et l'abondance, et rendre grâce aux forces de vie. C'était aussi un grand moment de socialisation.

La date de la cérémonie était déterminée par des événements naturels et commençait, selon les peuples, au moment des semailles ou quand telle baie commençait à mûrir ou, encore, à l'époque « où le soleil se lève en même temps que la lune se couche ».

Chez plusieurs groupes, la cérémonie durait au-delà d'une semaine. Les participants devaient d'abord se purifier en suerie, le sauna amérindien, puis les officiants choisis se préparaient. Après un jeûne prolongé, ils dansaient de longues heures, parfois des jours entiers et jusqu'à épuisement, devant un mât sacré. Chez certaines bandes, les danseurs se perçaient les chairs ; mais chez d'autres, la croyance voulait que répandre le sang portât malheur. La cérémonie pouvait aussi inclure des chasses rituelles, des combats feints et des danses secondaires où les participants devaient le plus longtemps possible fixer le soleil.

Sans doute impressionnés par le côté spectaculaire de ces rencontres annuelles, les missionnaires et les gouvernements ont condamné et cherché à réprimer la cérémonie de la danse du soleil.

L'eau

L'homme ne peut survivre plus de huit jours à une privation totale d'eau. Facilement polluée, l'eau se purifie au cours d'un cycle sans fin ; elle s'évapore de la mer, des lacs et des rivières pour se répandre en pluie jusqu'aux endroits les plus retirés et chemine sous terre par des voies mystérieuses. Sources, puits, fontaines, barrages, digues, l'histoire de l'homme est aussi celle de ses rapports avec l'eau. Les pratiques de santé font une place de choix à ce symbole de pureté et de purification.

EAUX POTABLES, EAUX DE BOISSON

Des réserves d'eau totales dans le monde, 95,1 % est de l'eau salée ; l'eau douce compte donc seulement pour 4,9 % de ces réserves et la plus grande partie se trouve sous forme de glace ou d'eau souterraine. En fait, du volume global d'eau sur terre, 0,01 % uniquement est facilement accessible et utilisable par l'humanité. La demande croissante en eau et la pollution font que celle-ci, tant pour des raisons de quantité que de qualité, deviendra un des enjeux majeurs des prochaines générations.

■ L'eau potable de distribution

C'est l'eau du robinet. Environ 90 % de la population québécoise est alimentée en eau potable par un réseau municipal doté d'installations de traitement d'eau. Les 10 % qui restent boivent une eau qui n'a reçu aucun traitement. Il s'agit le plus souvent de personnes vivant dans des municipalités de moins de 5 000 habitants qui s'approvisionnent en eau souterraine, réputée potable à l'état naturel.

Au Canada, ce sont les provinces qui légifèrent dans le domaine de la potabilité de l'eau. Au Québec, plus une municipalité est de taille importante, plus le nombre et la fréquence des contrôles qu'elle doit effectuer sont grands. Les critères de potabilité portent aussi bien sur les contaminants bactériologiques que chimiques et sont régulièrement revus à la baisse pour tenir compte des dernières découvertes. Ce fut, par exemple, le cas du plomb en 1990, à la suite de nouvelles preuves de sa toxicité, particulièrement pour les jeunes enfants.

Toutefois, les normes de qualité de l'eau varient énormément dans le monde. Par exemple, en ce qui a trait aux trihalométhanes (THM), des sous-produits de la chloration potentiellement cancérigènes à doses élevées, le maximum permis dans l'eau de distribution est de 0,350 ppm au Québec, de 0,100 ppm aux États-Unis et, en moyenne, de 0,010 ppm en Europe. C'est que les scientifiques n'ont pu encore se prononcer définitivement sur la toxicité des THM à aussi faibles doses qu'ils se trouvent dans l'eau du robinet. Mais sachez qu'il est facile d'en débarrasser l'eau en la laissant reposer 24 heures dans un contenant ouvert.

Partie par million

Une partie par million (ppm) est l'équivalent d'un milligramme par litre ou 1/30 de cuillerée à thé de sel dissous dans l'eau d'une baignoire standard.

Les sources de pollution

L'eau pure n'existe pas. Même en l'absence de toute activité humaine, on la trouve chargée de diverses substances organiques et inorganiques en quantité qui varie selon le lieu et la saison. L'inquiétude face à l'eau potable concerne surtout l'effet à long terme des polluants que nous rejetons dans l'eau ou dans l'air sans traitement adéquat.

À la source de cette pollution on trouve les activités domestiques, industrielles et agricoles. Les déchets domestiques sont surtout susceptibles de charrier des micro-organismes pathogènes. Le compte des bactéries coliformes est utilisé pour déceler ce type de contamination.

Quant aux activités agricoles, elles entraînent la dégradation de plusieurs rivières du Québec, notamment le Richelieu, la Yamaska et la Nicolet. Le déversement de déchets animaux et le lessivage pluvial des engrais chimiques et des pesticides, herbicides et fongicides provoquent la dégradation bactériologique de l'eau et la contaminent. Qui plus est, une fois décomposés dans l'eau en phosphates, nitrates, chlorures ou sulfates, ces produits du fermage moderne stimulent la croissance des algues qui, en masse, monopolisent l'oxygène au détriment des processus aérobies de décomposition des déchets. À la longue, l'eau meurt. De toutes les activités humaines, ce sont toutefois toujours les industries qui conservent la palme de la pollution organique, inorganique, thermique et microbienne de l'eau. Dans le corridor du Saint-Laurent et des Grands Lacs, l'industrie chimique est à elle seule responsable du rejet de dizaines de tonnes par jour de fer, de plomb, de zinc, de chrome et de cuivre. À cela, il faut ajouter les résidus organochlorés de l'industrie des pâtes et papiers et les déchets des entreprises alimentaires, textiles et minières, elles aussi installées pour la plupart le long du fleuve.

Et ce n'est pas d'hier que le fleuve sert de dépotoir. À la fin du XVIIe siècle, il était interdit aux bouchers

de Québec de jeter leurs détritus *autre part* que dans le Saint-Laurent, par ordre du Roi !

Le traitement de l'eau

Tous les grands réseaux d'eau potable au Québec s'alimentent en eau de surface puisée dans une rivière ou dans le Saint-Laurent. C'est dire que, sans traitement, la qualité de cette eau ne serait pas satisfaisante pour la consommation.

Le traitement de l'eau comprend plusiers étapes. La première consiste, bien sûr, à capter l'eau brute puis à la filtrer pour en retirer les particules grossières, les algues et les débris.

L'eau est ensuite oxydée avec un élément comme le bioxyde de chlore pour empêcher la croissance bactérienne dans les filtres de l'usine, puis elle est acheminée dans un bassin où elle est mélangée avec des coagulants ou d'autres produits chimiques qui favoriseront l'agglutination des matières en suspension. De là, l'eau passe dans un bassin de floculation où les particules se regroupent et forment des flocs. Vient ensuite le bassin de décantation au fond duquel les grosses particules floculées se déposent et en sont évacuées. Puis c'est la filtration. En passant à travers des matériaux tel le sable, l'eau est débarrassée des particules plus fines.

À cette étape, toutefois, l'eau contient toujours des micro-organismes pathogènes, virus, bacilles, coliformes et autres. Une désinfection s'impose donc. Le chlore est le produit le plus souvent employé à cette fin. Dans une ville comme Montréal, on utilise également de l'ozone afin de réduire les quantités de chlore nécessaires pour purifier l'eau et empêcher une croissance bactérienne ultérieure dans le réseau de distribution. L'ozone est un gaz germicide très puissant qui ne modifie en rien la composition de l'eau, puisqu'il s'en échappe en quelques heures seulement après le traitement. D'autres municipalités ont recours pour la désinfection à de l'alumine active ou à du charbon actif.

En principe, après la purification, l'eau traitée est propre à la consommation. Toutefois, dans certaines usines, on lui fait subir encore d'autres traitements, notamment pour l'adoucir (précipitation à la chaux), en rétablir le pH ou l'alcalinité (soude caustique), en neutraliser les goûts ou les odeurs (charbon actif) ou en améliorer l'effet sur la santé (fluoration).

De façon générale, au Canada, les autorités estiment que l'eau du robinet n'a jamais été d'aussi bonne qualité qu'aujourd'hui. Toutefois, beaucoup s'interrogent sur les effets à long terme de tous ces produits dont on se sert pour la traiter.

Le Canada possède l'une des plus grandes réserves d'eau douce de surface du monde.

COMPOSITION DES EAUX DE SOURCE ET DES EAUX MINÉRALES LOCALES								
	Bicarbonate (HCO₃) ppm	Calcium (Ca) ppm	Chlorure (Cl) ppm	Fluorure (F) ppm	Magnésium (Mg) ppm	Potassium (K) ppm	Sodium (Na) ppm	Sulfate (SO₄) ppm	Teneur en sels minéraux
Eaux de source									
Amaro	98	17	2	0,2	4	1,0	12	6	106
Aquanature	129	36	0	0	8,8	2	2,2	26	160
Boischatel	34	10	6	0,2	2,5	0	4	2	58
Champlain	140	36	1	0,4	5,7	0,3	4,4	13	130
Cristalline	46	35	71	0,05	22	4	11	8	198
De La Source	200	40	6	0,15	21	3	8	25	210
Diva	125	31	3	0	7	0	3	16	130
Labrador	46	20	44	0,05	7	1	13	13	160
Larochelle	26	7	0	0	2	1	3	7	55
Laurentienne	202	40	6,4	0,15	20,1	2,7	8,3	25	219
Maqua	189	17	19	0,7	8	3	54	36	237
Mont Bel-Air	12	4	2	0	1	1	2	4	35
Montclair	98	17	0	0,2	4	1	12	6	105
Naturo	165	42	2	0,1	7	1	2	11	175
Naya	245	38	1	0,2	22	2	6	14	200
Périgny	44	11	1	0	2	1	2	5	53
Polaire	165	51	1	0	2	0	2	16	170
Radnor	55	18	4	0,1	4,1	1,9	3,9	28	95
Eaux minérales									
Abénakis	406	542	8 180	0,24	320	50	4 300	745	14 347
Montclair	890	8	230	1	12	13	475	39	1 290
Montellier	908	2,2	20	1,72	2,8	3,1	340	1	850
Radnor	192	105	1 000	2,3	15,6	16	608	136	2 020
Saint-Justin	560	7	350	4	6	3	415	0	1 000

■ Les eaux embouteillées

Ce sont les Québécois qui sont les plus grands amateurs d'eaux de source, d'eaux minérales et d'eaux traitées au Canada, avec 37 litres par personne chaque année, mais ils arrivent bien loin derrière les Européens, qui en boivent chacun jusqu'à 100 litres par année.

Parmi les eaux embouteillées commercialisées au Québec, 80 % sont de production locale. Mais qu'elles soient locales ou importées, toutes sont soumises aux mêmes normes.

Les eaux souterraines

Les eaux embouteillées d'origine naturelle commercialisées au Québec doivent obligatoirement provenir d'une source souterraine éloignée de toute émission de pollution et protégée par des matériaux naturels imperméables comme l'argile ou à pouvoir de filtration suffisant. Dans ces conditions, une eau souterraine ne contiendra en pratique que des substances inorganiques. Il est interdit de modifier la composition d'une eau de source ou d'une eau minérale : elle doit donc être bactériologiquement pure et sans contaminants à l'état naturel. Seules la décantation, la filtration, la gazéification et l'ozonation sont permises car elles ne modifient pas la charge des ions dans l'eau.

Le sous-sol du Québec regorge d'eaux potables. Encore naguère, on faisait appel à des sourciers pour repérer les meilleures nappes aquifères, mais, aujourd'hui, les hydrogéologues ont pris la relève.

L'une des plus vieilles eaux minérales du Québec, l'eau Saint-Justin, renommée pour ses propriétés digestives, a été découverte en 1895 à une cinquantaine de mètres de profondeur, en Mauricie. Après avoir subi avec succès en quelques jours les analyses chimiques et de potabilité de l'époque, elle fut pendant longtemps embouteillée à la main et vendue en pharmacie.

Par comparaison, il a fallu cinq ans à Nora pour commencer l'exploitation commerciale de l'eau de source Naya, qui est puisée à quelque 80 mètres dans le sous-sol. C'est que, depuis les années 1970, outre la potabilité et la teneur en minéraux de l'eau ainsi que la qualité du gîte aquifère, les activités de captage, de transport, d'emmagasinage, d'embouteillage, d'étiquetage et toutes les opérations con-

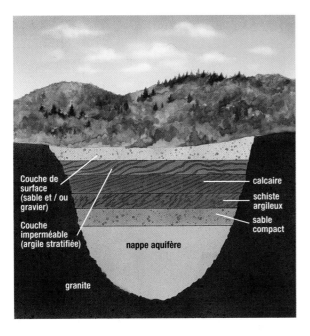

L'eau souterraine est filtrée par des couches de matériaux granulaires et protégée de l'infiltration par des argiles imperméables.

nexes nécessaires à la commercialisation d'une eau souterraine sont réglementées.

Aujourd'hui, aussi bien la Saint-Justin que la Naya comptent toujours parmi les rares eaux souterraines québécoises embouteillées directement à la source. Les autres embouteilleurs transportent leur eau à l'usine, le plus souvent en camion-citerne.

● **Les eaux de source.** Toutes les eaux souterraines contiennent des minéraux dissous qui varient en nature et en quantité selon la composition du sous-sol où elles sont puisées. Au Québec, l'appellation « eau de source » est réservée aux eaux qui contiennent moins de 500 ppm de minéraux.

● **Les eaux minérales.** Une eau est appelée « minérale » dès qu'elle contient plus de 500 ppm de minéraux. Certaines en contiennent jusqu'à 50 000. Plus une eau est minéralisée, plus elle est goûteuse. En Europe, l'eau minérale est réputée, entre autres, pour ses vertus médicinales. En Amérique, on l'associe presque exclusivement à la gastronomie et on l'emploie pour ses qualités apéritives ou digestives.

On doit éviter de donner de l'eau minérale aux nourrissons à cause de la fragilité de leurs systèmes rénal et digestif. Par ailleurs, ceux qui cherchent à éviter le sel choisiront une eau faible en sodium.

Autres eaux embouteillées

● *L'eau traitée.* Il s'agit habituellement d'une eau de surface qui a été purifiée mais qui, contrairement à l'eau du robinet, ne contient pas de chlore. Une eau de ce type ne peut porter la mention « naturelle » car sa composition chimique a été modifiée. Elle peut être également artificiellement minéralisée.

● *L'eau traitée déminéralisée.* C'est une eau de surface ou de source dont on a retiré les substances organiques et les minéraux par distillation ou osmose inversée et filtre à charbon. L'eau distillée est recommandée en cure par certains naturopathes afin d'aider à l'élimination des déchets. Il n'est toutefois pas bon d'en boire trop longtemps, car elle peut aussi lessiver des minéraux utiles.

● *L'eau en vrac.* L'eau en vrac est une eau traitée soumise à la même réglementation et aux mêmes contrôles que toutes les eaux embouteillées. Toutefois, les appareils qui servent à la distribuer sont souvent mal nettoyés et constituent un foyer à risque élevé de contamination bactérienne.

Les purificateurs domestiques

Les purificateurs domestiques sont des appareils conçus pour éliminer, à la sortie du robinet, différentes substances présentes dans l'eau *potable*. Aucun d'entre eux n'est assez polyvalent pour assainir une eau non potable ou garantir une pureté parfaite.

N'achetez pas un purificateur domestique sans connaître d'abord la composition de votre eau, car chaque appareil répond à des conditions spécifiques. Les analyses d'eau sont effectuées par les municipalités ou par Environnement et Faune, Québec.

▶ **L'appareil à filtre au charbon actif** est efficace contre les mauvaises odeurs, les mauvaises saveurs ainsi que les résidus de pesticides ou de chlore lorsqu'ils n'outrepassent pas la norme établie pour l'eau potable. Ce type de filtre est inefficace contre les micro-organismes ; saturé, il constitue même un milieu propice à la croissance bactérienne.

▶ **L'appareil à osmose inversée** élimine la quasi-totalité des sels minéraux dans l'eau, les THM, et aussi les résidus de plomb, de nitrates et de fluorures. Toutefois, il consomme beaucoup plus d'eau qu'il n'en traite et, comme il est équipé de filtres à charbon, il présente les risques propres à ce mode de filtration.

▶ **Le pichet filtrant** est muni d'un filtre constitué de charbon actif et de résine à échangeur d'ions. Il est efficace pour améliorer le goût de l'eau mais il ne peut traiter que 1 ou 2 litres par jour.

LES HYDROTHÉRAPIES DANS LA VIE QUOTIDIENNE

Très présents dans la vie quotidienne des Anciens, notamment à l'époque gréco-romaine, les soins par l'eau et les bains tombèrent dans l'oubli chez les Occidentaux jusqu'au XVIIᵉ siècle, quand les médecins anglais et allemands les remirent à l'honneur. Au Canada, les vertus thérapeutiques de l'eau étaient encore exploitées par la médecine il y a cinquante ans. Délaissés pour des moyens jugés plus scientifiques, sauf la physiothérapie, les soins par l'eau reprennent aujourd'hui du service dans la foulée des médecines douces. Ce sont les hydrothérapies. Certaines se pratiquent assez facilement à domicile, mais d'autres exigent un équipement qu'on ne trouve que dans les centres spécialisés.

■ Hydrothérapies générales et locales

Elles comprennent les balnéothérapies, les enveloppements et compresses, les inhalations, les jets et les lavements. Dans tous les cas, l'eau est utilisée pour stimuler ou régulariser les propriétés d'autoguérison du corps.

Chaque individu réagira différemment à ces soins, selon leur durée et la chaleur de l'eau. Une même personne peut aussi avoir des réactions différentes d'un jour à l'autre selon son niveau de stress, l'alimentation, la saison, le rythme travail-repos. En cas de doute, il vaut mieux consulter un spécialiste ou voir un médecin.

● **Le bain complet froid**, entre 15 et 25 °C, est surtout indiqué dans les états d'excitation et les troubles du sommeil. L'immersion brève (dix à trente secondes) tonifie la peau et provoque une réaction de chaleur. Il faut avoir chaud avant l'immersion et retrouver rapidement la même chaleur après le bain à l'aide d'une friction. À déconseiller aux enfants, aux sujets âgés et aux cardiaques.

● **Le bain complet chaud**, à une température constante de 38 à 39 °C ou en température ascendante de 34 à 42 °C, détend les muscles, soulage la douleur et favorise la sudation, qui chasse les impuretés. Il faut toujours sortir de l'eau lentement et s'allonger environ une demi-heure après s'être séché, car l'eau très chaude peut provoquer une chute de tension artérielle. À proscrire aux hypertendus, aux cardiaques et aux insuffisants rénaux.

● **Les bains contrastes** se font dans deux bassines, l'une remplie d'eau chaude (40 à 43 °C) et l'autre d'eau froide et de glaçons (10 à 15 °C). Ils

Le caldarium *des thermes de Pompéi évoque l'usage quotidien des bains chez les Romains.*

stimulent la circulation tout en diminuant les raideurs et sont recommandés pour les cas d'enflures persistantes des pieds, des mains ou des chevilles. Pendant quinze minutes, la région blessée est plongée tour à tour dans l'eau chaude (une minute) puis dans l'eau froide (trente secondes). On peut faire la même chose avec les jambes pour stimuler la circulation veineuse. Les températures sont alors moins contrastées (34 et 25 °C) et les immersions sont plus longues (trois minutes en eau chaude, une minute en eau froide). Les personnes souffrant de problèmes artériels et les cardiaques doivent utiliser les bains contrastes avec grande prudence.

● **Le bain de siège** est un type de bain contraste qui permet de prévenir et de soigner les hémorroïdes, les cystites et la constipation. Il consiste à immerger pendant trois minutes l'ensemble du siège dans une bassine d'eau chaude, les pieds plongés dans de l'eau froide. Puis l'opération est inversée et répétée quelques fois.

● **Le bain de pied** froid combat l'œdème des chevilles, les maux de tête et les troubles du sommeil. Chaud, il est reconnu pour ses effets décongestionnants et contre la grippe.

● **Les inhalations de vapeur** sont bien connues comme décongestionnants. Il suffit de verser dans

Douche au jet en hydrothérapie individuelle.

De l'importance de boire de l'eau

Boire beaucoup d'eau purifiée peut rendre toutes sortes de services, tant pour la santé que sur le plan du bien-être général. Ainsi, l'eau, en abondance, est recommandée pour :

▶ Combattre la tendance à grignoter (elle procure une sensation de satiété).

▶ Réduire la consommation de café, de thé, de boissons gazeuses ou alcoolisées.

▶ Augmenter la circulation rénale et favoriser l'élimination des toxines, particulièrement dans les cas d'arthrite et de rhumatisme.

▶ Faciliter le travail de l'intestin en contribuant à la formation de selles molles et volumineuses.

▶ Aider à combattre la fièvre, la grippe, le rhume et la toux.

▶ Prévenir la déshydratation en cas de maladie ou d'effort sportif intense.

▶ Combattre l'accumulation de mucus dans les bronches en cas d'asthme.

▶ Soulager les crampes menstruelles, sous forme de tisanes chaudes.

▶ Favoriser l'absorption des remèdes et médicaments.

---

un bol de l'eau bouillante sur de l'eucalyptus, du menthol, de la molène, du yerba santa ou du tussilage puis d'en respirer les vapeurs, la tête couverte d'un tissu. À recommander aussi pour soulager les bronchites, la laryngite et les quintes de toux.

● **Les enveloppements** peuvent être pratiqués avec une eau froide (25 °C) ou tiède (30 à 34 °C) additionnée ou non de quelques gouttes d'huile essentielle. On utilise :
– le maillot thoracique froid à l'eucalyptus en cas de crise d'asthme ;
– le maillot thoracique tiède au thym en cas de bronchite ou d'affection des voies aériennes ;
– la compresse tiède au thym en cas de laryngite : la maintenir une nuit autour du cou dans un bandage plastique et un foulard ;
– l'emmaillotement froid des jambes en cas d'insuffisance veineuse ;
– l'emmaillotement chaud de tout le corps pour favoriser l'élimination des toxines ;
– l'enveloppement froid complet pour tonifier l'épiderme et tout l'organisme.

● **Les jets** d'eau dirigés vers une partie du corps ou le corps entier sont largement utilisés dans toute une série de cas. Les bienfaits des jets sont ceux qu'on peut attendre des bains, mais la pression a tendance à accroître les effets.

● **Les lavements** du nez, de la gorge et de la sphère génitale sont couramment employés de façon préventive ou pour combattre les infections mineures. L'irrigation du colon est utilisée dans les cures de désintoxication et les jeûnes pour aider le corps à éliminer. À proscrire en cas de perforation ou d'ulcère intestinal, d'hypertension artérielle ou de néoplasie du côlon.

Balnéation aux algues

Toutes les algues renferment de grandes quantités de sels minéraux, d'oligoéléments et de métalloïdes. Elles sont reconnues pour relaxer, tonifier et reminéraliser l'organisme, combattre la cellulite et favoriser l'élimination des toxines. Rien n'est plus simple que de prendre chez soi des bains aux algues. On choisira de préférence, dans les magasins d'aliments naturels, des préparations d'algues microéclatées. Le microéclatement est un traitement mécanique consistant à briser les parois cellulaires des algues pour en libérer les éléments actifs.

Les bains aux algues sont pris chauds (38 °C) pour favoriser la sudation. On peut y ajouter du sel de mer à raison de 250 g pour une baignoire standard. Après une séance de vingt minutes, on s'épongera sans excès, puis on s'allongera trente minutes, bien couvert, afin de poursuivre la sudation.

Les bains d'algues sont un complément idéal des cures de jus et des régimes et sont d'un grand bienfait pour les personnes surmenées. Attention toutefois à l'eau trop chaude et aux allergies à l'iode.

Bain flottant, bain tourbillon

Le bain flottant, créé dans les années 1950 par le neurophysiologiste américain Jonh C. Lilly, est un caisson en fibre de verre rempli d'eau saturée de sel d'Epson (sulfate de magnésium) qui permet de flotter comme un bouchon de liège. Le principe du bain flottant est l'isolement sensoriel. Le caisson est muni d'une large porte, qu'on peut garder ouverte ou fermée, et il est isolé de la lumière et des bruits extérieurs. L'eau y est gardée à la température de la peau (34,5 °C). Tous ces éléments sont destinés à faire oublier son corps et à faciliter la relaxation aussi bien physique que mentale.

Le bain tourbillon pour sa part est un bain d'eau plus chaude (37 °C) que l'on prend, également par séances de vingt minutes, dans un bassin où l'on peut s'asseoir. Des jets d'air pressurisé sont dirigés sous l'eau vers différentes parties du corps. Le bain tourbillon détend les muscles endoloris par l'effort ou le stress, favorise la circulation sanguine et la détente et prédispose au sommeil. Il est recom-mandé après le bain de s'allonger dans un fauteuil ou dans un lit avec les jambes surélevées.

Les bains flottants sont offerts dans des centres spécialisés, annoncés dans les Pages Jaunes, tandis que les bains tourbillons se trouvent maintenant dans presque tous les établissements hôteliers et les centres sportifs. Il est donc facile d'y faire un saut détente. Mais il faut se méfier des conditions de salubrité de ces bains. Mal entretenus, ils sont des foyers de contamination. Renseignez-vous sur les règles d'hygiène de l'établissement choisi.

Le bain nordique

Le bain nordique est un bain contraste poussé à l'extrême suivant la technique alternée du sauna. Il est depuis longtemps pratiqué par les Finlandais et il était à l'honneur dans les sociétés autochtones traditionnelles. Au Québec, des centres de plein air comme le Harfang des Neiges (1-819-533-4518) ou le Pohénégamook (418-859-2405 ou 1-800-463-1364) peuvent vous y initier en hiver. Ses tenants soutiennent qu'il rééquilibre le système immunitaire et augmente la résistance au froid et aux infections mineures comme le rhume.

Un bain nordique commence par une séance dans un sauna sec très chaud (100 à 110 °C). À cette température, l'épiderme accumule vite de la chaleur et, comme l'exposition est courte, les pertes d'énergie sont limitées. Suit un plongeon en piscine puis encore un cycle complet, sauna-piscine. Après un autre passage en sauna, certains vont

Bain nordique dans un centre de plein air.

Sueries et saunas

Le bain de chaleur plus ou moins humide, le sauna, et le bain de vapeur, dit turc ou russe, est utilisé depuis des siècles dans toutes les cultures, aussi bien en Occident qu'en Orient.

Ainsi, les Amérindiens connaissaient les deux types de bains sous le nom de suerie. La suerie sèche était une exposition directe à la chaleur d'un feu dans un bâtiment de perches et de toile scellée ou, encore, dans une construction semi-souterraine. On s'y adonnait le plus souvent en groupe et, dans bien des cas, chaque jour, simplement pour se détendre. Chez certains peuples, femmes, hommes et enfants dormaient de temps à autre ensemble dans la suerie, le matin, ruisselant de transpiration, tous couraient se jeter dans la rivière ou le lac le plus proche.

La suerie humide était pour sa part utilisée dans les rites de purification associés à diverses cérémonies religieuses ou encore comme traitement médical ou pour prévenir la maladie. Elle se déroulait dans un bâtiment de capacité réduite, construit pour quelques personnes tout au plus, et au centre duquel des pierres chauffées à blanc étaient roulées. Il suffisait, comme dans nos saunas, de verser de l'eau sur les pierres pour produire de la vapeur.

D'après les spécialistes, le sauna a d'abord et avant tout la propriété de désintoxiquer l'organisme en provoquant une sudation abondante qui favorise l'élimination des toxines telles que l'acide lactique. Il permet aussi à l'épiderme de se débarrasser des cellules mortes, ce qui éclaircit le teint et assouplit la peau. Associée à l'humidité, la chaleur soulage les raideurs et les courbatures et stimule la circulation sanguine.

La chaleur humide est toutefois plus difficile à tolérer que la chaleur sèche. C'est pourquoi dans les bains de vapeur la température est moins élevée. En fait, soumis à une chaleur totalement sèche, l'organisme peut s'accommoder pour de courtes périodes de températures dépassant les 100 °C.

La température idéale d'un sauna va de 85 à 95 °C avec une humidité relative de 10 à 15 %. Pour en profiter au maximum, prenez d'abord une douche avant de

Dans la suerie, le malade transpirait pour éliminer les toxines.

pénétrer dans la cabine. Après cinq minutes de chaleur sèche, vous devriez commencer à transpirer. Quand vous aurez abondamment transpiré ou aurez atteint un point d'inconfort, allez prendre une douche froide puis retournez dans la cabine. Faites alterner douche et chaleur deux ou trois fois jusqu'à ce que vous vous sentiez complètement détendu. Lors du dernier passage en cabine, versez de l'eau sur le fourneau pour obtenir de la vapeur ; prenez ensuite une dernière douche froide, puis reposez-vous trente minutes en buvant une boisson fraîche.

Pendant la phase de chaleur sèche, les pores s'ouvrent et la sudation nettoie la peau. La phase de chaleur humide tonifie le corps ; les douches froides luttent contre la vasodilatation et stimulent la circulation sanguine. Les effets relaxants du sauna sont particulièrement recherchés des boulimiques du travail et des sportifs. D'ailleurs, presque tous les centres de conditionnement physique sont maintenant pourvus de cabines de sauna. Les contre-indications du sauna sont les mêmes que celles s'appliquant aux bains chauds et aux bains contrastes.

---

marcher ou se rouler dans la neige, comme les Scandinaves, mais d'autres préfèrent se plonger dans un lac.

Dans les initiations au bain nordique, les trois techniques d'exposition au froid sont utilisées par étapes (marche et roulade dans la neige, puis immersion dans l'eau). Dans tous les cas, l'exposition au froid doit être très courte et cesser dès que la peau se hérisse. Les amateurs du bain nordique le considèrent comme le tonique idéal. Il est à proscrire toutefois aux personnes souffrant de troubles du cœur, de pression ou de circulation.

■ L'aqua-gym

La gymnastique en piscine gagne des adeptes parce qu'elle permet, grâce à la poussée hydrostatique, de faire un entraînement aérobie complet tout en épargnant le dos et les articulations. Elle est particulièrement recommandée pour les femmes enceintes, les personnes âgées et celles qui souffrent d'une surcharge pondérale, de maux de dos ou d'arthrite. Les clubs sportifs, les centres de santé, les services de loisirs municipaux et les « Y » offrent presque tous dorénavant des cours d'aqua-gym.

Escapades urbaines

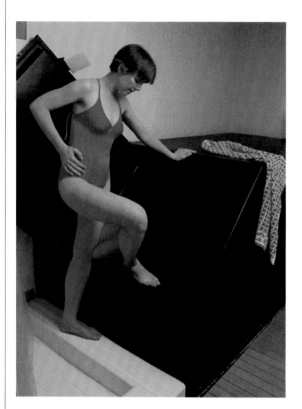

Le bain flottant se prend dans un caisson d'isolation.

Quoi de mieux après une journée de travail chargée dans des bureaux fermés qu'un long bain de vapeur ou une séance de natation ? En fait, aujourd'hui, on trouve de plus en plus facilement des clubs ou des centres sportifs qui sont équipés de saunas, de piscines et de bains tourbillons. En outre, depuis quelques années, des centres de santé se sont implantés dans nos villes, le plus souvent en hôtel, et offrent une brochette d'hydrothérapies et de soins corporels personnalisés axés sur la détente et la remise en forme.

Ces centres de santé urbains reçoivent principalement des clients locaux qui viennent chercher pendant quelques heures des soins spécifiques, contre la tension ou la cellulite par exemple, ou qui font en couple des escapades d'une journée ou de 48 heures pour oublier les soucis quotidiens et se détendre profondément.

Fréquenter un centre de santé permet d'apprivoiser les plaisirs des hydrothérapies et des soins connexes, tels que les massages et les enveloppements d'algues, et aussi de vérifier si de véritables vacances-santé, d'une semaine ou plus, pourraient être profitables.

Le doyen des centres de santé urbains au Québec est la maison Osmose, à l'Hôtel des Gouverneurs de Laval. On peut notamment s'y initier aux affusions, aux grandes douches ainsi qu'aux bains hydromasseur et californien. L'affusion est une aspersion d'eau dirigée vers un membre ou le corps entier. Froide, l'eau aura un effet tonifiant. Chaude, elle sera relaxante ou sédative. Dans la grande douche, des jets d'eau puissants sont utilisés pour masser une partie ou la totalité du corps. Les bains hydromasseur et californien se prennent tous deux dans des baignoires à hydrojets. Dans le premier cas, l'intensité, la fréquence et la direction des jets sont réglés selon les résultats recherchés pour différentes parties du corps ; dans le second, les jets sont indirects, ce qui donne un massage plus doux, épargnant les capillaires sanguins fragiles.

Pour le bain flottant, le sujet s'allonge dans un caisson insonorisé qui contient un fond d'eau et un mélange de sels minéraux assurant la flottaison. Cette technique favorise la relaxation du corps et de l'esprit.

Osmose offre également toute une gamme de massages secs et de soins corporels et a conçu divers programmes pour répondre à des besoins spécifiques, tels des cours d'aqua-gym, des exercices prénataux et des entraînements pré et postopératoires en piscine.

Le concept de centre de santé urbain a essaimé un peu partout au Québec depuis la fondation d'Osmose en 1988, de sorte qu'on trouve aujourd'hui de ces relais de santé dans presque toutes nos régions.

Quelques adresses

▶ Osmose, Hôtel des Gouverneurs de Laval
2225, autoroute des Laurentides
Laval (514) 688-1144

▶ Le Centre de balnéothérapie AquaCité
666, rue Sherbrooke Ouest
Montréal (514) 845-8455

▶ Relais de santé Effi-Corp, hôtel Delta
475, rue Président-Kennedy
Montréal (514) 284-4348

▶ Auberge Le Relais des Monts
890, boulevard des Laurentides
Piedmont (514) 227-5181 ou (514) 728-0403

▶ Relaxarium Château Bonne entente
3400, chemin Sainte-Foy
Québec (418) 650-4575 ou 1-800-463-4390

▶ Relaxarium le Georgesville
300, 118e Rue, Saint-Georges-de-Beauce
(418) 227-7218 ou 1-800-463-3003

LES HYDROTHÉRAPIES COMME VACANCES-SANTÉ

Chaque année, 8 millions de personnes en Allemagne, 2 millions en Italie et 650 000 en France « vont aux eaux », c'est-à-dire se rendent dans des stations thermales, construites autour de sources d'eau chaude ou exceptionnellement riche en minéraux, pour faire des cures d'une à trois semaines. En France, les cures thermales sont prescrites par les médecins et remboursées à 70 % par la Sécurité sociale, le pendant de l'Assurance-maladie du Québec. Une enquête de cet organisme montre que le fait de suivre une première cure thermale diminue de plus de 40 % les dépenses pharmaceutiques dans l'année qui suit la cure et que la répétition des cures conserve un effet modérateur sur les dépenses de santé.

En fait, le thermalisme existe en Europe depuis des siècles ; il est basé sur les vertus thérapeutiques des sels minéraux contenus dans l'eau. Selon qu'une eau est plus ou moins riche en sodium, calcium, magnésium, bicarbonate, sulfate ou soufre, on la prescrira pour des affections spécifiques, qui vont des problèmes d'élimination, de dégénérescence et de motricité aux troubles respiratoires, gynécologiques et cutanés, en passant par les allergies et les maladies de l'enfant. Suivant les stations et l'objectif de la cure, l'eau est administrée en boisson, bien sûr, mais aussi en gargarismes, en nébulations, en lavements, en injections, en inhalations, en bains et en douches. À l'action de l'eau sont associés la gymnastique, la natation et divers exercices ainsi qu'une rééducation des habitudes alimentaires.

Le concept de thermalisme et d'eau médicinale a traversé l'Atlantique avec la colonisation et s'est développé tant qu'il y a eu des médecins formés à l'école européenne. Toutefois, en Amérique du Nord, les propriétés thérapeutiques des eaux minérales ne sont plus reconnues par la médecine. Après la seconde guerre mondiale, le thermalisme a donc fini par y tomber en désuétude.

■ Les vacances-santé

Les Américains et les Canadiens anglais ont adapté le concept européen de thermalisme à leur pragmatisme et ont mis de l'avant la notion de vacances-santé axées sur la remise en forme active par les exercices, une saine alimentation et les soins de beauté. Les soins par l'eau sont accessoires dans les établissements offrant des forfaits de remise en forme au Canada anglais et aux États-Unis.

Le Québec, pour sa part, a emprunté le meilleur des mondes européen et américain et a créé un produit de vacances mixte qui allie la remise en forme aux hydrothérapies et à tous les soins corporels connexes comme la massothérapie et l'algothérapie. Ici, les soins par l'eau sont toujours à l'honneur, mais l'accent est mis sur la prévention et non la guérison. Détente, plaisir et ressourcement sont les principaux objectifs des curistes.

Dans les dix dernières années, une trentaine de centres spécialisés dans les vacances-santé ont vu le jour au Québec. Les analystes pensent que c'est la montée du stress – accompagnant le climat de rationalisation prévalant depuis le milieu des années 1980 – qui a été le facteur déclencheur de cet engouement pour des vacances où le bien-être est roi. D'après l'Institut canadien du stress, le stress aurait coûté, pour la seule année 1985, 15,1 milliards de dollars à l'entreprise canadienne, dont 8,2 milliards en perte de productivité et 6,9 milliards en soins de santé.

Parmi les établissements qui se spécialisent dans les vacances-santé au Québec, certains ont une renommée internationale et d'autres sont de charmantes petites auberges locales qui n'ouvrent qu'à la belle saison. La plupart offrent une impressionnante variété de soins que l'on peut diviser en

L'une des pratiques quotidiennes des cures thermales : boire une quantité déterminée d'eau à la source.

quatre grandes catégories : les hydrothérapies, y compris la thalassothérapie, l'algothérapie, la massothérapie et l'esthétique. Plusieurs sont connus sous le nom de « spa ». Spa est une station thermale renommée située en Belgique. Les Américains ont été les premiers à utiliser ce terme pour désigner leurs centres de remise en forme.

■ Techniques d'hydrothérapie

Au chapitre des hydrothérapies, les centres de vacances-santé québécois utilisent principalement les soins par les bains et les jets et le travail en piscine. Les techniques dont ils se servent pour ces soins sont nombreuses et variées et exploitent les technologies les plus nouvelles dans le domaine.

Les bains

L'eau est plus ou moins chaude selon qu'on cherche un effet stimulant, relaxant ou sédatif. Ce peut être de l'eau de mer ou de l'eau douce additionnée d'algues, de sels marins ou d'huiles essentielles. Les bains sont dans la plupart des cas associés à une forme de massage manuel ou par l'effet des déplacements de l'eau ou des microbulles.

● *Le bain thermomasseur* se prend dans une baignoire à fond perforé par où s'échappent des jets d'air. L'eau chauffée à 37 °C et activée par ces jets exerce un léger massage qui contribue à relâcher les tensions musculaires et à calmer le stress et les douleurs.

● *Le bain hydromasseur* est activé par des jets d'eau, dirigeables ou non, plus puissants que les jets d'air, et permet donc un massage plus appuyé de la musculature. Pour des raisons d'hygiène, l'eau est généralement utilisée « nature », sans algue ni huile essentielle, afin d'éviter que ces produits ne s'accumulent sur le circuit de l'eau dans les parois de la baignoire.

● *Le bain à jets combinés* est agité par hydrojets et par jets d'air comprimé. Il assure un massage général en douceur et stimule la circulation du sang. Certains pensent qu'il favoriserait aussi les échanges cutanés.

● *La baignoire à lance sous-marine* est conçue pour les massages localisés ; elle sert en rééducation fonctionnelle, en cure d'amincissement ou tout simplement pour stimuler la circulation d'une partie précise du corps, par exemple des jambes.

● *La baignoire à cycles programmables* est une baignoire à jets combinés à laquelle on a intégré une mémoire informatique qui permet de programmer l'intensité, la fréquence et la durée des jets d'eau et d'air.

Les douches

L'eau est chaude ou froide ou alternativement chaude et froide (douche écossaise) ; les jets peuvent être percutants, brisés ou baveux. La pression et la percussion ajoutent à l'effet de la température de l'eau. L'effet est d'autant plus intense que la température de l'eau est éloignée de celle du corps, que le jet frappe violemment et que la douche est longue. Les jeunes enfants, les personnes âgées ou fragiles et celles qui ont des problèmes de tension artérielle doivent éviter les jets puissants. À déconseiller également à tous dans les deux heures qui suivent un repas.

● *La grande douche* dure de dix à vingt minutes et est souvent de type écossais, c'est-à-dire avec alternance d'eau chaude et d'eau froide. Les jets, relativement puissants, sont dirigés de manière à suivre certains circuits lymphatiques ou musculaires. La grande douche active la circulation sanguine, tonifie la peau et décontracte.

● *La douche affusion* la plus utilisée est générale et dure environ dix minutes. Une rampe munie de buses pulvérise de l'eau à 36 °C en percussion diffuse sur le curiste allongé sur le ventre. L'effet est relaxant et sédatif, surtout lorsque la douche est combinée avec un massage (dit sous la pluie). Dans les cas de troubles de la circulation, un technicien peut faire à la main avec une seule buse une aspersion d'eau la plus froide possible pour le curiste en suivant le bord interne de chaque membre, de son extrémité à la racine, puis en sens inverse le long du bord externe. Suit une rapide aspersion de la colonne vertébrale puis un séchage vigoureux.

● *La douche multijet* est une variante de la douche affusion qui se donne à l'aide de plusieurs rampes à buses verticales. Les buses sont dirigées vers différentes parties du corps de manière à obtenir un effet enveloppant.

Travail en piscine

Les plus grands établissements ont une piscine ou des bassins équipés de jets sous-marins ou d'une lance sous-marine que les thérapeutes utilisent pour administrer des massages à effet relaxant. Les

Le thermalisme au Québec

Aujourd'hui, au Québec, plus personne n'exploite la valeur curative des eaux thermales bien qu'on en connaisse diverses sources. Pourtant, au siècle dernier, le Québec abritait quelques stations fameuses où une élite se rendait en bateau, en train ou en fiacre faire soigner ses rhumatismes, son foie ou ses reins. Les plus connues de ces stations étaient les Sources de Saint-Léon, dans la région de Trois-Rivières, les Sources de Potton, en Estrie, et les Sources Abénakis, à Saint-François-du-Lac. Il ne reste plus rien des deux premières stations. Mais l'eau minérale Abénakis est toujours commercialisée dans le centre du Québec : avec ses 8 100 ppm de calcium et ses 4 300 ppm de sodium, elle a chez les amateurs la réputation d'être excellente contre les lendemains de la veille.

Cette renommée n'est toutefois qu'un pâle reflet de sa notoriété d'antan, alors qu'on venait d'aussi loin que l'Europe faire de longues cures d'eau Abénakis.

Selon une communication publiée vers 1940 par le docteur Georges Thomas Palmer, professeur d'hydrothérapie au Collège de médecine de Dearborn, aux États-Unis, l'eau Abénakis, à cause de sa teneur élevée en chlorure de sodium, était recommandée pour « les personnes souffrant de maux d'estomac ou d'intestin de nature catarrhale, surtout celles présentant un état atonique des revêtements musculaires ou une sécré-

tion déficitaire en pepsine, et aussi pour les cas d'hypérémie ou de cirrhose du foie, de rhumatisme articulaire et musculaire aigu et chronique, de bronchite, de pharyngite et de laryngite ». Les cures comprenaient des bains, des boissons, des inhalations, des masques de boue et des massages.

Les curistes aisés qui se rendaient à Saint-François-du-Lac pour les vertus de l'eau de la région n'oubliaient toutefois pas les plaisirs de la vie. Dès la fin des années 1880, il y avait dans le village un hôtel de luxe, l'Abenakis Springs (ci-dessus), qui n'avait rien à envier aux grandes stations européennes. C'était un véritable centre de villégiature avec salle de bal, marina, parc de voitures et de yachts et petit terrain de golf. Entre deux traitements, on pouvait aussi y jouer aux quilles ou au billard et même aller chasser ou pêcher. La table, bien sûr, était des plus soignées.

Au tournant du siècle, l'hébergement dans une chambre sans eau courante coûtait 18 à 22 dollars par personne, avec eau courante, 22 par personne, et avec baignoire et cabinets, 25 par personne. Jusqu'à l'arrivée du chemin de fer, en 1900, on devait embarquer à Montréal sur le *Mouche-à-feu* ou le *Sorel,* deux bateaux qui se rendaient dans la petite rivière Saint-François et débarquaientt les curistes face à l'hôtel. Le tout convenait on ne peut mieux au romantisme de l'époque.

---

curistes peuvent également faire de la natation, de la gymnastique et de la mobilisation en piscine. Certains centres offrent en outre les services d'un orthothérapeute ou d'un physiothérapeute pour les curistes relevant d'un accident ou souffrant de problèmes articulaires et désireux de poursuivre leur rééducation fonctionnelle en piscine. L'hydro ou

aquaphysiothérapie est un traitement par le mouvement dans l'eau. Elle nécessite la collaboration du sujet et doit être douce, indolore, progressive et prolongée. Elle peut être passive (mobilisation manuelle d'un membre) ou active – aidée par des poulies – et se pratique dans une piscine chaude, la chaleur améliorant la mobilité et la motricité.

La thalassothérapie ne peut s'exercer qu'en bordure du littoral dans un site marin privilégié.

L'aquaphysiothérapie est aussi de plus en plus en demande pour les enfants et les aînés souffrant de troubles moteurs de sorte que des établissements spécialisés dans l'activité physique en milieu aquatique ont vu le jour (À fleur d'eau, Trois-Rivières).

La thalassothérapie

La thalassothérapie (du grec *thalassa*, mer, et *therapeuein*, soigner) consiste en l'utilisation thérapeutique des éléments du milieu marin (eau, algues, boues), à des fins préventives ou curatives. Il n'y a de thalassothérapie qu'au bord de la mer. L'addition d'algues et de sels marins à de l'eau douce n'en fait pas de l'eau de mer.

Petit historique de la thalassothérapie

La thalassothérapie se confond avec l'histoire du monde. Après les Égyptiens, Hérodote et Hippocrate font état de ses bienfaits. En déclin après la chute de l'Empire romain, elle ne sera réhabilitée qu'à la fin du XVIIᵉ siècle. En 1791, sous l'impulsion du docteur John Lathan, se crée en Angleterre le premier « hôpital marin ».
En France, en 1822, est créé à Dieppe le premier institut de thérapie marine. Ce n'est toutefois qu'en 1904 que le biologiste René Quinton pose les bases scientifiques de la thalassothérapie moderne. Notamment, il soigne à l'eau de mer, et les

guérit, de nombreux enfants atteints de choléra. Puis la thalassothérapie s'efface devant l'arsenal médical moderne. Mais, à nouveau, à partir de 1950, on reconnaît le caractère antibiotique sélectif de l'eau de mer. De plus en plus de médecins français prescrivent des cures marines pour combattre les maladies gastro-intestinales, l'intolérance lactée, les troubles digestifs, les névroses, l'insomnie et la sénescence précoce.
Au Canada, la thalassothérapie compte environ une dizaine d'années et s'est surtout développée au Québec, dans la région de la Gaspésie.

L'eau de mer : vivante et régénérante

L'eau de mer, milieu vivant riche et complexe, se définit chimiquement comme une eau fortement minéralisée, faiblement alcaline (pH entre 7,95 et 8,13). Outre les éléments minéraux et les oligoéléments, tous les gaz atmosphériques s'y trouvent dissous. Un litre d'eau contient 15 à 30 cm³ de gaz, dont 10 à 12 cm³ d'azote.
L'eau de mer est un immense réservoir de structures vivantes (plancton, bactéries marines, algues) qui produisent des composés biologiques dénommés molécules actives. L'activité thérapeutique et régénérante de l'eau de mer repose sur ses propriétés : densité assez élevée, pouvoir antibiotique des bactéries marines, pouvoir de pénétration des ions dans l'organisme, effet de portance lié au principe

d'Archimède et accentué par la densité. L'eau de mer utilisée doit être captée au large et ne présenter ni *Escherichia coli*, ni streptocoques fécaux, ni hydrocarbures, ni goudrons.

Soins de thalassothérapie

Les soins et les techniques thérapeutiques employés en thalassothérapie sont essentiellement les mêmes que dans les hydrothérapies à l'eau douce. Exercices passifs ou actifs en piscine ou en bassin, bains hydromasseurs ou thermomasseurs, massages à la douche ou aux jets sous-marins, grande douche et douche affusion. L'eau est dans tous les cas chauffée ; sa température varie de 34 à 40 °C selon qu'il s'agit d'un bain ou d'une douche et suivant l'effet recherché.

■ Algothérapie et fangothérapie

Bien que les soins par les algues et les boues marines soient offerts dans la presque totalité des centres de vacances-santé du Québec, ils sont des constituants intrinsèques de la thalassothérapie.

Les algues, qui sont de véritables concentrés des éléments minéraux présents dans l'eau de mer, sont classées en quatre catégories :
– les cyanophycées, de couleur bleue ;
– les chlorophycées, de couleur verte ;
– les rhodophycées, de couleur rouge ;

Hydrophysiothérapie : pour rééduquer l'appareil moteur.

– les phéophycées, de couleur brune (goémon ou varech, par exemple).

On utilise surtout les phéophycées récoltées sur les fonds marins, à l'abri de toute pollution.

Quant aux boues, on en distingue deux types : les boues naturelles, ou péloses (boues alluvionnaires, boues sous-marines, limons des fosses marines), et les boues artificielles, ou péloïdes. On utilise surtout ces dernières. Elles résultent du contact prolongé (six mois) de l'eau de mer avec des sédiments marins (boues, limons) non pollués. Leur emploi en thérapeutique repose sur leurs propriétés physiques (plasticité, rétention d'eau et de chaleur) et leur contenu chimique (sels minéraux, oligoéléments et vitamines).

Dans les centres de santé, les traitements par les algues et les boues se pratiquent le plus souvent en enveloppements locaux. Le liophilisat d'algues ou la boue est mélangé à de l'eau de mer chauffée à 45 °C jusqu'à obtention d'une pâte molle. La pâte est appliquée largement en couche mince sur le cou, les membres, le dos et le thorax. Le curiste est ensuite enveloppé dans des couvertures ou exposé aux infrarouges. Quelques bases de plein air offrent aussi des bains de boue intégraux. Dans tous les cas, l'effet sédatif et décontractant est assuré.

■ Indications et contre-indications des hydrothérapies

Les médecins nord-américains se montrent souvent sceptiques quant aux vertus des hydrothérapies, y compris de la thalassothérapie. Ils disent qu'elles valent surtout pour la détente qu'elles procurent ou encore pour la rééducation fonctionnelle en traumatologie ou en médecine sportive.

En Europe, si les médecins reconnaissent les effets relaxants et sédatifs de la plupart des hydrothérapies contre les « maladies » de cette fin de siècle

Comment choisir

Pour choisir l'établissement de vacances-santé qui vous convient le mieux, déterminez d'abord si vous préférez la mer, la plaine ou la montagne et si vous recherchez une retraite totale dans un milieu champêtre ou une oasis dans un village ou une ville. Clarifiez ensuite vos objectifs : désirez-vous simplement vous faire dorloter ou voulez-vous maigrir et vous remettre en forme ou encore les deux ? Recherchez-vous des soins spécifiques ? Vous importe-t-il ou non de « rester entre curistes » ? Certains établissements offrent des forfaits exclusivement axés sur la santé, avec l'hébergement, les repas et l'animation, mais d'autres sont des spas dans des hôtels ou des auberges qui offrent un programme de soins corporels en plus de leurs forfaits touristiques.

Dans tous les cas, renseignez-vous sur la formation et l'expérience des intervenants. Choisissez de préférence les établissements où les thérapeutes sont membres d'associations professionnelles reconnues. (Plusieurs compagnies d'assurances couvrent une partie des frais des médecines douces.) Vous pouvez aussi vous renseigner auprès de l'Association des relais de santé du Québec qui vérifie la qualité des soins fournis par ses membres (514-224-8419).

Si vous avez un quelconque problème de santé, même mineur, consultez d'abord un spécialiste ou un médecin. Certains traitements pourraient vous convenir mieux que d'autres.

N'hésitez pas à faire venir la documentation complète des établissements qui vous intéressent. Si vous craignez de vous ennuyer, demandez des détails sur les activités et les possibilités de sorties dans les environs.

Quelques adresses

Centres de santé intégrés

▶ **Centre de santé d'Eastman**
Eastman (514) 297-3009 ou 1-800-665-5272

▶ **Centre Harfang des Neiges**
Sainte-Flore de Grand-Mère (819) 533-4518

▶ **Auberge de la Pointe**
Rivière-du-Loup (418) 862-3514 ou 1-800-463-1222

▶ **Auberge du Portage**
Notre-Dame-du-Portage (418) 862-3601

▶ **Aqua Mer** (thalassothérapie)
Carleton (418) 364-7351 ou 1-800-463-0867

▶ **Auberge du Parc Inn** (thalassothérapie)
Paspébiac (418) 752-3355 ou 1-800-463-0890

Spas en hôtel ou en auberge
▶ **Auberge Les Quatre-Temps**
Lac-Beauport (418) 849-4486

▶ **Hôtel-Spa l'Excelsior**
Sainte-Adèle (514) 229-7676 ou 1-800-363-2483

▶ **Le Spa Chéribourg**
Magog (819) 868-0101 ou 1-800-567-6132

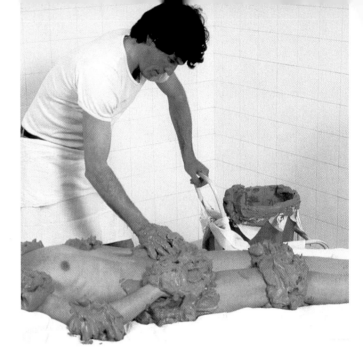

Boues thermales en illutations (applications locales).

(surmenage, stress, dépression, désordre alimentaire, tabagisme, alcoolisme), ils les prescrivent aussi couramment comme adjuvants d'un traitement majeur ou en alternance avec celui-ci. En France, par exemple, une personne sur deux va en cure pour soigner une affection rhumatologique et une sur quatre, une affection des voies respiratoires. L'insuffisance veineuse est un autre état référé.

Quoi qu'il en soit, il faut tout de même savoir éviter certains risques inhérents aux hydrothérapies. Les sujets allergiques à l'iode ne doivent pas prendre de bains aux algues ou aux extraits d'algues. Les patients souffrant de maladies du cœur ou d'hypertension doivent consulter un médecin avant d'opter pour des vacances axées sur les hydrothérapies. Le cas échéant, ils éviteront le plus possible les traitements à effet contrasté. Hydrothérapies et thalassothérapie sont à proscrire dans les cas de cancers en évolution, de maladies rénales, d'états suppurés (plaies, escarres, fistules, ulcères variqueux infestés) et de maladies infectieuses.

■ Massothérapie et autres soins

Les centres de vacances-santé du Québec spécialisés en hydrothérapies offrent aussi des soins esthétiques de même qu'une variété de massages et d'autres soins corporels, dont voici les principaux :
– massage trager : massage doux et rythmé avec balancements, vibrations, oscillations et étirements ;
– massage shiatsu ou acupressure : version japonaise du massage thérapeutique visant à libérer le

corps de ses tensions ; s'exerce avec les mains, les pouces, les genoux, les coudes et les pieds sur les méridiens et autres points d'acupuncture ;

– massage suédois : massage vigoureux avec frictions, pétrissage et percussions effectués avec le plat et le tranchant de la main et les poings ;

– drainage lymphatique : massage rythmé le long des vaisseaux lymphatiques pour accélérer la circulation lymphatique ;

– sensibilis : bac de sable chauffé où on plonge les mains et les pieds pour assouplir les articulations ;

– boule thermale : bain de boue minérale similaire au sensibilis pour les mains et les poignets ;

– pressothérapie : des bottes gonflables exercent sur les jambes une légère pression qui stimule la circulation sanguine ;

– vertébral : appareil qui permet d'étirer en douceur la colonne vertébrale.

■ Hydrothérapie dans le reste du Canada et aux États-Unis

Les soins par l'eau, les algues et les boues marines constituent des thérapies marginales dans les forfaits de vacances qu'offrent les hôtels, les auberges et les centres de remise en forme dans le reste du Canada et aux États-Unis. Dans presque tous les cas, les établissements qui ont recours aux hydrothérapies sont établis près de sources thermales ou minérales et sont les héritiers du thermalisme de tradition européenne qui fleurissait, non seulement au Québec, mais dans toute l'Amérique du Nord au XIXᵉ siècle et au début du XXᵉ.

Sources d'eau chaude

Les sources d'eau chaude proviennent des eaux de ruissellement qui s'infiltrent par des failles et des fissures jusqu'à la roche en fusion, à 5 000 m sous la surface du sol. Les températures très élevées (1 000 °C et plus) régnant à ces profondeurs transforment l'eau en vapeur qui remonte alors par des fissures. À mesure que la vapeur refroidit, elle se condense et retourne en eau qui ressort à la surface, encore chaude.

Durant son aller-retour entre l'écorce terrestre et les profondeurs, l'eau dissout sur son passage les éléments minéraux de la roche et acquiert un caractère unique, propre à chaque source : sulfatée, chlorurée sodique, sulfurée ou bicarbonatée, avec une infinité de variantes. C'est dans les montagnes les plus jeunes, à l'ouest du continent, que l'on trouve le plus de sources d'eau chaude.

Trésors des Rocheuses

Les Rocheuses sont une véritable réserve de sources thermales et aussi l'une des régions touristiques les plus spectaculaires en Amérique du Nord, avec ses sommets altiers et ses glaciers cristallins.

▶ Le vénérable Banff Springs Hotel (1-800-828-7447), construit en 1885, est situé en Alberta, à quelque 3 km des sources les plus fameuses du parc national de Banff : Upper Hot Springs et Cave and Basin Centenial Centre.

▶ Un peu plus à l'ouest, en Colombie-Britannique, au Fairmont Hot Springs Resort (1-800-663-4979), on peut se baigner dans des piscines alimentées par une source dont la température varie de 40 à 43 °C.

▶ Dans la partie la plus occidentale des Rocheuses, au pied des monts Caribou, le Harrison Hot Springs Hotel (1-800-663-2266) exploite une source d'eau sulfureuse dont la température peut atteindre 60 °C.

Sources d'eau froide

Dans l'est de l'Amérique du Nord, il existe quelques grands spas bâtis autour de sources d'eau minérale froide dont certaines sont naturellement gazéifiées. C'est le cas par exemple de quelques sources du Saratoga Spa State Park, dans l'État de New York, qui compte en tout une dizaine de sources différentes. On peut loger dans le parc au Gideon Putnam Hotel (1-800-732-1560).

Les vacanciers qui fréquentent la Floride voudront peut-être essayer le Safety Harbor Spa and Fitness Center (1-800-237-0155), à Tampa Bay. Le site, qui dépend de l'hôtel, aurait été découvert en 1539 par Hernando de Soto qui vanta les vertus curatives de ses cinq sources.

Hydrothérapie en voyage

Mexique

▶ Hotel Balneario Comanjilla
Leon, Guanajuato (91-47-16-5820 ou 12-0942)

▶ Hotel Balneario San José de Purua
San José Purua, Michoacan (905-510-4949)

▶ Hotel Ixtapan
Mexico, Mexico (905-564-5860)

Antilles

▶ Centre Thermal Harry Hamousin
Saint-Claude, Guadeloupe (590-89-53-53)

▶ Centre de Thalassothérapie du Carbet
Grand'Anse, Martinique (596-78-08-78)

▶ Le Sport
Castries, Sainte-Lucie (809-450-8551)

▶ Jalousie Plantation
Soufrière, Sainte-Lucie (809-459-7666)

La terre

Boues, limons, humus, minerais, de ces matériaux l'homme a su tirer sa nourriture, sa chaleur, ses matériaux de construction, ses métaux, mais aussi les couleurs de ses palettes, l'or et le diamant de ses bijoux. Pourquoi n'aurait-il pas demandé aussi à la terre de le soigner ? Nous savons par les hydrothérapies, notamment par la thalassothérapie, que l'homme sait se soigner par les boues, mélanges de terres et d'eaux. L'emploi de l'argile remonte, lui, à la nuit des temps. Quant à la tourbe, elle faisait partie de l'arsenal thérapeutique des peuples nord-américains bien avant l'arrivée des Européens.

ARGILE ET TOURBE

Les argiles, qui sont composées principalement de silicate d'aluminium hydraté, prennent naissance à la surface de l'écorce terrestre au terme d'une lente et subtile chimie. Roches sédimentaires imperméables à sec, elles deviennent des pâtes plus ou moins épaisses quand elles sont gorgées d'eau. Elles se laissent alors travailler et prennent des formes qui durcissent à la cuisson. Poterie et céramique ont été les premières industries de l'humanité.

La tourbe pour sa part résulte de la décomposition anaérobie des matières organiques. Elle se forme naturellement dans les marécages acides et on la trouve en abondance dans le Bas-Saint-Laurent, l'Abitibi et le Moyen Nord. Dans certains pays, on se sert de tourbe séchée comme combustible.

■ Emploi thérapeutique de l'argile

Depuis des millénaires, l'argile est utilisée comme moyen thérapeutique. Sa constitution moléculaire et particulaire, et sa structure en feuillets, lui donnent trois propriétés essentielles :

L'absorption, grâce à laquelle elle se gonfle d'eau tout en devenant malléable. C'est cette caractéristique qui la rend efficace dans les cas d'œdèmes, d'enflures et de fluxions.

L'absorption, phénomène physicochimique par lequel l'argile fixe plus ou moins irréversiblement des molécules, des éléments gazeux et même des particules du milieu environnant suffisamment petites pour se glisser dans les anfractuosités microscopiques. Cette précieuse propriété, surtout caractéristique des smectites (de *smegma*, savon en grec), est la plus utilisée par voie interne.

Le relargage, grâce auquel l'argile peut relâcher dans les liquides environnants des constituants actifs. Le silicate d'aluminium, par exemple, peut se déposer sur la muqueuse digestive et assurer un effet protecteur.

Indications de l'argile

Quelle argile doit-on choisir ? Les opinions sur les couleurs de l'argile à utiliser varient. Il faut surtout disposer d'une argile de bonne qualité, correcte-

Qu'importe la couleur de l'argile que l'on veut utiliser, seule la qualité compte.

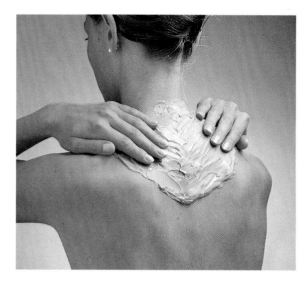

Le cataplasme d'argile : un remède facile à appliquer.

ment lavée, que l'on trouve dans les magasins d'aliments naturels.

L'ingestion d'argile est parfois indiquée contre certains troubles de l'appareil digestif, notamment la diarrhée, les colites et les colopathies. Dans tous les cas toutefois, un diagnostic doit être posé par un médecin et l'on doit voir un naturopathe confirmé pour l'établissement du traitement.

L'utilisation de l'argile par voie externe est plus connue en Amérique du Nord. C'est aussi la meilleure façon de tirer parti des propriétés absorbantes du matériau.

Le cataplasme est constitué d'argile ramollie avec de l'eau froide ou tiède (20 à 40 °C). La pâte, appliquée en large placard, est maintenue en place par un tissu pendant douze à vingt-quatre heures selon l'affection, sauf si des signes d'irritation (démangeaisons, par exemple) deviennent difficiles à supporter. Le cataplasme d'argile donne des résultats intéressants dans le traitement des lumbagos, des œdèmes post-traumatiques, des arthralgies, des entorses, des foulures et des piqûres d'insecte.

Les bains d'argile ne doivent se prendre que sur prescription d'un spécialiste de la santé. Le bain global dans de l'eau tiède ou chaude additionnée de plusieurs cuillerées à soupe d'argile (la durée ne doit pas dépasser quinze minutes) est très relaxant ; il est conseillé en cas d'insomnie, en période de fatigue musculaire ou nerveuse ainsi qu'à la ménopause. Le bain local (siège, bras, jambes) dans de l'eau froide ou tiède saturée d'argile, d'une durée maximale de cinq minutes, suivi d'un temps de repos peut améliorer les troubles dus à une mauvaise circulation périphérique. Il soulage les irritations fessières des bébés, en eau fraîche (une minute maximum).

Le masque de détente, à l'eau tiède ou froide, est utilisé en esthétique comme soin de beauté. On le conserve de vingt à trente minutes et on le fait suivre d'une crème hydratante.

■ Emploi thérapeutique de la tourbe

L'acide humique, que la boue de tourbe noire prélevée en profondeur (10 m) contient en abondance, aide à drainer l'urée du corps. À cet égard, la tourbe est même plus efficace que les algues et, dans certains centres de santé du Québec, on fait précéder les traitements aux algues d'applications de tourbe. Très riche en sels minéraux, la tourbe est aussi reminéralisante. La chaleur qu'elle dégage et sa plasticité exercent une action anti-inflammatoire, de détente et d'apaisement. On l'utilise pour combattre troubles arthritiques et rhumatismaux et soulager tensions musculaires et stress.

Le bain de tourbe se prend généralement dans une baignoire à jets, en eau tiède (36 à 38 °C) additionnée de tourbe noire et, parfois aussi, d'huiles essentielles. Il dure vingt minutes et est suivi d'un repos de quarante minutes et parfois d'un massage.

Le cataplasme de tourbe est employé pour soulager les douleurs locales ou lorsque les bains à jets sont contre-indiqués, en cas de varices par exemple. On le conserve quelques heures.

Contre-indications de l'argile et de la tourbe

► Les cancers du sein et autres masses tumorales superficielles ou cutanées, les brûlures, les infections cutanées et toute maladie en phase aiguë ne se traitent ni avec de l'argile ni avec de la tourbe.

► Tourbe et argile dégagent de la chaleur. Il faut donc user de prudence en cas de maladies cardio-vasculaires.

► Il ne faut pas chercher à soigner les constipations avec de l'argile, par voie interne.

Les soins par la tourbe sont une spécialité locale. On les trouve surtout dans les centres de vacances-santé de l'est du Québec, par exemple à l'Auberge de la Pointe à Rivière-du-Loup (418-862-3514 ou 1-800-463-1222), à l'Auberge du Portage à Notre-Dame-du-Portage (418-862-3601) et à la Base de plein air de Pohénégamook (418-859-2405 ou 1-800-463-1364).

L'air

L'air que nous respirons constitue à lui seul un don de la nature et un gage de santé. Il mérite toute notre attention : aérer, humidifier et rafraîchir les pièces, nettoyer et désinfecter périodiquement tapis et moquettes, aspirer la poussière, cultiver des plantes vertes d'intérieur, éviter la climatisation et les sources de pollution, marcher en forêt, ne pas fumer sont autant de manières de préserver notre capital respiratoire. Aussi, il est reconnu que le climat, ou plus précisément, les microclimats, agissent sur notre bien-être. L'air marin, vif, humide, iodé est recommandé comme stimulant. L'air sec et chaud soulage certains rhumatismes, tandis que les régions venteuses sont favorables à ceux qui souffrent de troubles respiratoires allergènes.

LA CLIMATOTHÉRAPIE

Jusqu'à la fin des années 1950, il y avait encore au Canada plusieurs sanatoriums, c'est-à-dire des maisons de santé situées en montagne, sur le bord de la mer ou dans des zones riveraines bien aérées où la médecine soignait par des moyens hygiéniques (repos, air et alimentation équilibrée) et médicaux des malades atteints de tuberculose pulmonaire et extrapulmonaire.

Si l'amélioration des conditions de vie et les progrès de la médecine ont presque éliminé dans nos sociétés la tuberculose et, par le fait même, les sanatoriums, les connaissances relatives aux propriétés des divers climats sont de plus en plus employées aujourd'hui pour prévenir ou soulager certains états. Elles comptent d'ailleurs au nombre des éléments qui sont considérés dans le choix d'une destination de vacances ou de repos.

■ Effets des différents climats

Le vent, la pression, l'humidité, la température, l'altitude, l'ensoleillement, la qualité de l'air, la latitude et la composition des sols figurent tous parmi les facteurs qui peuvent avoir des effets préventifs ou curatifs. On distingue quelques grands types de climats : climat de montagne, climat de plaine, climat marin et aussi milieu des lacs et de la forêt.

La montagne

Le climat de montagne a de nombreux effets physiologiques. Ainsi, la raréfaction de l'oxygène qui s'accentue avec l'altitude provoque une multiplication des globules rouges. Le sang est plus visqueux et se coagule plus vite. La tension varie peu et le pouls se normalise après une phase d'accélération. La capacité respiratoire et le métabolisme sont stimulés. L'oxygénation, l'assimilation et l'élimination sont meilleures. Les basses (moins de 600 m) et moyennes (600 à 1 200 m) altitudes stimulent le système nerveux, tandis que les hautes altitudes (plus de 1 200 m) le calment.

Les basses et moyennes montagnes, comme celles de l'Est canadien et américain, sont donc tout indiquées dans les cas de grande fatigue ; les hautes, dans les cas d'allergies au pollen. On conseille toutefois aux cardiaques d'éviter les grandes altitudes.

Les bords de mer

Humidité élevée, pression maximale et stable, forte luminosité avec réverbération, pureté de l'air et grands vents, atmosphère riche en sel et en iode caractérisent les climats maritimes. L'atmosphère saline favorise les échanges cellulaires, élève la tension artérielle et stimule le système nerveux. Elle convient bien aux déprimés et aux anémiques. Toutefois, les mers plus chaudes et la haute mer ont des effets sédatifs plus appréciés des surmenés et des insomniaques.

Dans tous les cas, l'insolation, l'ozone, l'iode et le sel des bords de mer ont des effets antiseptiques.

Les plaines

De façon générale, le climat des plaines est sédatif, reposant et sans contre-indications. Il est à éviter cependant par les personnes qui sont fortement allergiques au pollen durant les difficiles semaines de la pollinisation : elles préféreront, par exemple, les plateaux de l'Abitibi à la vallée du Saint-Laurent.

Lacs et forêts

Le climat des lacs et celui des forêts sont très sédatifs. En montagne, un lac humidifie l'atmosphère. Les personnes nerveuses, irritables ou tendues profiteront d'un séjour au bord d'un lac. Quant à la forêt, elle contribue à la pureté de l'air en dégageant de l'ozone et des essences balsamiques.

Air, altitude, soleil : trois facteurs essentiels à une cure d'altitude bénéfique.

■ La climatologie dans certains états

Pollinose et asthme allergique

Les régions venteuses conviennent bien aux sujets souffrant de pollinose ou d'asthme allergique. Dans les zones littorales en particulier, le vent du large repousse le pollen et les poussières à l'intérieur des terres.

De même, les régions froides, alpines ou nordiques, sont indiquées dans les cas d'allergies au pollen ou aux acariens parce que l'air, plus sec, ne favorise pas le développement des petits arachnides et que la flore abrite peu d'espèces très allergènes telles que l'herbe à poux.

Les troubles ORL chroniques

Otites, rhinopharyngites, sinusites à répétition peuvent justifier un séjour en altitude, principalement chez les plus petits, pour enrayer l'état infectieux chronique. L'amélioration de l'oxygénation, des sécrétions et de la circulation peuvent aider à dégager les trompes d'Eustache et les muqueuses.

■ L'air de nos maisons

Si le pollen et les acariens sont les sources les plus connues des troubles allergiques, ils ne comptent que pour une partie des substances allergènes, dont la plupart sont à débusquer, non pas à l'extérieur, mais sous nos toits. D'après l'Académie nationale des sciences des États-Unis, 15 % de la population serait hypersensible, voire allergique, à la mauvaise qualité de l'air des habitations, et cette proportion doublerait d'ici vingt ans à cause des produits chimiques toujours plus nombreux qui entrent dans la construction des maisons neuves.

Les contaminants chimiques de l'air proviennent de composés organiques volatiles émis notamment par les peintures au plomb, les isolants, les tissus synthétiques, les colles et les agglomérés. Dans son *Guide de l'assainissement de l'air*, la Société canadienne d'hypothèques et de logement (SCHL) recommande d'éviter les tapis synthétiques, les assouplisseurs de tissus et les produits de nettoyage chimiques, d'opter pour les peintures au latex, de sceller les murs et les plafonds isolés, d'appliquer un bouche-pore efficace sur les agglomérés et, enfin, d'adopter le chauffage à l'électricité ou un système de chauffage à chambre de combustion scellée avec prise d'air extérieur.

Pour ce qui est des contaminants biologiques tels que les moisissures, les desquamations animales ou la poussière, où prolifèrent les acariens, la SCHL recommande d'assurer un bon drainage des fondations et de poser un pare-vapeur dans le sous-sol, d'enlever les moquettes dans les pièces humides, de déshumidifier au besoin et de ventiler adéquatement, de nettoyer les radiateurs à l'aspirateur et de remplacer régulièrement les filtres à air, de brosser son chat ou son chien régulièrement et d'éviter d'entreposer du bois de chauffage à l'intérieur.

La qualité de l'air que nous respirons est primordiale pour la santé. Il faut s'assurer avant tout de la salubrité de notre environnement quotidien et réserver la montagne et la mer pour les vacances.

UN ESPRIT SAIN DANS UN CORPS SAIN

Se prendre en charge

L'infinie variété des possibilités que nous offre la nature pour nous protéger ou retrouver la meilleure santé possible ne nous dispense pas d'un certain nombre de devoirs envers nous-mêmes et envers ceux qui nous sont chers. Savoir gérer son propre capital santé, c'est savoir reconnaître à temps quels sont parmi nos comportements les plus habituels ceux qui peuvent jouer un rôle décisif sur le cours de notre vie et de notre santé, en positif comme en négatif.

En choisissant comme thèmes de réflexion les comportements alimentaires, la vie sexuelle, la pratique des activités physiques et sportives et la conduite de la vie au quotidien, nous avons voulu attirer l'attention du lecteur sur quatre domaines où se joue, souvent à notre insu, une partie des actions les plus déterminantes pour la qualité de notre vie et de notre santé. Comme le montre le tableau ci-contre, nous avons distingué, en trois rubriques distinctes pour chaque thème, les éléments d'information utiles dans la recherche de son propre équilibre, les principaux risques que font courir des erreurs ou des abus dans les pratiques correspondantes et enfin les procédés, méthodes ou pratiques susceptibles d'aider à retrouver l'équilibre ou à le protéger.

Dans l'esprit de cette partie, nous devons nous souvenir que la sagesse nous impose d'accepter les mille petits maux de tous les jours et même des maux plus graves tout en cherchant à nous en débarrasser ou à nous en soulager, mais que la raison nous oblige à rechercher jusqu'à quel point nous pouvons nous prémunir contre certains d'entre eux, en corrigeant et en adaptant nos comportements et notre mode de vie.

Savoir compter avec sa propre nature, c'est savoir reconnaître et réunir à tous les âges de la vie, que l'on soit bien portant ou malade, les conditions d'une vie saine, équilibrée et harmonieuse.

THÈMES	À la recherche d'un équilibre personnel	Risques/erreurs/ désordres/troubles	Pratiques à usage préventif ou curatif
COMPORTEMENTS ALIMENTAIRES	Règles générales de l'alimentation (en fonction de l'âge, de l'état physiologique) Pratiques alimentaires	Surnutrition Régimes déséquilibrés Maigreur Obésité	Régimes correctifs et régimes à visée thérapeutique La pratique du jeûne Les différentes sortes de jeûne
VIE SEXUELLE	La sexualité individuelle La vie du couple La sexualité selon les âges de la vie	Les troubles de la sexualité individuelle Les troubles du couple Les maladies transmises sexuellement (MTS, sida)	Techniques de psychothérapie Relaxation Prévention
ACTIVITÉS PHYSIQUES ET SPORTIVES	Rythmes biologiques Activités physiques de l'enfant, de la femme et de la personne âgée	Les risques, dérives, excès et accidents Le dopage	Relaxation dans la préparation à l'effort Étirements Physiothérapie Ostéopathie
CONDUITE DE LA VIE QUOTIDIENNE	Savoir s'accepter Le respect de l'espace intime L'environnement familier	Stress et surmenage Troubles du sommeil Tabac, médicaments, drogues, alcool	Techniques de relaxation Training autogène Sophrologie

1 Comportements alimentaires

Manger pour vivre, et non vivre pour manger : ce vieil adage résume les intentions de ce chapitre consacré à l'alimentation et au comportement individuel face à la nourriture, aux désordres que peut entraîner une alimentation déséquilibrée, et enfin aux régimes alimentaires variés qui nous sont proposés, y compris le jeûne plus ou moins complet. Parce que la nourriture représente le souci premier de tout être pour sa survie, nous devons apporter toute notre attention à bien comprendre l'importance de ce besoin élémentaire et à gérer harmonieusement cette activité essentielle qui fait aussi partie de notre plaisir de vivre. Comment concilier plaisirs de la table et équilibre alimentaire ?

1
À LA RECHERCHE D'UN ÉQUILIBRE PERSONNEL

Bien manger, c'est savoir à la fois satisfaire ses besoins alimentaires sans les dépasser et s'accorder les plaisirs qui s'y rattachent.

■ Les habitudes alimentaires

Nous faisons partie des régions privilégiées de la planète où la nature et le climat se sont conjugués pour nous offrir à profusion une incroyable variété de produits alimentaires : fruits, céréales, légumes, viandes, volailles, poissons.

L'alternance des saisons, la rigueur des hivers, la nature périssable de nombreux aliments ont poussé les hommes à traiter les produits de la nature pour se constituer des réserves en prévision des temps plus durs : salaison, fumaison, conserves, confitures... sont autant de moyens pour stocker des produits saisonniers périssables.

Quant à la cuisine, elle cherche à apprêter avec goût les aliments, mais surtout elle rend comestibles des produits naturellement peu digestibles : légumineuses crues, céréales crues, abats, gibier. La cuisson, le sel, les épices, les herbes permettent de préparer des aliments difficiles à consommer. Il en est résulté un art de la table qui appartient littéralement à l'histoire, la géographie, la culture de chaque civilisation. L'enracinement des pratiques alimentaires dans la vie sociale s'exprime partout par l'importance accordée au partage des repas, sans lequel il n'y a ni hospitalité ni convivialité.

L'acte alimentaire reste un acte primordial par lequel les parents, la mère principalement, ont su subvenir à des besoins de nourriture que nous étions incapables de satisfaire. Par de tels liens de solidarité et d'amour, les humains apprennent toute la signification de la nourriture comme facteur de dépendance puis de socialisation.

■ Savoir couvrir ses besoins alimentaires

Quotidiennement, chacun de nous doit apporter à son organisme des quantités importantes de nutriments. La nature chimique de ces nutriments permet de les répartir dans quelques grands groupes :

Substances minérales

On distingue d'une part les éléments minéraux majeurs, ou macroéléments, présents en grande quantité dans notre corps : sodium, potassium, calcium, chlore, phosphore, soufre, et d'autre part les oligoéléments, nécessaires seulement en très faible quantité (voir tableau p. 257).

Substances organiques

Composées de carbone, hydrogène, oxygène, azote et soufre, ces substances ont été divisées en trois catégories principales en fonction de leur structure chimique :

● *les protéines,* apportées par les viandes, les poissons, les céréales, les fromages, mais aussi par les champignons et les légumineuses ;

● *les lipides,* représentés par les graisses animales (beurre, saindoux, viandes, fromages), les graisses végétales et les huiles (elles seules contiennent les acides gras indispensables : on ne trouve l'acide linoléique que dans les huiles de noix, de colza et de soja), et les fruits oléagineux (amandes, noix, pistaches, olives, cacao) ;

● *les glucides,* représentés par le sucre et le miel, mais aussi apportés par les céréales, le pain, les légumineuses, les fruits secs, les légumes verts, les fruits frais, les boissons non alcoolisées (sodas, colas, tonics, bitters, limonades, sirops...) et certaines boissons alcoolisées sucrées.

Font partie du groupe des substances organiques :
- *l'alcool,* toxique pour le foie et le système nerveux, mais qui compte parfois fortement dans l'apport énergétique quotidien (vin, alcools, cidre, bière) ;
- *les vitamines* (voir tableau p. 256) ;
- *les fibres* non digestibles, provenant du monde végétal (céréales complètes, pain complet, pruneaux, noix de coco, légumes, fruits). Indispensables au bon fonctionnement mécanique de l'intestin, elles sont douées de vertus protectrices contre diverses maladies graves du tube digestif.

Les besoins énergétiques doivent être couverts par des apports en protéines, lipides et glucides, mais dans des proportions assez bien définies. Un tableau donne la répartition des besoins nutritionnels de l'adulte sédentaire de taille moyenne, de la femme enceinte et de la femme allaitante (p. 259).

La consommation de pain, même de diférentes sortes, doit être modérée aux repas de midi et du soir.

Le miel, une source d'énergie pour l'effort

Absorber du miel, c'est emmagasiner de l'énergie à l'état presque pur : plus de 3 kcal/g, constituées presque exclusivement de glucides simples (glucose et fructose surtout). Prédigérés par les abeilles, les sucres du miel sont immédiatement disponibles. Mais, comme toutes les productions de la nature, le miel est en fait d'une composition beaucoup plus complexe : il contient des enzymes, des traces de minéraux et d'oligoéléments, et une multitude de molécules aromatiques, variables selon les plantes butinées, qui donnent aux différents miels leur goût et leur parfum particuliers.

Comme aliment énergétique, en particulier dans les efforts physiques intenses, le miel reste la seule ressource d'énergie glucidique immédiatement utilisable fournie par la nature. Sa haute teneur en sucres libres et son acidité le garantissent contre tout risque de pollution bactérienne ou virale. Comme toutes les bonnes choses, même dans les efforts intenses, il ne faut pas en abuser. Absorber du miel fréquemment et en petites quantités en buvant un peu d'eau est une manière très efficace de soutenir un effort physique prolongé.

▪ Savoir choisir son alimentation

Il est évidemment tout à fait impossible de prétendre dicter à quelqu'un son comportement alimentaire. Les habitudes, les traditions familiales et locales, les rapports intimes qui se sont établis au fil de la vie entre les aliments et les sentiments (j'aime, je n'aime pas) font que chacun considère à juste titre que son comportement n'appartient qu'à lui. Tout au plus pourrions-nous suggérer quelques conseils et donner quelques mises en garde utiles pour la santé.

Quelques conseils

– Consommer du poisson trois ou quatre fois par semaine : poisson maigre (achigan, bar, daurade, lotte, morue, plie, raie), contenant environ 1 % de lipides, ou poisson gras (corégone, hareng, maquereau, saumon, thon, truite), contenant 10 à 15 % de lipides dont des acides gras indispensables à l'organisme.

– Consommer des viandes blanches deux ou trois fois par semaine.

– Consommer à volonté des légumes verts.

– Assurer l'apport en lipides avec des huiles végétales plutôt qu'avec des graisses.

– Consommer des féculents (pommes de terre, haricots secs, lentilles, pois chiches...) au moins deux ou trois fois par semaine. Ils sont une bonne source de glucides complexes.

– S'assurer que l'apport quotidien en fibres est suffisant. La plupart des gens n'en consomment pas plus de 15 g par jour. Les nutritionnistes en recommandent le double, dont les deux tiers sous forme de céréales complètes.

– Modérer la consommation de pain, surtout de pain blanc.

VITAMINES : rôle, origine, besoins (varient selon l'âge et le sexe)
(TL : vitamine thermolabile, détruite par la cuisson. TS: vitamine thermostable)

VITAMINE nom chimique	Rôle reconnu	Besoins quotidiens	Principales sources	Effets de la carence	Facteurs favorisant la carence
A rétinol (TL)	favorise vision et croissance, protège peau et muqueuses	400 à 1000 ER (équivalents de rétinol)	huiles de foie de poisson, carotte, tomate, lait, œuf, rognon, abricot, épinard	héméralopie (cécité nocturne), peau sèche, intolérance au soleil, xérophtalmie, cécité	tabagisme, alcoolisme, hépatite, contraceptifs oraux, barbituriques
D calciférol (TS)	favorise la fixation du calcium et du phosphore dans les os et les dents	2,5 à 10 µg	soleil, foie, huiles de foie de poisson, œuf, lait, beurre, hareng, graines germées	déformations osseuses, caries dentaires, crampes, rachitisme, ostéomalacie	absence de soleil, abus d'huile de paraffine, corticoïdes, barbituriques
E tocophérol (TS)	protège le système vasculaire et les membranes cellulaires	3 à 10 mg	germe de blé, huile, amande, œuf, avocat, céréales complètes, lait	fragilité musculaire, prostatisme (supposé), risque d'avortement (supposé)	inconnus
K ménadione (TS)	nécessaire aux facteurs de coagulation sanguine	70 à 110 µg	chou, algues, œuf, foie, huile de germe de blé, épinard, brocoli	hématomes, épistaxis, hémorragies internes, diarrhée	antibiotiques, sulfamides, abus de laxatifs, prématurité
B1 thiamine (TL)	aide au métabolisme des glucides	0,3 à 1,3 mg	levure sèche, blé germé, céréales complètes, pain complet, poisson	faiblesse musculaire, dépression, névropathies, cardiomégalie, béribéri	excès de glucides, diabète, alcoolisme, grossesse, diurétiques
B2 riboflavine (TS)	protège les muqueuses	0,3 à 1,6 mg	levure, foie, viande, lait, œuf, poisson, cacao, légumes verts, fromage	perlèche, photophobie, langue violacée, chéilite, tremblements	alcoolisme, apports insuffisants de laitages
B3, PP, niacine, acide nicotinique (TS)	santé de la peau et du système nerveux	4 à 23 EN (équivalents de niacine)	levure, foie, riz complet, pain complet, œuf, poisson, fruits secs	fatigue, insomnie, état dépressif, langue fissurée, dermatite, pellagre	alcoolisme, abus de maïs, traitement antiparkinsonien, régime végétalien strict
B5, acide pantothénique (TL)	protège peau et phanères	5 à 7 mg	levure, foie, viande, œuf, fruits, légumes, céréales complètes, champignon	tendance aux allergies, sensibilité à l'infection, crampes, nausées, fatigue	alcoolisme, abus de conserves
B6 pyridoxine (TS)	protège le système nerveux	1,6 à 2 mg	levure, blé germé, foie, soja, chou, poisson, légumes verts, céréales	céphalées, vertiges, syndrome neurologique, anxiété, état dépressif	alcoolisme, contraception orale, antibiotiques
B8 (ou H) biotine (TL)	protège les phanères	30 à 100 µg	levure, foie, œuf, viande, pain complet, cacao, champignon, légumes	fatigue musculaire, peau grasse, alopécie, névrites, insomnie, état dépressif	abus d'œufs crus, traitement aux antibiotiques prolongé
B9, folacine, acide folique (TL)	aide à former les globules rouges	50 à 220 µg	levure, foie, lait, soja, légumes, champignon, huître, pain complet	anémie, perte d'appétit, fatigue, dépression, troubles neurologiques	alcoolisme, grossesse, antibiotiques, anticonvulsifs, anticancéreux
B12 cyanocoba-lamine (TS)	protège les cellules, aide à former les globules rouges	0,3 à 2 µg	foie, huître, algues, œuf, viande, lait, graines, poisson, levure, céréales	anémie, fatigue, pâleur, insomnie, confusion, troubles neurologiques	régime végétarien, déficit en cobalt, sulfamides, hypoglycémiants
C acide ascorbique (TL)	antistress, renforce les tissus de soutien	20 à 40 mg	légumes frais, agrumes, foie, rognon, kiwi, cassis, baie d'églantier	fatigue, anémie, douleurs, sensibilité à l'infection, saignements, scorbut	tabagisme, régime macrobiotique, stress, infection traînante

Note : Les vitamines A, D, E, K, liposolubles, sont stockées par le foie. Les vitamines B et la vitamine C, hydrosolubles, ne se stockent pas. L'apport doit être quotidien. Les vitamines B, D et K sont en partie synthétisées par l'organisme.

OLIGOÉLÉMENTS : RÔLE, ORIGINE, BESOINS (VARIENT SELON L'ÂGE ET LE SEXE)
Les oligoéléments sont des minéraux nécessaires en faible quantité mais indispensables aux fonctions cellulaires.

MINÉRAL nom de l'ion actif	Rôle reconnu	Besoins quotidiens	Principales sources	Effets de la carence	Effets de l'excès
chrome (Cr)	intervient dans l'activité de l'insuline	50 à 200 µg	céréales complètes, noix, amande, fruits frais, fruits de mer, foie, bœuf	intolérance aux sucres, irritabilité, asthénie, troubles neurologiques	(si intoxication seulement) atteinte rénale, risques de cancer bronchique
cobalt (Co)	entre dans la constitution de la vitamine B12	non spécifiés	(très répandu) surtout viande, foie, rognon, radis, œuf, moule, chou, figue	anémie, troubles neurologiques, troubles psychiques	polyglobulie, cardiomyopathie des buveurs de bière
cuivre (Cu)	intervient dans l'utilisation du fer par l'organisme, indispensable aux oxydations cellulaires	1 à 2 mg	viande, huître, abats, légumineuses, noix, thé, canalisations d'eau	(rare) anémie, neutropénie, troubles osseux chez le prématuré nourri au lait de vache	(rare) atteintes diverses : nerfs, foie, cornée, reins (maladie de Wilson)
fer (Fe)	constituant de l'hémoglobine, transporte l'oxygène, indispensable aux oxydations cellulaires	6 à 13 mg	viande rouge, abats, soja, œufs, lentille, vin rouge, amande, figue, abricot	anémie hypochrome, prurit, langue dépapillée, désordres immunitaires	hémorragies intestinales, hépatite aiguë ictérique, hémochromatose acquise
fluor (F)	entre dans la constitution des os et de l'émail dentaire	environ 1 mg	eaux minérales fluorées, sardine, anchois, thé, céréales, viande	caries dentaires, risques d'ostéoporose	lésions dentaires, fluorose, surdité par ostéopétrose, lésions osseuses
iode (I)	aide à la synthèse des hormones thyroïdiennes, favorise la croissance et le développement mental	30 à 160 µg	sel iodé, algues, fruits de mer, viande, végétaux cultivés sur sol iodé	frilosité, apathie, goitre, hypothyroïdie, myxœdème, crétinisme infantile	allergies, vision en halo, tremblements, tachycardie, exophtalmie, excitation
magnésium (Mg)	présent dans les os et les dents, aide aux combustions cellulaires	20 à 250 mg	(très répandu) surtout légumes verts, lait, viande, œufs, céréales complètes, cacao, miel, amande, noix	hypocalcémie, nausées, crise de tétanie, convulsions, spasme musculaire, anxiété, tremblements, insomnie	troubles nerveux centraux, troubles neuromusculaires, hypotension, troubles cardiaques, risque de mort
manganèse (Mn)	aide au fonctionnement de plusieurs enzymes, rôle dans la croissance	2 à 3,8 mg	(très répandu) noix, thé, girofle, avocat, épinard, céréales complètes, légumes	(rare) déformations osseuses	(intoxication chronique) troubles neurologiques
molybdène (Mo)	aide au fonctionnement d'une enzyme essentielle, la xanthine-oxydase	15 à 50 µg	(très répandu) sarrasin, légumineuses, avoine, tournesol, orge, foie	favorise la carie dentaire, risques d'impuissance, troubles cardiaques	inconnus
nickel (Ni)	aide à la synthèse d'acides nucléiques, action probable sur l'insuline	100 µg	épinard, graine de soja, céréales complètes	risque de diabète, freine l'absorption du fer	(intoxication chronique) allergies cutanées, fièvre, troubles respiratoires
sélénium (Se)	aide au bon fonctionnement des anti-oxygènes cellulaires	50 à 200 µg	graine de sésame, abats, jaune d'œuf, fruits de mer, céréales complètes	risques d'hémolyse, anémie, cardiomyopathie de Keshan	inconnus
silicium (Si)	impliqué dans la structure des os, des dents et des phanères	non spécifiés	levure, graine de tournesol, asperge, laitue, concombre	(probablement) atteintes de la trame osseuse et dentaire	inconnus
vanadium (V)	rôle possible dans la fabrication des os et des dents	non spécifiés	huiles d'olive et d'arachide, lentille, petit pois, épinard	inconnus	inconnus
zinc (Zn)	aide à la synthèse de l'insuline et de certains acides nucléiques	3 à 12 mg	huître, hareng, champignon, levure, foie, viande, céréales complètes	altérations goût, odorat, peau, troubles de la croissance, hypotrophie sexuelle mâle	(si intoxication aiguë) fièvre avec nausées, toux et fatigue générale

Note : Silicium, vanadium sont des oligoéléments indispensables encore peu connus.
Aluminium, argent, arsenic, bore, cadmium, lithium, mercure, plomb sont des contaminants de l'environnement. Ils sont toxiques à faible dose.

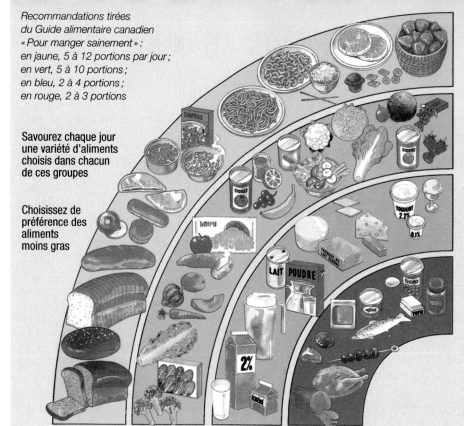

Recommandations tirées du Guide alimentaire canadien « Pour manger sainement » :
en jaune, 5 à 12 portions par jour ;
en vert, 5 à 10 portions ;
en bleu, 2 à 4 portions ;
en rouge, 2 à 3 portions

Savourez chaque jour une variété d'aliments choisis dans chacun de ces groupes

Choisissez de préférence des aliments moins gras

Produits céréaliers
Choisissez de préférence des produits à grains entiers ou enrichis

Légumes et fruits
Choisissez plus souvent des légumes vert foncé ou orange et des fruits orange

Produits laitiers
Choisissez de préférence des produits laitiers moins gras

Viandes et substituts
Choisissez de préférence viandes, volailles et poissons plus maigres et légumineuses

Ces recommandations tiennent compte des habitudes de vie des Canadiens.

– Au petit déjeuner, consommer de préférence des pains variés (complet, au levain), des céréales complètes ou des préparations de fibres végétales accompagnées de lait écrémé ou demi-écrémé.

– Consommer les fruits, lavés, loin des repas.

– Boire au moins 1,5 litre d'eau par jour, dont 1 litre entre les repas.

– Absorber le plus souvent des produits frais. Conserver peu de temps les aliments frais et les restes au réfrigérateur. Toujours les couvrir.

– Manger dans le calme (sans télévision ni radio), en prenant le temps de mâcher.

– S'accorder une détente de quinze à vingt minutes après le repas. Éviter les efforts physiques intenses immédiatement après le repas.

Quelques précautions

– Éviter la consommation inconsidérée de boissons alcoolisées, y compris la bière et le cidre, en particulier entre les repas.

– Éviter le grignotage entre les repas.

– Limiter la consommation de viandes rouges et de volailles grasses (bœuf, mouton, canard).

– Éviter les produits fumés, salés ou traités.

– Limiter la consommation d'aliments riches en sucres « sucrants » (sucre, miel, confitures, pâtisseries, boissons sucrées).

– Réduire la consommation de caféine (café, thé, chocolat, Coca-Cola) et l'éviter après 16-17 h.

– Éviter la consommation régulière de plats cuisinés industriels, souvent trop riches en graisses.

– Éviter la consommation d'aliments contenant du glutamate monosodique (certaines cuisines asiatiques) ainsi que des nitrates ou des nitrites (charcuterie, viandes salées ou fumées).

– Éviter de boire systématiquement des eaux minérales. Elles ne peuvent remplacer les sources alimentaires de minéraux.

– Proscrire les ustensiles et récipients en aluminium (apport inutile et dangereux de traces d'aluminium dans la nourriture) ou en acier émaillé (risque d'éclats dangereux pour les intestins).

– Limiter les fritures ; ne pas faire fumer les huiles de cuisson et les renouveler souvent.

– Ne pas utiliser trop souvent l'autocuiseur, car, à 103-105 °C, beaucoup de vitamines présentes dans les aliments sont détruites : préférer la cuisson à la vapeur (à 100 °C).

– Limiter les grillades au barbecue (surtout horizontal) : elles sont une source de benzopyrènes – hydrocarbures cancérigènes.

– Se méfier des micro-organismes qui peuvent se développer à l'occasion d'un stockage défectueux de l'arachide, du maïs, du soja ou du blé, car *Aspergillus flavus,* qui s'y développe s'ils rancissent, peut sécréter des mycotoxines cancérigènes, les aflatoxines. Leur absence est normalement contrôlée dans les huiles, le lait et le beurre.

Le lait de vache, un ami à solliciter avec prudence

La consommation des produits laitiers de la vache n'est pas toujours sans inconvénients. Et cela dès l'allaitement du nouveau-né : le lait de la mère lui apporte des protéines protectrices qu'il ne peut pas encore fabriquer (les immunoglobulines). Elles neutralisent la partie nuisible de la flore intestinale du bébé, en cours de sélection pour la vie. C'est plus tard que le tube digestif de l'enfant produira ses propres immunoglobulines pour sélectionner la « bonne » flore microbienne.

L'allaitement par des laits de substitution retarde ou contrarie cette organisation immunitaire indispensable, avec tous les désordres que cela peut entraîner, les premières années de la vie, dans les domaines digestif et infectieux. Le lait maternel assure aussi les besoins du nouveau-né en acide linolénique, un acide gras indispensable au développement et au fonctionnement du système nerveux et que nous ne savons pas fabriquer. La plupart des laits de substitution n'en contiennent pas.

Certains nourrissons développent des maladies d'intolérance digestive au bout de quelques semaines d'alimentation au lait de vache. Seul l'apport de lait de femme, ou l'adoption d'une alimentation sans lait (préparations à base de soja, par exemple), rétablira la situation. Il pourrait s'agir d'une réaction allergique.

Plus tard, la consommation de lait de vache doit rester modérée. La grande vogue du lait vitaminé en Amérique du Nord et en Grande-Bretagne a provoqué de réelles maladies (hypercalcémie ou syndrome des buveurs de lait) avec des troubles digestifs, rénaux, musculaires et psychiques, surtout chez des personnes souffrant d'un ulcère gastrique. Il s'agit d'une intoxication par le calcium et la vitamine D, qui est toxique à forte dose.

C'est dire que, si le lait de vache et les produits laitiers peuvent faire partie d'une alimentation équilibrée, il faut toujours éviter d'en faire une consommation massive à l'âge adulte et de l'imposer à son bébé. Il est toujours possible de s'en passer.

BESOINS NUTRITIONNELS QUOTIDIENS DANS DIFFÉRENTS ÉTATS PHYSIOLOGIQUE

	besoins /kg poids	adolescent	homme adulte sédentaire	femme adulte sédentaire	femme enceinte	femme allaitante
CALORIES en kcal	35 à 55	2 500 à 3 200	2 300 à 3 000	1 800 à 2 100	2 100 à 2 400	2 250 à 2 550
NUTRIMENTS ÉNERGÉTIQUES protéines (4 kcal/g)	0,6 à 0,9 g	38 à 55 g	58 à 61 g	43 à 47 g	67 à 71 g	63 à 67 g
lipides (9 kcal/g)	1,2 à 1,8 g	83 à 106 g	76 à 100 g	60 à 70 g	70 à 80 g	75 à 85 g
glucides (4 kcal/g)	4,8 à 7,5 g	343 à 440 g	316 à 412 g	247 à 288 g	288 à 330 g	309 à 350 g
FIBRES VÉGÉTALES		30 à 40 g	30 à 40 g	30 à 40 g	30 à 40 g	30 à 40 g
EAU DE BOISSON		1,5 à 2,5 litres	2 litres	1,5 litre	1,5 à 2 litres	2 à 2,5 litres
MINÉRAUX sodium		1 à 1,5 g	1 à 1,5 g	1 à 1,5 g	1 à 1,5 g	1 à 1,5 g
potassium		1 à 3 g	1 à 3 g	1 à 3 g	1 à 3 g	1 à 3,5 g
calcium		0,9 à 1,1 g	0,8 g	0,7 à 0,8 g	1,2 à 1,3 g	1,2 à 1,3 g
chlore		1,7 à 2 g	1,7 à 2 g	1,7 à 2 g	1,7 à 2 g	1,7 à 2 g
phosphore		0,7 à 1 g	1 g	0,8 g	1 g	1 g
VITAMINES	Consulter le tableau Vitamines, p. 256					
OLIGOÉLÉMENTS	Consulter le tableau Oligoéléments, p. 257					
AGP* oméga-3		1,4 à 1,8 g	1,3 à 1,6 g	1,1 à 1,2 g	1,2 à 1,3 g	1,5 à 2 g
oméga-6		8 à 11 g	8 à 10 g	7 g	7,3 g	8,5 g

* AGP : acide gras polyinsaturé ; le type oméga-3 provient surtout des huiles de poissons et le type oméga-6, des huiles végétales.

2
ERREURS ET DÉSORDRES

Les excès de sucres « sucrants », contenus dans les pâtisseries, ne sont guère recommandés.

Dans nos sociétés, le monde de l'alimentation a été submergé par la marée montante des informations, publicités, promotions. Nous sommes envahis par la multitude des choix, des variétés, des marques et... des conseils. Dans ces temps de communication outrancière, nous ne disposons d'aucun moyen de contrôler les affirmations toujours plus péremptoires de la publicité sur les produits et les règles de notre alimentation. Il en naît un risque majeur de déséquilibres et d'erreurs qui, dans ce domaine, confinent vite au désordre et à la maladie.

La transformation de nos habitudes alimentaires

Nous consommons moins de pain, de pommes de terre et de légumineuses qu'en 1950, et plus de légumes et de fruits frais (mais pas encore assez). Notre consommation de sucres raffinés et de viande a augmenté radicalement, tandis que les repas-minute, avec leurs excès et leurs lacunes, sont devenus un phénomène de société. En fait, les Québécois de 20 à 40 ans mangent sur le pouce plusieurs fois par semaine. Une telle évolution de nos habitudes ne pouvait pas ne pas avoir de retentissement sur notre santé. Car si nous avons fait un progrès certain dans le domaine de l'agronomie, de la nutrition et de la composition des aliments, cette évolution s'est accomplie avec des objectifs économiques et mercantiles de consommation, qui ont favorisé tous les abus. Aujourd'hui, il nous est possible de mieux comprendre et de réviser nos pratiques alimentaires.

■ Les erreurs de l'alimentation

Plus des trois quarts des Nord-Américains sont victimes à une époque de leur vie ou à une autre d'un désordre alimentaire. Pour la plupart, il s'agit d'un excès d'apport calorique qui conduit à un excédent de poids, lui-même générateur potentiel d'une obésité.

Les autres erreurs alimentaires portent sur une mauvaise répartition des apports en glucides, lipides et protéines ainsi que sur un défaut d'apport en éléments essentiels et en fibres.

● ***Protéines :*** l'alimentation canadienne moyenne est plutôt hyperprotidique et couvre largement les besoins en amino-acides essentiels. En fait, dans les pays industrialisés, l'apport alimentaire en protéines excède couramment de 50 à 75 % celui recommandé par les organismes de santé.

● ***Lipides :*** les erreurs portent à la fois sur la quantité et sur la qualité. D'après Santé Canada, l'apport quotidien en lipides ne devrait pas dépasser 30 % de l'apport énergétique total, alors qu'il excède le plus souvent 40 %. Par ailleurs, les Canadiens consomment trop de graisses animales par rapport aux huiles végétales ou de poisson. Or, les graisses animales semblent réellement responsables de lésions vasculaires progressivement très graves (plaques d'athérosclérose favorisant obstruction et rupture vasculaires, en particulier dans le cœur et le cerveau). Les huiles végétales et de poisson, moins dangereuses, couvrent les besoins en lipides, en particulier en acides gras indispensables.

● ***Glucides :*** les Canadiens consomment encore trop de glucides simples ou sucres rapides (sucre, confiture, pâtisseries, boissons douces) et pas assez de glucides complexes ou sucres lents (féculents, légumineuses, fruits, légumes, céréales). Ce déséquilibre favorise l'assimilation des lipides et la formation de dépôts de graisse corporelle.

● ***Éléments minéraux :*** il faut se rappeler les besoins particuliers en calcium (laitages, légumes,

fruits, poisson, œufs...) lors de la croissance, de la grossesse et de l'allaitement, et retenir que l'ostéoporose est favorisée par le manque de calcium.

● ***Vitamines :*** aujourd'hui, les syndromes de carence sont rares mais non exclus sous nos latitudes ; ils doivent être systématiquement recherchés.

● ***Oligoéléments :*** des états carentiels peuvent se rencontrer dans certains cas : carence en fer chez la femme, surtout pendant la grossesse et l'allaitement, carence en iode dans les régions sans contacts avec la mer.

● ***Fibres alimentaires :*** l'apport de fibres alimentaires (éléments non digestibles des glucides complexes) a augmenté depuis vingt ans chez les Canadiens, mais reste insuffisant. De solides présomptions font de cette carence un facteur favorisant de nombreuses affections (cancers du côlon et du rectum, diverticulose, obésité et diabète).

■ Les grands désordres nutritionnels

Les déséquilibres et les anomalies de l'alimentation peuvent entraîner de véritables affections – maigreur, obésité, alcoolisme –, mais aussi par-

Éviter le sandwich pris à la hâte pendant le travail.

ticiper à la constitution de maladies graves dont, par exemple, les maladies cardiovasculaires causées par l'athérosclérose. Il y a aussi des cancers dont le développement aurait des liens alimentaires : cancers de l'appareil digestif (nitrosamines, benzopyrènes, aflatoxines), cancers du pharynx, de l'œsophage, de l'estomac (alcool), cancers colorectaux (carence en fibres). L'obésité est également susceptible de favoriser l'apparition de divers cancers : prostate, côlon, sein, voies biliaires, utérus, ovaires.

Les maigreurs

On parle de maigreur quand le poids est inférieur de 15 à 20 % au poids théorique pour la taille de la personne. On distingue trois types de maigreur :

La maigreur constitutionnelle sthénique, souvent d'origine familiale, qui ne s'accompagne d'aucun signe de dénutrition ni de dépression. L'apport calorique est normal mais la masse graisseuse est peu développée. Il s'agit d'un état normal inhabituel.

La maigreur par carence de l'apport nutritionnel. L'anorexie, due à un désordre de l'organisation mentale concernant la problématique alimentaire et la représentation du corps, est un exemple frappant. La maigreur de l'anorexique, souvent une jeune femme, peut représenter jusqu'à 50 % de différence avec la normale. La guérison fait appel à la diététique et à la psychothérapie.

La maigreur résultant d'un amaigrissement provoqué par une trop forte consommation interne. Certaines maladies provoquent une combustion accélérée des éléments énergétiques (hyperthyroïdie, cancers, diabète maigre), d'autres, une fuite de constituants à l'extérieur du corps (pertes digestives, pertes urinaires) ou une mauvaise assimilation intestinale. La maigreur se corrigera surtout par le traitement de l'affection qui provoque ce déséquilibre intérieur.

TABLE DE POIDS D'ÉQUILIBRE / LIMITE DES ZONES DE SURCHARGE PONDÉRALE / SEUIL DE L'OBÉSITÉ

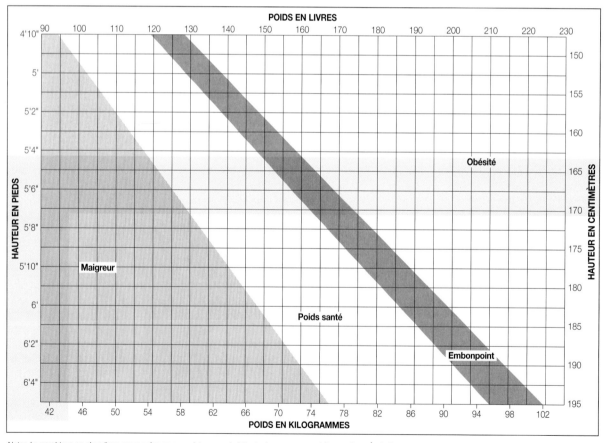

Note : Le graphique ne s'applique pas aux femmes enceintes ou qui allaitent, ni aux personnes très sportives. À n'utiliser que pour les adultes âgés de 20 à 65 ans.

L'obésité

En définissant l'obésité comme une surcharge pondérale d'au moins 20 % par rapport au poids idéal, on doit se rappeler que le poids idéal n'existe pas vraiment (voir tableau page ci-contre) et que, en matière d'obésité, les fondements psychologiques qui sous-tendent cet état sont toujours importants et actifs.

En fonction de la localisation principale de la surcharge graisseuse, on distingue les obésités androïdes, qui siègent au-dessus de l'ombilic, et les obésités gynoïdes (plutôt chez les femmes), situées au niveau du bassin et de la racine des cuisses, distinction importante car les traitements diététiques semblent plus efficaces sur les obésités androïdes.

Cette affection frappe une bonne partie de la population : selon Santé Canada, 23 % de la population canadienne présente un poids de 20 % supérieur à la normale ; environ 70 % des obèses ont plus de 40 ans. À cet âge, 28 % des hommes et 18 % des femmes sont obèses.

Outre les problèmes psychologiques et sociaux liés à l'obésité, cette affection est grave par les risques qu'elle fait courir et les complications qu'elle entraîne, notamment en favorisant l'athérosclérose.

● Complications cardiovasculaires, en premier lieu l'hypertension artérielle et ses accidents, mais aussi l'insuffisance cardiaque, l'angine de poitrine, l'infarctus du myocarde, les accidents cérébro-vasculaires.

● Désordres métaboliques : une grande partie des adultes obèses présentent des troubles de la régulation de la glycémie. Le diabète non insulinodépendant est une complication fréquente de l'obésité, qu'il aggrave.

● Complications mécaniques : les plus fréquentes sont d'ordre respiratoire (essoufflement, ronflement, dyspnée du sommeil). Mais l'on oberve aussi des troubles vasculaires au niveau des jambes, surtout chez les obèses gynoïdes (varices, œdèmes, ulcères variqueux, phlébite) et des troubles articulaires en rapport avec la surcharge (arthrose de la hanche et du genou, dorsalgies, lombalgies).

Toutes ces difficultés vont encore compliquer la vie de l'obèse et tout particulièrement durant la grossesse et au moment de l'accouchement.

Il est donc impératif de chercher à aider l'obèse à modifier ses habitudes de vie, en premier lieu ses comportements alimentaires. Mais, comme pour l'anorexie, la prise en charge doit être à la fois diététique et psychologique.

Environ 23 % de la population canadienne, touchée par l'obésité, doit réviser ses comportements alimentaires.

Les désordres nutritionnels dus à l'alcool

La consommation de boissons alcoolisées, notamment de bière et de vin, est bien ancrée dans les habitudes alimentaires des Nord-Américains. Les problèmes liés à l'alcoolisme seront évoqués par ailleurs (voir p. 312-314), mais il faut retenir sur le plan nutritionnel quelques données essentielles.

● L'alcool est un euphorisant puissant qui lève des inhibitions et participe aux états de jovialité et de convivialité, mais c'est une drogue forte et dangereuse, entraînant accoutumance et dépendance.

● Jusqu'à 20 g d'alcool (1 verre ou 2 de vin ou de bière) par jour pour un adulte de 65 à 70 kg peut être considéré positivement pour ses apports nutritionnels originaux (oligoéléments, vitamines, polyphénols), même si la transformation de l'alcool pose déjà des problèmes métaboliques et énergétiques.

● Même à faible dose, l'alcool provoque à jeun un état d'ébriété dû essentiellement à l'hypoglycémie qu'il induit. Il est conseillé de consommer les boissons alcoolisées pendant ou après les repas.

● Au-delà de 50 à 60 g par jour, les effets bénéfiques font place à des effets de plus en plus dangereux. Outre la participation à la surcharge pondérale et à l'obésité, l'alcool perturbe l'utilisation et le stockage des lipides dans de nombreux tissus : la dégénérescence du foie, des systèmes nerveux, vasculaire et digestif s'accompagne de nombreux désordres dans l'assimilation et l'utilisation de nombreuses vitamines et de minéraux et oligoéléments importants. L'euphorie se mue en troubles du caractère et de l'humeur, allant même jusqu'à de graves affections neurologiques et psychiques.

3
PRATIQUES À USAGE PRÉVENTIF OU CURATIF

Si un déséquilibre alimentaire peut conduire à la longue à une grave détérioration de la santé, une alimentation correctement réajustée peut apporter des bénéfices de même ampleur.

Toutefois, bien qu'il soit souhaitable de maintenir son poids dans les limites de la plage de poids santé (voir p. 262), il peut être mauvais de le faire en réduisant simplement son apport alimentaire. L'activité physique doit aussi contribuer au maintien du poids. Santé Canada a mis au point des recommandations sur la nutrition et le régime de vie qui s'adressent spécifiquement aux Canadiens en tenant compte de leurs habitudes (voir p. 262).

■ Quelques recommandations pour les Canadiens

– Les lipides devraient compter pour moins de 30 % de l'apport énergétique total du régime alimentaire, dont 10 % seulement sous forme de graisses saturées (graisses animales notamment).

– 55 % de la quantité totale d'énergie fournie par l'alimentation devrait provenir des glucides, en particulier des glucides complexes contenus dans les céréales, les féculents, les fruits et les légumes.

– La consommation de viandes et substituts de viande ne devrait pas dépasser 2 à 3 portions par jour (voir p. 258).

– Les Canadiens consomment trop de sel et devraient limiter l'usage de cet assaisonnement à table et dans la cuisson.

– La consommation de café ne devrait pas dépasser 4 tasses par jour et celle d'alcool 2 verres par jour ou 5 % de l'apport énergétique total, la plus faible quantité prévalant.

– Les adultes devraient faire toute leur vie au moins vingt minutes d'exercice par jour.

■ Choisir un régime

Un régime amaigrissant doit toujours être librement choisi. Les régimes radicaux sont réservés à des cas particuliers, quand il y va de l'intégrité de sa santé, et doivent être suivis par un médecin.

Il faudra aussi choisir le régime qui vous convient le mieux. Le premier choix à faire concerne le caractère médical ou non du régime recherché. Pour mettre un terme à des habitudes alimentaires qui vous paraissent nuisibles bien que vous soyez en bonne santé, vous n'avez pas besoin de consulter un spécialiste de la santé. Si, à l'inverse, vous désirez modifier en profondeur vos habitudes alimentaires en estimant qu'elles sont responsables d'un état de santé défectueux pour lequel vous êtes médicalement suivi, vous ne devez entreprendre qu'un régime soigneusement prescrit et suivi par un médecin compétent.

Le deuxième choix concerne la durée du régime. Les régimes de longue durée ont l'avantage, s'ils sont bien supportés, de devenir un nouveau mode de vie alimentaire, avec des effets souvent plus étendus sur l'organisation de la vie personnelle.

■ Des dispositions à définir et à respecter

Quelques dispositions sont à prendre.

● ***Des dispositions d'esprit.*** Vous devez dégager le temps nécessaire à la réussite du régime. Choisissez la période de l'année la moins bousculée. Accordez-vous le temps de bien vous documenter ou de rencontrer des pratiquants du même régime. Assurez-vous de la compréhension de vos proches, si possible de leur aide.

Pour un régime « tout végétal » :
à ne pas pratiquer trop longtemps.

● **Des dispositions pratiques.** La mise en route d'un régime sous-entend la mise en place d'une certaine organisation matérielle, qui vous aidera à le réussir. Ces dispositions concernent :
– l'approvisionnement en produits à consommer ;
– la préparation des aliments ;
– le temps du repas, qui doit être ménagé en durée et en qualité ; prévoyez des temps de repos et de détente après les principaux repas ;
– les moyens qu'il faut se donner pour suivre l'efficacité de son régime ; si vous voulez perdre du poids, pesez-vous sur une balance précise. Pesez-vous tous les jours à la même heure, dans les mêmes conditions. Si vous désirez une surveillance plus poussée, n'hésitez pas à consulter votre médecin.

■ Quelques régimes à votre choix

Vous trouverez ci-dessous une sélection qui n'est ni complète ni vraiment détaillée. Elle vous aidera à vous informer et à rechercher une documentation plus complète.

Le régime végétalien

Principe : ce régime ne comporte aucun aliment d'origine animale. Il se fonde sur la consommation exclusive de végétaux crus ou cuits.

Le régime végétarien diminue les risques d'obésité.

Observations : régime carencé en calcium, amino-acides et acides gras indispensables, ainsi qu'en vitamine B12. Peut avoir des conséquences défavorables sur le développement de l'enfant.
Conseils : utile chez l'adulte pour un temps limité afin de soulager l'organisme d'une alimentation trop riche en viandes et en graisses.

Le régime végétarien

Principe : c'est le régime végétalien, auquel on ajoute le lait, les fromages, le beurre et les œufs. Viandes, volailles et poissons restent proscrits.
Observations : régime équilibré qui peut convenir à beaucoup de personnes. Diminue les risques de maladies comme l'obésité et les cancers digestifs.
Conseils : fait partie des régimes de longue durée sans danger.

Le régime macrobiotique

Principe : basé sur une philosophie plutôt orientale de la vie. Le yin et le yang doivent s'équilibrer. Le yin est calme, fragile, froid et féminin. Le yang est actif, solide, chaud et masculin. Les aliments sont yin ou yang. Céréales complètes, légumes et fruits de saison sont les éléments de l'équilibre idéal et constituent la base de l'alimentation macrobiotique. Peu de sucres, pas de protides animaux.
Observations : risques de carences diverses (amino-acides et acides gras indispensables, calcium, fer, vitamine A). Les abus de riz sont abandonnés. Le régime s'adapte aux troubles dont souffre la personne.
Conseils : peut aider à maigrir. Son efficacité dans la correction de diverses maladies semble acquise. Sous forme de cure à durée prolongée, on constate un effet de rééquilibrage intéressant.

Les régimes dissociés (Shelton, Hay)

Principe : il consiste à se nourrir chaque jour de la semaine avec une seule catégorie d'aliments, à volonté : une journée fruits, une journée céréales complètes, une journée viande et fromages...

Observations : il s'agit d'un régime hypocalorique qui a l'avantage d'éviter les interactions entre nutriments différents.

Conseils : régime amaigrissant intéressant sur une période pas trop longue (de quelques semaines à quelques mois).

La méthode Diamond (Fit for Life)

Principe : s'alimenter en fonction des cycles d'assimilation et d'élimination de l'organisme et de la digestibilité des aliments. Seuls les fruits sont admis en matinée ; aux autres repas, féculents, céréales, produits laitiers, viandes et poissons sont associés individuellement avec des légumes.

Observations : régime à haute teneur en eau qui fait grande part aux fruits et aux légumes et n'admet aucun sucre raffiné. Convient à la plupart.

Conseils : fait partie des régimes de longue durée.

La méthode Kousmine

Principe : réorganisation de l'alimentation combinant une diminution et une sélection de l'apport en corps gras (lipides), une diminution de la ration quotidienne de sucres et de viande, une part importante accordée aux céréales et aux aliments crus, riches en vitamines, oligoéléments et enzymes.

Observations : risques de ballonnements et d'aérogastrie. Le docteur Catherine Kousmine proposait cette méthode pour traiter les maladies les plus graves avec des résultats intéressants.

Conseils : efficace sur une période pas trop longue (quelques semaines à quelques mois). En cas de maladie grave, il faut être suivi médicalement.

▣ Faut-il jeûner ?

L'intérêt du jeûne en nutrition tient au fait qu'il facilite la perte de poids chez l'obèse, la mise au repos de l'appareil digestif, la réduction du diabète non insulinodépendant, et qu'il provoque une réorganisation des régulations hormonales.

Les jeûnes de courte durée (deux à trois jours) peuvent être réalisés sans grand suivi dans des conditions de repos et de détente. Tous les jeûnes prolongés doivent être accomplis sous la surveillance de professionnels de la santé. Distinguons :

– *le jeûne sec,* sans comsommation d'eau ni d'aliments, qui est à proscrire ;

– *le jeûne mouillé,* sans aucun apport de calories mais avec maintien des boissons et apport de vitamines et de minéraux. À raison d'un ou deux jours tous les dix à quinze jours, il est conseillé pour maintenir la forme et ne requiert pas de surveillance particulière si l'on est en bonne santé.

D'une durée de cinq à quinze jours, il donne des résultats intéressants dans l'obésité, mais aussi pour soigner différentes affections récidivantes : eczémas, sinusites, otites, hypertension, mais il doit s'effectuer sous la surveillance de professionnels de la santé.

Plus long (plus de quinze jours) et sous surveillance médicale, il permet de traiter certaines obésités et les états diabétiques non insulinodépendants. Il a été proposé dans certaines pathologies digestives et articulaires récidivantes lourdes, mais les preuves de son efficacité doivent encore être apportées.

Jeûner, certes, mais sans oublier de boire chaque jour l'eau dont notre corps a besoin.

Programme alimentaire Weight Watchers

Le programme Weight Watchers vise à obtenir des changements permanents dans le style de vie. Il combine un régime riche en glucides (hydrates de carbone) complexes, modéré en protéines et faible en matières grasses, avec un programme d'activité physique et d'amélioration du comportement. Sa grande popularité en Amérique du Nord (on compte environ 250 classes rien qu'au Québec) tient à sa réputation de programme équilibré, de même qu'à l'approche de groupe qu'il met de l'avant.

Le programme est régulièrement révisé par des professionnels de la santé pour tenir compte de l'avancée des connaissances dans le domaine de la nutrition et de la santé.

2 Vie sexuelle

La sexualité humaine n'est jamais simple. C'est à la fois une réalité biologique et génétique et une force pulsionnelle libidinale primitive, agressive, procréatrice, nécessitant une satisfaction ; elle est dépendante de l'histoire sociale et culturelle des valeurs, des idées, qui infléchissent normes et habitudes sexuelles à l'insu des individus. La psychanalyse nous a appris qu'elle est une histoire individuelle.
C'est parce que les hommes sont structurés par le langage qu'ils peuvent donner une signification à leurs pulsions sexuelles en les traduisant en termes de désir.

1
À LA RECHERCHE D'UN ÉQUILIBRE PERSONNEL

D'où nous vient le désir ? Les Grecs ont proposé le mythe de l'androgyne, être à la fois homme et femme trouvant en lui-même le bonheur. Ces êtres immortels imaginés sphériques formaient une totalité, sans désir ni parole car étant l'unité et la complétude parfaites. Ils furent un jour divisés en un homme et une femme et, depuis, le désir, c'est la recherche de cet autre qui manque afin de retrouver l'unité perdue. C'est maintenant pour chacun d'entre nous l'obligation de passer par l'acte sexuel pour se reproduire et se perpétuer, l'obligation de passer par le langage et la parole pour nommer notre désir et nous reconnaître dans notre sexe comme homme ou femme. C'est l'obligation, en naissant, de perdre notre immortalité et de nous savoir des être mortels.

C'est à ce prix que nous pouvons nous humaniser et tenter de répondre aux questions sans cesse renouvelées de l'amour et de la sexualité.

Comment chacun d'entre nous vit-il son rapport au désir et à l'objet de son désir ? Ce rapport, le vit-on en poursuivant ce rêve impossible de jouissance qui vise à faire « tout un » et à se confondre avec l'autre, ou bien s'agit-il d'accepter les conséquences constitutives de la différence des sexes et de notre destin d'êtres mortels ?

Les représentations de notre sexualité ont évolué au cours des âges. La liaison amour-sexualité, admise comme logique, est surdéterminée dans nos sociétés par la morale judéo-chrétienne, relayée par la morale laïque. Le social véhicule la norme des modèles amoureux. Nos parents en sont les agents plus ou moins efficaces.

Dans le laboratoire que représente une cellule familiale (un ou deux adultes et leur enfant), les choses de l'amour sont plus floues, plus passionnelles, plus complexes, bien au-delà du rationnel. Un père, une mère – et le reconnaître prend du temps – ce sont d'abord un homme, une femme, pas toujours adultes.

Pour pouvoir énoncer : « Je suis une ancienne petite fille, fille de …, devenue femme, épouse, concubine ou amante, et mère » ; pour pouvoir énoncer : « Je suis un ancien petit garçon, fils de…, devenu homme, époux, concubin ou amant, et père », il faut en être passé par les étapes structurantes du développement infantile : interdit de l'inceste, complexe d'Œdipe et de castration ; soit la reconnaissance intériorisée de la différence des sexes. Pour se reconnaître comme différent et pouvoir être un homme parmi les hommes, une femme parmi les femmes, il est nécessaire pour chacun d'entre nous d'en passer par les étapes du développement que Freud a décrites.

L'enfance recherche au fond des yeux les réponses aux questions qui la tourmentent.

■ L'enfance

Nous sommes inscrits dans le monde avant même notre naissance. Nous sommes nécessairement conçus à partir des désirs et des mots de nos parents. Ils nous ont imaginés et désirés fille ou garçon, beaux, grands, aimables, aimants ; ils nous ont choisi un prénom, celui d'un grand-père, d'une grand-mère, le plus banal qui soit ou le plus original, celui d'un frère ou d'une sœur morts, à la mémoire d'un être aimé ou mal aimé.

Tous ces mots, tous ces choix nous sont nécessaires pour vivre mais nous aliènent. Le nourrisson est dépendant de sa mère. Il y a un lien passionnel entre la mère et l'enfant. Les soins maternels, l'allaitement (biberon ou sein) procurent aux enfants, en plus des besoins vitaux, qui sont satisfaits, des plaisirs forts. La bouche est une zone érogène importante stimulée par la tétée, la tétine puis tous les objets que l'enfant porte à sa bouche pour son plaisir et pour les connaître. Tout au long de l'acquisition de la propreté, la maîtrise progressive de l'anus – « Je peux te donner ou garder mes selles » – procure du plaisir à l'enfant. Tout cela se construit dans un échange langagier avec les parents. L'enfant au début de sa vie est donc assujetti à cet attachement maternel et cherche à rester un objet satisfaisant pour la mère. Or grandir, c'est pouvoir se séparer de la mère pour désirer ailleurs, pour aller vers et avec les autres.

Les enfants découvrent très tôt leur sexe. Ils se masturbent, en éprouvent du plaisir ; c'est une étape normale du développement. Garçons et filles vont s'apercevoir progressivement qu'ils n'ont pas le même sexe. Cette prise en compte de la différence est capitale pour les futurs adultes qu'ils seront. Pour les petits enfants (2 à 5 ans), il n'y a qu'un sexe, celui qui se voit : le pénis. Qu'on le veuille ou non, cette « conception infantile » est universelle et détermine les théories sexuelles infantiles. Durant cette période apparaissent donc curiosité, angoisse et confusion à propos des différences anatomiques entre les sexes. C'est l'entrée dans la phase dite du complexe d'Œdipe et de castration. Fille et garçon portent un amour incestueux à leur mère mais les modalités du complexe sont différentes.

Le garçon aime et désire sexuellement sa mère mais il aime aussi son père. Le père interdit la mère au fils. Cette position du père est efficace et constructive dans la mesure où la mère le désire évidemment et n'entretient pas la fixation érotique de son fils. Le garçon va haïr son rival, dont il pense qu'il pourrait le castrer. Dans le meilleur des cas, il comprendra que

Émotion, tendresse, plaisir, sensualité, violence, haine, amour sont aussi les mots de l'enfance.

sa mère est la femme de son père. Il renoncera à son désir incestueux, s'identifiera au père possesseur du pénis et se rangera comme homme en devenir. Cela implique, tant pour le garçon que pour la fille, un renoncement au plaisir, à la satisfaction immédiate pour s'adapter aux exigences et aux lois sociales de la réalité.

La fille constate que la mère n'a pas de pénis et qu'elle-même n'en est pas pourvue. Elle est déçue de ne pas l'avoir reçu de cette mère qu'elle aimait et désirait. Elle va la haïr de l'avoir faite sur ce modèle et tourner amour et désir sexuel du côté du père. Cette envie du pénis va se traduire par une équivalence symbolique pénis = enfant, ce qui la conduira à ce désir incestueux : avoir un enfant du père. Avoir une sexualité féminine saine et mature impliquera la renonciation au père tout en ayant accepté la loi qu'il représente, après l'émancipation de l'adolescence, la réconciliation avec la mère et l'acceptation de l'idée de s'unir à un homme.

Le complexe d'Œdipe prend fin dans le refoulement. Les idées et les impulsions associées aux désirs oraux, anaux, incestueux, la haine à l'égard du père et de la mère sont repoussées dans l'inconscient. Mais les impulsions sont toujours là. Les désirs refoulés influeront plus tard, exigeront satisfaction, et ce sera parfois au moyen de symptômes très divers (timidité excessive, mal-être dans son corps, indécision et doutes invalidants, insatisfaction, maladies psychosomatiques, troubles de la sexualité, etc.). La question du développement sexuel n'est pas simple car, psychologiquement et biologiquement, on note dans l'être humain l'absence de masculin et de féminin purs. Tout individu présente des traits de caractère masculins et féminins.

Entre environ 6 ans et la puberté, la pulsion sexuelle semble s'éteindre. Elle est clandestine. On observe la mise en place d'une amnésie infantile totale, d'ailleurs souvent les gens nient leurs expériences sexuelles précoces. C'est la période de latence.

■ L'adolescence

La sexualité réapparaît à l'adolescence. Elle est centrée sur les questions de l'amour, de la séduction, du choix du partenaire et de l'aptitude physique à une activité sexuelle. Évoquer l'adolescence, c'est d'abord lui donner un sexe. Il y a des filles et il y a des garçons, ils ont 12 ans, 15 ans, 18 ans ; les questions se formulent différemment. Avec la puberté, le corps se transforme : chez la fille, la pilosité, les seins, la silhouette, les règles ; chez le garçon, la pilosité (barbe, poils pubiens), l'augmentation de la taille du pénis, la mue de la voix, la démarche.

L'adolescent questionne son appartenance sexuelle comme fille ou garçon à travers ses relations aux autres. Son chemin pour grandir, pour s'éprouver, pour aimer, pour choisir oscillera entre deux pôles : soit l'exaltation de l'amour ou de l'amitié, voire dans une position homosexuelle, soit la précipitation dans la sexualité à la recherche de relations sexuelles multiples. C'est autour du regard, pour les filles, de la voix, pour les garçons, que se décline la sexualité dans la drague, le flirt et l'amour. Du fait de ses nouveaux attributs (seins, silhouette), la fille interroge le regard des garçons dans le but d'être distinguée et se compare à toutes les figures féminines socialement valorisées. Elle y construit sa féminité. Elle passe par des étapes très contrastées qui varient du refus de ce nouveau corps et de ses désirs (masquage par des habits d'homme, règles irrégulières et/ou douloureuses, voire plus de règles du tout) à une mise en scène excessive du corps (dévoilage du corps proche de l'impudeur) masquant la sensibilité, le désir hésitant et le besoin d'amour.

Le garçon a déjà, dans son histoire, l'expérience de l'érection et de l'éjaculation. La masturbation, source de plaisir, l'aide à domestiquer ce pénis dont l'érection n'est pas toujours contrôlable. Parfois, il craint de ne pas avoir un pénis assez long, assez performant. Il doit s'affirmer par la voix (la mue le rapproche de la voix des hommes) et le baratin. Il a le devoir de parler, trouver les mots qui engageront la fille dans le jeu du flirt et de l'amour. Le flirt, c'est le plaisir des attouchements, la rencontre avec les émotions.

L'adolescence, c'est Alice au pays des merveilles : tout est venu, tout a changé si vite.

Il n'y a plus d'interdit moral sur l'acte sexuel, même si les interdits nés des nouvelles maladies sexuellement transmissibles (sida, hépatite B) pèsent de tout leur poids sur la sexualité des jeunes. Après la vie imaginaire associée à l'activité masturbatoire, après les premiers émois et parfois de premières amours homosexuelles vécues comme plus faciles, les adolescents se risquent à l'amour. Ils y éprouvent leur capacité d'aimer, de conquérir, de perdre, de rivaliser, de compter pour un ou une autre et puis de ne plus compter.

Toutes ces expériences contribuent à accommoder, à ajuster la sexualité et l'amour, à construire brique à brique une vie érotique dont la règle d'or est de parler avec son partenaire. Faire parler son corps, nommer ses désirs et ses plaisirs, ses déceptions mais reconnaître l'autre, ses besoins, son rythme, ses manques fondent le terreau de la rencontre, du dialogue et de l'intimité.

Ces différentes expériences individuelles (il n'y a pas de mode d'emploi pour tous, à chacun son chemin) permettent de se séparer plus ou moins complètement des images parentales et de l'attachement sexuel éprouvé pour eux dans le passé.

■ L'âge adulte et la vie du couple

La manière dont chaque sujet a vécu les phases du développement psychoaffectif est déterminante pour l'épanouissement de l'âge adulte. Cela se mesurera dans la construction de la vie en couple.

Le couple (du latin *copulare*, unir, lier) est une structure sociale dont l'universalité s'est déployée à travers le temps et les cultures. Il y a autant de modèles qu'il y a de couples (couples d'amants, d'homosexuels, couples mariés ou non, vivant ou non sous le même toit, etc.).

Le XXe siècle a promu de nouvelles valeurs : la passion doit se vivre dans le couple, apparaissant ainsi comme le moyen d'atteindre à la réalisation de soi. Il est devenu le lieu d'expression de l'affectivité. L'amour et la sexualité en sont le ciment. Il peut s'ouvrir sur une relation homme-femme désirée pour elle-même et soutenue par un projet où sexualité de récréation et sexualité de procréation sauront s'épanouir.

Les conditions du bonheur sont la qualité du lien à l'autre, le plaisir d'être ensemble, mais nous ne devons pas ignorer l'incidence d'éléments positifs extérieurs à l'intimité : l'estime de soi, l'amour de son travail, les lieux de vie, le climat, les amis, les engagements sociopolitiques, les bonnes relations avec la famille...

Le couple, bien que fortement déterminé par les expériences inconscientes de l'enfance et de l'adolescence de chacun, a la possibilité d'agir sur ce déterminisme. La construction d'un système où chacun sait qu'il a une part active, l'apprentissage à se connaître, à se respecter, à s'apprendre en se parlant en sont les moyens. Pour être viable, le couple doit accepter que les sentiments qui animaient chacun évoluent, que la passion du début glisse insensiblement vers des formes d'expression moins violentes, plus nuancées. Il doit reconnaître que la désillusion peut être le poison de l'amour. Il faudra être attentif à la découverte des défauts, à l'incompréhension, à l'humiliation, aux attentes frustrées, à l'insatisfaction sexuelle, à la négation de l'autre comme personne. Les risques encourus sont l'acceptation passive, la fausse acceptation, l'isolement, le repli sur soi, la maladie, la recherche active de compensations (au travail ou avec les enfants), la rupture de la communication, la séparation.

Rester deux, amoureux et amants, au milieu des enfants.

L'harmonie sexuelle est un facteur essentiel de l'entente du couple. L'insatisfaction sexuelle répétée est destructrice. La sexualité demande une initiation et une éducation. L'intelligence et la sensibilité sont nécessaires à l'apprentissage amoureux. Bien des

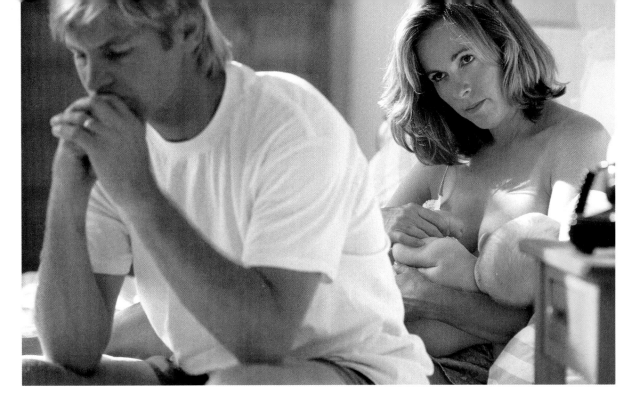

La désillusion, l'insatisfaction, l'habitude sont bien souvent le poison de l'amour.

tabous, bien des préjugés entravent l'expression du désir, qui bute sur le caractère normal ou anormal, autorisé ou défendu, de telle ou telle pratique. Il n'y a pas de norme. Seuls le consentement mutuel et le respect de chacun sont les garanties de l'évolution possible d'un couple. Cela veut dire apprendre à reconnaître que sexualité et amour impliquent un éternel ajustement à la réalité psychique et physique de chacun des membres d'un couple.

L'imagination amoureuse et sensuelle n'est pas la perversion. La valeur donnée à l'acte sexuel et à l'ensemble des pratiques est culturelle. Ainsi, la position dite du missionnaire (l'homme couché sur la femme) est considérée à tort comme une position naturelle. Elle n'est que l'expression judéo-chrétienne de la supériorité masculine (les Romains préféraient la position à genoux, qui évoque le coït animal).

L'acte sexuel

La relation sexuelle a une grammaire, elle conjugue la connaissance du fonctionnement psychophysiologique du corps de chacun : les organes génitaux, les zones érogènes, les mécanismes de l'orgasme et le déroulement de l'acte : les préliminaires, engendrant l'excitation, puis une phase dite du plateau et, après l'orgasme, la phase dite de résolution.

● Les préliminaires sont bien sûr de durée variable. Ils comportent des pensées sexuelles (fantasmes), des jeux amoureux, des caresses qui stimulent des zones érogènes (les plus sensibles sexuellement).

● L'excitation provoque des modifications anatomiques aboutissant chez la femme au redressement du clitoris et à une ouverture du vagin qui varie d'une femme à l'autre et en fonction du nombre des accouchements. Chez l'homme, l'excitation conduit à une érection solide.

● La phase du plateau dure de quelques secondes à quelques minutes. Elle dépend de l'intensité de l'excitation. On note chez la femme des modifications physiologiques : très grande sensibilité du clitoris et du bouton clitoridien, l'intérieur du vagin s'agrandit tout en se congestionnant, le col de l'utérus se soulève. La femme peut contracter volontairement les parois de son vagin, qui font un « manchon » autour du pénis.

● Cette phase conduit à l'orgasme. Il peut y avoir des ratés, dont les causes sont multiples (douleurs chez la femme, éjaculation prématurée chez l'homme, etc.).

L'orgasme est difficilement définissable. Il se manifeste chez la femme par des contractions spasmodiques des parois du vagin, une onde de chaleur brève et irradiante à partir du clitoris, une crispation du visage de quelques secondes. Chez l'homme, il est associé à l'éjaculation, mais il peut y avoir des orgasmes sans éjaculation.

● Il n'y a pas d'échelle de référence et de normalité. L'élément le plus favorable reste la détente agréable éprouvée après la résolution (retour à la normale des organes génitaux).

■ La vieillesse

La vieillesse n'implique pas la fin de l'activité sexuelle. Le désir ne s'atténue pas avec l'âge, il a du mal à s'exprimer ou à être reconnu. Les personnes âgées sont victimes d'interdits sociaux qui désignent arbitrairement la sexualité et l'amour comme ne concernant que les hommes et les femmes jeunes et la vieillesse comme un état de déchéance asexué ; ce sont au mieux des grands-parents faisant des confitures et cultivant le jardin. L'homme âgé, dont la phase d'érection est plus lente, possède en contrepartie un meilleur contrôle de son éjaculation. Il peut avoir des défaillances, il en a eu aussi dans sa jeunesse. C'est en parlant avec sa partenaire, en prenant son temps, en donnant leur importance aux préludes amoureux, à la tendresse, qu'il dépasse ces obstacles.

Les éminents béhavioristes Masters et Johnson affirmaient que «la sexualité féminine ne connaît pas de limite d'âge». L'efficacité de la sexualité dépend de la régularité des pratiques sexuelles. Chez la femme âgée, on constate une sécheresse de la vulve et une diminution de la lubrification vaginale après la soixantaine. Il existe des traitements qui permettent de remédier à ces problèmes hormonaux. La ménopause est un moment de fragilisation, car la femme perd une fonction reconnue de tous : la fécondité. Ce peut être le prétexte à l'abandon des relations sexuelles. La présence affective, désirante et tendre du partenaire durant cette période doit être soutenue et patiente. La tendresse et les caresses sont des échanges sexuels importants.

Le corps se transforme, il vieillit ; il convient donc à ce moment de la vie d'être plus vigilant et d'entretenir sa santé, son corps, son psychisme. La santé sexuelle est un paramètre important de la santé générale. L'absence de contact corporel peut entraîner une pathologie physique et mentale. Le plaisir du corps est nécessaire à la vie, il donne la force et le goût de vivre et stimule les efforts pour s'insérer socialement, avoir des activités, prendre soin de sa personne.

La solitude est l'ennemie de la vieillesse. La vaincre, c'est aller vers les autres, dans les lieux de rencontre. Le troisième âge peut être une période idéale pour vivre une sexualité épanouie. Les personnes âgées ont davantage de disponibilité, un rythme de vie plus doux et n'ont plus de problèmes contraceptifs.

Émotion, tendresse, plaisir, sensualité, violence, haine, amour, sexualité sont aussi les mots de la vieillesse.

2
TROUBLES DE LA SEXUALITÉ

Les problèmes sexuels faisant l'objet des plaintes les plus fréquentes sont :
– pour les hommes, l'éjaculation précoce ou prématurée, l'impuissance et l'absence de désir ;
– pour les femmes, la frigidité, le vaginisme, les rapports sexuels douloureux, l'absence de plaisir.

■ L'éjaculation précoce

Symptôme fréquent, l'éjaculation dite précoce ou prématurée est en fait plus rapide que cet homme, cette femme ou ce couple le souhaiterait. C'est un trouble qui a un lien avec le temps. De fait, certains pensent qu'il y a une durée «normale» entre le début de la pénétration et l'éjaculation. Mais il y a des variations culturelles par rapport aux normes quant à la durée et à la fréquence de l'acte.

On ne connaît pas de causes somatiques à l'éjaculation précoce ou alors des causes neurologiques extrêmement rares (traumatismes de la moelle épinière). Ce trouble affecte le plus petit des systèmes, le couple. Les béhavioristes américains Masters et Johnson définissent ainsi l'éjaculation précoce : «Est considéré comme éjaculateur précoce l'homme qui, dans la moitié des cas, éjacule trop vite pour que sa partenaire puisse parvenir à un orgasme par la pénétration.» Il est sous-entendu qu'il s'agit d'une femme capable d'avoir un orgasme par la pénétration. Le profil de la femme de l'éjaculateur précoce est souvent celui d'une femme assez passive du fait de son éducation ou de son caractère et qui attend de l'homme qu'il soit dispensateur de son plaisir. Quand l'homme échoue, l'attitude de la partenaire est fondamentale. Plus elle lui reprochera son échec (parce que c'est aussi l'occasion de régler d'autres comptes) et plus l'homme se fragilisera. Il se mettra alors dans une situation d'examen et répétera cette situation d'échec (c'est aussi pour l'homme une manière inconsciente de «sadiser» une femme en la privant de plaisir) : une situation complexe.

Chez l'homme éjaculateur précoce, on trouve souvent une volonté de maîtrise et de contrôle. Il ne pleure pas, il n'exprime pas ses colères, il a souvent comme représentation l'idée qu'il y a des femmes que l'on aime mais que l'on ne touche pas et d'autres que l'on peut toucher mais que l'on n'aime pas...

Qui consulte au nom de ce trouble ? Des hommes, des couples, mais aussi des femmes.

Ces dernières se sentent coupables de ne pas jouir assez vite, adoptant ainsi la norme masculine comme seule référence. L'attitude qui consisterait à privilégier une norme masculine ou une norme féminine, voire « la norme du plaisir ou du désir », conduit à des malentendus qui ne peuvent se traduire qu'en termes d'insatisfaction.

Certains hommes souffrent de n'être pas à la hauteur, de ne pas être virils parce qu'ils ne satisfont pas leur partenaire. D'autres se plaignent d'éjaculation précoce en fonction d'une norme, d'une durée qu'ils ont dans la tête, et ne peuvent ni entendre ni reconnaître la satisfaction effective de leur partenaire ; ils veulent ignorer leur plaisir, seul compte celui qu'ils imaginent devoir donner. Parmi les couples qui consultent, on trouve des motivations variées, parfois une volonté de réagir ensemble contre ce qui fragilise leur histoire ; ce peut être aussi une gentille accompagnatrice venue donner un coup de main à ce pauvre partenaire en panne (ce n'est pas le meilleur cas de figure).

■ L'impuissance et les troubles érectiles

On rencontre des types variés d'impuissance et de troubles érectiles. Ces situations sont douloureusement ressenties car, au-delà de la performance, elles concernent la représentation de la puissance, du pouvoir et de l'identité masculine. On parle d'impuissance totale quand il n'y a jamais d'érection quel que soit le partenaire et quelle que soit l'heure du jour ou de la nuit. Ensuite, toutes les nuances sont possibles : pas de difficultés érectiles au réveil le matin, masturbations possibles mais troubles avec une ou un partenaire. Certains hommes ont des difficultés avec une ou un partenaire précis et pas avec les autres.

Il peut y avoir des causes somatiques. Donc, en premier lieu, le médecin procédera à un examen clinique précis et simple. S'il y a des érections matinales ou tout à fait normales au cours de la masturbation, c'est de bon sens, il n'y a pas d'impuissance dont la cause serait somatique. Il est bon de savoir si l'homme impuissant a du désir ou pas. Cette absence de désir peut concerner les hommes de tout âge. L'absence de désir sexuel masque bien souvent une difficulté à désirer. Ces hommes se décrivent comme spectateurs immobiles de leur vie, avec une perte de leurs intérêts (sport, lecture, etc.). Ils ne se sentent pas exister pleinement. Ces difficultés à désirer peuvent être abordées et éclaircies grâce à des entretiens avec un psychanalyste, un psychologue ou un psychothérapeute.

Après l'examen clinique, des examens complémentaires sont utiles pour s'assurer que les sécrétions hormonales sont suffisantes (dosage dans le sang de testostérone et de prolactine), que le sujet n'est pas prédiabétique surtout s'il y a des antécédents familiaux, que ses artères sont suffisamment perméables pour amener assez de sang au sexe. La prise régulière de médicaments hypotenseurs et de neurotropes est une cause de difficultés sexuelles érectiles. Diabète et insuffisance hormonale se traitent. Pour les insuffi-

sances circulatoires, il existe au moins deux traitements que voici :
– Il est possible d'améliorer la circulation du sang dans le pénis par une revascularisation chirurgicale ou l'administration de vasodilatateurs.
– Pour éviter une intervention chirurgicale, la médecine recommande aussi la pompe à vide qui, une fois ajustée au pénis, stimule la circulation et, par conséquent, l'érection.

Les causes somatiques étant éliminées ou traitées, reste l'immense champ des causes psychologiques des difficultés érectiles.

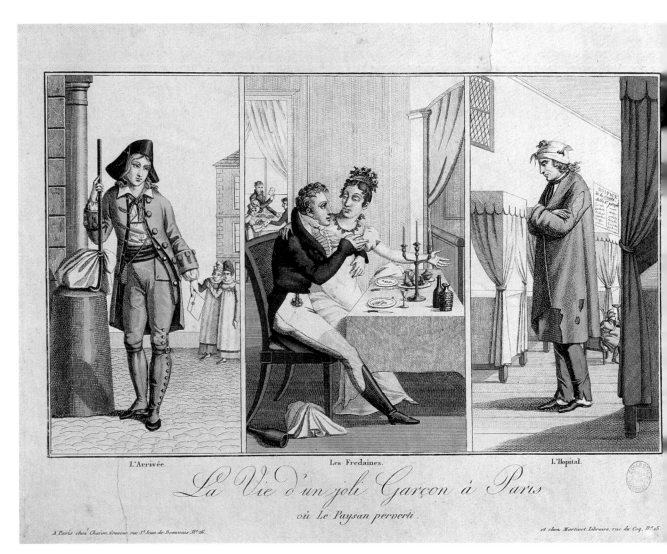

Tout faire, tout dire, tout expliquer pour que les garçons et les filles de notre temps se protègent de toutes les maladies sexuellement transmissibles.

■ La frigidité, le vaginisme

Les femmes souffrent du plaisir qu'elles n'ont pas : on parle alors de frigidité. Il y a celles que cela ne gêne pas mais qui ne s'en plaignent qu'au nom de leur partenaire ; et puis celles qui éprouvent du dégoût, de l'indifférence, un certain plaisir mais pas d'orgasme, des orgasmes mais uniquement clitoridiens ou alors trop courts, etc. Avec la frigidité, on aborde le large champ des troubles du désir. Cette insatisfaction sexuelle traduit bien souvent une insatisfaction fondamentale, une difficulté à être, une revendication d'amour et de reconnaissance dans un au-delà de l'acte sexuel. Chez les femmes, la relation sexuelle est le plus souvent une histoire d'amour. Les avatars de cet amour insatisfaisant se convertissent parfois en troubles sexuels.

Certaines femmes se plaignent de vaginisme : la contraction involontaire des muscles autour du vagin interdit la pénétration. Il en résulte un certain nombre de mariages non consommés. Les causes peuvent être somatiques mais sont le plus souvent de nature psychologique. Le partenaire est en général décrit comme doux, patient et compréhensif. On constate souvent, après la guérison de ce vaginisme, une impuissance du partenaire. À travers ce symptôme à bascule où chacun souffre à son tour, on constate que le choix de nos partenaires n'est inconsciemment pas innocent.

Des femmes se plaignent de rapports sexuels douloureux. On note des causes physiques : les épisiotomies, des hymens qui se sont mal déchirés. Avec les inflammations ou les infections à répétition (les vaginites), on se trouve dans le champ du psychosomatique. Ces différents troubles permettent parfois aux femmes d'éluder une vie sexuelle qui leur pose des problèmes.

Quelque temps après l'accouchement, certaines femmes se plaignent de ne plus avoir ni désir ni plaisir. Elles peuvent en souffrir. Cette situation est banale ; les bouleversements de la grossesse, la naissance de l'enfant, les nouveaux points de repère à trouver, l'investissement affectif expliquent ces difficultés temporaires. Les femmes ne doivent pas hésiter à en parler tranquillement avec leur généraliste ou leur gynécologue.

MTS et sida

Les MTS (maladies transmises sexuellement) désignent l'ensemble des maladies transmises par les rapports sexuels. Certaines peuvent se transmettre autrement : par exemple, le sida, par l'intermédiaire d'une seringue contaminée ou d'une transfusion.

▶ **Le sida** ou syndrome d'immunodéficience acquise. Le HIV, ou VIH (virus de l'immunodéficience humaine), se transmet par les rapports sexuels ou par l'intermédiaire de liquides biologiques humains contaminés (sang, sécrétions sexuelles, liquide amniotique principalement). Au cours d'une relation sexuelle, il y a un risque élevé de contamination pour les deux partenaires, lors d'une pénétration vaginale ou anale sans préservatif, avec ou sans éjaculation. Lors des contacts bouche-organes génitaux ou bouche-anus, le risque est faible.

▶ **La syphilis** est apparue au XVIIe siècle. En raison des progrès thérapeutiques, on en parle trop peu maintenant. Le traitement est efficace dans la mesure où la personne repère l'ulcération génitale initiale. Cela nécessite une consultation médicale rapide tant pour les hommes que pour les femmes.

▶ **La gonorrhée** est causée par un germe nommé gonocoque. Elle se traduit chez l'homme par un écoulement urétral (donc à l'orifice urinaire) et des brûlures en urinant. Il n'y a pas de symptômes chez la femme, au début de l'infection en tout cas. Elle se traite efficacement par des antibiotiques.

▶ **L'infection à chlamydiae** est souvent dépistée à cause de symptômes (pertes blanches, douleurs) motivant une consultation gynécologique. Non ou mal traitée, elle pourrait être cause de stérilité.

▶ **L'herpès génital** est causé par un virus provoquant l'apparition de « boutons » douloureux dans la région génitale et tout autour. La guérison est spontanée, mais les rechutes sont assez fréquentes.

▶ **Les candidoses** et **les trichomonases** sont causées les unes par un champignon, les autres par un parasite. Assez bénignes, elles peuvent donner des symptômes très inconfortables (démangeaisons, brûlures, pertes), surtout chez la femme.

▶ **L'hépatite B** est une variété d'hépatite grave qui peut se transmettre par les rapports sexuels et, aussi, de la mère à l'enfant. Le diagnostic repose sur des examens du sang. Pour cette affection, il existe une vaccination.

3
PRATIQUES À USAGE PRÉVENTIF OU CURATIF

Incompréhension et incommunicabiité : ces problèmes de couple nécessitent parfois l'aide d'un thérapeute.

Nous ne sommes pas condamnés à la souffrance mais elle est d'une certaine façon le seul signal qui nous alerte. La souffrance psychique se traduit souvent par des manifestations que nous trouvons étranges, irrationnelles, anormales, inadaptées... Il s'agira d'inhibitions (ne pas oser prendre la parole en public ou faire valoir son point de vue, rougir facilement, se montrer timide, compenser sa timidité par des comportements trop démonstratifs...), de peurs de toute sorte (de la foule, des grands espaces, des animaux, de la solitude, de l'abandon, de la dépendance à un autre, de vieillir, etc.), d'échecs répétés dans le travail, dans les relations amoureuses, dans l'histoire infantile, d'insatisfactions multiples, dont l'insatisfaction sexuelle sous tous ses aspects : impuissance, éjaculation précoce...

En général, chacun de nous cherche à résoudre ou à surmonter ses difficultés et trouve des solutions partielles qui permettent de continuer à avancer dans la vie. Parfois, nos troubles perdurent et deviennent invalidants. Ils hypothèquent nos rapports aux autres : famille, amis, collègues. Les troubles sexuels deviennent la plupart du temps très vite insupportables. De fait, la vie sexuelle, comme la nourriture, entraîne un rééquilibrage énergétique du corps, de l'esprit et du psychisme.
L'insatisfaction due aux troubles sexuels enraye le plus souvent cette régénération et produit des déséquilibres en cascade, tant dans la vie sociale, professionnelle et familiale que, bien sûr, au sein de la relation avec le ou la partenaire (amant ou amante, mari ou femme).

■ Ne pas rester seul

Quand cela devient trop difficile à vivre, trop lourd à porter, trop insatisfaisant, trop douloureux, trop lourd de conséquences dans la vie quotidienne, quand les contradictions entre ce que l'on vit et ce que l'on aimerait vivre sont trop importantes, il est alors vivement conseillé de prendre l'avis et les conseils d'un interlocuteur avisé.

En général, les possibilités d'écoute offertes par l'entourage (le ou la partenaire, les amis les plus proches, la famille, etc.) sont épuisées ou inexistantes. Ce soutien a pu fonctionner un temps mais, bien souvent, conseilleurs et conseillés sont trop englués dans leurs croyances, leurs valeurs, leur imaginaire, dans ce qu'ils pensent être la vérité et le bien pour l'autre pour que ce soit efficace.

Il n'y a ni bien ni mal en la matière. La sexualité (et l'ensemble des questions qu'elle pose) doit et peut être dégagée de toute position moralisante. Personne ne sait à notre place. Notre vérité est en nous. Si notre souffrance est trop pesante, il peut être utile d'aller en quête de cette vérité, en quête d'un savoir sur soi qui nous éclairera sur la nature et les raisons de ce trouble.

À qui s'adresser ?

Le médecin de famille, ou le gynécologue, doit pouvoir évaluer la demande, procéder aux examens somatiques nécessaires, puis orienter le sujet vers le praticien le plus adapté. Au Québec, il est aussi possible d'être pris en charge ou orienté correctement en s'adressant au CLSC de son quartier. Il existe de nombreux modes d'approche des troubles sexuels et de leur traitement. Cela va de la psychanalyse aux thérapies comportementales, en passant par les techniques de psychothérapie les plus diverses, la relaxation et la sexothérapie. Une approche en groupe, en couple ou individuelle peut être proposée. Quand les partenaires entretiennent entre eux un climat de confiance, l'approche en couple est souvent favorisée.

Lorsque l'on a éliminé toute cause somatique d'un trouble sexuel, il faut en envisager les causes psychologiques. Pour les explorer, on dispose de deux grandes approches : on cherche à savoir comment ce trouble est né, quelle est sa signification, c'est le champ des psychothérapies et de la psychanalyse ; on ne se soucie pas du sens du trouble mais on essaie de trouver comment passer d'un comportement de mal-être à un comportement pensé comme meilleur – c'est le champ du béhaviorisme ou comportementalisme.

■ La psychanalyse

Pour la psychanalyse, la compréhension/résolution de nos problèmes passe par la prise en compte de l'inconscient, c'est-à-dire de l'ensemble de nos pulsions et de nos désirs sexuels infantiles refoulés, auxquels nous n'avons pas pu renoncer en grandissant. L'exigence de satisfaction qu'ont ces désirs inconscients n'est pas compatible avec une bonne adaptation à la réalité. La petite fille ne peut ni épouser son père ni avoir des relations sexuelles avec lui, de même le petit garçon avec sa mère ou avec son père. Freud nous a appris à reconnaître les manifestations de la sexualité infantile. La curiosité sexuelle, l'interrogation sur le sexe, avoir un pénis ou ne pas en avoir, et pourquoi, les pratiques masturbatoires et le plaisir qu'on en tire sont des faits qui nous construisent. Le travail d'adaptation à la réalité nous permet de renoncer en grande partie à ces faits. S'il n'y a pas eu cette issue favorable durant l'enfance, ces désirs reviendront dans le champ de notre conscience sous forme de difficulté, de souffrance, de trouble.

Freud, le premier à avoir entendu la souffrance sexuelle révélée par nos troubles quotidiens.

La psychanalyse vise, au-delà de la résolution d'un trouble, à trouver la vérité de nos désirs inconscients. Elle permet de se détacher des images parentales, de relativiser les événements parfois traumatisants de

Le cabinet du psychanalyste : un lieu pour résoudre la souffrance et trouver la vérité de nos désirs inconscients.

l'enfance, d'abandonner, à travers les identifications inconscientes qui nous dirigeaient, les désirs des autres (les parents) qui nous constituaient. Il s'agit d'un remaniement en profondeur de la subjectivité d'un individu. Le travail analytique implique une demande, un désir d'aller au-delà de la partie de notre histoire que nous pensons connaître. La règle fondamentale de ce travail est d'associer librement des mots, des idées, des images qui nous viennent en tête et de les énoncer. Le travail du psychanalyste sera l'interprétation du matériel apporté par le patient dans le cadre du transfert (à travers les sentiments d'amour et de haine suscités chez le patient par la cure). L'analyste est comme une surface, un écran sur lequel on reprojette les conflits et les désirs infantiles. Un des aspects importants de l'analyse consiste à dénouer ces liens et projections transférentiels. Les dénouer au cours de la cure, c'est régler ce qui nous avait, dans l'enfance, traumatisé, c'est libérer les comportements d'aujourd'hui des entraves établies par des problèmes anciens non résolus.

◼ La thérapie comportementale

Il s'agit d'une approche plus réductrice, plus finalisée, mais qui a son intérêt et ses indications. Ainsi, pour aborder les questions d'éjaculation précoce, Masters et Johnson ont promu une technique comportementale. Celle-ci, appelée technique de compression, ou «squeeze», est proposée au couple selon l'hypothèse que le symptôme appartient au couple. Elle se déroule sur deux périodes de

six semaines à deux mois comprenant entretiens et règles précises à suivre. La première période est structurée par cinq règles :
● Les rapports doivent toujours se dérouler de la même façon.
● Il doit y avoir un certain nombre de rapports (comme pour la natation, la régularité et le nombre des leçons sont importants).
● Pendant cette première période, il y a un interdit absolu, total de toute tentative de pénétration.
● Pendant le rapport sexuel, l'homme doit se laisser aller, savourer, apprécier mais ne pas prendre l'initiative. C'est à la femme d'avoir l'initiative du rapport sexuel, y compris la responsabilité de l'échec si la manœuvre échoue.
● Le dernier point concerne la technique dite de compression. Lorsque, sous l'effet des caresses, l'homme entre dans la phase préorgasmique, il fait un signe rapide à sa partenaire. Elle posera le pouce au niveau du frein, en arrière du gland, et les deux doigts en regard, puis comprimera assez vivement pendant quatre à cinq secondes. Ce n'est pas douloureux, c'est un lieu réflexe dont la pression supprime l'envie d'éjaculer. La compression devra être répétée trois fois au cours du même rapport, le couple étant ensuite libre d'accéder au plaisir sans pénétration.
À la fin de la première période, un bilan est établi. Si les résultats sont favorables, le couple passe à la seconde période, identique à la première, si ce n'est qu'il y a pénétration. Les résultats sont extrêmement variés : réussite, échec, oubli du trouble en faveur d'une reconstruction du couple.

◼ La relaxation

On a l'habitude de ranger la relaxation parmi les médecines naturelles. Il existe plusieurs méthodes, plusieurs approches. L'éventail va de l'autorelaxation par concentration à la relaxation thérapeutique, qui associe une approche psychologique en profondeur à une technique de détente.

La relaxation n'est ni une gymnastique ni du yoga. Elle est l'apprentissage contrôlé par le thérapeute et par le patient lui-même de la détente des muscles superficiels et profonds. Elle permet de retrouver un équilibre psychocorporel.

L'homme moderne est soumis à de nombreuses excitations, à de multiples stress et à une grande insécurité. Cet état est très dommageable pour le fonctionnement psychoneurohormonal, qui conditionne l'équilibre des fonctions cérébrales et sexuelles. La pratique de la relaxation peut soulager différentes formes de troubles ou d'affections : fatigue générale, douleurs musculaires et tendineuses, douleurs digestives, mais aussi difficultés sexuelles (éjaculation précoce et impuissance chez l'homme, blocage au début du rapport amoureux ou au moment de l'orgasme chez la femme). L'intérêt majeur de la relaxation est son utilisation par le patient lui-même dans les circonstances les plus variées.

Si le patient, ou l'homme « normal » (c'est-à-dire sans maladie évidente), veut bénéficier de la relaxation, il doit répondre à trois critères :
– être décidé et motivé avant de commencer ;
– persister et faire une ou deux séances quotidiennes pendant de longs mois ;
– garder présent à l'esprit et dans le corps, tout au long de sa vie, ce qu'il a ressenti, vécu et appris sur lui pendant son travail de relaxation.

◼ Prévention des MTS et du sida

La prévention des MTS et du sida doit se comprendre comme un dispositif global de protection de la santé et de la vie, la sienne et celle des autres. Elle passe d'abord par le discours : informer l'autre (y compris les partenaires du passé) de toutes les maladies importantes diagnostiquées et interroger sa ou son partenaire. Ensuite, elle amène à suivre les conseils suivants.

Des règles d'hygiène et de protection

● Depuis l'enfance, on effectue une toilette quotidienne générale, et plus spécifiquement génitale, dont il est bien venu qu'elle soit répétée avant et après un rapport sexuel.

La toilette génitale comporte un savonnage suivi d'un rinçage soigneux des régions génitales externes, y compris les replis (donc avec décalottage du gland), sans pour autant nécessiter de lavage intravaginal en dehors des prescriptions médicales.

● Le préservatif masculin, ou condom, est la seule méthode efficace dans la prévention de toutes les MTS et notamment du sida. Les préservatifs sont vendus sans ordonnance en pharmacie. Ils sont de plus en plus souvent disponibles en distributeurs automatiques, dans les bars, les cégeps, les universités. Tout homme peut s'exercer seul à l'utilisation d'un préservatif pour se sentir plus à l'aise le moment venu. Même s'il provoque les premières fois une chute de l'érection, cela est bien banal et se rectifie l'instant d'après. L'importance de l'enjeu doit balayer l'éventuelle timidité initiale. La femme a un rôle actif dans l'utilisation du préservatif : en en détenant elle-même, en en exigeant l'usage, en participant à sa mise en place.

● L'absence ou le refus, par l'un des deux partenaires, du préservatif peuvent être compensés par une sexualité excluant les pratiques à risques, c'est-à-dire toute pénétration.

Cette conduite préventive doit s'appliquer à tous les rapports sexuels, sauf pour un couple où règnent une confiance réciproque et une grande fidélité et dont chaque partenaire s'est assuré de la négativité du sérodiagnostic HIV.

De l'information et des conseils

Il existe dans les grands centres, notamment à Montréal et à Québec, des services hospitaliers de recherche sur le sida où la pratique du test HIV est anonyme et gratuite. Leur liste peut être obtenue auprès du Centre québécois de coordination sur le sida (514-873-9890), Info-sida (514-281-6629) ou Info-santé des CLSC (1-800-463-5656). Tous ces organismes donnent information et conseils tant sur le sida que sur les pratiques sexuelles.

Prévenir, c'est éduquer en parlant, en se parlant, en s'écoutant, en se répondant. Dans les familles et à l'école, on doit autoriser les enfants à poser leurs questions, à dénouer les énigmes de la différence des sexes, à bien s'y situer et à devenir ainsi des adolescents et des adultes qui sauront gérer les contraintes de la réalité. Ils sauront mieux comprendre et appliquer les conseils de prévention. Une vraie éducation sexuelle, intelligente, ludique et respectueuse des enfants et des adolescents reste à réinventer à chaque génération.

3 Activités physiques et sportives

L'activité physique de type sportif, antidote des sédentarités plus ou moins obligées des sociétés industrielles, mobilise les capacités laissées en friche par les nouveaux modes de vie et de travail tout en mettant au repos certaines fonctions de vigilance suremployées. Son rôle majeur a été reconnu : formation et développement de l'enfant, entretien des aptitudes de l'adulte, maintien des capacités physiques et psychosociales du vieillard, induisant ainsi la réduction de nombreux facteurs morbides et de troubles du comportement. Médicalement aménagée, elle intervient positivement dans la réadaptation des handicaps physiques et mentaux. Enfin, c'est une activité volontariste, choisie et autogérée ; mobilisant l'individu dans sa globalité, elle est génératrice de plaisir.

1
À LA RECHERCHE D'UN ÉQUILIBRE PERSONNEL

RYTHMES BIOLOGIQUES ET ACTIVITÉS PHYSIQUES

Existe-t-il une heure de notre vie quotidienne où nous sommes ou moins fatigables ou plus performants ? Cette question s'inscrit tout naturellement dans l'étude des rythmes biologiques, qui, après avoir bouleversé la médecine, la pharmacologie et l'éducation, commence à intéresser le monde sportif. Il est des manifestations de l'organisme rythmées par le temps – temps forts, temps faibles – qui suivent une courbe identique d'un jour à l'autre, d'une saison sur l'autre. Certaines sont évidentes : alternance veille-sommeil, rythmes de la température et de la fréquence cardiaque, saison des amours... D'autres rythmes sont plus discrets, moins palpables : ceux de la tension artérielle, des sécrétions hormonales, du nombre de globules blancs... Chacun a ses variations régulières particulières, ses moments de pointe ou de faiblesse. Tous sont répartis, organisés de façon cohérente et influencent naturellement nos activités (dormir, s'alimenter, travailler, se reposer, rêver...), qui, comme les manifestations de l'environnement (jour, nuit, froid, chaleur, humidité, bruit...), peuvent réciproquement les influencer.

Il y a un temps pour chaque chose. Nous nous portons d'autant mieux que rythmes biologiques, changements périodiques de l'environnement, activités ne se contrarient pas, qu'ils sont en résonance.

■ À l'échelle de la journée

C'est bien sûr le rythme veille-sommeil qui est le plus important. Il y a des couche-tôt, des couche-tard,

des petits et des gros dormeurs ; mais c'est essentiellement de la qualité du sommeil, réparateur des fatigues physiques et nerveuses, que dépend l'état de forme de la journée. Un bon sommeil long débute quand la température du corps commence à baisser (entre 20 heures et 22 heures), alors qu'un sommeil

court commence plus tard, avant que la température n'atteigne son minimum (qui se situe vers 3 heures). N'oublions pas : « À bon réveil, bon sommeil », autrement dit, autant que faire se peut, le réveil spontané est souhaitable.

Quels sont les rythmes impliqués dans l'exercice physique ? Sommes-nous en mesure de répondre n'importe quand aux sollicitations des activités sportives ? Pendant l'activité, l'organisme doit s'adapter à l'effort, alimenter les muscles en oxygène et en énergie : la ventilation pulmonaire, le débit cardiaque augmentent. C'est après 15 heures, et surtout entre 16 heures et 19 heures, que les conditions physiologiques requises pour être performant sont réunies :
● La liberté bronchique, la température du corps, la tension artérielle, la fréquence cardiaque sont à leur maximum entre 16 heures et 18 heures.
● Le taux de sucre dans le sang, préalable indispensable à l'alimentation musculaire, est à son maximum, entre 15 heures et 17 heures.
Voilà qui nous explique pourquoi les records sportifs sont le plus souvent battus en milieu ou en fin d'après-midi, moments où chacun a atteint ses capacités musculaires maximales.

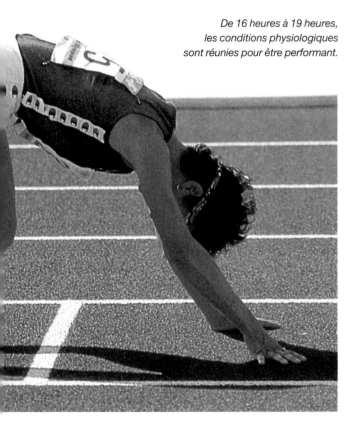

De 16 heures à 19 heures, les conditions physiologiques sont réunies pour être performant.

Si l'heure qui suit le lever est un moment de faiblesse suite au jeûne de la nuit, la matinée, après un petit déjeuner copieux, est favorable à des activités qui font appel à la réflexion, à la création : c'est le moment de l'entraînement « technique ».
Un moment à éviter est le début de l'après-midi, peu favorable à l'attention et à l'effort. C'est après 12 heures, et plus particulièrement vers 15 heures, que l'on enregistre le plus d'accidents de la route, période de moindre vigilance où la tension artérielle accuse une flexion, instant favorable à l'endormissement. En bref, c'est l'heure à laquelle il vaut mieux se reposer : le droit à la sieste est reconnu dans la Constitution chinoise ! Le soir, après le dîner, une activité modérée comme la marche peut favoriser une détente préalable au sommeil.

■ À l'échelle de la semaine

Le lundi est le jour noir : fréquence cardiaque et tension artérielle présentent des variations importantes, nos sécrétions hormonales sont désynchronisées, nous sommes fatigués du repos de fin de semaine ! Nous devons nous resynchroniser. Mardi, mercredi, jeudi, vendredi, nos rythmes biologiques stables sont favorables, suivant les moments de la journée, à des exercices réguliers, soutenus. Mais prudence, l'organisme n'est pas une mécanique, il ne peut répondre en permanence de manière efficace, il faut savoir alterner repos, activité, récupération.
N'oublions pas que les individus ne sont égaux entre eux ni devant la maladie ni devant l'effort physique. Il existe de grandes variations interindividuelles dans le domaine des rythmes biologiques : chacun a ses heures... et ses limites : son identité biologique.

■ Dans l'année

« L'homme est fait pour s'activer l'été, se reposer l'hiver » (Alain Reinberg). L'organisme présente dans l'année deux moments de faiblesse : fin d'automne-début d'hiver et surtout début de printemps. Prudence ! Ménageons-nous en février-mars, nous sommes vulnérables. De juin à octobre, c'est le sommet de la forme sur tous les plans. Profitons de cette bonne période pour programmer nos activités les plus intenses.

Somme toute, un peu de bon sens : se surpasser, pourquoi pas, mais pas n'importe quand. Tout est question d'équilibre, d'harmonie. Restons à l'écoute de nos propres rythmes et... pas d'acrobaties à 8 heures le dernier lundi de février...

LES ACTIVITÉS PHYSIQUES ET SPORTIVES AUX ÂGES DE LA VIE

■ L'enfant

Proposer au très jeune enfant un contact précoce avec l'activité physique est bon. En effet, une meilleure connaissance du développement et des capacités du bébé ont révélé un être aux compétences surprenantes. Parmi les disciplines offertes par certaines municipalités, notamment la Ville de Montréal, et les centres spécialisés qui accueillent les tout-petits, on retiendra l'activité bébés nageurs et la « baby-gym », qui ont comme objectif de développer toutes les capacités (corporelles, psychologiques, affectives) du jeune enfant, à travers de multiples situations et exercices. L'implication parentale, dans une démarche pédagogique cohérente, permet le partage de moments privilégiés entre l'enfant et l'adulte dans le cadre d'activités variées, de stimulations diversifiées faisant appel aux facultés d'adaptation de chacun et permettant ainsi l'épanouissement de l'enfant sans forcer le rythme des apprentissages.

Les stimulations sensorielles variées et les activités motrices adaptées, même au plus jeune âge, dans un climat affectif, chaleureux, ludique et sécurisant, concourent au développement psychologique, psychoaffectif et à l'éveil social de l'enfant.

Les bébés nageurs

Le milieu aquatique semble particulièrement riche puisque chacun des sens se trouve sollicité : au bord ou en surface, le regard est capté par le scintillement, la transparence, le mouvement de l'eau ; le toucher, par l'intermédiaire de la main et du corps entier, est sollicité tandis que l'oreille est attirée par le bruit de l'eau qui coule, qui gicle ou que l'on frappe... Le goût

Pour le bébé, la découverte de nouvelles sensations doit avant tout être source de plaisir et d'épanouissement.

et l'odeur de cette eau sont aussi des sensations nouvelles. Sous l'eau, la vision est modifiée ; la déformation et la transmission des sons intriguent ; le corps perçoit des sensations d'enveloppement.

La quasi-neutralisation des effets de la pesanteur, la possibilité de se déplacer sans entraves dans les trois dimensions de l'espace et la résistance au mouvement sont trois facteurs spécifiques à l'eau qui obligent l'enfant à élaborer un comportement moteur adapté, radicalement différent de celui qu'il utilise au sol. La recherche d'un autre équilibre, un accroissement de la liberté des mouvements, un élargissement du champ d'exploration ainsi qu'un ralentissement des gestes permettent de faire acquérir à l'enfant, en fonction de ses propres possibilités, un enrichissement des schémas posturaux, des modes de déplacement et un contrôle de la respiration. La température élevée de l'eau permet la détente de l'enfant, qui bénéficie de l'attention et de la disponibilité de ses parents.

L'enfant handicapé va gagner dans l'eau l'autonomie qui lui manque sur la terre ferme.

L'enfant handicapé va pouvoir, lui aussi, bénéficier de cet environnement différent qu'est l'eau pour rechercher l'autonomie qui lui fait tant défaut sur la terre ferme. L'immersion donne à l'enfant la capacité de se déplacer sans entraves, le plaisir d'évoluer seul, sans être tenu ni soutenu. L'activité bébés nageurs a l'immense avantage de privilégier la relation parents-enfant handicapé en permettant aux premiers de découvrir les capacités de leur progéniture. La piscine devient un lieu de socialisation où

enfants et parents se rencontrent ; elle contribue ainsi à la réalisation d'une ouverture sur le monde extérieur. Les animateurs aident à l'expression des difficultés rencontrées en respectant les possibilités et les besoins de chacun.

Pour tous, la piscine est un endroit chaleureux où des progrès moteurs et relationnels sont réalisés à travers le jeu. Les parents découvrent peu à peu que l'adaptation à l'eau apporte d'autres possibilités que la rééducation : le plaisir de bouger, de faire quelque chose ensemble, la satisfaction de voir évoluer leur enfant, le plaisir de le voir réussir.

Il faut accompagner l'enfant dans la découverte de son corps et de ses possibilités d'action sur l'environnement.

La « baby-gym »

Les programmes de gymnastique des petits bouts de chou se veulent une éducation corporelle et artistique de l'enfant de 3 à 5 ans à travers des situations adaptées à sa force musculaire. Ils ont pour principaux objectifs l'autonomie, la responsabilité et l'action. L'intérêt de cette activité est de proposer une pluralité de situations, d'adaptations motrices et psychologiques. L'adulte ne doit pas faire jouer l'enfant mais plutôt l'accompagner et favoriser le jeu spontané. Même si elle n'est pas efficace au niveau de la performance motrice et sportive, l'activité développe le plaisir de vivre, patrimoine indispensable sur lequel les enfants pourront s'appuyer plus tard.

Cette préparation à l'action, cet affinement du geste, cette attention portée à son corps sont autant d'éléments utiles à la prévention des accidents et des incidents de la vie courante. L'enfant découvre ainsi, dès l'âge de la garderie, l'importance et la joie du succès et de la difficulté surmontée.

L'expérience de la « baby-gym » a été menée chez des enfants trisomiques avec beaucoup de résultats favorables.

■ L'adolescent

Les enfants plus âgés ont, eux aussi, tout intérêt à pratiquer une activité physique. Des études menées par des auteurs canadiens ont en effet montré que la pratique des activités physiques et sportives à l'école ne nuisait aucunement au rendement scolaire, bien au contraire ; il a été établi que cette pratique a même tendance à améliorer les performances intellectuelles des enfants.

Les normes du nouvel habitat, le manque d'espaces verts en ville, les dangers de la rue ou la mécanisation constituent des freins à l'exercice de la ludomotricité enfantine. Les enfants des villes sont emprisonnés dans des appartements où ils ne trouvent pas les possibilités suffisantes d'expression motrice. C'est faire un cadeau à l'enfant que de lui donner un patrimoine moteur, gage d'une meilleure adaptabilité aux différentes situations auxquelles il sera immanquablement confronté.

Dans l'espoir d'une médaille, l'entourage pousse trop souvent à la spécialisation sportive précoce et intensive.

La pratique du sport améliore les capacités intellectuelles.

Il est cependant raisonnable de veiller au bon déroulement de l'entraînement afin d'éviter une spécialisation sportive trop précoce. La quête constante d'une amélioration des performances et la médiatisation ont progressivement abaissé l'âge où sont introduits sélections et entraînements aux épreuves de haut niveau. Dès lors se trouve posée la question des nuisances potentielles de ces nouvelles pratiques, entre autres en matière de puberté et de croissance staturale. Des entraînements intensifs et durables ralentissent la vitesse de croissance annuelle mais prolongent la période de croissance : l'individu atteint à un âge plus avancé que la normale la taille définitive conforme à son potentiel génétique. On ne peut cependant exclure totalement que des surentraînements puissent provoquer des nuisances irrémédiables. Le rappel à la prudence et au respect des règles éthiques fondamentales paraît donc indispensable quand la recherche de la performance est devenue omniprésente pour des enfants et pour leur environnement social.

Le sport chez l'enfant et l'adolescent est également un facteur précieux d'intégration à la vie des cités et

mérite d'être exploité au maximum afin de diminuer les problèmes des quartiers défavorisés. Le sport, par le bien-être qu'il apporte – détente psychique, oubli des soucis –, a certes un rôle non négligeable dans la prévention du « mal-être ».

■ La femme

En cette fin de siècle, le virus du sport atteint également les femmes. Il s'agit non seulement du goût de la performance mais aussi du besoin de se sentir bien physiquement. Le phénomène est relativement récent, bien que l'on note qu'à Sparte, à l'époque des premiers jeux Olympiques, les femmes avaient été admises aux compétitions car le sport était censé augmenter la fertilité. En fait, elles ont été rapidement exclues des activités sportives, qui ont, pendant des années, véhiculé une image de masculinité. Ce n'est que vers le milieu du XIXe siècle que le sport féminin est réapparu, d'abord à l'université, puis aux Jeux de 1920, grâce aux efforts d'Alice Milliat, envers et contre Pierre de Coubertin.

C'est sans doute depuis la Seconde Guerre mondiale que le rôle des femmes dans la société et dans le sport a été profondément modifié et enfin reconnu. Les sportives sont de plus en plus nombreuses, même si elles ne représentaient que 18 % de l'ensemble des athlètes lors des Jeux de Séoul. Cette proportion, certes encore faible, ne peut aller qu'en augmentant car notre société occidentale incite de plus en plus de femmes à pratiquer le sport.

Les effets de l'exercice physique et du sport chez la femme sont devenus des questions incontournables, régulièrement posées aux médecins, et ce quel que soit l'âge des sportives. Elles souhaitent connaître les répercussions de leur activité sur leurs règles, leur grossesse, leur accouchement, leur ménopause, leur vie de femme.

Les médecins ont constaté des troubles de la menstruation chez la femme sportive plus fréquemment que chez la femme sédentaire. Il s'agit essentiellement de retard d'apparition des premières règles, d'un allongement de la durée des cycles menstruels, d'une disparition des règles, d'une insuffisance en progestérone, ou même d'une absence d'ovulation si l'intensité de l'entraînement est encore augmentée. Les mécanismes qui conduisent à ces irrégularités du cycle menstruel ne sont pas complètement élucidés et sont probablement plurifactoriels. La plupart des femmes concernées retrouvent un cycle ovulatoire normal dès qu'elles diminuent l'intensité de leur entraînement sportif.

La position allongée dans l'eau permet une meilleure circulation, soulage les problèmes de dos et facilite la respiration.

Le sport et la femme enceinte

Si, le plus souvent, les recommandations faites aux femmes enceintes sont fondées sur le bon sens et la modération, il n'est pas impossible par ailleurs que les activités physiques et sportives soient bénéfiques pendant la grossesse, même si, subjectivement, la femme enceinte se sent en général moins capable de faire un effort physique. Pourtant, des performances ont été réalisées par des femmes enceintes, parfois à un stade avancé de la grossesse. Il a même été dit que la grossesse avait été utilisée comme méthode de dopage grâce à l'augmentation du volume de sang circulant constatée dès le début de la gestation. Aucune preuve n'a jamais été apportée à ces affirmations. Par ailleurs, l'arrêt brutal d'une pratique sportive habituelle pourrait avoir des effets négatifs tels que dépression ou prise de poids exagérée.

Pour l'ensemble des grossesses à évolution normale, la pratique d'une activité physique et sportive de rythme et d'intensité raisonnables ne s'accompagne d'aucune conséquence fâcheuse pour le fœtus. Cependant, les encouragements à la pratique spor-

tive doivent être modulés en fonction de la forme physique de la femme, de son entraînement, de ses habitudes de pratique sportive. Le simple bon sens doit faire privilégier les sports non violents et interdire la compétition après le deuxième mois. L'activité sportive doit toujours être pratiquée entre 60 et 75 % des capacités maximales. La femme enceinte doit boire beaucoup pour éviter toute déshydratation, renoncer à toute activité en haute altitude et en plongée et éviter toute augmentation de la température centrale. En dehors de ces quelques restrictions, une activité sportive normale et raisonnable peut être poursuivie et est même souhaitable pendant la grossesse, en particulier chez les femmes entraînées.

Compte tenu de ces recommandations, il existe des sports plus ou moins adaptés.
● La natation est, pour plusieurs raisons, la discipline la plus recommandée à la femme enceinte. Le poids du corps n'étant pas supporté par les membres inférieurs, aucune notion d'équilibre n'est nécessaire et il n'y a aucun risque d'entorse. La position du corps est bénéfique pour les douleurs du dos et la circulation veineuse de retour, même debout dans l'eau. L'effet relaxant du bain, la température agréable, le travail respiratoire favorisent la relaxation. Ce sport, qui peut, par ailleurs, être pratiqué jusqu'au terme de la grossesse par des débutantes comme par des initiées, fait l'unanimité au point que l'on pratique parfois la préparation à l'accouchement dans l'eau.
● La marche et la gymnastique de mise en forme peuvent être pratiquées sans risque.
● D'autres sports sont autorisés mais exigent une grande prudence, compte tenu du risque ligamentaire provoqué par le climat hormonal de la

---

5 bonnes raisons de faire du sport pour la femme enceinte

▶ le plaisir de faire du sport
▶ l'entretien du bien-être psychologique et corporel
▶ la prévention de l'insuffisance veineuse (jambes lourdes, varices) grâce au travail musculaire des membres inférieurs
▶ la limitation des dorsolombalgies
▶ une meilleure maîtrise de l'appareil respiratoire dans la perspective de l'accouchement

grossesse : cyclisme, tennis, jogging, planche à voile traditionnelle, ski de fond, danse.

⬤ Sont contre-indiqués tous les sports où l'effort est intense et prolongé (marathon, triathlon), ceux au cours desquels existent des contacts individuels ou collectifs (sports de combat, football, basket-ball, handball...), les sports à haut risque de chute (ski alpin, ski nautique, surf, canoë-kayak, équitation, patinage, plongeon, trampoline...), la plongée sous-marine.

Répondant aux critères de plaisir et de santé, le yoga peut être pratiqué pendant toute la durée de la grossesse.

Dans le milieu du sport, une ancienne opinion selon laquelle les accouchements chez les sportives étaient longs et pénibles reste encore bien ancrée. En fait, toutes les études récentes démentent cette idée et prouvent que les sportives accouchent bien et peut-être mieux que les autres femmes. Il est cependant recommandé de faire précéder l'accouchement d'une préparation psychoprophylactique adaptée, leur présentant celui-ci comme une compétition à envisager avec enthousiasme, et non comme une épreuve inéluctable, douloureuse et délabrante.

Les sportives sont plus désireuses de retrouver leur forme physique rapidement et sont amenées à commettre de graves erreurs dans la reprise de l'activité si elles ne bénéficient pas de bons conseils techniques. Il est primordial de ne pas faire de musculation abdominale mais de pratiquer, en premier lieu, une rééducation périnéale, avec un physiothérapeute au besoin. Celle-ci a pour but de remuscler le plancher périnéal, afin d'éviter l'installation de troubles de la statique pelvienne comme la descente d'organes ou les fuites urinaires d'effort. Toutes ces précautions sont évidemment valables aussi pour les sédentaires. Dès que l'état périnéal sera satisfaisant, aux environs de la sixième semaine, et dès que la sportive s'en sentira capable, la reprise de l'entraînement s'effectuera de manière très progressive, sans perdre de vue que l'allaitement peut être une gêne du fait des contraintes liées aux tétées, de l'hypertrophie mammaire et de la fatigue qu'il provoque. En pratique, l'entraînement plus intensif pourra être repris trois à quatre mois après l'accouchement.

Le sport et la femme ménopausée

La ménopause est, dans la vie d'une femme, une période qui voit se tarir la sécrétion d'œstrogènes. Selon des études, ces œstrogènes sont indispensables au maintien d'une masse osseuse satisfaisante. Par ailleurs, la pratique d'un sport diminue les risques de fracture et modifie l'architecture de l'os. Il paraît donc logique et bénéfique de proposer aux femmes ménopausées une activité sportive, un traitement substitutif de la ménopause et un régime alimentaire riche en calcium. On a constaté aussi que les femmes sportives ménopausées ont beaucoup moins de cancers hormonaux-dépendants (sein, utérus) que les autres femmes. Compte tenu du temps de latence de développement de ces cancers, il est probable que ce résultat est dû à une action bénéfique du sport bien avant le stade de la ménopause.

Le choix des activités sportives à cette période de la vie se fera en fonction des critères déjà énoncés pour la femme enceinte : pas de violence, pas de risque de chute, pas de compétition, 60 % des capacités maximales, pratique en basse altitude de préférence. Faire du sport en groupe est un critère incitant à la convivialité et important dans la lutte contre la solitude, si fréquente au troisième âge. Pour des raisons similaires à celles déjà citées, la natation est un excellent choix.

L'activité physique s'adresse aussi tout particulièrement aux personnes du troisième âge. Sa pratique régulière permet de lutter contre la sédentarité, le surpoids, le diabète, les hyperlipidémies, l'hypertension artérielle et l'arthrose.

■ Le troisième âge

Le troisième âge autorise une plus grande disponibilité pour soi-même, mais bien souvent des pathologies telles que l'hypertension artérielle, l'arthrose, le diabète, l'embonpoint, les dyslipidémies (valeurs augmentées des graisses dans le sang) encouragent la sédentarité.

C'est un véritable cercle vicieux qui s'installe dans nos pays industrialisés : en effet, le sédentaire ayant de plus en plus de difficultés à réaliser des efforts en fera le moins possible. Il verra ses capacités cardiaques et musculaires diminuer avec le temps. Cette situation sera aggravée par les mauvaises habitudes alimentaires, l'abus d'alcool et de tabac. Or, les effets à long terme de la pratique sportive sont particulièrement intéressants pour lutter contre ces différentes maladies.

L'exercice physique est un traitement à part entière de l'hypertension modérée, du diabète et des dyslipidémies, parce qu'il exerce un rôle protecteur contre les maladies cardiovasculaires. L'arthrose aussi est soulagée par l'exercice, à condition que le sport pratiqué permette une mobilisation de l'articulation touchée sans que celle-ci soit en appui. Même si les activités physiques et sportives n'ont que peu d'influence sur la perte de poids, il est vivement recommandé aux personnes souhaitant maigrir d'en pratiquer une, aussi réduite soit-elle.

Par ailleurs, une activité sportive collective aura l'immense avantage de permettre la rencontre entre des individus isolés.

Les sportifs ignorent beaucoup trop souvent que, pour être bénéfique, la pratique sportive doit être progressive, régulière et poursuivie toute la vie durant. Il est en effet illusoire de prétendre bénéficier d'une influence positive sur la santé si l'on ne s'astreint pas au moins à trois séances hebdomadaires de quarante-cinq minutes. Les effets favorables du sport sur la tension ou sur le taux de sucre et de graisses dans le sang ne sont donc constatés que si l'assiduité à l'exercice est suffisante.

Il apparaît ainsi clairement que la pratique d'une activité physique régulière et raisonnable a un effet bénéfique sur la santé physique et psychique, surtout si elle a commencé dès le plus jeune âge et a été poursuivie le plus longtemps possible.

2
RISQUES ET ERREURS

LES DÉRIVES DU SPORT : EXCÈS ET NUISANCES

On constate depuis quelques décennies une dérive du sport. Il faut rappeler que celui-ci constitue, pour le sportif entraîné comme pour le néophyte, une activité visant la performance aux confins des possibilités physiologiques, qu'elle se situe au plus haut niveau ou qu'elle soit relative à chaque amateur. L'obligation imposée par la société de réussir, de paraître toujours jeune, efficace, agressif, fait de la performance sportive un symbole idéologique. Devenue spectacle et moyen de prestige, la performance est commercialisée, médiatisée et imposée comme modèle éthique du dépassement. Faire toujours plus est une fin en soit bien admissible quand préparation et précaution sont à la mesure de l'enjeu ; si ce n'est plus le cas, erreurs, excès et nuisances sont inévitables.

C'est vrai chez le sportif de haut niveau, dont la spécialisation sportive indéfiniment répétitive au long de sa carrière, pour d'aucuns jusqu'à l'obsession, provoque, à côté d'un rendement ponctuel maximal, une fragilisation d'ensemble et souvent une usure prématurée d'une biologie anormalement sollicitée. C'est également vrai chez le sportif occasionnel, dont l'organisme, endormi par la sédentarité et non entraîné, peut se trouver trop brusquement sollicité par l'appétit d'un résultat flatteur. Surviennent alors des risques, des déséquilibres, des ruptures pouvant compromettre l'équilibre vital, surtout au niveau cardiovasculaire ou fonctionnel – notamment rachis et appareil locomoteur.

C'est ainsi que l'image de la confrontation maximale promue par les médias occulte les vertus discrètes du sport santé.

Une longue progression est nécessaire pour que santé, efficacité et esthétique se rejoignent.

289

■ Vouloir trop vite et trop tôt : l'enfant malmené

Si l'absence d'activités physiques et sportives est dommageable au développement de l'enfant, une pratique précoce et régulièrement intense peut avoir des conséquences redoutables, voire dramatiques.

● La mort de l'enfant sur le stade est un phénomène non exceptionnel, encore que difficile à évaluer en raison de l'absence de centralisation statistique. Elle est le plus souvent sans rapport avec un accident traumatique. La mort subite intervient par inadaptation aiguë à un effort maximal ou par coïncidence d'une pathologie plus ou moins silencieuse et d'un effort inhabituel.

● Hors ces cas extrêmes, les entraînements intensifs précoces peuvent provoquer des troubles de la croissance dus à la perturbation de métabolismes hormonaux. À cette perturbation se conjugue parfois une alimentation restrictive lorsque le facteur catégorie de poids joue dans l'obtention de la performance.

● Ces remaniements hormonaux se traduisent, en particulier chez les jeunes filles, par des retards de puberté, des troubles des règles et des aménorrhées. Aux jeux Olympiques de Tokyo, 90 % des participantes avaient des menstruations normales ; douze ans plus tard, aux jeux Olympiques de Montréal, on n'en dénombrait plus que 40 %. Des chiffres comparables ont été retrouvés depuis : des perturbations menstruelles ont été observées récemment chez 60 % des sportives de haut niveau, toutes catégories confondues.

● L'hyperactivité hormonale a également des incidences sur le système ostéoarticulaire précocement remanié par les contraintes accumulées. Elle est à l'origine de fractures spontanées ou consécutives à des traumatismes apparemment minimes.

● Autre conséquence des désordres hormonaux entraînés par des efforts sportifs durablement intenses, les dépressions immunitaires favorisent l'apparition d'une pathologie infectieuse – rhinopharyngites, otites des nageurs, affections dermatologiques des judokas, mycoses, etc. – facilitée également par les conditions d'hygiène quelquefois défectueuses des installations sportives.

● Les problèmes cardiaques donnent aussi à réfléchir. Avant la mise en œuvre de certaines formes d'entraînement, on ne trouvait aucune symptomatologie liée au sport chez l'enfant présumé normal. Il n'en va plus de même aujourd'hui, où tout un ensemble de signes électrocardiographiques régulièrement décelés peuvent être diversement interprétés.

Réversibles ou disparaissant à l'effort, ils pourraient indiquer une bonne adaptation. Non réversibles, ils traduiraient des anomalies requérant une enquête cardiovasculaire approfondie afin d'éviter l'entrée dans une pathologie ou un accident plus brutal.

■ Autres risques des entraînements intensifs précoces

Un chapitre important de la pathologie sportive du jeune est consacré aux accidents et à la pathologie microtraumatique.

● Les accidents sportifs ont fait l'objet de nombreuses publications. Ils sont fréquents dès la prépuberté des garçons et chez l'adolescent. Ils sont le premier type d'accidents recensés après 12 ans. Le docteur Francisque Commandré souligne « le rapport étroit entre le mécanisme productif de la lésion et la biomécanique de l'exercice sportif. C'est une pathologie de surconsommation... Les contraintes biomécaniques dépassent les seuils tolérés par les éléments tissulaires », d'où la fréquence des accidents.

Dans certaines spécialités sportives, ou encore dans les écoles de cirque, près des trois quarts des sujets subissent chaque année : lésions des cartilages de conjugaison avec ou sans arrachement, lésions des épiphyses et des surfaces articulaires, arrachements tendineux, laxités ligamentaires, pathologie rachidienne. L'adolescent est plus fragile que l'adulte du fait de la croissance de son organisme et de la vulnérabilité des zones d'ossification ou d'insertion ligamentaire.

Tous les médecins s'occupant de jeunes sportifs sont frappés par le nombre de tendinites et de ténosynovites d'insertion d'origine sportive. Outre les conséquences immédiates : traitement médical ou chirurgical et interruption momentanée ou définitive de l'activité sportive, ce sont les séquelles invalidantes qui sont préoccupantes.

● Moins spectaculaire que l'accident et que la pathologie aiguë consécutive à une charge de travail excessive, la pathologie microtraumatique est spécialement vulnérante sur des appareils ostéoarticulaires en croissance. Elle résulte de microtraumatismes provoqués par la répétition indéfinie des mêmes gestes. La surutilisation d'articulations et de groupes musculotendineux est à l'origine de dystrophies vertébrales de croissance, de lésions, d'ostéochondrites, de nécroses apophysaires. Dans certaines sections de gymnastique, 84 % des sujets jeunes présentent des images radiologiques de lésions. Là encore, en dehors des conséquences négatives sur la carrière sportive, c'est le pronostic fonctionnel, à moyen et à long terme, du futur adulte qui est en jeu.

● Enfin, sur le plan psychologique, les pédopsychiatres ont rencontré chez les enfants et les adolescents pratiquant à un haut niveau des troubles psychologiques d'anxiété sur fond d'immaturité, liés à l'important investissement dans la performance et à la précarité de l'enjeu sportif, par définition sans cesse remis en question. Les stress sont aggravés par le surmenage sportif, l'inquiétude et les exigences de l'environnement, les compétitions fréquentes, les remises en cause permanentes aboutissant à une monopolisation obsessionnelle de la vigilance sur un objectif spécifique, à un âge où l'ouverture et la diversité des intérêts pour le monde sont la règle. Des déstabilisations peuvent se faire jour lorsque les performances stagnent ou lorsque des échecs successifs entraînent l'élimination. La réussite peut être aussi perturbante parce que généralement éphémère, entraînant des frustrations que le sujet n'a pas été préparé à gérer.

Un gâchis humain...

En définitive, de nombreuses publications étrangères et canadiennes ont montré qu'après un travail intensif et sélectif, éliminant déjà la plupart des jeunes soumis à certains entraînements intensifs précoces, la grande majorité des espoirs, c'est-à-dire les sujets qui étaient les meilleurs ou les plus prometteurs, a complètement disparu de la

Beaucoup d'aisance dans l'effort soutenu, mais au-delà, attention ! Le risque est à la fois dans le manque et dans l'excès.

Malgré l'entraînement le plus savant, le cerveau du pilote n'aura toujours que quelques centièmes de seconde pour réagir.

scène sportive aux niveaux junior et senior. On ne peut que constater cet énorme gâchis humain.

Si chez l'enfant, sain au départ, l'évaluation des conséquences fâcheuses du sport intensif précoce est difficile – parce que l'information est fragmentaire –, chez l'adulte, la difficulté est encore majorée. En effet, plus l'individu avance en âge, plus la complexité et le nombre des variables intervenant dans son vécu s'accroissent. En dehors des cas flagrants où des relations de cause à effet semblent évidentes, il peut être plus difficile d'isoler la nuisance sportive de situations à causes multifactorielles. Les données parcellaires entraînent une sous-estimation des phénomènes.

■ Autant de pratiques sportives, autant de pratiquants

À toutes ces difficultés s'ajoute la diversité des pratiques et des pratiquants. Car, si la notion de sport est devenue ambiguë, celle de sportif ne l'est pas moins. À ce titre, il est utile de distinguer diverses catégories de pratiquants.

● Le sportif de toujours a pratiqué une ou plusieurs disciplines depuis sa jeunesse et persévère régulièrement jusqu'à un âge avancé. Pour lui, l'activité physique et sportive fait partie de la vie quotidienne et induit des comportements favorables. Généralement il se connaît bien et sait jouer avec ses aptitudes et ses limites. Cette catégorie de pratiquants ne pose pas de problèmes médicaux particuliers.

● À l'opposé, le sédentaire chronique mais conscient, avec l'âge, des inconvénients de la sédentarité et de la dégradation de son image peut être tenté par la mode sportive qui valorise la « ligne », la « bonne forme » et le « look jeune ». Il lui faudra patience et longueur de temps, par un apprentissage progressif et adapté, pour parvenir à une certaine aisance corporelle ; sinon, l'impatience l'emportant, attention aux déboires !

● Entre ces deux extrêmes se situe le cas fréquent et redoutable de l'ancien jeune sportif de bon niveau qui a « raccroché » pour des raisons sociales habituelles : études, voyages, mariage, profession, et qui se retrouve, la trentaine ou la quarantaine passée, empâté, essoufflé, avec un corps fatigué. Il arrive que, désireux de retrouver au plus vite ses prouesses d'antan, il fasse violence à son corps et, par un redémarrage brutal, l'expose à des ruptures. D'où des accidents cardiovasculaires ou ostéoarticulaires qui font de cette catégorie sportive une population à suivre avec attention.

■ L'aventure hors limites : le complexe d'Icare

Cette violence faite au corps qui limite l'exploit ou qui enferme la volonté de puissance serait-elle prémices de nouvelles pratiques en vogue aujourd'hui ? Le « hors limites », violence faite à la vie, ne peut-il être considéré dans certains cas comme une conduite pseudosuicidaire, la mort acceptée sanctionnant la fausse manœuvre ? Défi à la plus difficile escalade, à l'isolement transocéanique, défi à l'espace ou aux profondeurs, chevauchement de bolides... Nouveaux Icares, ces aventuriers de l'exploit épris de maîtrise de soi et de maîtrise technique découvrent une jouissance dans le paroxysme du risque...

À ces violences sur soi-même s'ajoutent les inconséquences ou les mauvaises utilisations de l'organisation temporelle de la société, qui va à l'encontre des rythmes cycliques de la biologie humaine. À titre d'exemple, dès le signal des vacances d'hiver donné, combien sont-ils à se précipiter dans les trains ou dans leur voiture pour se retrouver au plus tôt sur les pistes, cumulant ainsi la fatigue des jours et celle du voyage à celle d'un sport généralement abordé sans préparation ?

L'organisme malmené s'adapte jusqu'au moment où il craque, d'où l'incident, voire l'accident et toutes ses conséquences.

Outre la diversité de ces causes, la pathologie sportive adulte, chez celui ou celle qui pratique hors des associations spécialisées, est d'autant moins repérable que les médecins ne sont pas tenus de l'identifier comme telle dans le cadre de l'Assurance-maladie. La plupart des dommages sportifs sont donc discrètement pris en charge par l'État sans qu'on puisse vraiment en mesurer l'ampleur. Certains comptes rendus d'enquêtes et certains chiffres évoquent cependant les conséquences fâcheuses du mésusage du sport.

Le danger menace la foule hétérogène et non préparée débarquant au petit matin sur les pistes.

Le plaisir de la glisse est grisant. Mais gare à l'ivresse sans la maîtrise, le réveil peut être extrêmement douloureux.

D'après la dernière enquête menée par l'Institut canadien de la recherche sur la condition physique et le mode de vie, les accidents sportifs représentent globalement 12 % des accidents de la vie courante. À la suite de ces accidents, environ les deux tiers des personnes s'absentent du travail ou de l'école pendant au moins une journée.

Les blessures sont beaucoup plus fréquentes chez les jeunes de 10 à 24 ans, dont 27 % en moyenne ont un accident par année avec arrêt d'activité d'au moins une journée. La fréquence des blessures augmente sensiblement avec le niveau d'activité ; toutefois, les personnes actives se rétablissent plus rapidement. On a vu que les sportifs en entraînement de compétition ou dans une école de cirque se blessent en grande majorité au moins une fois par année. Ces personnes cependant ont accès à des soins préventifs et curatifs efficaces, ce qui n'est généralement pas le cas du sportif moyen qui néglige souvent la préparation avant de se lancer dans une nouvelle saison d'activité.

Chaque hiver, au Québec, on compte des milliers d'accidents de ski dont certains sont mortels. Les entorses du genou et de la cheville, les fractures consécutives à des chutes et les courbatures au niveau du dos guettent le skieur rouillé ou téméraire. Au printemps, le jogging impose au coureur qui sort subitement de son hibernation toutes sortes de maux plus ou moins graves : courbatures au niveau des mollets, douleurs dans les pieds, claquage musculaire des mollets, tendinites et syndrome rotulien.

Enfin le mésusage du sport entraîne une accélération de la pathologie dégénérative en fonction de l'âge. Par exemple, la pathologie rachidienne, tous ces maux de dos qui affectent des milliers de personnes, peut être provoquée ou aggravée par une pratique sportive intempestive. Il s'agit là de pathologies chroniques.

■ Un retour à soi : savoir jouer avec le possible

Que faire pour se prémunir contre le sport-nuisance et lui substituer les effets bénéfiques multiplicateurs que le bon usage d'une activité sportive produit ? Le

simple bon sens apporte les bonnes réponses. La nature est progressive et cyclique. Il faut labourer avant de semer et faire pousser avant de récolter. L'homme possède des capacités adaptatives considérables mais elles ont des limites. Plus l'environnement culturel se transforme et se complexifie, plus l'homme devrait être capable de se protéger et de cultiver ses ressources pour réguler au mieux ses interrelations avec son environnement. Pour cela il lui appartient de bien s'apprécier en situation, de bien se connaître lui-même pour mieux cultiver son corps et mieux se porter.

En ce qui concerne l'exercice d'une activité sportive, deux recours semblent recommandables.

Le recours à soi-même

D'abord apprendre à s'écouter, à ne prendre sur soi que pour l'inévitable, ne pas forcer à plaisir sa nature en se souvenant que tout effort réclame une récupération. Le sport est un moyen de se sentir et de se retrouver bien dans sa peau. Selon le désir ou le besoin, il peut être défouloir, rééquilibrateur, repos actif ou retour convivial vers autrui ; l'important étant d'éprouver du plaisir. Toute fatigue pénible, toute douleur viscérale ou musculaire, toute sensa-

tion de malaise représente un signal qui ne doit pas être ignoré. Le ressenti subjectif n'empêche pas de recourir à des indicateurs plus objectifs.

La fréquence cardiaque est un bon élément d'autocontrôle. Un pouls lent, à 50 ou 60 battements par minute, s'élevant modérément lors d'un effort mesuré et revenant rapidement au calme, est un excellent indice de bonne condition du moment, cardiaque et générale. On peut ainsi facilement s'autocontrôler par une épreuve fonctionnelle simple, dérivée du test de Ruffier. Il s'agit d'exécuter vingt flexions profondes des membres inférieurs, au rythme d'une flexion toutes les deux secondes. On note le pouls au calme, assis, juste après la vingtième flexion, et on évalue ensuite le retour au calme, assis, de deux minutes en deux minutes. Toute augmentation de la fréquence cardiaque au-dessus de 110 pulsations et un retour au calme au-delà de deux à trois minutes indiquent un état général médiocre, et cela d'autant plus que le rythme cardiaque est plus élevé et que la durée du retour au calme est plus longue.

Cet autocontrôle concerne également les rythmes de la vie quotidienne, qu'il s'agisse de l'activité, de l'alimentation ou du sommeil. Des moments de détente et de relaxation permettent de marquer des pauses si l'ambiance est électrique ou trépidante. La libération sportive met de belle humeur quand la vie commande l'immobilité forcée et la fatigue nerveuse.

Le recours au médecin

Le recours à soi-même, pour important qu'il soit, pourra être complété, surtout dès le premier doute, par le recours au médecin, qui ne saurait limiter son rôle à celui d'un distributeur de soins mais qui se doit d'être aussi un conseiller de santé. Son rôle, en médecine du sport, est d'apprécier objectivement l'aptitude à l'effort et de faire un bilan global des possibilités du moment, surtout lorsque le sujet avance en âge ou que la pratique sportive est intensive, intermittente ou à risque particulier. Cet examen doit être l'occasion d'un dialogue, de conseils, d'orientations, de réorientations ou d'éventuelles mises en garde, en tout cas d'une incitation à jouer sur la gamme de tous les possibles, qu'il s'agisse de développer des capacités, d'équilibrer une vie agitée ou de corriger des difficultés qui ne demanderaient qu'à glisser vers la pathologie avec le temps. L'appréciation des risques en amont et les correctifs appropriés gérés par l'intéressé, davantage motivé pour se prendre en charge, ressortent d'une logique de prévention de la souffrance individuelle et de la sujétion à la collectivité.

LE DOPAGE

Lors de chaque grand événement sportif (jeux Olympiques, coupe du monde), le dopage revient sur le devant de la scène.

Le sport de haut niveau mobilisant des intérêts financiers ou politiques considérables, le dopage se développe en permanence et la «science du dopage» progresse elle aussi de jour en jour, avec l'apparition de nouveaux produits, de nouvelles combinaisons, ou de nouvelles méthodes pour échapper aux contrôles et à la une des journaux qu'entraîne toujours un test positif.

Mais si le dopage n'est utilisé que par une minorité de sportifs de haut niveau, il touche malheureusement d'autres catégories, notamment des jeunes dans certains sports où «se charger» fait partie de l'éducation.

Le sport de loisir est lui aussi touché de plein fouet. La musculation en particulier fait ressembler certaines salles davantage à des laboratoires pharmaceutiques qu'à des centres de sport et d'épanouissement du corps.

Les substances dopantes sont rassemblées en différentes classes et regroupées sur une liste officielle qu'on peut se procurer auprès des associations de sports amateurs et olympiques.

■ Les principales substances dopantes

● Les stimulants

Les plus célèbres et les plus anciens sont les amphétamines, qui ont quelques morts à leur actif. Les stimulants augmentent la vigilance, l'activité intellectuelle, l'agressivité et diminuent la sensation de fatigue. À haute dose, ils permettent un dépassement des limites du corps humain mais mettent l'utilisateur en réel danger de mort (décès par défaillance cardiaque notamment). Ils sont responsables de phénomènes d'accoutumance et de dépendance. Et ils demeurent d'actualité, malgré les nombreuses prises de position.

● Les antidouleurs et stupéfiants

Ils sont susceptibles de faire cesser des douleurs limitant l'activité sportive, véritable signal d'alarme de l'organisme. Ils peuvent donc favoriser (ou aggraver) des blessures, mais aussi provoquer l'apparition de troubles psychiatriques, et entraînent des phénomènes de dépendance physique ou psychique et d'accoutumance.

● La testostérone et autres anabolisants

Ce sont des parents de l'hormone mâle, reine des salles de musculation et du sprint en athlétisme – on se souvient de la disqualification de Ben Johnson lors des jeux Olympiques de Séoul en 1988. Ils permettent, en association avec l'entraînement et une alimentation adaptée, d'accroître la masse et la force musculaires. Ces produits miracles sont susceptibles d'induire des complications majeures (cancer des glandes sexuelles, tumeur du foie, rupture tendineuse, atrophie testiculaire...).

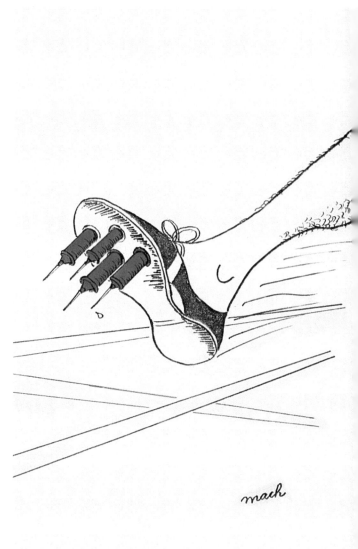

On accuse souvent le sprint de recruter beaucoup de sportifs dopés aux anabolisants. À quand les prélèvements sanguins ?

Mortelles pratiques

Le mot dopage viendrait de *dop*, une boisson d'Afrique du Sud composée d'alcool et d'extraits de noix de kola. Si les stimulants sont utilisés par les hommes depuis des millénaires, le dopage prend des proportions inquiétantes depuis une vingtaine d'années, avec des conséquences parfois dramatiques, allant jusqu'à l'invalidité permanente ou la mort.

Ainsi, le 13 juillet 1967, le cycliste Tom Simpson décédait sur les pentes du mont Ventoux, pendant le Tour de France. Le rapport d'autopsie conclut à un collapsus cardiaque imputable à un syndrome d'épuisement, provoqué par un surmenage intense, une chaleur étouffante et l'absorption de substances dangereuses, en l'occurence des amphétamines.

Le récent exemple de Maradona montre que la question est plus que jamais d'actualité. Malgré les risques, de nombreux sportifs – et pas seulement ceux de haut niveau – se droguent. Même des adolescents prennent des anabolisants pour ressembler à Rambo. Les effets de ces derniers, parents de la testostérone, une hormone mâle, sont particulièrement désastreux sur l'organisme féminin.

Même si la surconsommation de produits interdits paraît évidente, encore faut-il arriver à le prouver.

● *Les bêtabloquants*

Médicaments antihypertension, ils sont employés pour lutter contre le stress et le tremblement dans les sports de précision (tir...). Utilisés sans surveillance ou à dose excessive, ils entraînent des troubles du rythme cardiaque. À la longue, ils peuvent provoquer l'impuissance.

● *Les diurétiques*

Médicaments favorisant l'élimination d'eau et de sel, ils permettent de perdre rapidement du poids avant la pesée d'un combat, et d'éliminer les produits interdits dans les urines avant les contrôles antidopage. La perte de potassium qu'entraîne leur usage intensif ou prolongé peut provoquer des désordres neuromusculaires graves. Dans l'avenir, il est possible que l'on recherche les substances interdites dans le sang, afin de mieux les dépister.

● *Les hormones*

Elles sont les dernières-nées des alchimistes du dopage. On pense à l'érythropoïetine. Cette dernière permet d'accroître la fabrication des globules rouges et d'améliorer ainsi la performance dans les sports basés sur les efforts de longue durée. On la soupçonne d'être à l'origine de morts mystérieuses chez de jeunes sportifs, dans le cyclisme notamment.

Les anesthésiques (antidouleur) locaux sont interdits afin de limiter la tentation d'un usage intensif.

Les autotransfusions sanguines, qui ont été à la mode pendant quelques années (ski de fond, marathon, 10 000 mètres...), sont dépassées depuis l'arrivée sur le marché de l'érythropoïetine, qui stimule directement la fabrication de globules rouges.

Même si le dopage est un phénomène vieux comme le monde, au-delà du fait qu'il nuit à la morale du sport, on ne peut le considérer comme un fait mineur, car il est la source de nombreuses désillusions, d'incidents et même d'accidents mortels. C'est pour cette raison qu'il doit être vivement combattu par des équipes pluridisciplinaires (médecins, pharmaciens, chercheurs) capables de lutter efficacement contre cette pratique.

LA RELAXATION DANS LA PRÉPARATION À L'EFFORT

Les activités physiques et sportives sont le plus souvent envisagées comme des pratiques d'équilibre et de santé ; elles peuvent cependant être source de stress quand le sport se fonde trop sur la recherche des performances.

Le sport doit être aussi recherche d'harmonie avec soi-même, les autres et le monde. Les techniques de préparation mentale peuvent aider le sportif à atteindre cette harmonie à travers la poursuite d'objectifs précis : maîtrise de l'anxiété, amélioration de la performance et de la motivation. Les méthodes utilisées sont très nombreuses, mais toutes reposent sur un nombre assez restreint de catégories d'action.

■ Les bases de la préparation à l'effort

● *La suggestion* et *l'autosuggestion*, à la base du phénomène hypnotique et qui mettent l'imagination au service de la volonté.

● *La concentration*, qui dirige l'attention sur un domaine précis, en éliminant informations et pensées parasites.

● *L'imagerie* ou la visualisation, qui est la représentation mentale d'une situation ou d'une action.

● *La relaxation*, qui, par le relâchement musculaire, agit sur la tension psychique.

● *La mise en tension*, qui, à l'inverse, augmente l'éveil et active le système nerveux.

● *Les contrôles respiratoires*, avec ralentissement de la respiration si une relaxation est recherchée, ou hyperventilation dans le cas contraire.

Les méthodes destinées au contrôle de l'anxiété visent à réduire des mécanismes physiologiques déclenchés habituellement en condition de stress. Peuvent être utilisés à cet effet : le training autogène de Schultz, la relaxation progressive de Jacobson, l'hypnose, le biofeedback, la méditation transcendantale ou encore le yoga.

Quand elles visent à améliorer la performance par l'acquisition de nouveaux comportements, les techniques de relaxation sont souvent associées à des méthodes d'inspiration cognitive et comportementale. Combinant relaxation, concentration et imagerie, elles sont pratiquement toutes inspirées de la désensibilisation systématique de Wolpe. Le joueur de tennis, par exemple, se prépare mentalement à un match en associant la relaxation et la visualisation de moments particulièrement importants de ce match, soit pour atténuer son anxiété à l'approche de la partie et se mettre en confiance, soit pour préparer la mise en place d'une stratégie.

Des objectifs réalistes

L'amélioration de la motivation, enfin, intègre toujours la fixation d'objectifs réalistes. Le sujet doit pouvoir situer son activité sportive dans l'ensemble de son existence et ne pas tout demander à sa vie sportive. De plus, lorsque le comportement est dirigé vers des buts bien définis, le stress a tendance à diminuer puisque, on le sait, un des facteurs de stress les plus importants est l'incertitude. Par ailleurs, réaliser ses objectifs donne la sensation de contrôler sa vie et augmente l'estime de soi. Et c'est tout le propos des activités physiques et sportives de permettre d'atteindre cet objectif.

La désensibilisation systématique

Technique basée sur le principe de l'inhibition réciproque : il s'agit d'adjoindre à la situation anxiogène une réponse qui est incompatible avec le développement de l'anxiété. On utilise la relaxation en l'associant à l'imagerie mentale d'anxiété, car on ne peut pas être à la fois tendu et relaxé. Les étapes sont les suivantes :

▶ Information sur l'anxiété, ses effets sur la tension et la performance, et les possibilités de la négocier.

▶ Apprentissage d'une technique de relaxation afin d'arriver à une réponse de relaxation au niveau des muscles, de la respiration et du cœur (peuvent être utilisés la relaxation progressive de Jacobson, le training autogène de Schultz, le yoga, etc.). Quatre à cinq séances sont nécessaires.

▶ Construction d'une hiérarchie des situations anxiogènes en fonction du niveau d'anxiété qu'elles provoquent chez le sujet.

▶ Après relaxation, visualisation – sans tension excessive – par le sujet de la première situation anxiogène qu'il doit vivre. Il se relaxe à nouveau, puis on passe à l'évocation suivante.

Au cours des séances, chacune des situations doit être passée en revue dans l'ordre de la hiérarchie.

▶ Le sujet doit parallèlement généraliser dans la vie réelle chacune des étapes qu'il est amené à vivre en imagination.

LES ÉTIREMENTS

Sportif, non sportif, jeune ou moins jeune, raide ou souple, peu importe, on trouve nécessairement une technique d'étirement qui convient à ses besoins. Les étirements sont à la portée de tous et réalisables à tout moment. Il suffit de bien respecter certains principes importants.

■ Les grands principes

● On n'étire pas un muscle froid : l'échauffement amène un apport sanguin important ; la température du muscle est augmentée, ainsi que l'extensibilité.

● L'étirement doit être indolore : afin de ne pas créer de réflexe nociceptif (douleur), on doit le doser en fonction des possibilités de chacun et des sensations ressenties.

● Il doit être réalisé sans à-coup, pour ne pas provoquer un réflexe dans le sens opposé à l'étirement : il doit être régulier.

● Il doit être réalisé lentement et dans le calme : il faut se concentrer sur le mouvement à effectuer.

● La respiration doit être lente et profonde.

● On doit étirer successivement les groupes agonistes et antagonistes de chacun des membres gauches et droits : si on étire les muscles de la cuisse, ne pas se contenter de travailler ceux de devant, mais également le groupe postérieur, puis l'autre cuisse.

● La mise en tension préalable du groupe musculaire est importante : les enveloppes conjonctives ne seront étirées que si le muscle est allongé de plus de 20 % de sa longueur de repos.

● L'étirement se fait par chaîne musculaire : en effet, le geste sportif nécessite la participation de plusieurs muscles (notion de chaîne).

● On utilisera des mouvements de rotation dans la réalisation d'un étirement.

■ Quand, pourquoi, comment s'étirer ?

● Quand s'étirer ? Dès que l'on en ressent le besoin. Le matin au lever pour se mettre en forme, ou après être resté longtemps dans une même position (en voiture, au bureau, à l'atelier), avant et après un effort sportif.

● Pourquoi s'étirer ? Cela aide avant tout à se détendre, à se relaxer. L'étirement améliore les capacités articulaires et musculaires, relâche les contractures et assouplit la musculature. Il permet au sportif de se préparer à l'effort, d'affronter les agressions dues à cet effort. Il joue un rôle important de prévention des blessures du sportif. Il ne faut pas non plus négliger son importance dans la phase de récupération après l'effort.

● Comment s'étirer ? Selon le but que l'on souhaite atteindre, il existe plusieurs techniques : les étirements passifs et les étirements actifs.

Étirements passifs : utilisés pour la recherche d'une plus grande liberté de mouvements, donc un gain d'amplitude, ils visent à améliorer souplesse, récupération et retour au calme. On les réalise par une autoposture contrôlée ou avec l'aide d'un partenaire (attention, ce n'est pas un exercice de force !). Chaque étirement durera de 6 s à 1 min.

Étirements actifs : utilisation de la technique contraction-relâchement-étirement (contraction 6 à 10 s ; relâchement 2 à 4 s ; étirement 6 à 30 s). On associe parfois l'étirement actif à une rotation.

Ce type de saut nécessite une préparation spécifique des groupes musculaires sollicités.

À quoi servent les étirements ?

▶ à augmenter la chaleur interne des muscles
▶ à renforcer le contrôle musculaire
▶ à améliorer la prise de conscience du corps
▶ à équilibrer le tonus musculaire
▶ à favoriser la mobilité musculaire
▶ à favoriser l'aisance ainsi que le contrôle du geste sportif
▶ à participer de façon efficace à la prévention des accidents

LA PHYSIOTHÉRAPIE

Au Canada, la plupart des sportifs qui font de l'entraînement de compétition voient de façon régulière un physiothérapeute. Des équipes multidisciplinaires comprenant médecins et physiothérapeutes, et aussi chiropraticiens et ostéopathes sont attachées aux délégations olympiques, à des troupes comme le Cirque du Soleil ou à des événements comme le Marathon de Montréal.

La physiothérapie a émergé comme pratique organisée au tournant du XXe siècle à cause du succès des programmes d'exercices physiques thérapeutiques que les médecins américains prescrivaient aux victimes d'une épidémie de paralysie infantile. La pratique s'est ensuite imposée dans la réhabilitation des blessés à la suite de la Première Guerre mondiale. Aujourd'hui, si un grand pan de la physiothérapie est toujours axé sur la guérison des blessures, le soulagement des douleurs et la restitution de la mobilité, une importante partie de la pratique consiste à faire de la prévention.

L'amateur de sport qui passe sans trop de préparation du tennis en été au ski en hiver, ou d'un hiver passif à la planche à voile aurait tout intérêt à consulter de façon préventive un spécialiste de la physiothérapie sportive pour apprendre à éviter les blessures. Les blessures saisonnières comptent les maux de dos et les entorses en hiver, les tendinites et les problèmes de cou ou de genoux en été.

Physiothérapie au Cirque du Soleil.

La prévention

Certains sports conviennent mieux que d'autres à certains types de morphologies. Si vous voulez vous lancer dans un entraînement soudain ou intensif, le physiothérapeute pourra vous proposer divers tests fonctionnels de force et d'endurance et procéder à des bilans postural et structural.

Il vous indiquera ensuite quels sports vous conviennent le mieux et ceux que vous ne devriez aborder qu'avec prudence. Il pourra aussi vous recommander un programme spécifique de renforcement, des exercices de correction posturale ou des exercices de flexibilité.

Sur le terrain

Pendant les entraînements intensifs ou durant les compétitions, le physiothérapeute fera souvent des bandages spécifiques pour supporter par exemple un genou ou une cheville faible. Avant une rencontre ou, le cas échéant, entre les manches, il peut faire divers types de massages pour stimuler la circulation, relaxer les muscles, soulager la douleur ou aider l'athlète à se détendre. En cas d'accident, il administre les premiers soins.

Les traitements

Les traitements et les exercices que la physiothérapie prescrit aux sportifs varient selon le type de blessures et font appel à des techniques très variées. La chaleur (compresses d'eau chaude, bains chauds et appareil à infrarouge ou à diathermie) par exemple est utilisée pour accélérer la circulation, ce qui soulage la douleur et stimule le rétablissement tissulaire. Le froid aussi a des propriétés thérapeutiques (anti-inflammatoires).

Le physiothérapeute pratique aussi, avec ou sans l'aide d'appareils spécialisés, des manipulations (mobilisations et étirements) pour prévenir toute aggravation d'une blessure, combattre les spasmes musculaires, soulager la douleur et favoriser la circulation. Les ultrasons, le laser et d'autres types d'électrothérapies sont également employés à cette fin et aussi pour réduire les inflammations.

Pour obtenir le nom de physiothérapeutes spécialisés en pratique sportive, contactez l'Ordre des physiothérapeutes du Québec au 514-737-2770, à Montréal, ou au 1-800-361-2001 ailleurs, ou encore l'Association canadienne des physiothérapeutes au 1-800-387-8679. À moins de prescription médicale, les soins de physiothérapie ne sont pas remboursés par l'assurance-maladie, mais sont couverts par les assureurs privés.

L'OSTÉOPATHIE

À la fois art, science et technique, l'ostéopathie vise à rétablir les équilibres perturbés ; elle restaure les mobilités nécessaires à la vie, associée ou non à d'autres thérapeutiques. La règle de base est que la structure gouverne la fonction, c'est-à-dire que pour avoir une fonction optimale, pour améliorer ses performances, un sportif a besoin que ses gestes soient libres.

L'ostéopathe utilise un seul outil : ses mains. Son travail consiste à découvrir dans le corps, grâce à un examen spécifique et complet, les freins aux mouvements. Il considère le sportif dans sa discipline, sans s'arrêter sur la seule région dont celui-ci se plaint, puisque toutes les structures du corps sont interdépendantes. Cela signifie que chaque traitement est individuel.

■ Le sport est ouvert à l'ostéopathie

L'étape fondamentale qu'est l'examen ostéopathique permet de découvrir les zones du corps dont la mobilité est perturbée, mais aussi d'étudier :

Les facteurs dits extrinsèques

● *Les technopathies* (problèmes engendrés par la gestuelle spécifique à un sport) : peu de sports respectent les bonnes positions du corps et la symétrie des structures (l'impulsion sur une seule jambe du footballeur) ; notre dynamique, la gestuelle d'une activité physique doivent se faire dans les trois plans de l'espace suivant une incidence en diagonale-spirale, afin de ne pas forcer nos articulations et de ne pas obliger d'autres parties du corps à créer des compensations perturbatrices.

● *L'entraînement et l'échauffement,* liés aux objectifs que l'athlète mesure avec son entraîneur.

● *Le matériel,* adapté le mieux possible à l'athlète et à sa pratique : les chaussures, l'arc...

● *Le terrain et sa dureté,* ses irrégularités...

Les facteurs intrinsèques :

● *L'hygiène de vie :* les habitudes alimentaires, l'hydratation, le sommeil...

● *Les séquelles traumatiques* risquant d'entraîner une modification des axes mécaniques et des appuis ; s'associe à cela un déséquilibre musculaire par excès de sollicitations, un mauvais déroulement articulaire et un système de compensation à l'origine de lésions ostéopathiques. Ces séquelles doivent nous inciter à vérifier la bonne intégrité de zones clés telles que le bassin, la colonne vertébrale, les pieds (le classique contrôle des cervicales chez la danseuse...).

● *Les infections chroniques diverses.* Il faut penser à consulter le dentiste, étant donné le risque de projections douloureuses et de méformes liées à des dents malsaines.

● *La fragilité psychique, le doute, le stress,* expressions de la méforme.

■ Les techniques, l'examen

La représentation simplifiée de la correction ostéopathique repose sur trois aspects :
– libération mécanique : os, ligament, articulation... ;
– facilitation neurologique : nerfs qui commandent les organes ;
– activation circulatoire : sang véhiculant les substances nutritives.

L'examen ostéopathique, recommandé en début et en cours de saison (de trois à quatre consultations par an), devrait être systématique après tout traumatisme (chute, choc, faux mouvement...).

Nombre de formations sportives, séduites par son aspect inoffensif, intègrent l'ostéopathie dans leur suivi. Les exemples sont légion qui dessinent l'histoire de l'ostéopathie du sport. La loi de l'esprit, de la matière et du mouvement, chère à Still (père de l'ostéopathie moderne), détermine de plus en plus l'avenir de nos athlètes, les autorisant à mieux dominer leur art et à préserver leur santé.

Technique de correction dans l'Égypte ancienne.

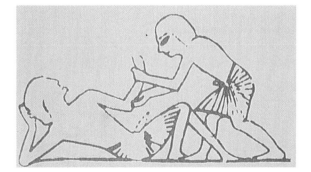

Note de l'éditeur. *Selon les pays, l'ostéopathie est soit une pratique ouverte aux non-médecins, soit une thérapeutique exclusivement réservée aux médecins. Au Canada, il s'agit d'une pratique ouverte où l'on trouve quelques médecins et de nombreux physiothérapeutes et chiropraticiens. Pour obtenir le nom d'un praticien reconnu, contactez le Registre ostéopathique du Québec, au 514-679-2010.*

4 Conduite de la vie quotidienne

Conduire sa vie au quotidien, c'est intégrer toutes ses activités dans un ensemble le plus harmonieux et le plus satisfaisant possible. C'est aussi courir les risques des déséquilibres les plus insidieux, demander au fil des jours à l'alcool, au tabac, voire à la drogue de résoudre à notre place des problèmes qui nous assaillent et nous agressent. Au quotidien plus qu'à l'exceptionnel appartient cette recherche patiente des règles de son propre bonheur : savoir à tout âge de la vie trouver les comportements en harmonie avec sa vie intérieure, c'est un grand gage d'équilibre et de santé.

1
À LA RECHERCHE D'UN ÉQUILIBRE PERSONNEL

À l'âge adulte, la vie quotidienne semble pendant des années consacrée principalement à la réalisation des tâches dont la nécessité a force de loi. Sauf en période de surcharge ou de coups durs, nous avons généralement le sentiment d'avoir finalement trouvé un équilibre entre contraintes et obligations d'un côté, temps de loisir et de détente de l'autre.

Seulement, voilà, les motifs de soucis et de stress ne vont pas en diminuant au fil de la vie, mais augmentent et changent insidieusement de nature. C'est d'abord la recherche et le maintien de l'emploi, la fondation d'un foyer, l'agrandissement de la famille. Progressivement, cela s'appelle l'avenir des enfants, les parents qui vieillissent, les menaces sur l'emploi, les échéances financières, la maladie ou l'accident qui frappent durement des êtres proches ou chers. Puis viendront les premières atteintes à la santé, la perspective de la retraite, le départ des enfants, la réduction des revenus, la maison trop grande, les premiers deuils, tout ce qu'on croyait fait pour toujours et qui s'effrite, murs, objets, sentiments...

Les retentissements que des épisodes éprouvants peuvent avoir sur notre santé obligent à dire qu'il ne sert à rien de posséder des trésors de plantes et de médications naturelles, et toute l'expérience pour s'en servir, de savoir gérer ses apports caloriques et ses activités sportives si l'on n'a pas su se construire un équilibre intérieur qui nous permette de nous prémunir contre nos comportements les plus risqués et d'accepter ce que nous ne pouvons modifier du cours de la vie et des événements.

■ S'accepter comme on est

La règle d'or du bonheur et de l'équilibre intérieur, c'est de nous accepter tels que nous sommes. Ce principe simple n'est pas facile à mettre en œuvre, car nos rêves et nos ambitions, les modes et les canons de beauté, le refus d'accepter les effets de l'âge sont autant de bonnes raisons pour alimenter notre insatisfaction. Or, la clé du bonheur passe par cette acceptation : c'est à partir d'elle que pourront s'exprimer tous nos devoirs envers nous-mêmes.

La deuxième règle consiste à ne pas demander à la vie ce qu'elle n'a pas donné ou ce qu'elle a repris. Une santé de fer, l'amour et la beauté, de l'argent en plus... Il y a là des motifs d'insatisfaction que ne pourront combler aucune drogue ni aucun médicament. En fait, à tout moment, il existe à portée de la main des éléments d'un bonheur, même simple, qui ne dépend ni de la fortune ni de la beauté personnelles : bonheur d'une intimité amoureuse, spectacle de la nature, chaleur d'une amitié, plaisir d'un livre ou d'un concert, délectation de la pause dans l'effort, rêverie du souvenir... S'accepter comme on est, c'est savoir trouver son bonheur dans ce que l'on possède ou que l'on peut raisonnablement acquérir au prix d'un effort sans démesure.

■ Des devoirs envers nous-mêmes

Dotés d'un esprit et d'un corps indissolublement liés, nous avons envers l'un et l'autre de réelles obligations. Comprendre les limites dans lesquelles notre corps fonctionne est une nécessité impérieuse. Ainsi, le besoin de repos, le sommeil, le rythme des repas et nombre de nos activités quotidiennes ou saisonnières interviennent avec une périodicité qui ne doit rien au hasard, mais dépend d'une remarquable horloge biologique située dans notre cerveau. Nous avons obligation d'en tenir compte pour bien cadrer nos activités et ne pas fonctionner à contre-temps (nuits trop courtes, horaires de repas anarchiques, activité physique importante à jeun ou au contraire après un repas trop copieux, décalages horaires fréquents dus aux voyages transcontinentaux...).

Savoir profiter des plaisirs simples de la vie, dans une ambiance familiale harmonieuse, est une des règles de l'équilibre.

Notre équilibre passe par le respect de règles simples, dont la principale reste la mesure en toute activité. Savoir se ménager et prendre le temps de récupérer. Qu'il s'agisse des activités professionnelles, des pratiques sportives, de la vie sexuelle ou des comportements alimentaires, la recherche de l'équilibre personnel passe par la modération, et la sagesse enseigne que le bonheur ne correspond pas à la satisfaction de tous les désirs mais à une harmonieuse manière d'accéder sans excès aux plaisirs qu'ils procurent. Enfin il ne faut pas oublier que ces devoirs envers nous-mêmes ne peuvent être pris en charge par d'autres, fussent-ils très proches.

Le respect de notre espace intime

L'espace intime, c'est cette petite partie de temps et d'espace où nous pouvons nous retrouver seuls avec nous-mêmes : secrets du petit enfant, boîte du courrier confidentiel de l'adolescent, coin d'armoire où s'empilent lettres, photos, souvenirs, premières dents de lait de nos enfants. Espace où les objets n'ont de sens que pour soi, où tout nous parle. Nous avons tous besoin du respect de cet espace intime : c'est une sorte de droit de l'homme peu écrit mais essentiel, tant pour nous que pour celles et ceux qui nous entourent.

L'équilibre intérieur passe bien souvent par la reconnaissance de ce besoin de temps et d'espace personnels où il est possible de réfléchir sur soi-même, de repenser des décisions, de revenir sur le chemin de la vie. C'est probablement le plus grand de nos droits et de nos devoirs envers nous-mêmes.

Le droit à un environnement familier

On dit souvent de l'être humain qu'il est un animal social. Il faut entendre par là que l'homme est fait pour communiquer, et même qu'il a impérieusement besoin d'échanges avec son environnement. Totalement dépendant à la naissance des adultes qui le soignent et l'entourent, il apprend des autres humains à s'exprimer, à communiquer, à parler. La vie durant, son cadre habituel sera fait des êtres, des visages, des lieux, des objets avec lesquels il communique, dont il se sert pour vivre. Cet environnement familier, qu'il est si difficile de quitter, est à la fois un besoin et un droit. Besoin d'échanger des objets et des biens, de l'information et de l'émotion, droit de communiquer avec des êtres et des lieux familiers, de donner et de recevoir dans la confiance. Curieusement, c'est bien souvent au moment de la vie où il est le plus nécessaire pour survivre – la vieillesse – que ce droit est le plus altéré.

2

ERREURS ET DÉSORDRES

« Je suis surmené. Je suis stressé », voilà deux phrases qu'on entend de plus en plus souvent. Surmenage et stress sont à l'ordre du jour.

■ Le stress

Selon le physiologiste canadien Hans Selye, auteur des premières théories sur le sujet, la vie serait monotone sans stress. En fait, c'est souvent dans le stress que l'individu puise énergie et motivation. Mais quand la tension créatrice devient-elle une menace pour la santé ?

Cela dépend de l'individu. D'abord, rappelons que le stress est une réponse non spécifique donnée par l'organisme à toute sollicitation inhabituelle provenant de son environnement. Par extension, il définit toute sollicitation externe capable de modifier l'état habituel de l'organisme et de déclencher une réaction d'adaptation. Trois mots clés se dégagent d'emblée de cette définition : sollicitation, réponse, adaptation.

Au départ, il y a sollicitation, entendez une stimulation, adressée à l'organisme. Stimulation de nature très variable, d'origine physique et sensorielle, tels le bruit, le froid, l'altitude, un coup, une décharge électrique, une odeur de parfum..., ou bien d'origine psychique et mentale, qu'il s'agisse de la joie, de la tristesse, de l'amour, du courage, de la jalousie...

Tout notre environnement représente un immense réservoir de stimulations, qui vont obliger l'organisme à formuler une réponse. Face à la multiplicité des demandes possibles, l'organisme n'a pas une gamme infinie de réponses ; autrement dit, une réponse identique pourra correspondre à plusieurs stimulations de natures différentes.

– Je viens de retourner mon jardin en plein soleil : je transpire abondamment.
– J'attends avec incertitude les résultats d'un examen : mes mains et mes aisselles sont moites.
– J'ai attrapé une infection à virus : mon corps est couvert de sueur.
– J'ai bu à toute vitesse une bière glacée : mon front ruisselle de transpiration.

Face à ces quatre stimulations bien différentes, l'organisme répond de la même manière, à savoir un accès de transpiration qui correspond à une réaction de stress.

Courir après son bus : le stress au quotidien.

Mais si l'organisme répond de façon identique, quel sens donner à cette réponse identique à quatre situations de stress différentes ?

La transpiration après un effort physique intense, à l'occasion d'une infection, ou à la suite de l'ingestion d'une boisson glacée, correspond à un réajustement de l'équilibre thermique perturbé par ces divers stimuli. Il s'agit par conséquent d'un phénomène d'adaptation aux effets favorables sur l'organisme. Ce qui n'est pas forcément le cas lors du trac dans l'attente d'un résultat, où la réaction de transpiration n'apparaît guère adaptée à la situation.

Ce processus adaptatif que déclenche le stress débouche ainsi sur un autre constat, celui de l'efficacité de l'adaptation. Nous avons pu observer en effet que, dans quatre circonstances différentes, l'organisme essayait d'apporter une solution identique, celle-ci s'avérant efficace voire salutaire dans trois d'entre elles, inefficace si ce n'est préjudiciable dans la dernière. C'est ce qui a fait dire qu'il existait un bon et un mauvais stress. Reprenons un exemple :

– Notre étudiant anxieux apprend sa réussite à l'examen : de soulagement, il se met à pleurer.
– Son voisin, beaucoup plus exubérant, a lui aussi réussi et fait des bonds de joie.
– Un autre lauréat, enfin, allume tranquillement sa pipe et va s'offrir un café.

En somme, un même stress, mais trois réponses différentes, car trois personnalités différentes, et par conséquent trois manières différentes de s'adapter à une situation.

Une autre notion découle en droite ligne de cette observation, à savoir que nous sommes loin d'être égaux face au stress, et cette inégalité est fonction de la capacité de chaque être d'assumer le changement induit par le stress, compte tenu de ce que l'événement a éveillé en lui. C'est là, dans ce processus de changement, que se situe en dernier ressort la pierre angulaire de la réaction de stress. Tout stress implique en effet un changement, et ceci à quelque niveau que ce soit : la situation de l'organisme « après » n'est plus, à des degrés divers bien entendu, la même qu'« avant ». De nombreux facteurs vont intervenir et moduler la capacité d'un sujet à assumer le changement ; ils ont trait :
– à ses capacités personnelles, lui permettant de disposer d'un fort potentiel vital ou au contraire d'une vitalité modeste ;
– à son milieu socioculturel, au sein duquel il a appris à donner une signification plus ou moins positive aux expériences et aux événements de la vie ;
– aux convictions, croyances, interdits... qui lui ont été inculqués et qu'il a adoptés ;
– aux influences, aux événements, aux agressions, aux accidents qu'il a subis et intégrés à son histoire.

Il semble bien que plus la vie d'un être humain s'avère riche en stress de tout genre, meilleure sera sa capacité d'adaptation, à la condition essentielle qu'aucun de ces stress ne dépasse cette capacité personnelle sinon sa vie pourrait réellement être en danger. On peut donc affirmer que « le stress, c'est la vie ». Le stress garde encore trop souvent mauvaise réputation ; on lui fait de mauvais procès, en l'accusant d'être un fauteur de troubles, à l'origine de dommages souvent importants. Or sans lui notre vie serait sans nul relief, d'une telle platitude... Rappelons-nous à cet égard que l'on peut mourir d'ennui ! Ce qu'il faut, c'est savoir éviter les situations stressantes qui dépassent nos possibilités de réponse et d'adaptation. Ce qui nous amène à l'autre terme...

Dans l'attente des résultats d'un examen...

■ Le surmenage

On a souvent l'impression que, pour beaucoup de gens, il résume à lui seul l'idée de stress. Mais que signifie être surmené ?

● Quand je cours après mon bus tous les matins, suis-je surmené ?

● Quand je travaille d'arrache-pied douze heures par jour, suis-je surmené ?

● Si le moindre effort me coûte, suis-je surmené ?

● Quand j'ai couru 10 km, et que j'en redemande, suis-je surmené ?

● Si j'ai constamment l'impression que je n'y arriverai plus, suis-je surmené ?

Il s'agit dans tous ces cas de situations de stress, où l'organisme a été fortement sollicité, voire poussé dans ses derniers retranchements. Il existe néanmoins entre elles de notables différences. Pour faciliter la compréhension, il suffira de considérer les phrases avec « quand » et celles avec « si » : seules ces dernières traduisent véritablement un état de surmenage, où l'individu exprime quelque chose de l'ordre de l'incapacité à faire face. Que se passe-t-il quand on se sent surmené ?

Naturellement, au fil du développement de l'être humain, le cerveau devient apte à gérer efficacement un nombre croissant de problèmes, de situations conflictuelles, d'événements plus ou moins complexes. Mais cela suppose que le cerveau puisse se concentrer en permanence sur les objectifs prioritaires. Or, que se passe-t-il le plus souvent dans la réalité ? Le sujet, sollicité de toutes parts par un contexte sociopsychologique très contraignant, finit par cumuler une somme de stress qui le dépasse, alors qu'aucun d'entre eux n'était dangereux isolément. Éviter ce genre de situation implique un principe dont nous reparlerons, celui de savoir dire non ; ne pas savoir le faire représente une des causes majeures de stress négatif.

Un individu est donc surmené quand son cerveau devient incapable de gérer efficacement le cumul de ses stress quotidiens, autrement dit de résoudre tous

Quand on se laisse déborder, quand on n'est plus capable de faire face à la somme des stress quotidiens...

les problèmes posés par son environnement au sens le plus large du terme.

Qui dit problèmes dit stress, mais est-ce pour autant négatif ? Sûrement pas, car si tous les matins je cours après le bus, c'est peut-être parce que je reste au lit jusqu'au dernier instant, ce qui me permet de profiter de quelques bons moments avec l'être qui fait l'objet de tous mes désirs. Est-ce négatif ?

Je peux aussi passer des jours et des semaines à travailler comme un forcené, car mon travail est passionnant, et la réussite tant intellectuelle que matérielle me comble. Est-ce négatif ?

Je peux encore, après avoir parcouru des kilomètres dans la nature en courant à mon rythme, sentir mon corps jubiler et avoir envie de continuer jusqu'à éprouver un sentiment de véritable plénitude. Est-ce négatif ?

Maintenant, si tout cela se conjugue avec le verbe devoir, s'il faut, si on est obligé de... etc., là oui, le stress devient négatif, et en s'accroissant il finira par créer un état de surmenage.

Savoir dire non

Regardez un enfant qui a l'âge de cette fameuse « période du non » : il s'amuse avec les « non », il s'en délecte, il en jubile... et cela le rend fort. Ce sont déjà, en quelque sorte, les prémices de son autonomie future qui se dessinent... si toutefois l'éducation ultérieure ne vient briser net cet élan vers la liberté, et rendre l'adulte docile, soumis, craintif, avec toujours de « bonnes » raisons :

– docilité à l'égard d'un milieu familial dictatorial ;
– on ne peut être différent de ses parents ;
– soumission de ce fait à toute autorité, dès lors qu'elle possède une assise reconnue, officielle, légale – on ne peut qu'obéir à ses supérieurs ;
– crainte vis-à-vis de tout changement – on ne peut échapper à son destin.

Rester toujours capable de dire non, de refuser, de rejeter, c'est ne plus craindre les autres, leurs réactions, leurs colères ; ne plus avoir peur de perdre leur affection, leur estime. Pour cela, il est nécessaire que je prenne conscience de moi-même, de ma valeur envers et contre tout, simplement parce que j'existe, et que j'ai le droit d'occuper une place, la mienne, d'avoir ma volonté et mon désir – désir de faire ou de ne pas faire, de dire ou de ne pas dire, d'aimer ou de ne pas aimer. Il m'appartient en propre, est inaliénable, chevillé au corps. Il me confère toute ma dignité humaine, qu'une société tentée par l'uniformité et la robotisation voudrait m'ôter ; tant que j'existe, cela ne pourra être.

Mais alors, tous les jours, que faire ?

Gestion du stress au quotidien

Elle repose sur un postulat fondamental : être soi-même partout, tout le temps et avec n'importe qui ; et utilise trois outils pour ce faire : la pensée différente, la pensée positive et la pensée sereine.

Être soi-même, bien se connaître

Cela semble évident, mais vérifiez vous-même.
– Combien de fois chaque jour dis-je exactement ce que je pense, au moment où je le pense, comme je le pense, et à la personne concernée ?
– Combien de fois chaque jour fais-je exactement ce que j'ai envie de faire, quand et comme j'ai envie de le faire ?
– Combien de fois chaque jour suis-je en harmonie avec moi-même et mon environnement ?

Au cas où en toute honnêteté vous pouvez répondre : « Au moins une fois » à chacune des trois questions, le problème du stress négatif ne vous concerne pas. Mais les autres, et ce sont les plus nombreux, doivent apprendre à être eux-mêmes, à s'aimer eux-mêmes ; tel je suis, tel il faut m'accepter. Pour réaliser cet objectif, chacun de nous dispose de trois outils, qui sont autant de moyens d'induire le changement.

Penser autrement

Échapper à la pensée figée, autorisée, officielle représente la principale source de libération mentale. C'est aussi savoir utiliser son cerveau droit, celui de l'intuition, de la créativité, du pouvoir de l'imaginaire et de l'anticipation. C'est encore faire fi du qu'en-dira-t-on, de l'esprit de clocher, des fausses sécurités du conformisme.

Penser positivement

Reléguer aux oubliettes du cerveau la pensée négative permet de sublimer l'esprit, car c'est accorder sa confiance à l'autre, le reconnaître comme semblable, et dès lors le savoir lui aussi capable de se transcender, de se dépasser.

Penser sereinement

C'est penser en fonction de valeurs personnelles permettant de se dégager des contraintes du réel. C'est prendre du recul par rapport à l'événement, pour ne pas s'y perdre, pour ne pas se perdre. C'est décider en connaissance de cause, et démystifier les leurres et les mythes.

Concluons par un clin d'œil à Descartes : s'il est vrai que je pense parce que je suis, il est non moins vrai que je suis comme je le pense.

■ Les troubles du sommeil

On pense d'abord à l'insomnie, mais il ne faut pas oublier que l'hypersomnie (dormir trop longtemps) est aussi un désordre à corriger.

Les troubles du sommeil représentent un désordre irritant, en apparence plutôt bénin mais qui peut être lourd de significations et de dangers. Ils peuvent être dus au non-respect des temps nécessaires au sommeil – fréquent chez l'enfant couché trop tard, levé trop tôt. La difficulté d'endormissement et le réveil prématuré sont des signes de désordre qui doivent attirer l'attention.

Les troubles du sommeil peuvent avoir des conséquences bien plus dramatiques que des cernes sous les yeux au petit matin. Ainsi cet enfant qui dort mal parce que ses parents ou les voisins sont trop bruyants. Il somnole à l'école, et est énervé le reste du temps. Ses résultats scolaires sont, bien sûr, médiocres, entraînant un manque de confiance en lui, les réprimandes de ses parents et de l'instituteur. Tout cela peut aboutir à un état dépressif, un désintérêt, une boulimie de compensation. Fatigue, mauvaise alimentation, découragement, mauvais résultats scolaires. Un cercle vicieux s'installe, compromettant l'avenir de cet enfant. Un scénario similaire se joue pour beaucoup de gens, à leur insu.

Pourquoi dort-on mal ?

Les causes d'insomnies sont très diverses : bruit, douleur, excitants, repas du soir trop copieux ou pris trop tard, lever trop tardif, télévision, lit de mauvaise qualité, pleurs du bébé, ronflements... Les causes les plus courantes chez l'adulte restent le surmenage, les soucis, l'anxiété concernant l'avenir.

Par ailleurs, 30 à 50 % des personnes âgées se plaignent de troubles du sommeil.

Comment réagir ?

La réponse est trop souvent le somnifère, qui ne respecte pas les cycles et modifie la qualité du sommeil, entraînant des troubles dans la journée. En outre, il crée une dépendance dont il est extrêmement difficile de se libérer.

Il faut essayer, quels que soient les obstacles, de retrouver le rythme naturel des jours et des nuits, de se coucher et se lever à des heures régulières, de façon à respecter le cycle du corps. Selon la médecine chinoise, les heures de sommeil avant minuit comptent double. Les thérapies naturelles proposent de nombreuses solutions (tisanes, homéopathie, acupuncture, relaxation, hydrothérapie, balnéothérapie...), sans conséquences néfastes sur la qualité du sommeil et sans dépendance. Il faut aussi savoir qu'une courte sieste dans la journée peut aider à guérir l'insomnie, et ne jamais oublier que les troubles du sommeil favorisent les relâchements de vigilance et de concentration dans la journée (risques d'accidents de la circulation, du travail, du sport...).

Du balai, les somnifères ! J'ai décidé de réaménager ma vie et mon espace.

Plus je fume, plus je m'embrume, plus je m'enrhume et plus je pollue l'atmosphère de mon entourage.

◾ Le tabac

Tout le monde a en tête l'image d'un vieux paysan portant joyeusement ses 90 ans la pipe au bec. Elle montre seulement que l'exception confirme la règle.

Des risques toujours sérieux

Même si, entre 1980 et 1990, il y a eu au Canada une baisse de 35 % de la consommation de tabac, le taux de mortalité associé au cancer du poumon a augmenté chaque année de 5,5 % en moyenne pendant le même intervalle. C'est que la période de latence des maladies liées à l'usage du tabac peut atteindre quinze à vingt ans. Ainsi donc on fume moins, mais on a trop fumé. D'où l'importance des campagnes antitabac qui s'adressent aux jeunes, car la cigarette est le plus souvent la tentation de la jeunesse.

Outre le cancer du poumon, il faut savoir qu'il existe d'autres conséquences moins évidentes, mais non moins imputables au tabac : troubles du sommeil, stress, anxiété, infections à répétition, par exemple. Sans compter les troubles digestifs, articulaires, vasculaires, gynécologiques, qui résultent d'une dégradation générale de l'organisme.

La conséquence la plus immédiate du tabagisme est d'ordre respiratoire. La fumée, irritant les muqueuses, entraîne pharyngites et bronchites, qui tendront au fil du temps à devenir chroniques. Elle modifie également l'équilibre buccal, favorisant tartre, caries, gingivites.

Par ailleurs, les goudrons et certains produits de la combustion sont des substances cancérigènes qui vont atteindre les cellules de plus en plus intimement, entraînant des cancers des organes proches (gorge, amygdales, œsophage, poumons...) ou distants, comme la vessie.

Le tabac et l'enfant

On a beaucoup parlé des dangers du tabac pour le fœtus – les nouveau-nés des fumeuses sont statistiquement plus petits et d'un poids plus faible que les autres. Mais l'enfant qui vit dans une atmosphère enfumée est également en danger : c'est un fumeur passif. Il est courant que cet enfant présente des problèmes infectieux chroniques (bronchites, rhinopharyngites, otites...), qui disparaissent lorsque les parents cessent de fumer en sa présence.

Tabac et dépendance

Outre les maladies citées, les risques pour le fumeur sont une dépendance psychologique engendrée par la pression sociale (identification à l'adulte, image de soi, dérivé factice de la nervosité, contenance en groupe...) et une dépendance physiologique. Tous les fumeurs le savent : il est très difficile d'arrêter ! La nicotine possède un véritable effet drogue, perturbant le système nerveux et le métabolisme. En outre, la combinaison du tabagisme et d'une consommation excessive d'alcool est particulièrement nocive (cancers, maladies nerveuses, troubles mentaux...).

Celui qui a la volonté et la motivation nécessaires pour arrêter pourra trouver des solutions (plantes, acupuncture, homéopathie...) qui l'aideront sur un plan tant physiologique que psychologique. De plus, il existe des consultations de désintoxication dans certains CLSC, YMCA et hôpitaux.

Si les « antisymptômes » améliorent le confort, ils peuvent aussi entraîner allergies, effets secondaires et complications.

■ Les médicaments

M. X souffrait d'une sciatique. Pour le soulager, on lui fit des infiltrations de cortisone, qui eurent pour résultat de couvrir son corps de plaques rouges, sans pour autant soigner sa sciatique.

Mme Y prenait de l'acétaminophène pour soulager ses maux de tête. Cela provoqua chez elle de fortes douleurs musculaires.

Les exemples ne manquent pas : allergies, ulcères d'estomac, accidents sanguins, somnolence ou troubles de l'humeur... Chaque année, des médicaments courants sont retirés de la vente ou interdits de vente libre. Sans parler, bien entendu, du phénomène de dépendance, pour les antidépresseurs et les somnifères en particulier.

Des « anti » contre les symptômes

Les « anti » sont particulièrement agressifs (antidépresseurs, antibiotiques, anti-inflammatoires, analgésiques, antisécrétoires, antipyrétiques...). En outre, ils sont seulement symptomatiques, c'est-à-dire qu'ils suppriment le symptôme sans jamais s'attaquer à la cause. Le confort du malade est amélioré mais, si le trouble d'origine n'est pas traité, le soulagement est de courte durée ; ou alors on assiste à un déplacement des symptômes qui, eux-mêmes, seront soulagés par d'autres « anti », jusqu'à ce que le corps s'épuise, souffrant toujours de la cause originelle, avec de plus des perturbations engendrées par les médicaments (effets secondaires indésirables, effets iatrogènes).

Il faut savoir que des symptômes tels que fièvre, frissons, diarrhée ou toux sans caractère chronique sont une réponse normale du corps à une infection ou une irritation.

Ces symptômes représentent une alarme informant de l'existence d'une affection. Certes, ils peuvent constituer un danger par eux-mêmes s'ils sont trop intenses, surtout chez le jeune enfant.

Dans la pratique, le recours aux médicaments a souvent pour but de soulager une douleur, un trouble, un désordre. Mais ce comportement risque de masquer la maladie et de perturber les défenses de l'organisme.

Du bon usage des bons médicaments

Idéalement les médicaments ne devraient agir que comme stimulateurs des défenses naturelles, afin qu'un corps dont les limites ont été dépassées retrouve ses capacités d'autoguérison. C'est le principe des médecines naturelles. Leur mise en jeu demande tout un art, mais elles ont le grand mérite d'être économes en médicaments et de favoriser un retour naturel à l'état normal.

Il ne faut jamais oublier que les médicaments sont d'autant plus dangereux qu'ils sont plus actifs. S'autoprescrire des médicaments peut comporter un réel danger. Attention, si les signes d'alarme (fièvre, vomissements, diarrhée, frissons...) se prolongent, appelez le médecin ou un centre antipoison, en passant s'il le faut par le 911 ou le 0.

> Les médicaments, c'est un peu comme les champignons : il ne faut consommer que ceux que l'on connaît bien et ne jamais en abuser.

■ Les drogues

Parler des risques de la drogue est presque un euphémisme tant son issue fatale, du moins avec les drogues «dures» (héroïne, morphine, cocaïne, LSD...), est difficile à éviter pour celui qui n'arrive pas à s'en sortir. C'est bien sûr à la dépendance qu'il faut attribuer ces conséquences, le corps réclamant toujours plus de drogue pour retrouver le même effet, et le psychisme voulant aller toujours plus loin dans la modification des états de conscience. À la dégradation physique et psychique s'ajoute une marginalisation, accompagnée souvent de petite ou grande délinquance, sans parler des risques de sida que fait courir l'usage partagé des seringues et, le cas échéant, jette le toxicomane dans une marginalisation encore plus grande. L'alcool, les somnifères, les anxiolytiques peuvent aussi concourir à accélérer la descente aux enfers. L'overdose conclut bien souvent cette déchéance.

Il faut bien reconnaître, par ailleurs, que les enfants ne sont pas épargnés, puisqu'on estime que, dans le monde, près de 100 millions d'entre eux consomment alcool et drogues.

Le poids de la tradition

La consommation de drogue fait souvent partie des traditions culturelles d'un pays au point de ne plus être considérée comme telle, mais comme un moyen de mieux supporter les difficultés de la vie : l'alcool en Europe et en Amérique du Nord, le haschisch ou le kif au Moyen-Orient, la feuille de coca en Amérique latine, la noix de kola mélangée à l'alcool en Afrique du Sud en sont des exemples.
La lutte contre la drogue, y compris les drogues nationales, doit être constante.

Il existe au Québec et au Canada divers centres de désintoxication publics ou privés mais, avant tout, il est indispensable que le toxicomane veuille coûte que coûte s'en sortir, et qu'il se sente responsable de sa toxicomanie et de sa guérison. Sinon, tout effort de l'entourage est vain.

Le toxicomane est souvent quelqu'un qui ne trouve pas de sens à sa vie. Sans action en profondeur, il risque d'y avoir seulement substitution d'une drogue à une autre, ou récupération par les sectes, qui exploitent fréquemment l'individu malade. Les CLSC ou la Ligne sur les drogues, Aide et référence (1-800-265-2626) peuvent orienter les toxicomanes vers des ressources compétentes.

Un centre pas comme les autres...

Au Pérou, un centre expérimental, dirigé par un médecin français, mêle les techniques modernes telles que dynamique de groupe, musicothérapie, respiration « rebirth », aux médecines traditionnelles des chamans amazoniens. On parvient à une désintoxication physique très rapide, à l'aide de plantes purgatives, et à une désintoxication psychique s'appuyant sur des plantes psychotropes qui modifient temporairement la perception des choses, mais sans dépendance. Les résultats sont encourageants et ces techniques sont exportables, mais elles nécessitent des thérapeutes « initiés ».

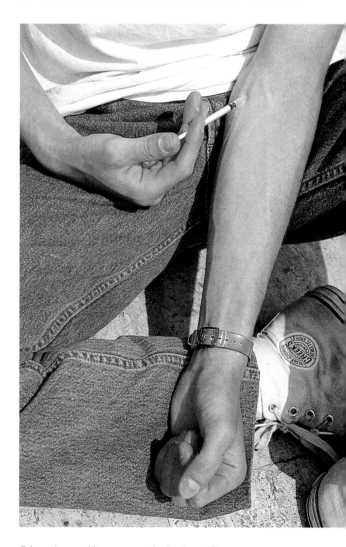

Dépendance, détresse, marginalisation, délinquance, maladies, overdose : des maux liés aux drogues.

À l'euphorie de la première phase de l'alcoolisation succède irrémédiablement le marasme de la phase dépressive.

■ L'alcool

Près de 12 millions de Canadiens consomment régulièrement de l'alcool et, parmi eux, au-delà de 1 million en prennent quatorze verres et plus par semaine. On estime à 600 000 le nombre de Canadiens qui se sont fait aider à un moment ou l'autre de leur vie pour des problèmes d'alcool. Il est évident que la consommation d'alcool, comportement profondément ancré dans les habitudes socioculturelles, est liée à tous points de vue aux croyances qui la normalisent et tendent en quelque sorte à anesthésier le sens critique à son égard. L'alcoolisme, qui tue chaque année 19 000 Canadiens, est étroitement lié au mode de vie actuel et aux comportements qui le caractérisent. Or, le premier impératif d'une médecine naturelle est pédagogique : instruire les hommes à la lumière des données scientifiques afin de les orienter vers la guérison et la santé. Dans cette synthèse succincte faisant le point des connaissances et interrogeant les croyances les plus répandues, chaque mot compte si on veut prévenir ou guérir.

De vraies fausses propriétés

Les études épidémiologiques montrent que le consommateur méconnaît les effets véritables de l'alcool et lui attribue des vertus qu'il n'a pas.

● *L'alcool donne de la force ?*
L'alcool atténue la fatigue ; le consommateur peut profiter de cet effet pendant un certain temps, mais le métabolisme de l'alcool ne procure pas d'énergie mécanique, il baisse même le rendement musculaire. Entrant tel quel dans le sang sans être digéré, l'alcool imprègne l'organisme, entraînant une certaine anesthésie de la sensibilité générale. La sensation de fatigue est ainsi supprimée, et l'euphorie apportée par l'alcool crée l'illusion de la force. Ainsi s'installe une habitude qui fausse les mécanismes physiologiques d'adaptation.

● *L'alcool réchauffe ?*
L'alcool provoque une dilatation des vaisseaux de la peau, ce qui crée une sensation passagère de chaleur. En modifiant de cette manière les mécanismes naturels de l'adaptation à l'environnement, le consommateur se fragilise par rapport aux intempéries, au refroidissement et à certaines maladies (notamment pulmonaires).

● *L'alcool nourrit ?*
L'alcool, en inhibant la synthèse des protéines, a tendance à bloquer la croissance de l'enfant. Il doit être interdit aux enfants de moins de 14 ans. Chez l'adulte ayant l'habitude de boire, tout le métabolisme tend à être perturbé, ce qui provoque dans nombre de cas une surcharge pondérale, particulièrement chez la femme (avec vieillissement précoce). L'alcool est un mauvais aliment, qui fait grossir.

● *L'alcool augmente l'appétit ?*
En fait, la consommation d'alcool et de vin avant et après le repas développe l'euphorie collective et favo-

rise la surconsommation d'aliments en falsifiant les mécanismes naturels de la satiété, notamment en faisant descendre le bol alimentaire plus rapidement de l'estomac dans l'intestin.

● *L'alcool favorise et améliore la sexualité ?*

L'usage de l'alcool à tous les niveaux de l'activité sexuelle (séduction, autostimulation, acte sexuel proprement dit) est courant et souvent recherché pour lever les inhibitions. Or, l'habitude de boire baisse le taux de l'hormone sexuelle chez l'homme, détruit peu à peu les cellules germinatives des glandes génitales, diminue la puissance sexuelle, dégrade la qualité des rapports et des sentiments, pour aboutir, dans des phases avancées de l'intoxication alcoolique, à l'impuissance.

● *L'alcool procure la joie de vivre ?*

L'alcool agit comme toutes les drogues. En créant une certaine insensibilité, il libère des soucis, lève les inhibitions, crée un état d'euphorie artificiel par l'intoxication du cerveau (en agissant principalement au niveau des fonctions cérébrales supérieures, qu'il déprime). La conséquence en est, dans une deuxième phase – quand l'alcool sera éliminé –, un état de lassitude et de dépression et des troubles de la coordination des mouvements.

● *L'alcool favorise le sommeil ?*

La croyance dans les vertus sédatives de l'alcool avait créé une habitude jadis très courante – particulièrement chez les agriculteurs – qui consistait à ajouter de l'alcool dans le biberon du nourrisson ! En réalité, l'alcoolisation perturbe généralement le sommeil, diminue ses vertus régénératrices, provoque des cauchemars et des insomnies...

L'alcoolisation

L'alcoolisation sur une si vaste échelle s'explique en grande partie par les mêmes causes écologico-culturelles que celles qui expliquent la tendance générale de la population à consommer des excitants ou des calmants.

Au Canada, de plus en plus de gens prennent des tranquillisants pour combattre l'angoisse et le stress. Parmi eux, 80 % prennent aussi des calmants pour dormir. Car le problème est le même : la vie quotidienne crée un fond de stress général engendrant soit la dépression, la démoralisation et le retrait par rapport à la vie, soit la violence et l'agressivité liées à une angoisse profonde. Cet état de stress – source et effet d'une insatisfaction profonde – est inconscient. Seuls les sou-

bresauts en deviennent visibles et évidents (violence, dépression...). L'alcool, les tranquillisants n'en sont que des exutoires. En effet, ni les tranquillisants, ni l'alcool, ni nul autre médicament ne résolvent les problèmes. La solution nécessite une pédagogie et une thérapie naturelles, seules capables de mettre à profit les potentiels de vie de chacun.

Mais il faut tenir compte de la croyance largement répandue selon laquelle la consommation d'alcool apporte un peu de liberté et de joie ; sans cette alcoolisation la vie serait plus triste, pense-t-on couramment. La médecine naturelle démontre que préserver la santé ou recouvrer la satisfaction de vivre sans alcool sont possibles par des moyens simples, à condition de comprendre, de faire son choix et de s'engager activement.

L'alcoolisme

L'alcoolisme est un fléau social dans tous les pays technologiquement avancés. Parmi les millions de personnes qui en souffrent, une infime minorité a fini par découvrir et reconnaître réellement – le plus souvent bien après le début de sa pathologie – ses problèmes avec l'alcool. Qui doit boire moins (et combien) ou s'abstenir de boire ? Les préjugés et les croyances inexactes se situent également à tous les niveaux du concept de l'alcoolisme, qui est la notion la plus malaisée à saisir, alors que sa compréhension

La conjonction de tabac et d'alcool peut multiplier plusieurs dizaines de fois les risques de cancer.

est indispensable tant pour le thérapeute que pour la personne en difficulté avec l'alcool.

Pour mieux comprendre, on peut diviser la pathologie de l'alcoolisation en deux parties :

– les alcoolopathies, c'est-à-dire les maladies connues occasionnées par l'alcool (cancers, cirrhose, pancréatites, polynévrites, etc.) ;

– la dépendance, c'est-à-dire le besoin plus ou moins important de boire, qui relève d'un phénomène, à maints égards subtil, appelé rupture de tolérance.

Quelques remarques s'imposent à cet égard : on peut, dans certains cas d'alcoolisme, être atteint d'alcoolopathie sans être dépendant. On peut également souffrir de la dépendance sans être atteint d'une de ces maladies organiques. Dans ces deux cas d'alcoolisme, il faut mettre un terme à l'alcoolisation, car aucun traitement médicamenteux ne

permet à lui seul de recouvrer la santé et l'indépendance par rapport à l'alcool. Dans un cas comme dans l'autre, il existe des tests diagnostiques permettant de déceler et même, par la suite, d'évaluer le degré de l'alcoolisme.

La guérison de la dépendance à l'alcool est possible. Des malades gravement atteints, parfois même condamnés par la médecine, ont réussi à guérir et à vivre sans alcool ni troubles liés à l'absence d'alcool. Les centres ou les groupes d'orientation, de formation, de désintoxication et d'information sont très nombreux. Pour les connaître ou s'informer au sujet des thérapies possibles, contacter la Ligne sur les drogues, Aide et référence, au 1-800-265-2626, et le mouvement des Alcooliques anonymes, au 514-376-9230.

Un remède ordinaire pour combattre une solitude qu'il crée à son tour et renforce inévitablement.

3

PRATIQUES À USAGE PRÉVENTIF OU CURATIF

Une bonne prise de conscience du corps fait partie de la vie quotidienne. Il est souhaitable de vivre intensément chaque moment, chaque heure de notre existence, quels que soient notre âge et notre sexe. Plus qu'une logique, c'est une légitimité. C'est la raison pour laquelle il est de notre intérêt de toujours réserver quelques instants à des moyens simples autant qu'efficaces d'épanouissement, qui ne peuvent que nous être bénéfiques. Techniques de relaxation, training autogène et sophrologie font partie de ces moyens.

■ Les techniques de relaxation

La relaxation fait partie du domaine élémentaire de nos possibilités. Malheureusement, l'homme, qui a gagné prodigieusement sur l'animal par l'immense avantage du langage, a beaucoup perdu sur le corps, la prise de conscience du physique, l'instinct et l'intuition.

On peut dire que toute méthode de relaxation procède du fameux adage *Mens sana in corpore sano*. Il est là pour nous rappeler qu'un dialogue permanent est nécessaire entre un corps écouté et respecté et un esprit ouvert, intimement lié à lui.

Issues aussi bien des cultures orientales que des philosophies occidentales, les méthodes de travail par le corps sont nombreuses et parfois bien connues. Il serait fastidieux de les énumérer toutes. Le yoga, qui allie des exercices respiratoires à des positions favorisant la concentration ou la détente, est un exemple qui nous vient de l'Asie.

Sans doute moins répandue, l'hypnose est aussi un moyen de relaxation que les mouvements de médecines douces ont adopté dans la foulée des psychothérapies.

Entre ces deux grandes dimensions s'inscrivent toutes sortes de possibilités, comme la méthode de Jacobson, la relaxation progressive ou la respiration contrôlée. Le principe de ces techniques est la contraction et le relâchement des muscles dans chaque partie du corps, la prise de conscience de la tension et le vécu de la récupération après l'« effort ».

Il faut savoir que toute relaxation entraîne un dialogue corps-mental et constitue de la sorte un échange dans une découverte de soi-même permettant la confirmation ou la mise en place de son propre équilibre, de sa structure spécifique et donc de sa personnalité.

■ Apprentissage de la relaxation

L'apprentissage de la relaxation demande une participation active : il faut habituer le corps et l'esprit à se débarrasser des tensions qui les habitent. Choisissez une méthode et pratiquez-la régulièrement. Commencez chaque séance par un exercice de respiration contrôlée et prenez le temps de savourer la sensation de bien-être qui en résultera.

La relaxation progressive

La relaxation progressive vise spécifiquement à soulager les tensions. Elle consiste à contracter puis à décontracter successivement tous les groupes musculaires du corps. On peut y procéder de la tête aux pieds ou l'inverse. Pour la pratiquer, portez des vêtements amples et enlevez vos chaussures et, le cas échéant, vos lunettes. Allongez-vous sur le dos dans un endroit calme et confortable, si possible sur un matelas d'exercice. Fermez les yeux, posez les bras le long du corps, les paumes ouvertes. Adoptez puis essayez de maintenir pendant toute la séance une respiration lente et régulière.

Contractez les muscles du visage et comptez jusqu'à 5. Relâchez. Soulevez la tête, gardez-la soulevée pendant cinq secondes puis laissez-la retomber doucement. Haussez les épaules, comptez jusqu'à 5 puis relâchez. Serrez le poing droit, comptez jusqu'à 5 et relâchez. Répétez avec le poing gauche. Toujours en respirant profondément et régulièrement, contractez et relâchez successivement le ventre, les fesses, les cuisses, les mollets et les orteils. Chaque fois que vous décontractez un groupe de muscles, concentrez-vous sur la sensation de détente que procure le relâchement qui suit.

La respiration contrôlée

En plus de son action relaxante, la respiration contrôlée ralentit le rythme cardiaque et soulage les symptômes de l'anxiété. Elle est recommandée aux malades qui souffrent d'affections broncho-pulmonaires, de même qu'aux femmes, pendant un accouchement.

Pour vous y exercer, posez l'une de vos mains sur la poitrine et l'autre sur le diaphragme, juste sous les côtes. Inspirez profondément par la bouche ou le nez, puis expirez lentement par la bouche en décontractant le ventre. La main placée sur le diaphragme doit se soulever quand vous inspirez et redescendre quand vous expirez. L'autre main doit à peine bouger.

La méditation

La méditation est une pratique observée par plusieurs religions pour atteindre un état d'hypervigilance et de sérénité. D'un point de vue pratique, c'est aussi une excellente méthode pour apaiser son esprit et détendre son corps. Essentiellement, elle consiste à concentrer son esprit sur un objet, un mot ou une idée dans le but d'échapper au tumulte intérieur.

Pour en ressentir les bienfaits, installez-vous dans un endroit calme et asseyez-vous sur un matelas d'exercice ou sur une chaise dans une position confortable, tout en gardant le dos bien droit. Fermez les yeux et concentrez-vous sur une image (flamme, fleur, goutte d'eau), sur un son ou un mot qui va vous aider à faire le vide dans votre esprit. Respirez profondément et régulièrement en concentrant votre attention sur l'image ou le son choisis pendant dix à vingt minutes.

La visualisation

La visualisation est une méthode apparentée à la méditation à laquelle les sportifs ont souvent recours pour focaliser leurs énergies vers le but à atteindre. En quelques mots, elle consiste à se servir de son imagination pour surmonter l'anxiété et atteindre un état de profonde relaxation.

Allongez-vous ou asseyez-vous confortablement dans un endroit tranquille. Fermez les yeux et respirez profondément et régulièrement.

Commencez par vous concentrer sur un objet ou une couleur en ne laissant aucune autre pensée s'immiscer dans votre esprit. Avec le temps, vous pourrez vous concentrer sur des images plus complexes. Imaginez-vous dans un environnement reposant, un coin de campagne que vous aimez par exemple. Visualisez le paysage, les couleurs, les odeurs de votre paradis avec le plus de détails possibles. Offrez-vous ainsi chaque jour de dix à quinze minutes de vacances mentales.

La réflexologie

La réflexologie est une technique de massage des pieds venue d'Asie qui repose sur la théorie selon laquelle les pieds comportent des points réflexes dont on peut se servir pour agir sur différentes parties du corps (illustration ci-dessous). Le fait de masser un point déterminé des pieds soulage la zone du corps qui lui correspond. Pratiqué le soir, le massage des pieds a un effet calmant. Si vous souffrez d'insomnie, massez le gros orteil gauche avec l'ongle du pouce de la main droite.

Voici cartographiées par l'Association canadienne de réflexologie les différentes zones des pieds. Chaque zone correspond à un organe ou à une partie précise du corps.

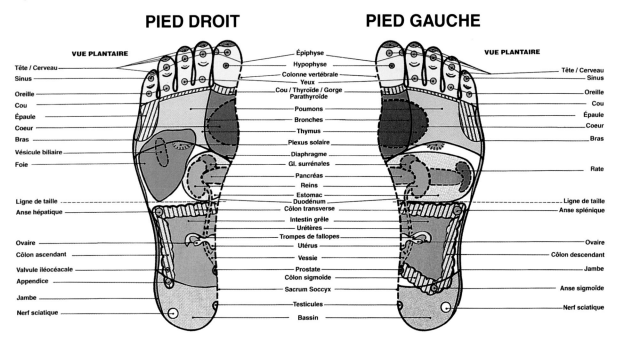

Les massages

La manipulation de la peau et des muscles fait partie des thérapies du mieux-être depuis les temps immémoriaux, si bien que chaque culture a mis ses propres massages au point. Le massage le plus connu au Canada, le massage suédois, s'effectue avec les paumes et les doigts. Le masseur frotte, malaxe, pince et tapote le corps de son client.

Le shiatsu est une technique japonaise qui gagne des adeptes. Le masseur de shiatsu fait appel aux principes de l'acupuncture : à l'aide de ses doigts et de ses paumes mais aussi de ses coudes, de ses genoux et de ses pieds, il exerce des pressions sur des points précis du corps.

Le massage sportif combine des éléments des écoles suédoise et japonaise.

Si les massages sont particulièrement bénéfiques quand ils sont exécutés par des spécialistes expérimentés, c'est un art qui est à la portée de tous. Et il ne faut pas vous priver de vous y exercer avec votre partenaire.

On trouve un nombre croissant de stages qui permettent au profane de s'initier aux rudiments du massage, mais il est possible d'acquérir des bases en se servant uniquement d'un manuel. Vous pouvez ainsi apprendre à vous débarrasser seul d'une raideur du cou ou d'un petit mal de dos.

Protocole du training autogène

▶ **Premier stade :** « Mes bras sont lourds, mes jambes sont lourdes. Tout mon corps est lourd, très lourd, de plus en plus lourd. »

▶ **Deuxième stade :** « Mes deux mains sont chaudes, agréablement chaudes. »

▶ **Troisième stade :** « Mon cœur bat, il est calme et régulier. »

▶ **Quatrième stade :** « Ma respiration m'apaise. Je suis tranquillement le rythme de ma respiration. »

▶ **Cinquième stade :** « Mon ventre est chaud, agréablement chaud... Tout mon corps est chaleur douce. »

▶ **Sixième stade :** « Mon front est agréablement frais. »

La reprise se fait ainsi : « Je respire une première fois en pliant les avant-bras sur les bras. Une deuxième fois. Une troisième fois profondément... J'ouvre les yeux. »

Une fois maître de sa relaxation, donc autonome, le sujet peut se décontracter et se mettre en condition à n'importe quel moment, par un véritable réflexe.

■ Le training autogène

Le training autogène, mis au point par le neurologue allemand Schultz dans les années 1920, est un ensemble d'exercices sans contre-indications, d'apprentissage et d'emploi faciles. L'entraînement commence par une formulation mentale très simple. Assis, les yeux fermés, le pratiquant se dit

Training autogène : posture assise, dite de « cocher de fiacre ».

d'abord : « Calme, je suis tout à fait calme... » Il est évident que l'évocation du calme favorise la détente et que le sens de cet « ordre » au niveau de l'inconscient n'est pas anodin. Après l'appel au calme, le training de Schultz comporte six stades. Chaque stade est constitué d'un exercice d'environ trois minutes à répéter trois fois par jour pendant à peu près une semaine. Puis, toujours en trois minutes, on répète chaque stade avant de passer au suivant pour aboutir à une formule globale comprenant les six stades simultanément et représentant le training proprement dit. L'acquisition demande ainsi peu de temps.

Que peut donc apporter le training autogène de Schultz ?

Par sa pratique systématique, ne nécessitant que quelques minutes par jour, on peut obtenir un rétablissement de l'équilibre psychophysiologique, une détente réparatrice, une régulation des fonctions organiques, une sensible augmentation des capacités vitales et de rendement, et également une bonne maîtrise de soi.

En thérapeutique, le training autogène est applicable aux maladies fonctionnelles, aux troubles neurofonctionnels, comme la migraine et l'insomnie, ainsi qu'aux troubles psychomoteurs, comme les tics et les bégaiements.

Dans le cadre de la vie quotidienne et active, pour bien gérer le stress, l'utilité d'une telle méthode aux applications multiples est évidente.

■ La sophrologie

À l'aide d'exercices de respiration, de concentration, de visualisation et de méditation, la sophrologie vise à développer, en complément à l'aspect cognitif déjà bien aiguisé dans nos sociétés, la capacité à percevoir les sensations physiques (sentir), les émotions (ressentir) et les intuitions (pressentir). Un entraînement sophrologique suivi permet d'améliorer la qualité du sommeil, de la vigilance (concentration, mémoire, capacité d'apprentissage) et du fonctionnement neurovégétatif et endocrinien. Elle peut aussi être utile dans le traitement d'affections psychosomatiques et de divers troubles du comportement. Comme dans le cas du training autogène, il n'y a pas pour la sophrologie de véritables contre-indications.

C'est le neuropsychiatre Alfonso Caycedo qui a mis au point dans les années 1950 l'approche sophrologique, à la suite de ses études sur la capacité de la conscience à s'autoréorganiser. La sophrologie est une synthèse des techniques de

Geste fondamental d'enracinement et de respiration dans la relaxation dynamique concentrative, en sophrologie.

relaxation et de détente proposées par Jacobson (décontraction musculaire) et Schultz (training autogène), ainsi que des exercices de respiration et de concentration yogiques, de visualisation et de contemplation bouddhistes et de méditation zen. Pour stimuler l'émergence ou le développement des trois fonctions les moins affinées de la conscience (sentir, ressentir, pressentir), la sophrologie fait d'abord appel à la relaxation physique et à la détente mentale. Le travail ou l'entraînement sophrologique ne peut en fait commencer que lorsque le sujet a appris à se plonger volontairement, par la détente et la relaxation, dans un état de conscience altérée, situé entre la veille et le sommeil, appelé état sophroliminal. C'est dans cet état, caractérisé par une augmentation de la mémoire, de l'assimilation et de l'imagination, que s'exerceraient le mieux les capacités d'intégration de la conscience.

Un entraînement sophrologique fait appel à deux catégories d'exercices : des techniques psychophysiques statiques et des exercices de relaxation dynamique.

Techniques psychophysiques

Pratiquées dans l'immobilité sous la direction d'un sophrologue, les techniques psychophysiques statiques obéissent à la séquence suivante :

Relaxation physique et détente mentale : à l'aide d'un protocole de même type que celui du training autogène, le thérapeute aide le sujet à relâcher progressivement toutes les tensions, de la tête aux pieds, puis il l'amène à s'installer mentalement au niveau sophroliminal.

Activation intrasophronique : à l'aide de divers exercices de concentration, de contemplation et de visualisation, le sophrologue dirige l'attention du sujet vers le passé, le présent ou le futur et exploite avec lui différentes possibilités de modification de la conscience dans le but de :
– améliorer la créativité, la mémoire et les capacités d'apprentissage et aussi l'aptitude de la conscience à se déplacer dans le temps ;
– diminuer, augmenter ou neutraliser certaines sensations physiques et certaines expressions émotionnelles ;
– déprogrammer ou reprogrammer certains comportements du sujet.

Désophronisation : c'est le retour à l'état de veille habituel à l'aide d'un protocole approprié.

Dialogue postsophronique : le thérapeute aide le sujet à verbaliser ce qu'il vient de vivre. C'est l'une des étapes les plus importantes de l'entraînement car elle constitue un moment intense d'intégration par le biais de la fonction cognitive de la conscience.

Exercices de relaxation dynamique

Les exercices de relaxation dynamique constituent une méthode active de détente musculaire et mentale qui permet d'éprouver un état d'harmonie du corps et de l'esprit. Simples et doux, ces exercices peuvent se pratiquer seul et se divisent en trois volets ou degrés :

Relaxation dynamique concentrative : adapté du yoga, le premier volet est axé sur la sensorialité (sentir) et comprend une combinaison d'exercices de respiration, de concentration sur les sensations physiques et de relaxation, surtout l'enracinement, la verticalité étant une position privilégiée de prise d'énergie (illustration ci-contre).

Relaxation dynamique contemplative : inspiré de techniques bouddhistes de contemplation, le deuxième volet se concentre sur les émotions (ressentir). Toute la conscience est dirigée sur ce que les cinq sens captent comme information et sur ce que la combinaison de cette information éveille comme émotions.

Relaxation dynamique méditative : le troisième volet, adapté de la méditation zen, est pour sa part axé sur les intuitions (ressentir). Dans une posture de méditation, il est consacré à la recherche d'un équilibre entre le corps et l'esprit et au développement de l'aptitude à observer de façon autonome les quatre fonctions de la conscience.

S'il n'y a pas véritablement de contre-indications à la sophrologie, car on voit mal comment la détente serait mal supportée, les spécialistes s'accordent pour dire que le risque de toute méthode de relaxation, c'est la banalisation. L'accompagnement du sophrologue doit être limité comparativement à l'investissement personnel du sujet, surtout que le but de l'entraînement est justement de développpper l'autonomie et la responsabilité individuelles. Volonté et discipline sont des nécessités.

Pour en connaître davantage sur la sophrologie ou trouver un thérapeute, on peut contacter l'Association des professionnels et professionnelles de la sophrologie du Québec, au 514-464-4935.

Glossaire médical

A

accident vasculaire cérébral Lésion d'une partie du cerveau due à l'interruption de son irrigation sanguine (par obstruction ou rupture d'un vaisseau).

acné rosacée Forme d'acné du visage apparaissant vers la quarantaine, avec congestion, dilatation des vaisseaux et réaction parfois intense des glandes sébacées.

adénopathie Nom générique désignant toute réaction des ganglions lymphatiques, qui deviennent gros, durs, souvent douloureux, sensibles à la palpation. On les sent surtout sur les côtés du cou, au-dessus de la clavicule, dans l'aisselle, dans l'aine.

aérobie Qui a besoin d'oxygène pour exister (germes aérobies, réaction aérobie).

aérogastrie Excès d'air dans l'estomac. Provoque parfois une distension gastrique.

agrégation plaquettaire Accolement de plaquettes (petites cellules sans noyau) sanguines adhésives entre elles et au point d'altération d'un vaisseau sanguin – première étape de l'hémostase. Elle précède la formation du caillot sanguin (coagulation) et joue un rôle dans la constitution de la plaque d'athérome (athérosclérose).

albuminurie Présence d'albumine dans les urines. Généralement signe d'un trouble rénal.

alexitère Qualifiait autrefois un médicament utilisé comme antidote.

algie Douleur touchant un organe ou une région, sans lésion anatomique apparente.

algodystrophie Troubles vasomoteurs et trophiques sous le contrôle du système nerveux sympathique. Douleur, gonflement, impotence (épaule, main, genou, pied), généralement après fracture ou traumatisme même peu sévères.

allergène Substance étrangère à l'organisme, capable d'entraîner une réaction allergique chez des sujets prédisposés.

allergisant Qui peut favoriser une réaction allergique.

amœbicide Qui tue les amibes.

amygdalite Inflammation des amygdales d'origine infectieuse. Fréquente chez les enfants.

anabolisant Qui favorise la croissance et la régénération des tissus.

anaérobie Qui ne peut se développer au contact de l'oxygène (germe anaérobie).

analgésique Qui diminue ou supprime la douleur.

angioprotecteur Synonyme de vasculo-protecteur.

antalgique Synonyme d'analgésique.

anthelminthique Synonyme de vermifuge.

antiarythmique Qui régularise le rythme cardiaque.

antiathérogène Qui s'oppose à la formation de plaques d'athérome vasculaire.

antibiotique a) Qui tue les micro-organismes ou empêche leur développement. b) Substance possédant cette propriété.

anticholinergique Qui bloque les effets de l'acétylcholine, entraînant en particulier relâchement musculaire et tarissement des sécrétions salivaires et bronchiques.

anticorps Substance fabriquée par le système immunitaire d'un organisme vivant en réponse à l'introduction d'un antigène et capable de neutraliser ce dernier. C'est le principe de la vaccination.

antiexsudatif Qui s'oppose au suintement (exsudat) d'une surface enflammée.

antifongique Qui tue les champignons ou empêche leur développement.

antigène Toute substance (protéine, cellule, bactérie, virus...) étrangère à un organisme vivant et capable, si elle y est introduite, de provoquer une réaction immunitaire de défense et la fabrication d'anticorps.

antihistaminique Qui bloque les effets de l'histamine, substance chimique libérée lors d'une réaction allergique.

anti-inflammatoire Qui s'oppose aux réactions inflammatoires de l'organisme.

antimitotique Qui empêche la division et la prolifération cellulaires.

antimycosique Synonyme d'antifongique.

antioxydant Substance qui s'oppose aux effets de l'oxygène.

antiputride Qui empêche la putréfaction.

antipyrétique Synonyme de fébrifuge.

antiseptique a) Qui tue les germes ou empêche leur développement. b) Substance qui possède ces propriétés.

antispasmodique Qui lève les spasmes, contractures, crampes de muscles volontaires et involontaires (muscles lisses).

antisudoral Qui s'oppose à la production de sueur.

antiulcéreux Qui s'oppose à la constitution des ulcères digestifs, soit en abaissant le taux d'acidité, soit en protégeant les muqueuses.

anurie Arrêt complet de la production d'urine par les reins ; signe d'un désordre grave de l'appareil urinaire. Non traité, conduit à l'urémie et à la mort.

apéritif Substance qui ouvre l'appétit (souvent préparations amères, alcoolisées ou non).

aphtose Affection associant aphtes buccaux et génitaux. Évolue par poussées récidivantes. La grande aphtose est une maladie rare de l'homme jeune (bassin méditerranéen, Japon) avec hypersensibilité cutanée et lésions oculaires.

artérite Inflammation dégénérative des artères, fréquente dans le diabète, l'athérosclérose. Peut évoluer vers l'obstruction (nécrose, gangrène) ou la dilatation (anévrisme) et la rupture.

arthralgie Douleur articulaire sans lésion apparente.

ascite Présence anormale de liquide dans la cavité péritonéale qui contient les viscères abdominaux.

astringent Qui resserre et contracte les tissus, les capillaires, les orifices, et tend à diminuer les sécrétions des muqueuses. Les plantes astringentes sont souvent antihémorragiques et provoquent parfois la constipation.

atonie Perte ou diminution de la tonicité d'un organe contractile.

auto-immune Se dit d'une maladie ou d'une affection provoquée par une réaction d'auto-immunisation.

auto-immunisation Réaction immunitaire anormale d'un organisme vivant qui fabrique des anticorps contre certains de ses propres constituants (protéines, cellules), devenus des antigènes (auto-antigènes). Provoque des maladies particulières, dites maladies auto-immunes (lupus érythémateux aigu disséminé, certaines anémies, thyroïdite, certains diabètes...).

B

bactériostatique Qui arrête la croissance ou la multiplication des bactéries.

béchique Qui calme la toux et les irritations du pharynx. Synonyme d'antitussif.

blépharite Inflammation du bord libre des paupières, qui devient rouge, parfois parsemé de squames blanches. Souvent sensation de brûlures et de démangeaisons.

bradycardie Rythme cardiaque particulièrement lent.

bronchiolite Inflammation des bronchioles (dernières ramifications bronchiques), souvent d'origine virale, touchant surtout les bébés et les jeunes enfants.

C

calcul Concrétion pierreuse anormale, qui prend naissance dans des liquides d'excrétion (urine, bile, larmes, salive) par précipitation de certains constituants minéraux et organiques (lithiase). Peut obstruer le canal excréteur.

candidose Nom générique des affections locales ou générales provoquées par des champignons du genre *Candida albicans*.

capillaire a) Qui concerne les cheveux ; fin comme un cheveu. b) Vaisseau sanguin minuscule, en réseau, conduisant le sang des artérioles aux veinules. Il existe aussi des capillaires lymphatiques.

capsulite a) Inflammation de la capsule articulaire (membrane fibreuse recouvrant les surfaces articulaires des os). b) Inflammation de la partie postérieure de la gaine du globe oculaire.

cardiomégalie Cœur volumineux. Parfois affection familiale, de cause inconnue.

cardiomyopathie Affection primitive du muscle cardiaque évoluant vers l'insuffisance cardiaque. La forme dilatée ou hypertrophique provoque une cardiomégalie.

cardiosédatif Qui abaisse l'excitabilité cardiaque.

cardiotonique Qui augmente la tonicité du muscle cardiaque.

carminatif Qui favorise l'expulsion des gaz intestinaux. Les plantes aromatiques sont souvent carminatives et stimulantes.

choc (état de) Brusque état de stupeur avec pâleur, angoisse, chute de la température et de la pression sanguine, perte de connaissance. Convulsions possibles, risque de mort.

choc anaphylactique État de choc d'origine allergique. Rare mais grave.

cholagogue Qui favorise la contraction de la vésicule biliaire et facilite l'évacuation de la bile du canal cholédoque vers l'intestin.

cholécystectomie Ablation chirurgicale de la vésicule biliaire.

cholécystite Inflammation de la vésicule biliaire.

cholécystocinétique Qui favorise l'excrétion de la bile contenue dans la vésicule biliaire.

cholélithiase Synonyme de lithiase biliaire.

cholérèse Sécrétion de la bile.

cholérétique Qui stimule la sécrétion de la bile par le foie.

colibacillose Nom générique des affections provoquées par le colibacille, atteignant notamment l'appareil urinaire (urétrites, cystites). Présent naturellement dans l'intestin, le colibacille peut devenir pathogène dans certaines conditions, provoquant diarrhées infantiles, choléra (colibacilloses intestinales).

coronodilatateur, coronarodilatateur a) Qui dilate les vaisseaux coronaires du myocarde. b) Médicament ou procédé considéré comme capable de dilater les vaisseaux coronaires.

couperose Synonyme d'acné rosacée.

cyanose Coloration bleuâtre de la peau et des muqueuses due à un taux élevé d'hémoglobine sans oxygène dans le sang. Due au ralentissement de la circulation périphérique en cas de froid, elle peut révéler, à température normale, une mauvaise circulation sanguine périphérique, une maladie cardiaque ou pulmonaire, une intoxication avec mauvaise oxygénation du sang...

cytostatique Qui bloque la multiplication cellulaire.

D

déchlorurant Qui diminue la concentration en chlorures d'une solution. Un diurétique a un effet déchlorurant quand il augmente l'excrétion urinaire des chlorures (essentiellement chlorure de sodium).

dépuratif Qui purifie l'organisme en éliminant déchets, toxines, poisons par les selles (laxatif), par les urines (diurétique) ou par la sueur (sudorifique).

dermatophytose Nom générique donné à des infections cutanées (teignes, onychomycoses, épidermophytes) dues à des champignons parasites microscopiques appelés dermatophytes.

dermatose Terme générique désignant toute affection de la peau.

dermite Inflammation cutanée.

diète hydrique Consommation exclusive d'eau (avec éventuellement complément en sels minéraux et vitamines).

diurèse Élimination urinaire, en volume et en composition.

diurétique a) Qui augmente la sécrétion urinaire. b) Substance accroissant sélectivement ou globalement la sécrétion rénale de l'eau, des résidus organiques (urée, ammoniaque, acide urique...) et des sels. Certains diurétiques ont un effet rapide et massif, d'autres une action plus douce et plus prolongée.

diverticulose Présence de diverticules (petites cavités en cul-de-sac, souvent en saillie) en un ou plusieurs points du tube digestif (œsophage, intestin grêle, côlon surtout). Risque d'inflammation et de perforation.

dolichocôlon Segment de côlon anormalement long, parfois de calibre augmenté (mégacôlon), pouvant provoquer constipation ou colite.

dyspareunie Douleur durant les rapports sexuels chez la femme, sans contractures de la vulve.

dyspnée Respiration pénible ou difficile, souvent associée à une modification du rythme, parfois accompagnée d'une sensation de gêne ou d'oppression.

dystrophie Troubles de la nutrition d'un tissu, d'un organe, avec lésions associées.

E

émétique Qui provoque les vomissements.

emménagogue Qui provoque ou régularise les règles.

émollient Qui apaise et ramollit les tissus enflammés.

emphysème a) **cutané :** infiltration gazeuse diffuse du tissu cellulaire souscutané. b) **pulmonaire :** dilatation et destruction des bronchioles et des alvéoles pulmonaires associant dyspnée, surinfec-

tions à répétition et insuffisance respiratoire progressive.

épiphysite Synonyme d'ostéochondrite.

épistaxis Saignement du nez.

éréthisme État d'excitation d'un organe pouvant entraîner une réaction démesurée.

érysipèle Placard rouge surélevé dû à une infection de la peau par le streptocoque hémolytique. Siège surtout à la face. Fièvre, douleurs articulaires, démangeaisons.

érythème Nom générique d'affections cutanées caractérisées par une rougeur de la peau disparaissant à la pression.

eupeptique Qui facilite la digestion.

eupnéique Qui facilite et régularise la respiration.

eutrophique Qui permet le développement harmonieux et régulier de tout ou partie du corps humain.

expectorant Qui favorise l'expulsion des sécrétions bronchiques et pharyngées.

F

fébrifuge Qui combat la fièvre ou en prévient les accès.

fibrinolytique Qui dissout les caillots sanguins.

fibrome Dénomination impropre du fibromyome, tumeur bénigne (unique ou multiple) de la musculature de l'utérus.

flatulences, flatuosités Production de gaz gastro-intestinaux provoquant un ballonnement plus ou moins important. Émission possible de gaz par la bouche.

fluidifiant Qui rend les sécrétions bronchiques plus liquides, donc plus faciles à expectorer. Certains fluidifiants ont une action dépurative sur le sang.

G

galactogogue Qui favorise ou active la sécrétion de lait chez les femmes qui allaitent.

gastralgie Douleur ayant l'estomac pour origine et pour siège le creux épigastrique (région de l'abdomen située juste sous le sternum).

gastroentérite Inflammation des muqueuses de l'estomac et de l'intestin. Souvent intoxication alimentaire avec vomissements et diarrhées. Guérit normalement en deux ou trois jours. Il faut assurer la compensation des pertes hydriques.

germe Synonyme de bactérie.

glycémie Présence de glucose dans le sang. Par extension, taux sanguin de glucose.

gonadotrope, gonadotrophique Qui stimule l'activité des glandes sexuelles.

gynécomastie Développement anormal de la glande mammaire chez l'homme.

H

hématurie Présence de sang dans les urines. Peut être due à une infection (cystite, urétrite...), des parasites (bilharziose), une atteinte rénale (néphrite, cancer...).

hémolyse Destruction du globule rouge. Processus normal pour renouveler les hématies du sang. Peut être excessive et anormale (hématie anormalement fragile, anomalie immunologique, intoxication).

hémoptysie Rejet par la bouche d'une quantité plus ou moins abondante de sang provenant des voies respiratoires, parfois sous forme de crachats plus ou moins sanguinolents. Nécessite toujours une consultation médicale rapide.

hémostase Ensemble de réactions biologiques naturelles destinées à interrompre une hémorragie. La première étape consiste en un colmatage de la brèche par vasoconstriction et agrégation des plaquettes, la seconde concerne la coagulation proprement dite du sang avec formation du caillot.

hémostatique Se dit de tout moyen capable d'arrêter un écoulement sanguin, une hémorragie (compression, vasoconstriction, facteurs de coagulation, vitamines K, P...).

hépatique Qui concerne le foie et les voies biliaires.

hyperazotémie Quantité anormalement élevée de produit d'excrétion azotée (urée, acide urique...). Caractérise généralement un mauvais fonctionnement rénal.

hyperazoturie Taux anormalement élevé d'urée dans les urines.

hypercalcémie Taux anormalement élevé de calcium dans le sang. S'observe dans les hypervitaminoses D, le syndrome du lait et des alcalins, certaines maladies osseuses.

hypercholestérolémie Taux anormalement élevé de cholestérol dans le sang.

hyperglycémie Taux anormalement élevé de glucose dans le sang.

hyperkaliémie Taux anormalement élevé de potassium dans le sang.

hypertenseur Qui provoque l'élévation de la pression du sang dans les artères.

hypertensif Qui s'accompagne d'une hausse de la pression du sang dans les artères ou la provoque.

hypnotique a) Qui induit le sommeil ; synonyme de somnifère. b) Qui concerne l'hypnotisme.

hypoazotémie Taux anormalement bas de produits d'excrétion azotée dans le sang. S'observe dans les dénutritions, les malnutritions azotées.

hypocalcémie Taux anormalement faible de calcium dans le sang. Peut accompagner rachitisme, ostéoporose, tétanie, spasmophilie.

hypocholestérolémiant Qui abaisse le taux de cholestérol dans le sang.

hypoglycémiant Qui fait baisser le taux de glucose dans le sang.

hypoglycémie Taux anormalement bas de glucose dans le sang.

hypokaliémie Taux anormalement bas de potassium dans le sang.

hypolipémiant Qui abaisse le taux des triglycérides (variété de lipides) sanguins.

hypolipidémiant Qui abaisse le taux de lipides dans le sang.

hypotenseur Qui provoque une baisse de la pression du sang dans les artères.

hypotensif Qui s'accompagne d'une baisse de la pression du sang dans les artères ou la provoque.

hypotriglycéridémiant Synonyme d'hypolipémiant.

I

iatrogène Littéralement « engendré par le médecin ». Se dit de maladies, d'accidents, d'effets provoqués par les traitements médicaux, médicamenteux, chirurgicaux.

immunité Protection naturelle, congénitale ou acquise, contre différents agents infectieux (microbes, virus) et contre des cellules ou des molécules étrangères. Est assurée par le système immunitaire de chaque individu.

immunodéficience Diminution ou disparition des moyens de défense immunitaire. Peut être congénitale, consécutive à un traitement immunodépresseur ou provoquée par une affection virale (sida : syndrome d'immunodéficience acquise).

immunodépresseur a) Qui supprime ou réduit les réactions immunitaires de l'organisme. Se dit des rayons X, de divers toxiques, d'agents bactériens ou viraux, de certains médicaments. b) Médicament utilisé pour neutraliser les réactions immunitaires (rejet dans les greffes d'organes, par exemple).

immunostimulant Qui déclenche ou stimule des réactions plus ou moins spécifiques du système immunitaire contre des antigènes.

impétigo Infection cutanée contagieuse, banale chez l'enfant. Petites vésicules, croûtes jaunâtres sur fond rouge ulcéré. Siège au visage (autour du nez et de la bouche) et sur les mains.

induration Durcissement d'un tissu, le plus souvent dû à une inflammation, une infiltration, une poche de liquide ou une tumeur.

infarctus Nécrose non infectieuse d'un fragment de tissu ou d'organe, provoquée par un défaut d'irrigation sanguine (infarctus du myocarde, cérébral...). Toujours grave.

infiltration séreuse Envahissement d'un tissu cellulaire par une sérosité.

insuffisance coronarienne Défaut d'apport du sang au myocarde dû à une anomalie ou à un rétrécissement d'une ou de plusieurs artères coronaires. L'angine de poitrine en est la principale manifestation.

insuffisance veineuse Difficulté de circulation du sang généralement due à la mauvaise qualité du réseau veineux superficiel, provoquant une stagnation du sang et un ensemble de troubles (varices, ulcères, périphlébite, œdème, induration...). Surtout aux jambes.

insuffisance respiratoire Impossibilité de maintenir par la respiration les taux normaux d'oxygène et de gaz carbonique dans le sang. Due à un défaut de ventilation (central ou local par obstruction ou réduction de l'appareil respiratoire) ou à une altération bronchiolo-alvéolaire (emphysème, bronchite chronique). Aiguë ou chronique, associe dyspnée, cyanose, respiration superficielle. Requiert des soins appropriés.

intertrigo Inflammation microbienne ou mycosique d'un pli de la peau (nuque, aisselle, coude, poignet, doigt, fente et plis fessiers, périnée, partie arrière du genou, orteil...). Favorisé par obésité, transpiration, manque d'hygiène.

ischémie Insuffisance ou arrêt de l'irrigation sanguine d'un tissu, d'un organe ou d'un membre. Aiguë, elle peut être transitoire (doigts blancs) ou définitive (provoquant nécrose, infarctus...). Chronique, elle est surtout due à l'athérosclérose, qui obstrue progressivement les artères nourricières correspondantes.

K

kératinisant Qui favorise la kératinisation.

kératinisation Transformation des couches superficielles de la peau ou d'une muqueuse par infiltration de fibres de kératine (protéine fibreuse) produisant un tissu plus résistant mais moins souple, moins perméable, plus cassant.

kyste Cavité fermée sans communication avec son environnement, pouvant contenir une substance liquide, pâteuse ou même un gaz. Pathologique, mais généralement non cancéreux, peut siéger dans différents organes (ovaire, foie, rein, poumon, os, glande sébacée...). Peut atteindre des tailles volumineuses.

L

laxatif a) Qui facilite l'évacuation des selles. b) Purgatif léger.

leucorrhée Chez la femme, écoulement vulvaire d'une mucosité blanchâtre ou jaunâtre, plus ou moins purulente. Due habituellement à une infection vaginale microbienne, parasitaire ou mycosique. Synonyme de pertes blanches.

lichen plan Dermatose courante d'évolution chronique caractérisée par de petits boutons roses ou violacés, brillants, très prurigineux, siégeant aux poignets, aux avant-bras, à la partie inférieure des jambes, parfois dans la bouche.

lithiase Présence de calculs dans une glande ou un réservoir : lithiase biliaire, rénale, vésicale, salivaire, lacrymale...

lupus érythémateux a) **aigu** Maladie auto-immune grave. Placards cutanés rouge-violet sur les mains et le visage, douleurs articulaires, fièvres, amaigrissement, asthénie, lésions cardiaques, rénales, pulmonaires. Parfois provoqué par des médicaments, guérit alors à l'arrêt du traitement. b) **chronique** Maladie tenace, généralement bénigne. Plaque indurée rouge, squameuse, bien limitée, atrophiée au centre. Siège sur les zones de la peau exposées au soleil (visage, oreilles, cuir chevelu, mains).

lymphangite Inflammation des vaisseaux lymphatiques. Souvent provoquée par une blessure infectée.

lymphatisme État dystrophique de l'enfance, avec asthénie, augmentation du volume des ganglions lymphatiques et des amygdales, mollesse, infiltration de la peau. Affection mal définie.

lymphœdème Accumulation anormale de lymphe dans les tissus, pouvant provoquer le gonflement d'un membre.

M

mégacôlon Dilatation très importante d'une partie du côlon, accompagnée habituellement d'une distension importante de l'abdomen et d'une constipation chronique sévère.

météorisme Synonyme de flatulences.

mucilagineux Qui contient des glucides se gonflant à l'eau pour former une solution visqueuse, le mucilage.

mucolytique Synonyme d'expectorant.

mucus Substance plus ou moins visqueuse sécrétée par de petites glandes parsemées à la surface des muqueuses. Joue un rôle protecteur et lubrifiant.

muqueuse Tissu cellulaire (épithélium) humide qui tapisse l'intérieur des appareils respiratoire, digestif, génito-urinaire.

muqueux a) Qui concerne le mucus ou qui en possède les caractéristiques (viscosité, épaisseur). b) Qui se rapporte à une muqueuse.

mycose Nom générique donné à toute affection provoquée par un champignon.

myxœdème Infiltration et épaississement de la peau, ralentissement de toutes les fonctions, lenteur intellectuelle. Dû à une insuffisance thyroïdienne. Chez l'enfant, arrêt du développement et de la puberté, arriération mentale.

N

natriurétique Qui se rapporte à l'élimination urinaire du sodium.

naturopathie Ensemble de pratiques de prévention et de soins reposant sur les capacités individuelles de guérison, la limitation ou la suppression des médicaments, une nouvelle hygiène de vie et d'alimentation, le recours à des remèdes naturels.

naturothérapie Discipline proche de la naturopathie. Plus médicalisée, mise en œuvre par des médecins.

nécrose Interruption pathologique et irréversible de processus vitaux au sein d'une cellule, d'un tissu ou d'un organe, suivie de mortification et de destruction (os, peau, myocarde, cerveau).

néphrite Maladie inflammatoire des reins. Aujourd'hui synonyme de néphropathie, nom générique de toute affection rénale.

neuroleptique Qui calme l'agitation et diminue l'activité neuromusculaire. Caractérise un groupe de médicaments sédatifs et antipsychotiques qui atténuent agressivité, idées délirantes, hallucinations.

neurovégétative (dystonie) Troubles de l'excitabilité des systèmes nerveux sympathique et parasympathique pouvant provoquer un dérèglement fonctionnel des grands appareils (cardiaque, vasculaire, digestif, respiratoire, sexuel...) et des fonctions correspondantes.

névrite Terme générique pour désigner toute affection inflammatoire ou dégénérative (sauf le cancer) atteignant un nerf. Synonyme de neuropathie.

névrose Nom générique de toutes les affections psychiques évoluant sans atteinte de la personnalité du patient, qui a conscience du caractère pathologique des symptômes (angoisse, asthénie, obsessions, phobies, hystérie...) sans pouvoir s'en débarrasser.

O

ocytocique Qui hâte l'accouchement et renforce les contractions utérines.

œstrogénique Se dit d'une substance qui produit des effets comparables à ceux des œstrogènes (hormones féminines provoquant l'ovulation et favorisant la fécondation).

oligurie Production anormalement faible d'urine.

ostéomalacie Déminéralisation du squelette osseux chez un adulte, due à un déficit ou à une perte excessive de vitamine D, de calcium (néphrite, grossesse, allaitement). Appelée rachitisme chez l'enfant (avec déformations osseuses, anémie, adénopathies).

ostéochondrite Trouble dystrophique de certaines régions ostéocartilagineuses (épiphyses, apophyses, petits os, vertèbres) entraînant douleur, impotence, déformation. Sans doute due à un défaut de l'irrigation sanguine. Peut régresser chez le jeune.

P

pancréatite Inflammation du pancréas, aiguë ou chronique. Affection toujours très grave.

parodontose Affection dégénérative du tissu de soutien de la dent (gencive, ligament alvéolaire, cément, os alvéolaire) ou parodonte. Destruction et chute de la dent.

pathogène Qui constitue un facteur de maladie (bactérie, agent chimique, situation, comportement).

pectoral Qui exerce une action bénéfique sur l'appareil respiratoire. Les plantes béchiques et les plantes expectorantes sont des pectorales.

pédiculose Dermatose prurigineuse localisée ou généralisée provoquée par la présence d'un grand nombre de parasites de la famille des poux.

périphlébite Inflammation du tissu conjonctif entourant une veine. Parfois utilisée pour parler de phlébite de veines superficielles ou de phlébite variqueuse.

péristaltisme Contractions plus ou moins rythmées de la musculature de l'estomac et des intestins assurant le brassage et la progression des débris alimentaires le long de l'appareil digestif.

phlébite Inflammation d'une veine, souvent accompagnée de la formation d'un caillot, qui peut se détacher et provoquer une embolie.

phlyctène Soulèvement de l'épiderme, rempli d'une sérosité limpide. Les bulles (ou ampoules) et les vésicules sont des phlyctènes.

phosphène Sensation lumineuse sans stimulation externe par la lumière.

photophobie Sensibilisation anormale ou intolérance à la lumière.

photosensibilisation Réaction anormale au soleil, qui se manifeste souvent par une éruption cutanée. Peut être due à l'absorption de certains médicaments (psoralènes), à certaines maladies (porphyries), à une réaction allergique.

pityriasis versicolor Dermatose faite de taches blanches, brunes ou saumonées, sur le cou et le tronc, provoquée par un champignon parasite.

pléthorique Synonyme d'obèse.

polynévrite Atteinte symétrique d'un nerf ou d'un groupe de nerfs périphériques. Déficit moteur, souvent syndrome douloureux associé. Origine toxique, infectieuse ou héréditaire.

provitaminique Se dit d'une substance chimique qui est le précurseur d'une vitamine et qu'une simple réaction chimique transformera en cette vitamine. Ainsi, les carotènes sont des précurseurs de la vitamine A. On parlera de leur caractère provitaminique.

psychose Nom générique des maladies mentales où le sujet n'est pas conscient des troubles, dits psychotiques, touchant sa personnalité et ses comportements.

psychotrope Qui a une action sur le psychisme.

purgatif Substance provoquant une accélération du transit intestinal et de l'évacuation des selles. Leur abus peut provoquer une irritation de la muqueuse intestinale.

purulent Qui se rapporte au pus ou qui en contient.

pyodermite Terme générique désignant des lésions suppuratives de la peau, généralement de nature infectieuse comme les furoncles ou l'impétigo.

Q

Quincke (œdème de) Variété d'urticaire avec infiltrations œdémateuses, localisées, prurigineuses, parfois considérables. Localisé à la face, mais peut atteindre la bouche ou le larynx, avec risque d'asphyxie. Poussées parfois fébriles pendant des années. De nature allergique, sauf la forme héréditaire.

R

rachitisme Maladie de l'enfance entraînant des déformations du squelette osseux. Ostéomalacie due, le plus souvent, à un déficit en vitamine D.

rectocolite Inflammation simultanée du côlon et du rectum.

résolutif a) Qui réduit un engorgement, une inflammation. b) Médicament susceptible de faire disparaître une inflammation sans qu'il y ait suppuration.

révulsif Produit qui, en application externe, provoque un afflux de sang au niveau de la peau, avec rougeur et échauffement, et contribue ainsi au décongestionnement d'un organe interne malade.

rhinite Inflammation de la muqueuse nasale, avec obstruction et écoulement.

rhumatisme Terme générique désignant toute affection se caractérisant par des douleurs et une fluxion au niveau d'une ou de plusieurs articulations ainsi que des tissus voisins.

rhume Inflammation des fosses nasales avec hypersécrétion de la muqueuse. Obstruction nasale partielle, écoulement liquide plus ou moins fluide. Synonyme de coryza.

rubéfiant Substance médicamenteuse qui produit une congestion intense et passagère de la peau.

S

sclérose Modification pathologique des propriétés mécaniques d'un organe ou d'un tissu, caractérisée par une perte de souplesse, une fragilité et une tendance à la rupture sous la pression ou le choc.

sédatif Qui calme et régularise l'activité d'un organe ou d'un appareil.

séreuse Fine membrane cellulaire qui tapisse les grandes cavités anatomiques (péritoine, plèvre, péricarde) ainsi que les organes qui s'y trouvent (appareils digestif et urinaire, poumons, cœur) afin de permettre les mouvements naturels des uns par rapport aux autres (péristaltisme, respiration, contraction).

séreux a) Qui se rapporte à une sérosité. b) Qui se rapporte à une séreuse.

sérosité a) Liquide limpide, incolore ou légèrement jaune trouvé dans les épanchements non inflammatoires, les phlyctènes, les œdèmes, les tissus infiltrés. b) Liquide présent naturellement en faible quantité entre les feuillets des séreuses.

spasme laryngé Contracture tétanique des cordes vocales. a) **du nourrisson :** brusque accès de suffocation, arrêt respiratoire, cyanose, au cours d'une maladie aiguë. b) **de l'enfant :** spasme au cours d'une crise de tétanie. c) en début d'anesthésie générale. Dans tous les cas, tubage du larynx indispensable. Synonyme de laryngospasme, spasme glottique.

spasmolytique Synonyme d'antispasmodique.

sténose Rétrécissement d'un canal ou d'un organe tubulaire.

stomachique Synonyme d'eupeptique.

sudorifique Qui stimule la transpiration.

T

tachycardie Rythme cardiaque particulièrement rapide.

tétanos Maladie généralement mortelle due au bacille de Nicolaier. Provoqué par une plaie souillée. Contractures douloureuses intenses avec hyperexcitabilité sensorielle et neuromusculaire. Protection par la vaccination ou par injection de sérum.

thrombose Formation d'un caillot sanguin (thrombus) dans un vaisseau sanguin ou dans une cavités cardiaques.

trophiques (troubles) Se dit de troubles dus à la mauvaise nutrition et à la mauvaise vascularisation d'un tissu, d'un organe, d'un membre. Souvent en rapport avec des lésions des nerfs ou des vaisseaux correspondants. Au niveau d'un membre, cyanose, atrophie musculaire, refroidissement, cicatrisation difficile, escarres aux points d'appui, ulcérations cutanées...

U

urétrite Inflammation de la muqueuse de l'urètre. Généralement infectieuse, le plus souvent due au gonocoque.

urticaire Réaction allergique de la peau avec petites boursouflures, démangeaisons. Fréquente après piqûres de moustique, d'ortie, certains aliments, certains médicaments.

urticaire géante (rare) Éruption d'urticaire très étendue pouvant provoquer des difficultés respiratoires. Parfois accompagnée de fièvre, adénopathies, arthralgies. Risque de choc. Urgence médicale.

V

vasculoprotecteur Qui protège les vaisseaux sanguins. Se dit de divers produits naturels (flavones, catéchol, rutine...) doués d'une activité vitaminique P.

vasoconstricteur Qui réduit le calibre des vaisseaux sanguins.

vasodilatateur Qui dilate les vaisseaux sanguins.

vasomoteurs (troubles) Troubles circulatoires dus à la constriction ou à la dilatation des vaisseaux sanguins. Ils sont souvent en relation avec une dystonie neurovégétative.

veino-occlusif (syndrome) Contraction spasmodique des parois d'une veine avec réduction transitoire de son calibre. Synonyme de veinospasme, phlébospasme.

veinotonique Qui accroît la tonicité des parois veineuses. Synonyme de phlébotonique.

vermifuge Qui expulse les vers de l'intestin. On utilise des plantes différentes selon le ver en cause.

vésicant Qui provoque l'apparition de phlyctènes cutanées.

virose Nom générique de toute maladie provoquée par un virus.

vitaminique Qui possède les propriétés d'une vitamine. Définit souvent un extrait naturel ou un mélange de plusieurs substances, qui possède les propriétés d'une ou de plusieurs vitamines sans que celles-ci soient isolées à un niveau de purification.

vitiligo Trouble fréquent de la pigmentation cutanée avec apparition de plaques blanches, bien dessinées, entourées d'une zone plus pigmentée.

vulnéraire Qui contribue à la cicatrisation des plaies et à la guérison des contusions.

Index

Les chiffres en caractères gras renvoient aux sujets développés dans un chapitre, ou à tout un chapitre.
Les chiffres en maigre, aux noms cités dans les textes.